La Sélection

CHARTIER

2012

francoischartier.ca

Guide des vins
et d'harmonisation
avec les mets

LES ÉDITIONS
LA PRESSE

Catalogage avant publication de Bibliothèque et Archives nationales du Québec et Bibliothèque et Archives Canada

Chartier, François

La sélection Chartier

« Guide des vins et d'harmonisation avec les mets ».

Comprend un index.

ISSN 1711-2958

ISBN 978-2-923681-80-1

1. Vin. 2. Vin - Dégustation. 3. Vin - Service. 3. Accord des vins et des mets. I. Titre.

TP548.2.C42   641.2'2   C2004-300389-3

Directrice de l'édition
Martine Pelletier

Conception graphique
Bernard Méoule
Cyclone Design
Claude Baillargeon

Infographie
Claude Baillargeon

Révision linguistique et collaboration
Nicole Henri

Correction d'épreuves
Nicole Henri

Recherche et support rédactionnel
Carole Salicco

Gestion de base de données
Annie Pelletier

Photos couvertures 1
Michel Bodson, Studio F2.8

Photos intérieur
François Chartier

Dépôt légal – Bibliothèque et Archives nationales du Québec, 2011
Dépôt légal – Bibliothèque et Archives Canada, 2011
3e trimestre 2011
ISBN : 978-2-923681-80-1

Imprimé et relié au Canada
Impression : Interglobe

LES ÉDITIONS
LA PRESSE

Présidente
Caroline Janet

7, rue Saint-Jacques
Montréal (Québec)
H2Y 1K9

514 285-7127

TABLE DES MATIÈRES

INTRODUCTION
LA SÉLECTION CHARTIER 2012

Déjà 16 ans de rapports qualité-prix, d'harmonies vins et mets simplifiées et d'innovations!

Voilà maintenant 16 ans que François Chartier vous guide dans les vignobles du monde entier – et dans les allées de la SAQ –, à la découverte de cépages, de bonnes bouteilles et de nouvelles harmonies. Fidèle témoin de ses pérégrinations, sa *Sélection Chartier* est devenue LE grand rendez-vous annuel de la sommellerie au Québec, tant pour les néophytes que pour les amateurs et les professionnels, et **toujours le seul guide d'achat à proposer des mets en harmonie avec tous les vins**. Autant dire que l'édition 2012, qui sonne le 16e anniversaire du célèbre guide, s'annonce comme un millésime exceptionnel!

16 ans de découvertes inspirantes

Depuis la toute première mouture du guide, François Chartier a goûté pas moins de 55 000 vins! Cette expérience unique lui permet à nouveau de dresser son **« TOP 100 CHARTIER »** des crus préférés de l'auteur, à acheter les yeux fermés!

Chartier signale cette année, en plus du **« TOP 100 CHARTIER »** de ses 100 crus préférés de l'heure, les vins, bières et spiritueux qui lui ont procuré le plus de satisfaction lors de ses exhaustives séances de dégustations et d'harmonies. Et ce, n'onobstant leur prix. Seule la vibration que le produit lui a procurée est ici prise en compte. Plus de 200 crus ont ainsi reçu de l'auteur le nouveau sceau « 🍷 », pour un total de plus de 370 incluant les 100 vedettes du **« TOP 100 CHARTIER »**.

Depuis de nombreuses éditions déjà, *La Sélection Chartier* est et demeure le seul guide des vins québécois à commenter de multiples vins en primeur, avant leur mise en marché à la SAQ. L'auteur ayant un accès privilégié à des centaines d'échantillons de vins qu'ils dégustent en exclusivité avant leur mise en marché au Québec. Cette année, ce sont **175 nouveaux crus commentés en primeur** parmi les prochains arrivages de la SAQ, tous répertoriés dans un judicieux et pratique *Calendrier des futurs arrivages 2011/2012* (voir à la page 29).

16 ans de découvertes harmoniques passionnées

Plus qu'un simple guide du vin, *La Sélection Chartier* a toujours su voir au-delà du verre, en conjuguant dégustation et gastronomie. Premier à proposer des harmonies vins et mets dans un guide d'achat, il est aujourd'hui le seul à intégrer **l'harmonie aromatique**, discipline dont François Chartier est le maître.

Cette année, *La Sélection* innove à nouveau en étant le seul guide des vins à proposer une grande partie de ses harmonies vins et mets avec les recettes publiées jusqu'ici dans ses livres de recettes, tout comme avec les recettes de sa toute nouvelle collection *Papilles pour tous! Cuisine aromatique d'automne* et *Cuisine aromatique d'hiver*.

Donc, **900 nouveaux vins pour réussir vos harmonies avec les recettes signées** *Papilles*.

16 ans de conseils très pratiques

Au fil des ans, *La Sélection Chartier* s'est enrichie d'outils et de rubriques susceptibles de rendre les conseils de François Chartier le plus accessibles possible. Cette édition 2012 ne fait pas exception, grâce notamment aux cinq palmarès thématiques qui permettent d'identifier, en un clin d'œil, les meilleurs crus et les aubaines de l'heure:

- **«TOP 100 CHARTIER»** des crus préférés de l'auteur
- **«TOP 30 BAS PRIX»** des aubaines à moins de 15 $
- **«TOP 10 SPIRITUEUX»** des meilleures eaux-de-vie
- **«TOP 10 ROSÉS»** des meilleurs rosés de l'année
- **«TOP 15 DES BIÈRES DE MICROBRASSERIES QUÉBÉCOISES»**

16 ans de nouveautés!

Sans oublier **un aide-mémoire harmonique simplifié des principaux cépages**, revu et augmenté à nouveau, à la lumière des plus récentes découvertes de l'auteur, ainsi qu'avec toutes les recettes de ses différents livres, dont, en primeur, celles de la nouvelle collection *Papilles pour tous!* L'harmonie des cépages et des recettes de Chartier n'aura jamais été aussi simple! D'autant plus qu'une nouvelle section **«aide-mémoire harmonique simplifié des principaux types de bières»** fait son apparition cette année!

François Chartier rencontre Robert Parker Jr.

Une rare et exclusive entrevue avec l'un des hommes les plus influents dans l'univers du vin, voici à ce quoi Chartier vous convie dans ce résumé de l'entrevue parue en exclusivité dans sa chronique du quotidien *La Presse*, le 25 juin 2011, ainsi qu'en version longue et détaillée sur son site **www.francoischartier.ca**. S'y ajoutent quelques percutants extraits signés Robert Parker Jr.

Le seul guide des vins à offrir depuis maintenant 16 ans des harmonies vins et mets basées sur des recherches scientifiques, tout en étant accessibles tant pour la cuisine de tous les jours que pour les repas de fêtes

François Chartier approfondit les accords vins et mets depuis plus de vingt ans. Au fil de ses expérimentations, il a découvert, à la fin des années quatre-vingt-dix, que certains ingrédients – qu'il a nommés « *ingrédients de liaison* » – étaient les catalyseurs les plus importants de la réussite de l'harmonie vins et mets.

Au cours des cinq dernières années, il a élevé ses expérimentations au rang de recherches scientifiques, dans le dessein de cartographier les composés volatils – les molécules à la base des arômes et des saveurs – des vins et des aliments, et plus particulièrement de ses « ingrédients de liaison ».

Pour y parvenir, il cumule plus que jamais les collaborations et les rencontres, tant au Québec qu'en Europe, avec des chercheurs en science de l'alimentation et en biologie moléculaire, ainsi qu'avec des œnologues et de grands chefs novateurs.

Les lecteurs de *La Sélection Chartier* plus que jamais en première ligne des résultats de recherches en « harmonies et sommellerie aromatiques »

Avant même que le livre *Papilles et Molécules*, premier tome de cette nouvelle odyssée de référence portant sur ses recherches détaillées en harmonies et sommellerie aromatiques ne soit publié, en juin 2009, les trois précédentes éditions de *La Sélection Chartier*, de 2008 à 2010, profitaient déjà des résultats des recherches menées par François Chartier. Depuis l'édition 2010, *La Sélection* en est complètement contaminée! Ce qui sera le cas en 2012. Sans tambour ni trompette, les **3 500 combinaisons vins et mets** de cette édition 2012 en sont fortement influencées comme aucun autre livre sur le sujet.

Son travail de recherche harmonique étant en constante évolution, Chartier vous livre, au fil des commentaires, de multiples vins – commentaires que nous avons colorés en orangé pour un repérage et une lecture plus aisés –, une partie de ses nouvelles pistes aromatiques, acquises depuis la parution du tome I de son livre *Papilles et Molécules*, qui n'ont donc pas encore été publiées, plaçant ce guide des vins et d'harmonisation avec les mets à l'avant-garde de la création en cuisine, tout comme dans l'union de l'assiette et du verre.

Grâce à sa meilleure compréhension des aliments, il s'assure que tous les ingrédients qui entrent dans les nombreuses harmonies qu'il propose sont « véritablement » en accord avec les vins de *La Sélection Chartier*. Aucun guide des vins, et ce, tant au Québec qu'à l'étranger, ne peut se targuer aujourd'hui de proposer des harmonies aussi justes, précises et originales, confirmées tant par la science que par l'analyse sensorielle, tout en étant accessibles à tout un chacun.

Les recherches aromatiques plus que jamais au service des plaisirs de la table, grâce à *La Sélection Chartier 2012*, édition 16e anniversaire, plus communicative et ludique que jamais!

COMMENT UTILISER
LA SÉLECTION CHARTIER 2012

Comment s'effectue le choix des vins commentés?

Comme ce fut le cas dans les quatorze précédentes éditions, le choix des vins commentés dans *La Sélection Chartier 2012* s'effectue à partir de trois critères:

■ Premièrement, *La Sélection Chartier* étant, depuis sa toute première édition en 1996, un guide d'achat des vins et «d'harmonisation vins et mets» – ce dernier point singularise cet ouvrage dans l'univers mondial de la publication de «guides d'achat des vins», tous axés uniquement sur les vins –, il serait difficile, et pour le moins étrange, de composer des harmonies avec des vins de qualité médiocre... d'où l'absence de ces vins jugés moins intéressants dans *La Sélection*.

■ Deuxièmement, seuls les vins jugés de qualité satisfaisante sont retenus parmi les 2 500 à 3 000 vins dégustés bon an mal an par l'auteur, en mettant tout particulièrement l'accent sur les crus présentant un très bon, voire un excellent rapport qualité-prix.

■ Troisièmement, parmi les vins jugés de très bonne qualité et présentant un excellent rapport qualité-prix, seuls les produits disponibles à la SAQ au moment de la parution de *La Sélection* sont privilégiés. Aussi, chaque année, l'auteur aime bien conduire les lecteurs vers de nouveaux horizons, d'où l'absence de certains vins de qualité qui mériteraient d'y figurer. De plus, comme l'auteur a l'opportunité de déguster des centaines de vins en primeur, avant leur arrivée au Québec, une place de choix est offerte aux futurs arrivages, donc aux vins qui seront mis en marché entre le mois d'août 2011 et le mois de juin 2012 (les dates de disponibilité sont indiquées à chacun de ces vins).

■ Enfin, ces vins proviennent en partie d'échantillons, envoyés directement au bureau de l'auteur par les agences d'importation et par les producteurs de vins, ainsi que d'innombrables caisses achetées par l'auteur à la SAQ afin d'avoir un regard plus large sur les meilleurs crus vendus au Québec. Sans oublier les multiples crus dégustés au fil des dégustations organisées par les agences d'importation, tout comme lors de ses voyages personnels, à ses frais, dans les vignobles du monde.

Qu'est-ce que les répertoires additionnels?

Les vins des ***Répertoires additionnels***, que vous retrouverez en fin de chaque grande catégorie de vins commentés, et qui font l'objet d'une description plus concise, mais presque tous offerts avec un choix de mets, sont ou seront généralement disponibles dans les mois suivant la parution de cette seizième édition. De multiples futurs arrivages y sont aussi commentés cette année.

En revanche, certains de ces vins peuvent ne plus être disponibles au moment où vous lirez ces lignes, ce qui explique le commentaire moins détaillé pour certains crus. Soyez tout de même vigilants, car la majorité de ces vins fera l'objet d'un nouvel arrivage au cours de l'automne 2011 et des premiers mois de 2012, et ce, dans le même millésime proposé dans ce guide. Et à nouveau, cette année, plusieurs vins des *Répertoires additionnels* sont de futurs arrivages, commentés ici en primeur, avec leur date de mise en marché.

Le retour ou l'arrivée de ces vins, comme de tous les vins commentés dans *La Sélection Chartier 2012*, vous sera annoncé par le biais du service de **Mises à jour Internet de *La Sélection Chartier 2012***, via le site Internet **www.francoischartier.ca**, offert gratuitement et uniquement aux lecteurs de *La Sélection 2012* qui s'y inscriront.

Le système de notation 2012

Comme pour les précédentes éditions, les vins sont notés dans l'absolu par rapport à tous les vins du monde et non par rapport à leurs pairs dans la même catégorie (formule adoptée dans d'autres guides).

Le SYSTÈME DE NOTATION attribue à chaque vin un maximum de cinq étoiles et de symboles du dollar représentant respectivement son appréciation et son coût. Ainsi, un vin à 10 $, aussi agréable soit-il, peut difficilement se voir décerner une note de quatre étoiles, tout en étant un excellent rapport qualité-prix. Le lecteur peut alors connaître instantanément la qualité et le prix des vins présentés. Par exemple, le vin rouge de la Rioja **La Montesa 2007 Bodegas Palacios Remondo, Espagne**, vendu 20,05 $, est noté ★★★☆ $$. Ceci indique un achat exceptionnel puisque le nombre d'étoiles attribuées est de beaucoup supérieur au nombre de symboles du dollar, sans compter que l'étoile blanche signale qu'il pourrait atteindre quatre étoiles au cours de son évolution en bouteille.

Recettes des mets en harmonies

(***) Ces trois (3) astérisques entre parenthèses, placés après une suggestion de mets, servent à identifier les mets, à la fois dans les vins commentés, dans l'Aide-mémoire harmonique et dans le Menu « index » des harmonies Vins et Mets, faisant l'objet d'une recette dans les nouveaux livres *Papilles pour tous! Cuisine aromatique d'automne* (paru à la fin août 2011) et *Papilles pour tous! Cuisine aromatique d'hiver* (à paraître en novembre 2011).

(**) Ces deux (2) astérisques entre parenthèses, placés après une suggestion de mets, servent à identifier les mets, à la fois dans les vins commentés, dans l'Aide-mémoire harmonique et dans le Menu « index » des harmonies Vins et Mets, faisant l'objet d'une recette dans le nouveau livre *Les recettes de Papilles et Molécules*, paru en juin 2010.

(*) Un (1) astérisque entre parenthèses, placé après une suggestion de mets, sert à identifier les mets, à la fois dans les vins commentés, dans l'Aide-mémoire harmonique et dans le Menu « index » des harmonies Vins et Mets, faisant l'objet d'une recette du livre de cuisine pour amateurs de vin *À table avec François Chartier*, paru en 2006.

Disponibilité des produits

Pour les aider dans leurs recherches de produits, et pour les avertir des nouveaux arrivages des vins commentés dans *La Sélection 2011*, les lecteurs ont le privilège de s'abonner « gratuitement », comme ils ont pu le faire depuis l'édition 2008, via le site **www.francoischartier.ca**, à un service de Mises à jour Internet de *La Sélection Chartier*. Ils peuvent ainsi recevoir par courriel des mises à jour hebdomadaires ou mensuelles annonçant l'arrivée des futurs arrivages commentés en primeur dans *La Sélection Chartier 2012*, tout comme le retour à la SAQ des favoris de cette seizième édition.

Ne vous découragez pas si vous ne trouvez pas le vin que vous cherchez à une succursale de la SAQ, car il est peut-être disponible dans une autre, ou temporairement manquant. Consultez le site Internet de la SAQ ou utilisez son service téléphonique pour obtenir des renseignements sur la disponibilité des produits. En utilisant le **code du vin**, vous faciliterez votre recherche. Les vins affichant le code S*, en rouge, sont des produits de spécialité en vente continue selon la politique d'achat de la SAQ, et sont présents tout au long de l'année, comme les produits courants, affichés avec un C, aussi en rouge, avec des ruptures de stock beaucoup plus courtes qu'autrefois.

Sites Internet et médias sociaux de l'auteur

www.francoischartier.ca
www.papillesetmolecules.com
www.tastebudsandmolecules.com

Twitter :
@PapillesetM

Facebook :
facebook.com/Papillesetmolecules
facebook.com/Tastebudsandmolecules

Papilles et molécules
du science aromatique des aliments et des vins
par François Chartier

Nouvelle autoroute aromatique web de Papilles et Molécules!

Un site Web français/anglais dédié aux plaisirs aromatiques de la table. Tout pour mieux saisir la science aromatique des aliments et des vins qui se cache derrière le livre *Papilles et Molécules*, récipiendaire du prestigieux prix du Meilleur livre de cuisine au monde, au *Paris Gourmand World Cookbook Awards 2010*, catégorie Innovation.

Recettes de Chartier/Modat - Cuisines aromatiques - Vidéo - Blogues - Harmonies et sommellerie aromatiques - Nouvelles recherches - Capsules Molécules - Expériences de Papilles - Science - Albums de photos - Studio/Cuisine_Mc² - Papilles TV - Nouvelles - Calendrier Papilles...

Un lieu de création en cuisine, pour les cuisiniers en herbe tout comme pour les chefs. De nouveaux chemins harmoniques à table, entre l'assiette et le verre, pour tous les amateurs et professionnels du monde du vin, de la bière, du saké, des eaux-de-vie, des liqueurs, des thés, des cafés et autres liquides.

François Chartier et ses collaborateurs, dont le chef Stéphane Modat et le docteur en biologie moléculaire Martin Loignon

LE SYSTÈME DE NOTATION

Autrement 2009   ✓ TOP 100 J'AIME

COTEAUX-DU-LANGUEDOC, GÉRARD BERTRAND, FRANCE *(DISP. DÉBUT 2012)*

| 15,15 $ | SAQ C (11200972) | ★★☆?☆ $$$ | Modéré+ | BIO |

■ NOTATION DU VIN

Les vins sont notés dans l'absolu par rapport à tous les vins du monde.

★★★★★	Vin exceptionnel
★★★★	Vin excellent
★★★	Très bon vin
★★	Bon vin
☆	Cette demi-étoile permet de nuancer les appréciations.
?	Ce vin pourrait mériter une demie ou une étoile supplémentaire dans quelques années.

■ ÉCHELLE DE PRIX

$	Jusqu'à 10 $
$	Jusqu'à 14 $
$$	Jusqu'à 20 $
$$	Jusqu'à 24 $
$$$	Jusqu'à 28 $
$$$	Jusqu'à 36 $
$$$$	Jusqu'à 48 $
$$$$	Jusqu'à 70 $
$$$$$	Jusqu'à 110 $
$$$$$	Plus de 110 $

★★$
Un nombre d'étoiles supérieur au nombre de symboles du dollar indique un excellent rapport qualité-prix.

★★$$
Un nombre d'étoiles égal au nombre de symboles du dollar signifie que le vin vaut son prix.

★$$
Un nombre d'étoiles inférieur au nombre de symboles du dollar signifie que le vin est cher, très cher ou même franchement surévalué.

■ PUISSANCE DU VIN

Léger	Vin souple et coulant, pour ne pas dire aérien, laissant une impression de légèreté en bouche.
Léger+	Vin à la structure presque modérée, tout en étant passablement léger.
Modéré	Vin ample, sans être corsé, avec une certaine présence et, chez les vins rouges, passablement tannique.
Modéré+	Vin avec plus de tonus que le précédent.
Corsé	Vin riche, avec du corps, étoffé, d'une assez bonne présence en alcool et, chez les vins rouges, doté d'une bonne quantité de tanins.
Corsé+	Vin viril, presque puissant, tout en étant plus étoffé que le précédent.
Puissant	Vin au corps à la fois dense et très généreux, aux saveurs pénétrantes et, quant aux vins rouges, aux tanins puissants.

Pâté chinois revu et magnifié « pour vin rouge » (***) Ces trois astérisques entre parenthèses, placés après une suggestion de mets, servent à identifier les mets faisant l'objet d'une recette dans les nouveaux livres *Papilles pour tous! Cuisine aromatique d'automne* (paru à la fin août 2011) et *Papilles pour tous! Cuisine aromatique d'hiver* (parution en novembre 2011). Placés entre parenthèses, deux **(**)** indiquent les mets faisant l'objet d'une recette dans le livre *Les recettes de Papilles et Molécules* (paru en juin 2010). Placé entre parenthèses, un **(*)** indique les mets faisant l'objet d'une recette dans le livre de cuisine pour amateurs de vin *À Table avec François Chartier* (paru en 2006).

■ NOUVEAUTÉ!	Désigne un nouveau vin pour la première fois disponible à la SAQ. Plus de 300 vins sont ainsi identifiés dans cette édition.
✓ TOP 100 CHARTIER	Désigne le « TOP 100 » des crus préférés de l'auteur.
✓ TOP 30 BAS PRIX	Désigne le « TOP 30 BAS PRIX » des aubaines à moins de 15 $.
✓ TOP 10 SPIRITUEUX	Désigne le « TOP 10 SPIRITUEUX » des meilleures eaux-de-vie.
✓ TOP 10 ROSÉS	Désigne le « TOP 10 ROSÉS » des meilleurs rosés de l'année.
✓ TOP 15 BIÈRES	Désigne le « TOP 15 DES BIÈRES DE MICROBRASSERIES QUÉBÉCOISES »
	Désigne un vin, une bière, un spiritueux ayant procuré le plus de satisfaction à l'auteur lors des séances de dégustations et d'harmonies.
BIO	Indique que le vin est issu de raisins de culture biologique et/ou de culture biodynamique.
Servir dans les trois années suivant le millésime...	Indique que le vin est à boire dans les trois années suivant l'année (le millésime) inscrite sur l'étiquette.
(DISP. JANV. 2012)	Ce vin devrait normalement être disponible à partir de la date indiquée, dans ce cas-ci, en janvier 2012.

■ DISTRIBUTION SAQ

C	Désigne un produit « courant », offert en tout temps dans la plupart des succursales de la SAQ.
S	Désigne un produit de « spécialité », en vente dans certaines succursales Classique et dans les succursales Sélection.
S*	Désigne un produit de « spécialité en achats continus », en vente dans certaines succursales Classique et dans les succursales Sélection, et qui, contrairement aux autres spécialités, est présent plus régulièrement, avec des ruptures de stocks généralement moins longues.
SS	Indique que le produit est disponible uniquement dans les deux succursales Signature, l'une à Montréal, l'autre à Québec.
(12345678)	Le code du produit, de six à huit chiffres entre parenthèses, facilitera vos recherches, tant dans les différentes succursales que sur le site Internet *www.saq.com*.

LA LISTE DE
« TOP
CHARTIER »

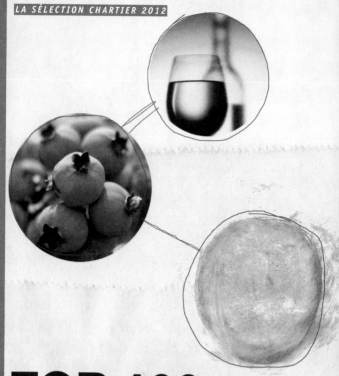

TOP 100
CHARTIER

des crus de l'heure, à acheter les yeux fermés!

Cette liste est constituée des vins qui m'ont le plus secoué les papilles lors de mon marathon annuel de dégustation pour la rédaction de cette 16e édition – nonobstant leur note et leur prix, même si le rapport qualité-prix est une donnée importante dans ce classement. Donc, les vins qui me font vibrer le plus. Pourquoi? Question de *feeling*… Notez que de multiples autres vins auraient mérité une place dans cette liste. Vous pourrez les reconnaître facilement puisqu'ils portent, au fil des pages de ce guide, la mention « ♥ ». Il y en a plus de 200. À vous de les découvrir!

Les vins sont numérotés de 1 à 100, parce qu'il le faut bien dans un TOP 100! Mais sachez que cet exercice est plutôt hasardeux. Il met en vedette les 10 à 20 premiers vins alors que dans mon esprit, tous, sans exception, sont à ranger dans votre cellier et à servir dans vos verres, comme c'est le cas pour moi. Ce sont « mes coups de cœur parmi les coups de cœur ». Alors, osez oublier leur rang, et fiez-vous aux commentaires de dégustations de chaque vin, ainsi qu'à leur place à table avec les harmonies proposées. Bonnes et belles découvertes!

1. **Château Rouquette sur Mer « Cuvée Amarante » 2009** (page 149)
COTEAUX-DU-LANGUEDOC LA CLAPE, JACQUES BOSCARY, FRANCE
17,55 $ SAQ S* (713263) ★★★?☆ $$ **Corsé** BIO

2. **Château Puech-Haut « Prestige » 2009** (page 177)
COTEAUX-DU-LANGUEDOC SAINT-DRÉZÉRY, GÉRARD BRU, FRANCE
(DISP. NOV. 2011)
23,90 $ SAQ S (10918894) ★★★☆ $$$ **Corsé+**

3. **Domaine Valette Vieilles Vignes 2008** (page 106)
MÂCON-CHAINTRÉ, DOMAINE VALETTE, FRANCE *(DISP. SEPT./OCT. 2011)*
28,40 $ SAQ S (10224526) ★★★?☆ $$$ **Corsé** BIO

4. **D de Devaux Brut** (page 240)
CHAMPAGNE, VEUVE A. DEVAUX, FRANCE *(DISP. SEPT./OCT. 2011)*
62,75 $ SAQ S (11551852) ★★★★ $$$$ **Corsé**

5. **Riesling Muenchberg 2008** (page 109)
ALSACE GRAND CRU, DOMAINE ANDRÉ OSTERTAG, FRANCE *(DISP. OCT. 2011)*
42,75 $ SAQ S (739821) ★★★★ $$$$ **Corsé** BIO

6. **Cuvée des Conti « Tour des Gendres » 2010** (page 95)
BERGERAC, FAMILLE DE CONTI, CHÂTEAU TOUR DES GENDRES, FRANCE
16,30 $ SAQ S* (858324) ★★★?☆ $$ **Modéré+** BIO

7. **Stratus Red 2007** (page 308)
NIAGARA PENINSULA VQA, STRATUS WINES, CANADA *(DISP. OCT. 2011)*
44 $ SAQ S (11574430) ★★★☆?☆ $$$$ **Corsé**

8. **La Massa 2009** (page 183)
TOSCANA, FATTORIA LA MASSA, GIAMPAOLO MOTTA, ITALIE
26,55 $ SAQ S* (10517759) ★★★☆ $$ **Corsé**

9. **Mas Jullien 2008** (page 190)
COTEAUX-DU-LANGUEDOC TERRASSES DU LARZAC, MAS JULLIEN, FRANCE
(DISP. SEPT./OCT. 2011)
39 $ SAQ S (10874861) ★★★☆ $$$ **Corsé+** BIO

10. **Château Puech-Haut « Prestige » Blanc 2010** (page 105)
COTEAUX-DU-LANGUEDOC SAINT-DRÉZÉRY, GÉRARD BRU, FRANCE
(DISP. AOÛT/SEPT. 2011)
25,35 $ SAQ S (11098331) ★★★☆ $$ **Corsé**

11. **Pinot Gris « Barriques » Ostertag 2009** (page 106)
ALSACE, DOMAINE ANDRÉ OSTERTAG, FRANCE
28,90 $ SAQ S (866681) ★★★☆ $$$ **Modéré+** BIO

12. **Domaine La Montagnette 2009** (page 198)
CÔTES-DU-RHÔNE-VILLAGES, LES VIGNERONS D'ESTÉZARGUES, FRANCE
16,15 $ SAQ S (11095949) ★★★ $$ **Corsé**

13. **Causse Marines « Les Greilles » 2009** (page 112)
GAILLAC, PATRICE LESCARRET, FRANCE
17,95 $ SAQ S (860387) ★★★☆ $$ **Corsé** BIO

14. **La Vendimia 2010** (page 141)
RIOJA, BODEGAS PALACIOS REMONDO, ESPAGNE
16 $ SAQ S* (10360317) ★★★ $$ **Modéré+**

15. **Château Lamarche 2009** (page 139)
BORDEAUX-SUPÉRIEUR, ÉRIC JULIEN, FRANCE
(DISP. AOÛT 2011 ET RETOUR OCT./NOV. 2011)
15,90 $ SAQ S (10862991) ★★★ $$ **Modéré+**

16. **Château Saint-Martin de la Garrigue 2009** (page 180)
COTEAUX-DU-LANGUEDOC GRÈS DE MONTPELLIER,
CHÂTEAU SAINT-MARTIN DE LA GARRIGUE, FRANCE *(DISP. DÉC. 2011)*
24,85 $ SAQ S (10268828) ★★★☆ $$ **Corsé** BIO

17. Marcel Lapierre « Morgon » 2010   (page 182)
MORGON, MARCEL LAPIERRE, FRANCE *(RETOUR SEPT./OCT. 2011)*
26 $ SAQ S (11305344)   ★★★☆ $$$ Modéré+

18. Château Peyros « Vieilles Vignes » 2006   (page 155)
MADIRAN, CHÂTEAU PEYROS, FRANCE
18,35 $ SAQ S* (488742)   ★★★☆ $$ Corsé

19. Sotanum 2009   (page 192)
VIN DE PAYS DES COLLINES RHODANIENNES, LES VINS DE VIENNE, FRANCE
(RETOUR OCT. 2011)
54,75 $ SAQ S (894113)   ★★★★ $$$$ Corsé

20. Poggio Antico 2006   (page 193)
BRUNELLO DI MONTALCINO, POGGIO ANTICO, ITALIE *(DISP. NOV./DÉC. 2011)*
71,75 $ SAQ S (11300375)   ★★★★ $$$$ Corsé

21. Paleo 2007   (page 193)
BOLGHERI, LE MACCHIOLE, ITALIE *(DISP. AUTOMNE 2011)*
80 $ SAQ S (739441)   ★★★★ $$$$$ Corsé

22. Farnito Cabernet Sauvignon 2006   (page 184)
TOSCANA, CASA VINICOLA CARPINETO, ITALIE *(DISP. AUTOMNE 2011)*
27,95 $ SAQ S* (963389)   ★★★☆ $$$$ Corsé+

23. Ca'del Bosco Curtefranca 2007   (page 185)
CURTEFRANCA, CA'DEL BOSCO, ITALIE *(DISP. AUTOMNE 2011)*
28,40 $ SAQ S (214189)   ★★★☆ $$ Corsé

24. Château de La Dauphine 2007   (page 185)
FRONSAC, DOMAINES JEAN HALLEY, FRANCE
28,40 $ SAQ S (11475474)   ★★★☆ $$$ Corsé

25. Coudoulet de Beaucastel 2009   (page 186)
CÔTES-DU-RHÔNE, VIGNOBLES PIERRE PERRIN, FRANCE *(DISP. AUTOMNE 2011)*
29,80 $ SAQ S* (973222)   ★★★☆ $$$ Corsé   BIO

26. Tancredi 2007   (page 187)
SICILIA, TENUTA DONNAFUGATA, ITALIE *(RETOUR SEPT./OCT. 2011)*
30 $ SAQ S (10542129)   ★★★☆ $$$ Corsé+

27. Brancaia 2008   (page 188)
CHIANTI CLASSICO, PODERE LA BRANCAIA, ITALIE *(DISP. AUTOMNE 2011)*
35,25 $ SAQ S (10431091)   ★★★☆ $$$ Corsé

28. Marquise de la Tourette 2009   (page 121)
HERMITAGE, DELAS, FRANCE *(DISP. SEPT. 2011)*
59 $ SAQ SS (11544169)   ★★★★?☆ $$$$ Corsé+

29. Riesling Herrenweg de Turckeim 2008   (page 120)
ALSACE, DOMAINE ZIND-HUMBRECHT, FRANCE
43 $ SAQ S (10836549)   ★★★★ $$$$ Puissant   BIO

30. Clos Boucher 2009   (page 121)
CONDRIEU, DELAS, FRANCE *(DISP. SEPT. 2011)*
68,75 $ SAQ SS (11544142)   ★★★★ $$$$ Corsé+

31. Napanook 2008   (page 309)
NAPA VALLEY, DOMINUS ESTATE, ÉTATS-UNIS *(DISP. JANV./FÉVR. 2012)*
49,75 $ SAQ S (897488)   ★★★★ $$$$ Corsé

32. Pinot Noir Belle Glos Las Alturas 2008   (page 318)
SANTA LUCIA HIGHLANDS, BELLE GLOS WINES, ÉTATS-UNIS
45 $ SAQ SS (11363325)   ★★★☆ $$$$ Corsé

33. Shiraz Two Hands « Gnarly Dudes » 2010   (page 306)
BAROSSA, TWO HANDS WINES, AUSTRALIE *(DISP. DÉBUT 2012)*
31,25 $ SAQ S (11457065)   ★★★☆ $$ Corsé

TOP 100 CHARTIER DES CRUS DE L'HEURE, À ACHETER LES YEUX FERMÉS!

34. Cuvée Blé Noir « Miellée » 2003 (page 331)
HYDROMEL MOELLEUX, LE CLOS DES BRUMES, LA PRÉSENTATION,
QUÉBEC, CANADA
29,20 $ (500 ml) SAQ **S** (735076) ★★★☆ **$$** Modéré+

35. Pinot Noir Calera « Central Coast » 2008 (page 304)
CENTRAL COAST, CALERA WINE COMPANY, ÉTATS-UNIS *(DISP. AOÛT 2011)*
28 $ SAQ **S** (898320) ★★★☆ **$$$** Corsé

36. Carelle sous la Chapelle 2009 (page 191)
VOLNAY 1er CRU, JEAN-CLAUDE BOISSET, FRANCE
(DISP. DÉC. 2011)
51,50 $ SAQ **S** (11533101) ★★★★ **$$$$** Corsé

37. Syrah Qupé 2009 (page 298)
CENTRAL COAST, ROBERT N. LINQUIST, ÉTATS-UNIS *(DISP. SEPT./OCT. 2011)*
22,95 $ SAQ **S** (866335) ★★★☆ **$$** Modéré+

**38. Pinot Noir Clos Jordanne Village
Reserve 2008** (page 302)
NIAGARA PENINSULA VQA, LE CLOS JORDANNE, CANADA
(DISP. AOÛT/SEPT. 2011)
26,45 $ SAQ **S** (10745487) ★★★?☆ **$$$** Modéré+ BIO

39. Barranc dels Closos « blanc » 2009 (page 115)
PRIORAT, IGNEUS, ESPAGNE
21,65 $ SAQ **S** (10857729) ★★★?☆ **$$** Corsé BIO

40. Clos Saragnat « Avalanche » 2008 (page 325)
CIDRE DE GLACE, CLOS SARAGNAT, EXPLORAGE INC., FRELIGHSBURG,
QUÉBEC, CANADA
27,15 $ (200 ml) SAQ **S** (11133221) ★★★☆?☆ **$$$** Modéré+

41. Château L'Archange 2003 (page 221)
SAINT-ÉMILION, PASCAL CHATONNET, FRANCE
55 $ SAQ **SS** (11198809) ★★★★ **$$$$** Corsé

42. Domaine Vacheron 2009 (page 118)
SANCERRE, VACHERON & FILS, FRANCE
30,25 $ SAQ **S** (10523892) ★★★☆ **$$$** Modéré+ BIO

43. Pinot Noir Waimea 2009 (page 298)
NELSON, WAIMEA ESTATES, NOUVELLE-ZÉLANDE
22,85 $ SAQ **S** (10826447) ★★★?☆ **$$** Modéré+

44. Terre de Fuissé 2009 (page 120)
POUILLY-FUISSÉ, BRET BROTHERS, FRANCE *(DISP. FÉVR./MARS 2012)*
41 $ SAQ **S** (10788882) ★★★☆ **$$$$** Corsé+

45. Clos de los Siete 2008 (page 300)
MENDOZA, MICHEL ROLLAND, ARGENTINE
23,75 $ SAQ **S*** (10394664) ★★★☆ **$$** Corsé+

46. Pinot Noir Churton 2009 (page 305)
MARLBOROUGH, CHURTON, NOUVELLE-ZÉLANDE *(DISP. FIN 2011)*
31 $ SAQ **S** (10383447) ★★★☆ **$$** Corsé

47. Clos Saint Jean 2009 (page 191)
CHÂTEAUNEUF-DU-PAPE, CLOS SAINT JEAN, FRANCE *(DISP. AUTOMNE 2011)*
46,25 $ SAQ **S** (11104041) ★★★☆?☆ **$$$$** Corsé+

48. Château Pesquié « Quintessence » 2009 (page 180)
CÔTES-DU-VENTOUX, CHÂTEAU PESQUIÉ, FRANCE
24,60 $ SAQ **S** (969303) ★★★?☆ **$$** Corsé

49. Sijnn 2007 (page 306)
STELLENBOSCH, SIJNN, AFRIQUE DU SUD *(DISP. SEPT. 2011)*
32 $ SAQ **S** (11447473) ★★★☆?☆ **$$$** Corsé

50. The Stump Jump GSM d'Arenberg 2008 (page 289)
SOUTH AUSTRALIA, D'ARENBERG, AUSTRALIE
17,50 $ SAQ S* (10748418)   ★★★ $$ Corsé

**51. Besserat de Bellefon
Cuvée des Moines Brut Rosé** (page 239)
CHAMPAGNE, BESSERAT DE BELLEFON, FRANCE *(DISP. SEPT./OCT. 2011)*
59 $ SAQ S (11154515)   ★★★★ $$$$ Corsé

52. DiamAndes Gran Reserva 2007 (page 308)
MENDOZA, BODEGA DIAMANTES, ARGENTINE
44 $ SAQ S (11434533)   ★★★☆?☆ $$$$ Corsé+

53. Chardonnay Claystone Terrace 2008 (page 269)
NIAGARA PENINSULA VQA, LE CLOS JORDANNE, CANADA
(DISP. SEPT./OCT. 2011)
40,75 $ SAQ S (10697331)   ★★★☆?☆ $$$ Corsé   BIO

54. Quinta do Infantado LBV 2007 (page 244)
PORTO LATE BOTTLED VINTAGE, FAMILLE ROSEIRA, POLOGNE
27,85 $ SAQ S* (884361)   ★★★☆ $$$ Corsé   BIO

55. Chardonnay Calera « Mt. Harlan » 2009 (page 269)
MOUNT HARLAN, CALERA WINE COMPANY, ÉTATS-UNIS
(RETOUR SEPT./OCT. 2011)
31 $ SAQ S (11089944)   ★★★☆ $$$ Corsé

56. Ninquén Mountain Vineyard 2008 (page 316)
COLCHAGUA, VIÑA NINQUÉN, CHILI *(DISP. SEPT./OCT. 2011)*
26,70 $ SAQ S (928853)   ★★★?☆ $ Corsé+

57. Ben Ryé 2008 (page 235)
PASSITO DI PANTELLERIA, TENUTA DONNAFUGATA, ITALIE *(RETOUR NOV. 2011)*
30 $ (375 ml) SAQ S (11301482)   ★★★☆?☆ $$$ Corsé+

58. Dos Rafael Cambra 2008 (page 155)
VALENCIA, RAFAEL CAMBRA, ESPAGNE
18,40 $ SAQ S (11305598)   ★★★☆ $$ Corsé

59. Varnier-Fannière Grand Cru Brut (page 245)
CHAMPAGNE, VARNIER-FANNIÈRE, FRANCE *(DISP. DÉC. 2011)*
53,50 $ SAQ S (11528089)   ★★★☆?☆ $$$$ Modéré+

60. The Hermit Crab « d'Arenberg » 2008 (page 265)
MCLAREN VALE, D'ARENBERG, AUSTRALIE *(RETOUR SEPT. 2011)*
20 $ SAQ S (10829269)   ★★★ $$ Modéré+

61. Château Bujan 2009 (page 164)
CÔTES-DE-BOURG, PASCAL MELI, FRANCE
19,90 $ SAQ S* (862086)   ★★★ $$ Corsé

62. Delphis de La Dauphine 2008 (page 172)
FRONSAC, DOMAINES JEAN HALLEY, FRANCE
22 $ SAQ S (11475917)   ★★★?☆ $$ Modéré+

63. Camins del Priorat 2008 (page 173)
PRIORAT, BODEGA ÀLVARO PALACIOS, ESPAGNE
22,30 $ SAQ S (11180351)   ★★★?☆ $$ Corsé

64. Camins del Priorat 2009 (page 173)
PRIORAT, BODEGA ÀLVARO PALACIOS, ESPAGNE *(DISP. FIN 2011)*
22,30 $ SAQ S (11180351)   ★★★?☆ $$ Corsé

65. Sauvignon Blanc Dog Point 2010 (page 268)
MARLBOROUGH, DOG POINT VINEYARDS, NOUVELLE-ZÉLANDE
22,95 $ SAQ S (11200681)   ★★★?☆ $$ Modéré+

66. Les Launes 2009 (page 174)
CROZES-HERMITAGE, DELAS, FRANCE *(DISP. SEPT./OCT. 2011)*
22,50 $ SAQ S (11544126)   ★★★?☆ $$ Corsé

67. Belgvardo Serrata 2008 (page 178)
MAREMMA TOSCANA, MARCHESI MAZZEI, ITALIE
23,95 $** SAQ S (10843394) ★★★?☆ **$$ Corsé

68. Mas Amiel Vintage 2008 (page 243)
MAURY, DOMAINE DU MAS AMIEL, FRANCE
18,55 $** (375 ml) SAQ S (733808) ★★★ **$$ Modéré+

69. Villa Antinori 2007 (page 179)
TOSCANA, MARCHESI ANTINORI, ITALIE
23,95 $** SAQ C (10251348) ★★★?☆ **$$ Corsé

70. The Money Spider « d'Arenberg » 2009 (page 268)
MCLAREN VALE, D'ARENBERG, AUSTRALIE *(RETOUR NOV./DÉC. 2011)*
23,65 $** SAQ S (10748397) ★★★☆ **$$ Corsé

71. Transhumance 2008 (page 174)
FAUGÈRES, DOMAINE COTTEBRUNE, PIERRE GAILLARD, FRANCE
22,30 $** SAQ S (10507307) ★★★?☆ **$$ Corsé

72. Les Sinards Perrin & Fils 2007 (page 189)
CHÂTEAUNEUF-DU-PAPE, PERRIN & FILS, FRANCE
38,50 $** SAQ S (11208448) ★★★☆?☆ **$$$ Corsé

73. Merlot Château Los Boldos
« Vieilles Vignes » 2009 (page 299)
VALLE DEL RAPEL, VIÑA LOS BOLDOS, CHILI *(DISP. AUTOMNE 2011)*
23,35 $** SAQ S (10693921) ★★★?☆ **$$ Corsé

74. Shiraz Mitolo « Jester » 2009 (page 303)
MCLAREN VALE, MITOLLO WINES, AUSTRALIE *(DISP. OCT./NOV. 2011)*
26,65 $** SAQ S (10769411) ★★★?☆ **$$ Corsé+

75. Shymer 2008 (page 157)
SICILIA, BAGLIO DI PIANETTO, ITALIE
18,45 $** SAQ S (10859804) ★★★ **$$ Corsé

76. Lustau East India Solera Sherry (page 235)
XÉRÈS, EMILIO LUSTAU, ESPAGNE
29,60 $** SAQ S (11414655) ★★★☆ **$$$ Corsé

77. Le Combal 2007 (page 157)
CAHORS, COSSE MAISONNEUVE, FRANCE
18,50 $ SAQ S* (10675001) ★★★ **$$** Corsé BIO

78. 17-XI 2007 (page 157)
MONTSANT, BUIL & GINÉ, ESPAGNE *(DISP. NOV./DÉC. 2011)*
18,55 $** SAQ S (11377090) ★★★ **$$ Modéré+

79. Domaine D'Alzipratu
Cuvée Fiumeseccu 2009 (page 158)
CORSE-CALVI, ANNE-MARIE & PIERRE ACQUAVIVA, FRANCE
18,95 $** SAQ S (11095658) ★★★?☆ **$$ Corsé

80. Vitiano 2009 (page 140)
ROSSO UMBRIA, FALESCO MONTEFIASCONE, ITALIE
15,95 $** SAQ C (466029) ★★★ **$$ Corsé

81. Bouscassé 2007 (page 161)
MADIRAN, ALAIN BRUMONT, FRANCE
19,35 $** SAQ C (856575) ★★★ **$$ Modéré+

82. Château Coupe Roses 2010 (page 100)
MINERVOIS, FRANÇOISE FRISSANT-LE CALVEZ, FRANCE
19,55 $** SAQ S (894519) ★★★ **$$ Corsé BIO

83. Château Grand Chêne 2006 (page 145)
CÔTES-DU-BRULHOIS, LES VIGNERONS DU BRULHOIS, FRANCE
16,90 $** SAQ S (10259770) ★★★ **$$ Corsé

84. Vidal Vin de Glace 2007   (page 329)
QUÉBEC, VIGNOBLE DU MARATHONIEN, HAVELOCK, QUÉBEC, CANADA
(DISP. AUTOMNE 2011)
53,75 $** (375 ml) SAQ S (11398317) ★★★★ **$$$$ Corsé+

---

85. Dogajolo 2010   (page 146)
TOSCANA, CASA VINICOLA CARPINETO, ITALIE *(DISP. AUTOMNE 2011)*
16,90 $ SAQ S* (978874)   ★★★ **$$**   Modéré+

---

86. Pinot Noir The Feral Fox d'Arenberg 2009   (page 305)
ADELAÏDES HILLS, D'ARENBERG, AUSTRALIE *(DISP. OCT./NOV. 2011)*
29,65 $**   SAQ S (11461128)   ★★★?☆ **$$ Corsé

---

87. Brentino Maculan 2009   (page 147)
BREGANZE ROSSO, FAUSTO MACULAN, ITALIE *(DISP. AUTOMNE 2011)*
17,25 $**   SAQ S (10705021)   ★★★ **$$ Modéré+

---

88. Pinot Grigio Attems 2010   (page 101)
VENEZIA GIULIA, CONTI ATTEMS, ITALIE *(DISP. MI-SEPT. 2011)*
19,95 $**   SAQ S (11472409)   ★★★ **$$ Modéré

---

89. Pinot Bianco Lageder 2010   (page 101)
SÜDTIROLER-ALTO ADIGE, ALOIS LAGEDER, ITALIE *(DISP. AUTOMNE 2011)*
20,20 $**   SAQ S (11035911)   ★★★ **$$ Modéré   BIO

---

90. Ramione « Merlot-Nero d'Avola » 2007   (page 161)
SICILIA, BAGLIO DI PIANETTO, ITALIE *(DISP. AUTOMNE 2011)*
19,20 $ SAQ S* (10675693)   ★★★?☆ **$$**   Corsé

---

91. Godello Godeval 2009   (page 101)
VALDEORRAS, GODEVAL, ESPAGNE *(DISP. OCT./NOV. 2011)*
21,20 $**   SAQ S (11412959)   ★★★ **$$ Modéré+

---

92. Cairanne Peyre Blanche 2009   (page 159)
CÔTES-DU-RHÔNE-VILLAGES CAIRANNE, PERRIN & FILS, FRANCE
(DISP. AUTOMNE 2011)
19 $**   SAQ S (11400721)   ★★★ **$ Corsé

---

93. Mas Haut-Buis « Les Carlines » 2009   (page 149)
COTEAUX-DU-LANGUEDOC, OLIVIER JEANTET, FRANCE *(DISP. DÉC. 2011)*
17,50 $**   SAQ S (10507278)   ★★★ **$$ Corsé

---

94. Riesling Heissenberg 2009   (page 108)
ALSACE, DOMAINE ANDRÉ OSTERTAG, FRANCE
(DISP. SEPT. 2011 ET RETOUR JANV. 2012)
37,25 $**   SAQ S (739813)   ★★★☆☆?☆ **$$$ Corsé   BIO

---

95. Mas Neuf « Compostelle » 2007   (page 159)
COSTIÈRES-DE-NÎMES, CHÂTEAU MAS NEUF, FRANCE
19 $**   SAQ S (914325)   ★★★?☆ **$$ Corsé

---

96. Ludovicus 2009   (page 133)
TERRA ALTA, CELLER PIÑOL, ESPAGNE
14,30 $**   SAQ S (11096909)   ★★★ **$$ Corsé

---

97. Bronzinelle 2009   (page 148)
COTEAUX-DU-LANGUEDOC, CHÂTEAU SAINT-MARTIN DE LA GARRIGUE, FRANCE
17,50 $ SAQ S* (10268588)   ★★★ **$$**   Modéré+

---

98. Les Rosiers 2009   (page 118)
JASNIÈRES, ERIC NICOLAS, FRANCE
28,80 $**   SAQ S (11153205)   ★★★?☆ **$$ Modéré+   BIO

---

99. Les Argiles 2009   (page 117)
VOUVRAY, FRANÇOIS CHIDAINE, FRANCE
25,60 $**   SAQ S (11461056)   ★★★?☆ **$$ Modéré+   BIO

---

100. Neige « Première » 2009   (page 325)
CIDRE DE GLACE, LA FACE CACHÉE DE LA POMME, HEMMINGFORD, QUÉBEC, CANADA
24,95 $ (375 ml) SAQ S* (744367) ★★★ **$$**   Corsé

TOP 30
BAS PRIX

des meilleurs rapports qualités prix à moins de 15 $

1. Blés Crianza 2008 (page 136)
VALENCIA, DOMINO DE ARANLEÓN, ESPAGNE
14,75 $ SAQ C (10856427)   ★★★ $$ **Corsé**   BIO

2. Magellan « Ponant » 2007 (page 196)
VIN DE PAYS DES CÔTES-DE-THONGUE, DOMAINE MAGELLAN, FRANCE
14,10 $ SAQ S* (914218)   ★★☆?☆ $ **Modéré+**

3. Cabernet Sauvignon/Carmenère Mapu 2010 (page 278)
VALLE CENTRAL, BARON PHILIPPE DE ROTHSCHILD, CHILI
9,95 $ SAQ C (10530283)   ★★☆ $ **Corsé**

4. Riesling Selbach 2010 (page 93)
MOSEL-SAAR-RUWER, J. & H. SELBACH, ALLEMAGNE
13,95 $ SAQ S (11034741)   ★★★ $$ **Léger+**

5. Tannat-Merlot Don Pascual 2010 (page 278)
VIN DE TABLE D'URUGUAY, ESTABLECIMENTO JUANICO, URUGUAY
9,70 $ SAQ S (10746501)   ★★☆ $ **Modéré+**

6. Pyrène (Blanc) 2010 (page 89)
CÔTES-DE-GASCOGNE, LIONEL OSMIN, FRANCE
12,50 $ SAQ C (11253564)   ★★☆ $ **Modéré+**   BIO

7. Château Calabre (Blanc) 2010 (page 90)
MONTRAVEL, PUY-SERVAIN, FRANCE
13,60 $ SAQ S (10258638)   ★★☆ $ **Modéré**

8. El Miracle 2009 (page 131)
ALICANTE, VICENTE GANDIA, ESPAGNE
13,80 $ SAQ C (11184941)   ★★☆ $ **Corsé**

9. Prado Rey 2009 (page 137)
RIBERA DEL DUERO, REAL SITIO DE VENTOSILLA, ESPAGNE
(DISP. AUTOMNE 2011)
15,15 $ SAQ S* (585596)   ★★☆ $$ **Modéré**

10. Terre à Terre 2009 (page 135)
VIN DE PAYS DE L'AUDE, JEAN-NOËL BOUSQUET, FRANCE
14,65 $ SAQ S (11374391)   ★★☆?☆ $$ **Modéré+**

11. Bonal « Tempranillo » 2007 (page 124)
VALDEPEÑAS, BODEGAS REAL, ESPAGNE
8,65 $ SAQ C (548974)   ★★ $ **Modéré**

12. Cabernet/Shiraz Cliff 79 (page 279)
SOUTH EASTERN AUSTRALIA, BERRI ESTATES WINERY, AUSTRALIE
10,25 $ SAQ C (11133036)   ★★ $$ **Modéré**

13. Il Brecciarolo 2008 (page 129)
ROSSO PICENO SUPERIORE, VELENOSI, ITALIE
13,55 $ SAQ S* (10542647)   ★★☆?☆ $ **Modéré+**

14. Cabernet Sauvignon Woodbridge 2009   (page 284)
CALIFORNIA, WOODBRIDGE WINERY, ÉTATS-UNIS
14,95 $ SAQ C (048611)   ★★☆?☆ $$ Modéré+

15. Majolica 2009   (page 127)
MONTEPULCIANO D'ABRUZZO, PODERE CASTORANI, ITALIE
12,90 $ SAQ C (10754252)   ★★☆ $ Modéré+

16. Sauvignon Blanc Le Jaja de Jau 2010   (page 91)
CÔTES-DE-GASCOGNE, CHÂTEAU DE JAU, FRANCE
13,65 $ SAQ C (11459693)   ★★ $ Modéré

17. Moscatel Dona Dolça   (page 226)
VALENCIA, BCLB DE TURÍS, ESPAGNE
13,55 $ SAQ S (11096618)   ★★★ $ Modéré+

18. Merlot/Malbec Astica 2010   (page 277)
CUYO, BODEGAS TRAPICHE, ARGENTINE
8,10 $ SAQ C (637876)   ★☆ $ Modéré

19. La Ciboise 2009   (page 132)
LUBERON, M. CHAPOUTIER, FRANCE
14,15 $ SAQ C (11374382)   ★★☆?☆ $ Modéré+   BIO

20. Château Puy-Landry 2009   (page 135)
CÔTES-DE-CASTILLON, RÉGIS ET SÉBASTIEN MORO, FRANCE
14,65 $ SAQ S* (852129)   ★★☆?☆ $$ Modéré+   BIO

21. Les Traverses 2009   (page 132)
CÔTES-DU-VENTOUX, PAUL JABOULET AÎNÉ, FRANCE
14,20 $ SAQ C (543934)   ★★★ $$ Modéré+

22. Clos La Coutale 2009   (page 133)
CAHORS, V. BERNÈDE ET FILS, FRANCE
14,35 $ SAQ C (857177)   ★★☆?☆ $$ Modéré+

23. Tempranillo Campobarro 2010   (page 195)
RIBERA DEL GUARDIANA, COOP. SAN MARCOS, ESPAGNE
9,45 $ SAQ C (10357994)   ★★ $ Modéré+

24. Shiraz Astica Superior 2010   (page 279)
SAN JUAN, BODEGAS TRAPICHE, ARGENTINE
9,95 $ SAQ C (10394584)   ★★ $ Modéré

25. Tannat Don Pascual Reserve 2009   (page 281)
VIN DE TABLE D'URUGUAY, ESTABLECIMIENTO JUANICO, URUGUAY
12,55 $ SAQ S (10299122)   ★★☆ $ Corsé

26. Shiraz Errazuriz Estate 2010   (page 284)
VALLE DEL RAPEL, VIÑA ERRAZURIZ, CHILI
14,95 $ SAQ C (604066)   ★★☆ $$ Corsé

27. Animus 2008   (page 127)
DOURO, VINCENTE LEITE DE FARIA, PORTUGAL
12,90 $ SAQ C (11133239)   ★★?☆ $ Modéré+

28. Mouton Cadet (Blanc) 2009   (page 93)
BORDEAUX, BARON PHILIPPE DE ROTHSCHILD, FRANCE
14,50 $ SAQ C (002527)   ★★☆ $$ Modéré

**29. Agarena « Cabernet Sauvignon/Tempranillo »
2010**   (page 123)
UTIEL-REQUENA, BODEGAS MURVIEDRO, ESPAGNE
8,50 $ SAQ C (620674)   ★★ $ Modéré+

30. Borsao Crianza 2008   (page 134)
CAMPO DE BORJA, BODEGAS BORSAO, ESPAGNE *(DISP. AUTOMNE 2011)*
14,65 $ SAQ C (10463631)   ★★☆?☆ $$ Modéré+

TOP 10
SPIRITUEUX
des meilleures eaux-de-vie

1. **The Benriach « Arumaticus Fumosus »
   12 ans** (page 251)
   SCOTCH SINGLE PEATED MALT, THE BENRIACH DISTILLERY, ÉCOSSE
   (RETOUR SEPT. 2011)
   69,25 $ SAQ **S** (11092473)   ★★★★☆   **Puissant**

2. **The Yamazaki 12 ans** (page 347)
   WHISKY SINGLE MALT, SUNTORY, JAPON
   64,75 $ SAQ **S** (11202484)   ★★★★   **Corsé**

3. **The Benriach « Curiositas Peated Malt »
   10 ans** (page 252)
   SCOTCH SPEYSIDE SINGLE MALT, THE BENRIACH DISTILLERY, ÉCOSSE
   (RETOUR OCT./NOV. 2011)
   63 $ SAQ **S** (10652547)   ★★★★   **Corsé**

4. **El Dorado 15 ans Special Reserve** (page 337)
   RHUM, DEMERARA DISTILLERS, GUYANE
   57,75 $ SAQ **S** (10369055)   ★★★★   **Corsé**

5. **Patrón Silver Tequila** (page 343)
   TEQUILA, THE PATRÓN SPIRITS COMPANY, MEXIQUE
   75,75 $ SAQ **S** (10689981)   ★★★★   **Modéré+**

6. **Malt Whisky Michel Couvreur** (page 250)
   WHISKY, MICHEL COUVREUR, FRANCE
   69 $ SAQ **SS** (10698721)   ★★★★ **$$$$**   **Corsé+**

7. **Citadelle** (page 249)
   GIN, FERRAND, FRANCE *(DISP. SEPT. 2011)*
   28,80 $ SAQ **S** (10235567)   ★★★☆   **Modéré+**

8. **Vodka Zubrowka « Herbe de Bison »** (page 253)
   VODKA, AGROS SARL, POLOGNE
   24,65 $ SAQ **S** (035840)   ★★★☆   **Corsé+**

9. **Santa Teresa 1796 Ron Antiguo de Solera** (page 345)
   RHUM, HACIENDA SANTA TERESA, VENEZUELA
   52,75 $ SAQ **S** (10748071)   ★★★☆   **Corsé**

10. **El Dorado « 5 Years Old »** (page 337)
    RHUM, DEMERARA DISTILLERS, GUYANE
    25,95 $ SAQ **C** (10913410)   ★★★ **$**   **Modéré+**

TOP 10
ROSÉS
des meilleurs rosés de l'année

1. Mas Jullien 2010 (page 244)
COTEAUX-DU-LANGUEDOC, MAS JULLIEN, FRANCE
22,95 $** SAQ S (11419595) ★★★ **$$ Corsé BIO

2. Les Églantiers Rosé 2010 (page 232)
TAVEL, BROTTE, FRANCE
19,05 $** SAQ S (11445380) ★★★ **$$ Modéré+

3. Beckmen Vineyards Grenache Rosé Purisima Mountain Vineyard 2010 (page 330)
SANTA YNEZ VALLEY, BECKMEN VINEYARDS, ÉTATS-UNIS
24,15 $** SAQ S (11416845) ★★★ **$$ Corsé

4. Lagrein Rosé 2010 (page 243)
SÜDTIROLER-ALTO ADIGE, ALOIS LAGEDER, ITALIE
19,25 $** SAQ S (11419608) ★★★ **$$ Modéré+ BIO

5. Ménage à Trois Rosé 2010 (page 323)
CALIFORNIA, FOLIES À DEUX WINERY, ÉTATS-UNIS
19,75 $** SAQ S (10938861) ★★☆?☆ **$$ Corsé

6. Marqués de Cáceres Rosado 2010 (page 228)
RIOJA, BODEGAS DE MARQUÉS DE CÁCERES, ESPAGNE
14,55 $** SAQ S (10263242) ★★☆ **$$ Modéré

7. Cabernet Sauvignon/Syrah Leon de Tarapacá 2010 (page 321)
VALLE CENTRAL, VIÑA SAN PEDRO TARAPACÁ, CHILI
11,10 $** SAQ C (11445970) ★★☆ **$ Modéré+

8. Château Bellevue La Forêt Rosé 2010 (page 229)
FRONTON, CHÂTEAU BELLEVUE LA FORÊT, FRANCE
15,30 $** SAQ C (219840) ★★☆ **$$ Modéré

9. Kim Crawford Pansy! Rosé 2010 (page 323)
GISBORNE/HAWKE'S BAY, KIM CRAWFORD WINES, NOUVELLE-ZÉLANDE
18,20 $** SAQ S (11447326) ★★☆?☆ **$$ Modéré+

10. Borsao Rosé 2010 (page 226)
CAMPO DE BORJA, BODEGAS BORSAO, ESPAGNE
11,95 $** SAQ C (10754201) ★★?☆ **$ Modéré+

TOP 15
BIÈRES

des meilleures bières de
microbrasseries québécoises

---

1. **Corne de Brume** (page 335)
   BIÈRE FORTE SCOTCH ALE, MICROBRASSERIE À L'ABRI DE LA TEMPÊTE,
   ÎLES-DE-LA-MADELEINE, QUÉBEC, CANADA
   (341 ml) Dépanneurs et épiceries spécialisées ★★★★ **Corsé**

---

2. **La Vache Folle « Double IPA ? »** (page 341)
   BIÈRE INDIA PALE ALE, MICROBRASSERIE CHARLEVOIX, QUÉBEC, CANADA
   (500 ml) Dépanneurs et épiceries spécialisées ★★★★ **Corsé+**

---

3. **Rigor Mortis ABT** (page 344)
   BIÈRE BRUNE D'ABBAYE EXTRA FORTE, BRASSERIE DIEU DU CIEL,
   SAINT-JÉRÔME, QUÉBEC, CANADA
   (341 ml) Dépanneurs et épiceries spécialisées ★★★★ **Corsé+**

---

4. **Terre Ferme « Bière des Îles »** (page 346)
   BIÈRE ALE, MICROBRASSERIE À L'ABRI DE LA TEMPÊTE,
   ÎLES-DE-LA-MADELEINE, QUÉBEC, CANADA
   (341 ml) Dépanneurs et épiceries spécialisées ★★★★ **Modéré+**

---

5. **La Vache Folle ESB** (page 342)
   BIÈRE ROUSSE EXTRA SPECIAL BITTER, MICROBRASSERIE CHARLEVOIX,
   QUÉBEC, CANADA
   (500 ml) Dépanneurs et épiceries spécialisées ★★★★ **Corsé**

---

6. **Fumée Massive Simple Malt** (page 337)
   BIÈRE « UNIQUE », BRASSEURS ILLIMITÉS, SAINT-EUSTACHE, QUÉBEC, CANADA
   (341 ml) Dépanneurs et épiceries spécialisées ★★★☆ **Corsé**

---

7. **Dominus Vobiscum « Blanche »** (page 335)
   BIÈRE BLANCHE, MICROBRASSERIE CHARLEVOIX, QUÉBEC, CANADA
   (500 ml) Dépanneurs et épiceries spécialisées ★★★☆ **Modéré**

---

8. **Dominus Vobiscum « Double »** (page 336)
   BIÈRE EXTRA-FORTE ÉPICÉE, MICROBRASSERIE CHARLEVOIX, QUÉBEC, CANADA
   (500 ml) Dépanneurs et épiceries spécialisées ★★★☆ **Puissante**

---

9. **Simple Malt Cascade IPA** (page 345)
   BIÈRE INDIA PALE ALE, BRASSEURS ILLIMITÉS, SAINT-EUSTACHE,
   QUÉBEC, CANADA
   (341 ml) Dépanneurs et épiceries ★★★☆ **Corsé**

---

10. **Trois Pistoles** (page 347)
    BIÈRE EXTRA FORTE SUR LIE, UNIBROUE, CHAMBLY, QUÉBEC, CANADA
    (341 ml) Dépanneurs et épiceries ★★★☆ **Corsé**

---

11. **St-Ambroise Oatmeal Stout** (page 346)
    BIÈRE STOUT « NOIRE À L'AVOINE », BRASSERIE MCAUSLAN, MONTRÉAL,
    QUÉBEC, CANADA
    (341 ml) Dépanneurs et épiceries ★★★☆ **Modéré+**

12. Scotch Ale Boquébière (page 345)

BIÈRE SCOTCH ALE « EXTRA FORTE », MICROBRASSERIE BOQUÉBIÈRE,
SHERBROOKE, QUÉBEC, CANADA

(341 ml) Dépanneurs et épiceries ★★★☆   **Corsé+**

**13. Dopplebock Grande Cuvée
« Printemps 2011 »** (page 336)

BIÈRE PALE ALE, MICROBRASSEURS LES TROIS MOUSQUETAIRES, BROSSARD,
QUÉBEC, CANADA

(750 ml) Dépanneurs et épiceries ★★★☆   **Corsé+**

14. La Buteuse « Brassin Spécial » (page 339)

BIÈRE ALE EXTRA-FORTE, MICROBRASSERIE LE TROU DU DIABLE,
SHAWINIGAN, QUÉBEC, CANADA

(750 ml) Dépanneurs et épiceries spécialisées ★★★☆   **Corsé**

15. La Vache Folle « Colombus Double IPA » (page 340)

BIÈRE INDIA PALE ALE, MICROBRASSERIE CHARLEVOIX, QUÉBEC, CANADA

(500 ml) Dépanneurs et épiceries spécialisées ★★★☆   **Corsé**

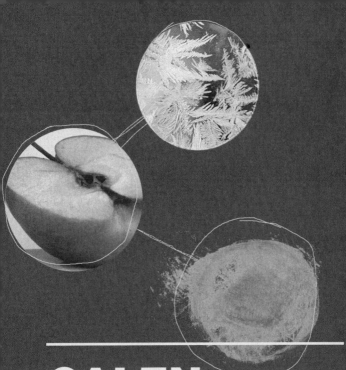

CALEN DRIER
DES FUTURS ARRIVAGES DE 2011/2012

CALEN DRIER DES FUTURS ARRIVAGES DE 2011/2012

Après une année de pause en 2011 pour laisser place à des dossiers spéciaux célébrant la 15e année de parution du guide, vous serez heureux de retrouver dans la présente édition de *La Sélection Chartier* le très attendu **Calendrier des futurs arrivages**. Il répertorie le calendrier des 175 vins commentés en primeur dans *La Sélection Chartier 2012* – toujours le seul guide au Québec à commenter de nombreux vins avant leur mise en marché à la SAQ.

La *Sélection* permet ainsi à ses lecteurs de prévoir la mise en marché de multiples crus, recommandés par l'auteur, et d'en être avisés avant tout le monde.

Depuis la première édition de *La Sélection Chartier*, il y a seize ans, j'ai indiqué les dates de mise en marché des nombreux vins que j'ai le privilège de déguster avant leur arrivée au Québec. Mais, pour un suivi plus aisé, tout au long de l'année, l'idée d'un *Calendrier des futurs arrivages* complète judicieusement ce service offert uniquement aux lecteurs de *La Sélection*.

Notez que les dates de mise en marché inscrites dans *La Sélection Chartier* peuvent varier légèrement, l'importation des vins étant sujette à un calendrier plutôt aléatoire dû à l'écoulement rapide ou non des stocks des millésimes précédents, ainsi qu'au temps alloué à l'importation des nouveaux vins.

Et pour en savoir plus sur ces 175 futurs arrivages, n'oubliez pas de consulter les descriptions de ces vins, ainsi que les propositions d'harmonies vins et mets, au fil des pages de cette édition de *La Sélection Chartier*.

AOÛT 2011

Château Lamarche 2009
Bordeaux-Supérieur, France
(page 139)
15,90 $ SAQ S (10862991)
★★★ $$ Modéré+
✓ TOP 100 CHARTIER

Shaya Verdejo Old Vines 2009 Rueda, Espagne (page 113)
18,70 $ SAQ S (11377014)
★★★ $$ Modéré+

Pinot Noir Calera « Central Coast » 2008 Central Coast, États-Unis (page 304)
28 $ SAQ S (898320)
★★★☆ $$$ Corsé
✓ TOP 100 CHARTIER

AOÛT/SEPTEMBRE 2011

Costamolino Argiolas 2010
Vermentino di Sardegna, Italie
(page 96)
16,55 $ SAQ S (10675095)
★★☆ $$ Modéré

Riesling Selbach-Oster Kabinett 2009 Mosel, Allemagne (page 102)
22,10 $ SAQ S (10750841)
★★☆ $$ Modéré

Château Puech-Haut « Prestige » Blanc 2010
Coteaux-du-Languedoc Saint-Drézéry, France (page 105)
25,35 $ SAQ S (11098331)
★★★☆ $$ Corsé
✓ TOP 100 CHARTIER

Pinot Noir Clos Jordanne Village Reserve 2008 Niagara Peninsula VQA, Canada
(page 302)
26,45 $ SAQ S (10745487)
★★★?☆ $$$ Modéré+ BIO
✓ TOP 100 CHARTIER

Zinfandel Peter Franus 2008
Mount Veeder, États-Unis
(page 306)
37 $ SAQ S (897652)
★★★☆ $$$ Puissant

Pinot Noir Talon Ridge Vineyard 2008 Niagara Peninsula VQA, Canada
(page 318)
37,50 $ SAQ S (11451051)
★★★?☆ $$$ Corsé BIO

AUTOMNE 2011

Merlot Domaine de Moulines 2009 Vin de Pays de l'Hérault, France (page 125)
11,20 $ SAQ C (620617)
★★ $ Modéré

Sciaranèra « Corvo » 2010 Sicilia, Italie (page 134)
14,55 $ SAQ S (10967725)
★★☆?☆ $ Modéré+

Borsao Crianza 2008 Campo de Borja, Espagne (page 134)
14,65 $ SAQ C (10463631)
★★☆?☆ $$ Modéré+
✓ TOP 30 BAS PRIX

Prado Rey 2009 Ribera del Duero, Espagne (page 137)
15,15 $ SAQ S* (585596)
★★☆ $$ Modéré
✓ TOP 30 BAS PRIX

Château Tour
Boisée « Marielle et
Frédérique » 2010 Minervois,
France (page 142)
16,15 $ SAQ S* (896381)
★★☆?☆ $$ Modéré+

Jorio 2009
Montepulciano
d'Abruzzo, Italie (page 144)
16,70 $ SAQ S* (862078)
★★★ $$ Modéré+

Dogajolo 2010 Toscana,
Italie (page 146)
16,90 $ SAQ S* (978874)
★★★ $$ Modéré+
✓ TOP 100 CHARTIER

Gentil Hugel 2010 Alsace,
France (page 97)
17,15 $ SAQ C (367284)
★★ $$ Modéré

Brentino Maculan 2009
Breganze Rosso, Italie
(page 147)
17,25 $ SAQ S (10705021)
★★★ $$ Modéré+
✓ TOP 100 CHARTIER

Domaine de Torraccia 2007
Corse-Porto Vecchio, France
(page 156)
18,45 $ SAQ S (860940)
★★☆ $$ Modéré+ BIO

Altesino 2009 Toscana, Italie
(page 158)
18,65 $ SAQ S (10969763)
★★☆?☆ $$ Modéré+

Cairanne Peyre Blanche
2009 Côtes-du-Rhône-Villages
Cairanne, France (page 159)
19 $ SAQ S (11400721)
★★★ $ Corsé
✓ TOP 100 CHARTIER

Pittacum 2007 Bierzo,
Espagne (page 160)
19,10 $ SAQ S (10860881)
★★★ $$ Corsé+

Ramione « Merlot-Nero
d'Avola » 2007 Sicilia, Italie
(page 161)
19,20 $ SAQ S* (10675693)
★★★?☆ $$ Corsé
✓ TOP 100 CHARTIER

Syrah Liberty
School 2009 California,
États-Unis (page 294)
19,70 $ SAQ S* (10355454)
★★★ $$ Corsé

Château l'Hospitalet
« La Réserve » 2009
Coteaux-du-Languedoc
La Clape, France (page 165)
19,95 $ SAQ S (10920732)
★★★ $$ Corsé

Gewurztraminer
Hugel 2010 Alsace,
France (page 100)
19,95 $ SAQ C (329235)
★★★ $$ Modéré+

Pinot Bianco Lageder 2010
Südtiroler-Alto Adige, Italie
(page 101)
20,20 $ SAQ S (11035911)
★★★ $$ Modéré BIO
✓ TOP 100 CHARTIER

Merlot Château Los Boldos
« Vieilles Vignes » 2009
Valle del Rapel, Chili
(page 299)
23,35 $ SAQ S (10693921)
★★★?☆ $$ Corsé
✓ TOP 100 CHARTIER

Les Christins 2009
Vacqueyras, France (page 176)
23,40 $ SAQ S* (872937)
★★★?☆ $$ Corsé+

Château Lousteauneuf
2009 Médoc, France
(page 177)
23,80 $ SAQ S* (913368)
★★★?☆ $$ Corsé

Merlot Vistorta 2007
Friuli, Italie (page 178)
23,95 $ SAQ S* (10272763)
★★★☆ $$$ Modéré+

Chardonnay Village Reserve
2008 Niagara Peninsula VQA,
Canada (page 275)
26,45 $ SAQ S (11254031)
★★★ $$ Corsé BIO

Château de Pierreux
« La Réserve du
Château » 2009 Brouilly,
France (page 183)
27,30 $ SAQ S (10368001)
★★★☆ $$ Corsé

**Farnito Cabernet Sauvignon
2006** Toscana, Italie
(page 184)
27,95 $ SAQ S* (963389)
★★★☆ $$$$ Corsé+
✓ TOP 100 CHARTIER

Monte Real Reserva
2004 Rioja, Espagne
(page 185)
28,05 $ SAQ S (856005)
★★★?☆ $$ Corsé

**Ca'del Bosco Curtefranca
2007** Curtefranca, Italie
(page 185)
28,40 $ SAQ S (214189)
★★★☆ $$ Corsé
✓ TOP 100 CHARTIER

**Ca'del Bosco Curtefranca
2009** Curtefranca, Italie
(page 118)
28,40 $ SAQ S (11155577)
★★☆ $$$ Modéré

**Coudoulet de Beaucastel
2009** Côtes-du-Rhône, France
(page 186)
29,80 $ SAQ S* (973222)
★★★☆ $$$ Corsé BIO
✓ TOP 100 CHARTIER

La Gille 2008 Gigondas,
France (page 216)
29,80 $ SAQ S (10267905)
★★★ $$$ Corsé

Brancaia 2008 Chianti
Classico, Italie (page 188)
35,25 $ SAQ S (10431091)
★★★☆ $$$ Corsé
✓ TOP 100 CHARTIER

Syrah Bramasole 2007
Cortona, Italie (page 189)
37,75 $ SAQ S (10379771)
★★★ $$ Modéré+

Clos Saint Jean 2009
Châteauneuf-du-Pape, France
(page 191)
46,25 $ SAQ S (11104041)
★★★☆?☆ $$$$ Corsé+
✓ TOP 100 CHARTIER

Chester Kidder 2005
Columbia Valley, États-Unis
(page 309)
47 $ SAQ S (11335501)
★★★☆?☆ $$$$ Corsé+

Vidal Vin de Glace 2007
Québec, Canada (page 329)
53,75 $ 375 ml SAQ S (11398317)
★★★★ $$$$ Corsé+
✓ TOP 100 CHARTIER

Blanchot 2007 Chablis Grand
Cru, France (page 121)
63 $ SAQ S (11439668)
★★★☆?☆ $$$$ Corsé

Bussia Prunotto 2006
Barolo, Italie (page 193)
72,50 $ SAQ S (326991)
★★★★ $$$$ Corsé

Paleo 2007 Bolgheri, Italie
(page 193)
80 $ SAQ S (739441)
★★★★ $$$$$ Corsé
✓ TOP 100 CHARTIER

Château de Beaucastel 2008
Châteauneuf-du-Pape, France
(page 194)
89,25 $ SAQ S (520189)
★★★★ $$$$$ Corsé+ BIO

SEPTEMBRE 2011

**Malbec Los Cardos Doña
Paula 2010** Mendoza,
Argentine (page 283)
14,10 $ SAQ S (10893914)
★★☆?☆ $ Modéré+

Jorio Bianco 2010
Marche, Italie
(page 95)
16,25 $ SAQ S (11573218)
★★☆ $$ Léger+

Claraval 2008
Calatayud, Espagne
(page 200)
17,20 $ SAQ S* (11412844)
★★☆?☆ $ Corsé

Chardonnay d'A 2010
Limoux, France (page 99)
19,20 $ SAQ S (11367511)
★★★ $$ Corsé

Pinot Grigio Attems 2010
Venezia Giulia, Italie
(page 101)
19,95 $ SAQ S (11472409)
★★★ $$ Modéré
✓ TOP 100 CHARTIER

The Hermit Crab
« d'Arenberg » 2008 McLaren Vale, Australie (page 265)
20 $ SAQ S (10829269)
★★★ $$ Modéré+
✓ TOP 100 CHARTIER

Pinot Gris A to Z 2008
Oregon, États-Unis (page 267)
21,70 $ SAQ S (11334057)
★★☆?☆ $$ Modéré+

Philippe Gilbert
« Menetou-Salon »
2008 Menetou-Salon, France (page 182)
26,25 $ SAQ S (11154988)
★★★ $$ Modéré+ BIO

Citadelle Gin, France (page 249)
28,80 $ SAQ S (10235567)
★★★☆ Modéré+
✓ TOP 10 SPIRITUEUX

Château
Capet-Guillier 2006
Saint-Émilion Grand Cru, France (page 187)
29,90 $ SAQ S (11095148)
★★★?☆ $$$ Modéré+

Sijnn 2007 Stellenbosch, Afrique du Sud (page 306)
32 $ SAQ S (11447473)
★★★☆?☆ $$$ Corsé
✓ TOP 100 CHARTIER

Riesling Heissenberg 2009
Alsace, France (page 108)
37,25 $ SAQ S (739813)
★★★☆?☆ $$$ Corsé BIO
✓ TOP 100 CHARTIER

Marquise de la Tourette
2009 Hermitage, France (page 121)
59 $ SAQ SS (11544169)
★★★★?☆ $$$$ Corsé+
✓ TOP 100 CHARTIER

Clos Boucher 2009 Condrieu, France (page 121)
68,75 $ SAQ SS (11544142)
★★★★ $$$$ Corsé+
✓ TOP 100 CHARTIER

The Benriach « Arumaticus Fumosus » 12 ans Scotch Single Peated Malt, Écosse (page 251)
69,25 $ SAQ S (11092473)
★★★★☆ Puissant
✓ TOP 10 SPIRITUEUX

Pierre Gimonnet & Fils
« Cuis 1er Cru » Brut 2004
Champagne, France (page 240)
74,75 $ SAQ S (10230694)
★★★★★?☆ $$$$ Corsé

The BenRiach 15 ans
« Tawny Port Wood Finish »
Scotch Speyside Single Malt, Écosse (page 252)
87,75 $ SAQ S (11092457)
★★★★ Corsé

SEPTEMBRE/OCTOBRE 2011

Château Roubia
2007 Minervois, France (page 131)
13,95 $ SAQ S (912816)
★★☆ $ Modéré+ BIO

Luzon Organic 2008
Jumilla, Espagne (page 136)
14,75 $ SAQ S (10985780)
★★☆ $$ Modéré+ BIO

Lea de Vallformosa,
Brut Cava, Espagne (page 229)
14,95 $ SAQ S (11574501)
★★★ $$ Modéré+

Tempranillo Albet i Noya 2009 Penedès, Espagne (page 140)
15,95 $ SAQ S (10985801)
★★☆ $$ Modéré+ BIO

Causse Marines
« Les Greilles » 2010 Gaillac, France (page 98)
17,95 $ SAQ S (860387)
★★☆?☆ $$ Modéré BIO

Grain de Folie 2010
Gaillac Doux, France (page 231)
18,15 $ 500 ml SAQ S (866236)
★★★?☆ $$ Modéré+

Polena 2009 Sicilia, Italie
(page 112)
18,15 $ SAQ **S** (11355704)
★★☆ **$$ Modéré**

Antu « Cabernet Sauvignon/ Caremenère » 2010
Colchagua, Chili (page 312)
18,95 $ SAQ **S** (11386885)
★★☆?☆ **$ Corsé**

Les Launes 2009 Crozes-Hermitage, France (page 174)
22,50 $ SAQ **S** (11544126)
★★★?☆ **$$ Corsé**
✓ TOP 100 CHARTIER

Domaine La Tour Vieille « Blanc Doux »
Banyuls, France (page 234)
22,60 $ SAQ **S** (11544222)
★★★☆ **$$$ Modéré+**

Syrah Qupé 2009 Central Coast, États-Unis (page 298)
22,95 $ SAQ **S** (866335)
★★★☆ **$$ Modéré+**
✓ TOP 100 CHARTIER

Les Challeys 2009 Saint-Joseph, France (page 212)
25,40 $ SAQ **S** (10912417)
★★☆?☆ **$$$ Corsé**

El Castro de Valtuille 2007 Bierzo, Espagne
(page 181)
25,90 $ SAQ **S** (11155569)
★★★☆ **$$ Corsé**

Marcel Lapierre « Morgon » 2010 Morgon, France
(page 182)
26 $ SAQ **S** (11305344)
★★★☆ **$$$ Modéré+**
✓ TOP 100 CHARTIER

Pétales d'Osoyoos 2008
Okanagan Valley VQA, Canada
(page 316)
26,20 $ SAQ **S** (11091981)
★★☆?★ **$$ Corsé**

Pinot Noir Belle Vallée 2008
Willamette Valley, États-Unis
(page 302)
26,65 $ SAQ **S** (10947839)
★★★?☆ **$$ Modéré+**

Ninquén Mountain Vineyard 2008 Colchagua, Chili
(page 316)
26,70 $ SAQ **S** (928853)
★★★?☆ **$ Corsé+**
✓ TOP 100 CHARTIER

Pinot Noir A to Z 2008
Oregon, États-Unis (page 303)
26,70 $ SAQ **S** (11334073)
★★★ **$$ Modéré**

Domaine Valette Vieilles Vignes 2008 Mâcon-Chaintré, France (page 106)
28,40 $ SAQ **S** (10224526)
★★★?☆ **$$$ Corsé BIO**
✓ TOP 100 CHARTIER

Jean-Pierre Moueix 2007 Pomerol, France
(page 186)
28,95 $ SAQ **S*** (739623)
★★★☆ **$$$ Corsé**

Le Volte 2009 Toscana, Italie
(page 187)
30 $ SAQ **S** (10938684)
★★★?☆ **$$$ Corsé**

Tancredi 2007 Sicilia, Italie
(page 187)
30 $ SAQ **S** (10542129)
★★★☆ **$$$ Corsé+**
✓ TOP 100 CHARTIER

Chardonnay Calera « Mt. Harlan » 2009 Mount Harlan, États-Unis (page 269)
31 $ SAQ **S** (11089944)
★★★☆ **$$$ Corsé**
✓ TOP 100 CHARTIER

Magellan Gin, France
(page 250)
38,25 $ SAQ **SS** (11216712)
★★★ **Corsé**

Mas Jullien 2008 Coteaux-du-Languedoc Terrasses du Larzac, France (page 190)
39 $ SAQ **S** (10874861)
★★★☆ **$$$ Corsé+ BIO**
✓ TOP 100 CHARTIER

Pinot Noir Amisfield 2008
Central Otago, Nouvelle-Zélande (page 307)
39,50 $ SAQ **S** (10826084)
★★★☆ **$$$ Corsé**

**Chardonnay Claystone
Terrace 2008** Niagara
Peninsula VQA, Canada
(page 269)
40,75 $ SAQ S (10697331)
★★★☆?☆ $$$ Corsé BIO
✓ TOP 100 CHARTIER

**Plantation Barbados Old
Reserve 2000** Rhum, Barbade
(page 344)
44,25 $ SAQ S (10913276)
★★★☆ $ Corsé

**Besserat de Bellefon
Cuvée des Moines Brut Rosé**
Champagne, France
(page 239)
59 $ SAQ S (11154515)
★★★★ $$$$ Corsé
✓ TOP 100 CHARTIER

D de Devaux Brut
Champagne, France
(page 240)
62,75 $ SAQ S (11551852)
★★★★ $$$$ Corsé
✓ TOP 100 CHARTIER

Hameau de Blagny 2009
Puligny-Montrachet 1er Cru,
France (page 122)
90,50 $ SAQ S (11473858)
★★★☆?☆ $$$$ Modéré+

OCTOBRE 2011

Honoro Vera Garnacha 😊
2009 Calatayud,
Espagne (page 139)
15,75 $ SAQ C (11462382)
★★★ $$ Corsé

**Belle Vallée Southern
Oregon 2006** Southern
Oregon, États-Unis (page 289)
17,35 $ SAQ S (11208405)
★★★ $$ Corsé

Quatro 2010 😊
Colchagua,
Chili (page 311)
17,95 $ SAQ S (11331737)
★★☆?☆ $ Corsé

Chardonnay Mission 😊
Hill Reserve 2008
Okanagan Valley VQA, Canada
(page 266)
20,20 $ SAQ S (11092078)
★★★ $$ Modéré+

**Oyster Bay Sparkling Cuvée
Brut** Marlborough,
Nouvelle-Zélande (page 330)
24,95 $ SAQ S (11565023)
★★☆ $$ Modéré+

Sideral 2005 Valle del 😊
Rapel, Chili (page 301)
26,40 $ SAQ S (10692830)
★★★☆ $$ Corsé

Bosan Ripasso Cesari 😊
2008 Valpolicella
Superiore, Italie (page 184)
27,50 $ SAQ S (11355886)
★★★?☆ $$ Corsé

**Château Lamarche Canon
« Candelaire » 2008** Canon-
Fronsac, France (page 216)
28,90 $ SAQ S (912204)
★★★?☆ $$$ Corsé

Riesling Muenchberg 2008
Alsace Grand Cru, France
(page 109)
42,75 $ SAQ S (739821)
★★★★ $$$$ Corsé BIO
✓ TOP 100 CHARTIER

Stratus Red 2007 Niagara
Peninsula VQA, Canada
(page 308)
44 $ SAQ S (11574430)
★★★☆?☆ $$$$ Corsé
✓ TOP 100 CHARTIER

Sotanum 2009 Vin de Pays
des Collines Rhodaniennes,
France (page 192)
54,75 $ SAQ S (894113)
★★★★ $$$$ Corsé
✓ TOP 100 CHARTIER

OCTOBRE/NOVEMBRE 2011

Château Lamarche 2009
Bordeaux-Supérieur, France
(page 139)
15,90 $ SAQ S (10862991)
★★★ $$ Modéré+
✓ TOP 100 CHARTIER

Cabernet Sauvignon 😊
Vallformosa 2003
Penedès, Espagne (page 154)
18,25 $ SAQ S (904524)
★★★ $$ Corsé

Riesling Willamette
Valley Vineyards 2009
Willamette Valley, États-Unis
(page 264)
19,70 $ SAQ S (11202821)
★★★ $$ Modéré+

Henry Fessy « Brouilly »
2009 Brouilly, France
(page 166)
19,95 $ SAQ S (11589842)
★★☆ $$ Modéré+

Henry Fessy
« Moulin-à-Vent » 2009
Brouilly, France (page 170)
21,15 $ SAQ S (11589818)
★★★ $$ Modéré+

Godello Godeval 2009
Valdeorras, Espagne
(page 101)
21,20 $ SAQ S (11412959)
★★★ $$ Modéré+
✓ TOP 100 CHARTIER

Pinot Gris A to Z
2010 Oregon,
États-Unis (page 274)
21,70 $ SAQ S (11334057)
★★★ $$ Corsé

Chardonnay A to Z
2008 Oregon,
États-Unis (page 267)
21,80 $ SAQ S (11399678)
★★★ $$ Modéré+

The High Trellis Cabernet
Sauvignon 2007 McLaren
Vale, Australie (page 313)
22,50 $ SAQ S (10968146)
★★☆?☆ $$ Corsé

Shiraz Mitolo « Jester »
2009 McLaren Vale, Australie
(page 303)
26,65 $ SAQ S (10769411)
★★★?☆ $$ Corsé+
✓ TOP 100 CHARTIER

Pinot Noir The Feral Fox
d'Arenberg 2009 Adelaïdes
Hills, Australie (page 305)
29,65 $ SAQ S (11461128)
★★★?☆ $$ Corsé
✓ TOP 100 CHARTIER

Pinot Noir Kayena
Vineyard 2008
Tasmania, Australie (page 305)
29,90 $ SAQ S (10947732)
★★★?☆ $$$ Modéré+

Cru Barréjats 2001
Sauternes, France
(page 237)
43 $ 500 ml SAQ S (11543238)
★★★★ $$$$ Corsé+

Pinot Noir Cristom « Jessie
Vineyards » 2007 Willamette
Valley, États-Unis (page 309)
57,25 $ SAQ S (11120315)
★★★☆?☆ $$$$ Modéré+

Pierre Gimonnet & Fils
« Cuis 1er Cru » Blanc de
Blancs Brut Champagne,
France (page 239)
58 $ SAQ S (11553209)
★★★★ $$$$ Modéré+

The Benriach « Curiositas
Peated Malt » 10 ans Scotch
Speyside Single Malt, Écosse
(page 252)
63 $ SAQ S (10652547)
★★★★ Corsé
✓ TOP 10 SPIRITUEUX

NOVEMBRE 2011

Muscat à Petits Grains
Terre Rouge 2008
Shenandoah Valley, États-Unis
(page 324)
23,30 $ SAQ S (11576970)
★★★?☆ $$ Modéré

Château Puech-Haut
« Prestige » 2009 Coteaux-
du-Languedoc Saint-Drézéry,
France (page 177)
23,90 $ SAQ S (10918894)
★★★☆ $$$ Corsé+
✓ TOP 100 CHARTIER

Blue Pyrenees
« Midnight Cuvée
2004 Australia, Australie
(page 326)
28,70 $ SAQ S (11564987)
★★★☆?☆ $$$ Corsé

Ben Ryé 2008 Passito di
Pantelleria, Italie (page 235)
30 $ 375 ml SAQ S (11301482)
★★★☆?☆ $$$ Corsé+
✓ TOP 100 CHARTIER

NOVEMBRE/DÉCEMBRE 2011

JaspiNegre 2008 Montsant, Espagne (page 150)
17,60 $ SAQ **S** (11387351)
★★★ **$$** Corsé

Pirineos
« Merlot-Cabernet »
Crianza 2006 Somontano, Espagne (page 151)
17,65 $ SAQ **S** (11305555)
★★★ **$$** Corsé

17-XI 2007 Montsant, Espagne (page 157)
18,55 $ SAQ **S** (11377090)
★★★ **$$** Modéré+
✓ TOP 100 CHARTIER

Nosis 2009 Rueda, Espagne (page 99)
18,75 $ SAQ **S** (10860928)
★★☆?☆ **$$** Modéré+

Giné Giné 2008 Priorat, Espagne (page 160)
19,20 $ SAQ **S** (11337910)
★★★ **$$** Modéré+

Blanc de Mer 2010 Western Cape, Afrique du Sud (page 273)
20 $ SAQ **S** (11460029)
★★ **$$** Modéré

Carodorum 2006
Toro, Espagne (page 170)
21,20 $ SAQ **S** (11414006)
★★★?☆ **$$** Corsé+

The Money Spider
« d'Arenberg » 2009 McLaren Vale, Australie (page 268)
23,65 $ SAQ **S** (10748397)
★★★☆ **$$** Corsé
✓ TOP 100 CHARTIER

Tilenus « Crianza » Mencia 2006 Bierzo, Espagne (page 179)
24,10 $ SAQ **S** (10856152)
★★★?☆ **$$** Corsé

Chardonnay
Bouchard Finlayson
« Crocodile's Lair » 2009
Overberg, Afrique du Sud (page 269)
24,20 $ SAQ **S** (11416108)
★★★ **$$** Corsé

Pinot Noir Eola Hills 2009
Oregon, États-Unis (page 315)
24,80 $ SAQ **S** (10947759)
★★?☆ **$$** Modéré

Pinot Noir Eola Hills
Reserve « La Creole »
2008 Oregon, États-Unis (page 301)
25,95 $ SAQ **S** (10947783)
★★★?☆ **$$** Modéré+

Poggio Antico 2006 Brunello di Montalcino, Italie (page 193)
71,75 $ SAQ **S** (11300375)
★★★★ **$$$$** Corsé
✓ TOP 100 CHARTIER

DÉCEMBRE 2011

Mas Haut-Buis
« Les Carlines » 2009
Coteaux-du-Languedoc, France (page 149)
17,50 $ SAQ **S** (10507278)
★★★ **$$** Corsé
✓ TOP 100 CHARTIER

Château Saint-Martin de la Garrigue 2009 Coteaux-du-Languedoc Grès de Montpellier, France (page 180)
24,85 $ SAQ **S** (10268828)
★★★☆ **$$** Corsé BIO
✓ TOP 100 CHARTIER

Château de Maligny
« L'Homme Mort » 2010
Chablis 1er Cru, France (page 119)
34,50 $ SAQ **S** (872986)
★★☆?☆ **$$$** Modéré

Château de Maligny
« Fourchaume » 2010
Chablis 1er Cru, France (page 108)
35,50 $ SAQ **S** (480145)
★★★☆ **$$$** Modéré+

Château de Maligny « Montée de Tonnerre » 2010 Chablis 1er Cru, France (page 108)
35,50 $ SAQ **S** (895110)
★★★☆ **$$$** Corsé

La Comme 2009 Santenay 1er Cru, France (page 190)
39 $ SAQ **S** (11532977)
★★★☆?☆ **$$$** Corsé+

Carelle sous la Chapelle 2009 Volnay 1er Cru, France (page 191)
51,50 $ SAQ **S** (11533101)
★★★★ **$$$$** Corsé
✓ TOP 100 CHARTIER

Gevrey-Chambertin Boisset 2009 Gevrey-Chambertin, France (page 192)
51,50 $ SAQ **S** (11532993)
★★★★ **$$$$** Corsé+

Varnier-Fannière Grand Cru Brut Champagne, France (page 245)
53,50 $ SAQ **S** (11528089)
★★★☆?☆ **$$$$** Modéré+
✓ TOP 100 CHARTIER

Les Chardannes 2009 Chambolle-Musigny, France (page 192)
63,25 $ SAQ **S** (11016868)
★★★☆ **$$$$** Modéré+

Les Charmes 2009 Chambolle-Musigny 1er Cru, France (page 194)
95,50 $ SAQ **S** (11099229)
★★★★ **$$$$$** Corsé

HIVER 2011/2012

Taylor Fladgate Vintage 2009 Porto Vintage, Portugal (page 241)
135 $ 375 ml SAQ **S**
(Code non disp.)
★★★★ **$$$$$** Puissant

FIN 2011

S'elegas Argiolas 2010 Nuragus di Cagliari, Italie (page 94)
14,80 $ SAQ **S** (10675159)
★★☆ **$$** Léger+

Château Tour Boisée « À Marie-Claude » 2007 Minervois, France (page 163)
19,60 $ SAQ **S** (395012)
★★★ **$$** Corsé

Camins del Priorat 2009 Priorat, Espagne (page 173)
22,30 $ SAQ **S** (11180351)
★★★?☆ **$$** Corsé
✓ TOP 100 CHARTIER

Pinot Noir Churton 2009 Marlborough, Nouvelle-Zélande (page 305)
31 $ SAQ **S** (10383447)
★★★☆ **$$** Corsé
✓ TOP 100 CHARTIER

FIN 2011/DÉBUT 2012

Château de Gaudou « Tradition » 2009 Cahors, France (page 197)
14,85 $ SAQ **S*** (919324)
★★☆ **$$** Corsé

Black Tie Pinot Gris/ Riesling 2010 Alsace, France (page 99)
19,10 $ SAQ **S** (11469621)
★★★ **$$** Modéré+

Château Paul Mas « Clos des Mûres » 2010 Coteaux-du-Languedoc, France (page 164)
19,75 $ SAQ **S*** (913186)
★★★ **$$** Corsé

La Parde de Haut-Bailly 2008 Pessac-Léognan, France (page 219)
45,50 $ SAQ **S** (Code non disp.)
★★★☆?☆ **$$$$** Corsé

Merlot Pedestal 2007 Columbia Valley, États-Unis (page 310)
74,50 $ SAQ **S** (11202741)
★★★★ **$$$$** Corsé+

Château Haut-Bailly 1998 Pessac-Léognan, France (page 223)
Prix non disp.
SAQ **S** (Code non disp.)
★★★☆ **Modéré+**

Château Haut-Bailly 2005
Pessac-Léognan, France
(page 223)
Prix non disp.
SAQ S (Code non disp.)
★★★★ $$$$$ Corsé+

Château Haut-Bailly 2008
Pessac-Léognan, France
(page 223)
96 $ SAQ S (Code non disp.)
★★★☆?☆ $$$$$ Corsé

DÉCEMBRE 2011/JANVIER 2012

**Chardonnay
Les Ursulines 2009**
Bourgogne, France (page 104)
24,25 $ SAQ S (11008112)
★★★ $$ Modéré+

DÉBUT 2012

Autrement 2009
Coteaux-du-Languedoc,
France (page 137)
15,15 $ SAQ S (11200972)
★★☆?☆ $$ Modéré+ BIO

**Nero d'Avola Scinthilì
Morgante 2010** Sicilia, Italie
(page 144)
16,45 $ SAQ S* (10542946)
★★☆?☆ $$ Modéré+

Costera Argiolas 2009
Cannonau di Sardegna, Italie
(page 156)
18,45 $ SAQ S (972380)
★★★ $$ Corsé

**Shiraz Two Hands « Gnarly
Dudes » 2010** Barossa,
Australie (page 306)
31,25 $ SAQ S (11457065)
★★★☆ $$ Corsé
✓ TOP 100 CHARTIER

JANVIER 2012

**Oyster Bay Sparkling Cuvée
Brut** Marlborough,
Nouvelle-Zélande (page 330)
24,95 $ SAQ S (11565023)
★★☆ $$ Modéré+

Riesling Heissenberg 2009
Alsace, France (page 108)
37,25 $ SAQ S (739813)
★★★☆?☆ $$$ Corsé BIO
✓ TOP 100 CHARTIER

JANVIER/FÉVRIER 2012

Napanook 2008 Napa Valley,
États-Unis (page 309)
49,75 $ SAQ S (897488)
★★★★ $$$$ Corsé
✓ TOP 100 CHARTIER

**Dominus « Christian
Moueix » 2008** Napa Valley,
États-Unis (page 310)
113,25 $ SAQ S (869222)
★★★★?☆ $$$$$ Corsé

FÉVRIER/MARS 2012

**Pinot Gris Eola Hills
2009** Oregon,
États-Unis (page 273)
18,95 $ SAQ S (11603501)
★★★ $$ Corsé

Terre de Fuissé 2009
Pouilly-Fuissé, France
(page 120)
41 $ SAQ S (10788882)
★★★☆ $$$ Corsé+
✓ TOP 100 CHARTIER

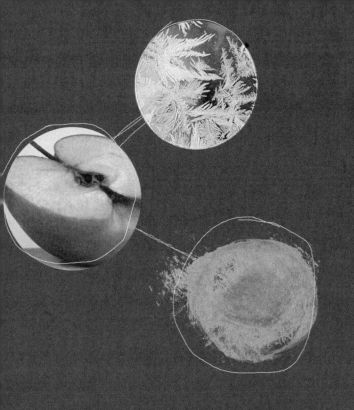

REPORTAGE
SPÉCIAL

FRANÇOIS CHARTIER RENCONTRE ROBERT PARKER JR.

« Une rare et exclusive entrevue avec l'un des hommes les plus influents dans l'univers du vin »

Voici un résumé de l'entrevue parue en exclusivité dans ma chronique du quotidien *La Presse*, le 25 juin 2011, ainsi qu'en version longue et détaillée sur le site www.francoischartier.ca, suivi de quelques percutants extraits signés Robert Parker Jr.

Écoutez aussi les pistes audio et lisez la transcription complète « mot à mot » sur le site **francoischartier.ca**. *Cette entrevue de 90 minutes fut transcrite et traduite à partir des pistes audio enregistrées par François Chartier.*

FRANÇOIS CHARTIER RENCONTRE ROBERT PARKER JR.

François Chartier et Robert M. Parker Jr. : *une rencontre passionnante entre deux passionnés de vins et de cuisine*

L'influent critique de vins Robert M. Parker Jr. était de passage à Montréal le 25 juin 2011. Il était l'invité d'honneur d'une soirée caritative au profit de la fondation **Emergo**. Notre chroniqueur, François Chartier, a rencontré cet épicurien, quelques heures après sa découverte du cidre de glace. Et du pouding-chômeur!

Robert Parker est l'auteur du célèbre bulletin bimestriel, *The Wine Advocate*, fondé en 1978. Il a maintenant plus de 50 000 abonnés répartis dans plus de 37 pays.

J'ai eu le grand privilège de rencontrer l'homme aux 10 000 vins dégustés chaque année (!). Notre entrevue devait durer une demi-heure. Elle s'est poursuivie pendant 90 minutes, juste avant ce repas de prestige, où étaient servis, entre autres, les grands crus que sont les Chardonnay Kistler 2006, Pichon-Lalande 82, Cheval Blanc 95, Grange 82 et Pinot Noir Beaux-Frères Vineyards 2000. Il faut savoir que ce dégustateur surdoué donne très peu d'entrevues, depuis quelques années. Et qu'il n'était pas venu au Québec depuis 1973. Une occasion que je ne pouvais laisser passer.

Je n'avais pas encore eu le plaisir de rencontrer l'homme qui a eu, au cours des 30 dernières années, le plus d'influence dans l'univers du vin. Quel plaisir! J'ai découvert un homme chaleureux, humble, simple et d'une très grande générosité.

Tout le contraire de l'image projetée par les photos qui circulent, et des qu'en-dira-t-on émanant la plupart du temps de gens n'ayant pas rencontré l'espèce rare, décoré Officier de la Légion d'honneur, par Jacques Chirac, ainsi que *Commendatore* de l'Ordre national du Mérite italien, par Silvio Berlusconi. Pas mal pour un Américain!

Il faut savoir d'entrée de jeu que cet ex-avocat est très impliqué dans plusieurs fondations. À commencer par celle qu'il a créée, la *Wine Advocate Fund for Philantropy*, pour laquelle il organise, pour de grands donateurs, des dîners de prestige arrosés des vins qui ont reçu sa note parfaite de 100 points, afin d'amasser des fonds pour la recherche sur le cancer. La maladie a emporté ses deux parents.

Ce brillant homme d'affaires demeure avant tout un amateur passionné de vin et de cuisine.

Et c'est exactement l'impression que j'ai eue de l'homme pendant toute la durée du repas qui a suivi cette rencontre. Le plaisir fait vibrer Parker. Et le fera vibrer encore longtemps. Car il est loin d'avoir dit son dernier mot! Tout en poursuivant sa route entre le Maryland, où il habite, et la Californie, où il déguste les vieux millésimes, il écrit ses mémoires. Gageons qu'elles feront couler encore beaucoup de vin. Et d'encre...

Extraits de l'entrevue de François Chartier avec Robert Parker Jr.

(Extraits de l'entrevue *FrançoisChartier.Ca rencontre Robert Parker Jr. à Montréal, le 20 juin 2011*)

- Je dirais que quand j'ai commencé à écrire sur le vin, les vignobles anglais dominaient et il y avait une attitude très élitiste (Oxford, Cambridge, Eaton) à l'égard du vin. Il fallait toujours que ce soit un grand cru classé ou un premier cru classé. Puis je suis arrivé avec une façon plus démocratique, créant un terrain de jeux plus accessible. Laissons le vin se justifier lui-même!

- C'est justement la raison pour laquelle j'ai commencé [à écrire] – parce que je ne pouvais vraiment pas trouver de l'information qui était à la portée du grand public, ou encore, tout était écrit pour les gens du milieu, ou écrit par quelqu'un qui travaillait dans le milieu. Si vous vouliez trouver les meilleurs millésimes d'un Lafite Rothschild ou d'un châteauneuf-du-pape ou d'un hermitage, tout était bon parce que c'était les gens du milieu qui vendaient tout!

- J'ai gardé Bordeaux, car je crois qu'il se prête très bien à ma force, c'est-à-dire la capacité de goûter en primeur. Je le fais bien et ma feuille de route démontre que je suis très bon. Pour être franc avec vous, il est difficile de faire affaire avec les Bordelais. Ma femme vous le dira, quand je vais là-bas pendant deux semaines, ils ne sont vraiment pas drôles et ils ne sont jamais contents. Ils ressemblent aux banques! J'ai gardé la Vallée du Rhône, car elle est un favori sentimental et les vignes sont parmi les plus vieilles qui furent plantées par les Romains ou les Grecs. J'éprouve un véritable engagement émotionnel pour ces vins et j'aime vraiment les gens aux deux extrémités [de la région] – au nord et au sud. Ils sont sincèrement heureux d'obtenir une certaine reconnaissance et ne laissent jamais leur ego les gêner. Je respecte énormément cela. Je garderai ceux-ci tant et aussi longtemps que je serai en bonne santé et que je pourrai encore penser et déguster.

- Le sud de la France, dans une certaine mesure, mais la Vallée du Rhône [en particulier] ont toujours été célèbres et n'ont jamais reçu beaucoup de publicité. Le problème est le Rhône septentrional. Sa production est très faible et sera toujours modeste. Et je crois que Châteauneuf et Gigondas seront les prochains à surveiller, maintenant que les générations plus jeunes font des vins qui ne cessent de s'améliorer. Mais je pense à ces trois régions et, bien sûr, à l'Amérique du Sud, à l'Argentine et au Chili. L'Argentine en particulier avec les malbecs, c'est incroyable!

- Je crois que l'Espagne a connu une énorme, je ne dirais pas renaissance, mais redécouverte des cépages autochtones tel l'albariño. Quand j'ai commencé, personne n'avait entendu parler d'albariño ou de mencia, un autre grand cépage du Bierzo – ils n'existaient pas! Tout ce que nous connaissions, c'était le rioja et quelques vins de la Catalogne, quelques cavas. Alors, durant une période de trente ans, nous avons vu la découverte de ces terroirs anciens, de ces cépages indigènes qui se portent tout de même assez bien. Je parle aussi du nero d'avola et des cépages du sud de l'Italie.

– Tant de choses ont changé et je pense que les gens en parlent. Vous avez probablement vu le film qui, je crois, est un film malhonnête : *Mondovino*. Et l'idée est que c'est entièrement le contraire! Il y a plus de diversité, il y a plus que jamais de petits agriculteurs qui recherchent des terroirs! Il y a plus de raisins indigènes qui sont redécouverts, et les gens délaissent les coopératives où la production a été fixée et mélangée avec celle de quelques producteurs industriels. Maintenant, les vins sont embouteillés au domaine.

– C'est très excitant, car le monde du vin s'est ouvert, le vin est accessible à tous maintenant. [...] Je pense que les médias sociaux ont changé la donne, et que les producteurs de vins doivent se réveiller et s'apercevoir qu'aujourd'hui on ne peut plus simplement vendre du vin à un monopole, ou faire un peu de publicité dans les magazines. [...] Aujourd'hui, c'est l'interaction avec les clients qui importe, que ce soit sur Twitter ou sur Facebook.

– Je suis émerveillé par ce que j'ai découvert [au Québec], c'est très excitant et je pense qu'il vous est possible d'avoir un impact immédiat! [...] Quand le sommelier du restaurant (à Québec) m'a servi, il a servi le Pinnacle (un cidre de glace québécois). Il ne réalisait pas, j'ai été très élogieux, car j'étais tellement impressionné. Je pense que parfois les gens du Québec ne se rendent pas compte qu'ils ont un produit de classe mondiale. C'est un produit que vous pourriez mettre sur la table d'un restaurant très sophistiqué à Singapour, à New York ou à Los Angeles, et les gens diraient : «Oh! mon Dieu que c'est bon!» C'est vraiment fascinant.

– Je pense à tant de grandes découvertes culinaires que j'ai faites [au Québec]! Aujourd'hui, nous avons dégusté le pouding-chômeur. Quel plat merveilleux! C'est un mets que j'ai découvert aujourd'hui! Et quel nom fantastique pour ce dessert, un plat riche et nourrissant pour ceux qui n'avaient plus de travail!

– Nous étions là-bas [en Californie] pour deux semaines de dégustation de vins plus âgés. Ce sera [pour moi] une nouvelle aventure. Je crois que c'est important, car ils ont fait beaucoup de progrès et les gens ne parlent jamais de la façon dont les millésimes plus vieux évoluent. Le premier rapport sortira dans quelques semaines, et j'ai été très impressionné par la manière dont les vins évoluent. Vous savez, les gens disent: «Ce sont de gros vins, ils sont trop forts en alcool et ils ne sont pas faits pour vieillir» – ils vieillissent différemment des vins français, mais ce ne sont pas des vins français!

FC: De nombreuses bouteilles du début des années 80 ont parfois 11,3 % ou 12,5 % d'alcool.

– Jusqu'où allons-nous aller? On se le demande. Je pense tout de même qu'il y a la densité et la concentration pour cacher le niveau [élevé] d'alcool. Ce qui n'est pas le cas quand vous frappez 15 % [d'alcool], vous changez probablement les caractéristiques du terroir, alors nous verrons bien. Nous ne savons pas où tout cela va mener. Mais je pense qu'en partie, ce n'est pas que je ne donne pas des points élevés pour les grands vins qui, par coïncidence, ont des taux d'alcool élevés.

FC: **Plus tôt, vous parliez du grüner veltliner. Quels seront les prochains cépages à surveiller?**

– J'ai toujours tendance à penser que nous n'en avons pas fini avec le malbec. Je crois que le malbec est vraiment de classe mondiale. Peut-être allons-nous commencer à voir de meilleurs pinots noirs, comme vous l'avez dit, du Canada et du Chili. Et peut-être aussi le sauvignon blanc du Chili. Le torrontès de l'Argentine qui a été oublié, tout comme l'albariño, mais on commence à voir certains d'entre eux.

FC: **Alors, qu'est-ce qui s'en vient pour vous? Travaillez-vous actuellement sur un nouveau livre?**

– Le prochain livre sera probablement mes mémoires. J'aimerais écrire à ce sujet, et j'essaie toujours d'améliorer notre site Web. Et bien sûr, maintenant, j'ai une équipe qui travaille avec moi et j'en suis très heureux. Ils apportent tous un petit quelque chose, ils apprennent constamment. Ils sont, pour la plupart, beaucoup plus jeunes, ce qui pose toujours un défi. Comment quelqu'un qui est perçu comme un vieil écrivain du vin, traditionnel et bien établi, et une publication sur les vins qui existe depuis si longtemps vont-ils interagir avec la jeune génération et être encore viable? C'est un défi majeur. Je « Tweet » maintenant et j'ai ouvert les bras à Internet et aux médias sociaux, et j'aime ça.

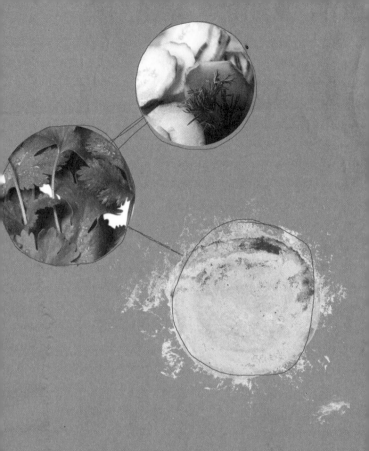

AIDE-MÉMOIRE
HARMO
NIQUES

AIDE-MÉMOIRE HARMONIQUE SIMPLIFIÉ 2012, « REVU ET AUGMENTÉ », DES PRINCIPAUX CÉPAGES ET DE LEURS HARMONIES AVEC LES METS, AINSI QU'AVEC LES RECETTES DES LIVRES *PAPILLES POUR TOUS!*, *LES RECETTES DE PAPILLES ET MOLÉCULES* ET *À TABLE AVEC FRANÇOIS CHARTIER* SANS OUBLIER LES RECETTES SUR PAPILLESETMOLECULES.COM

Devenu un grand classique depuis les trois précédentes éditions, revoici, sous forme d'un carnet de notes classées par cépages, l'aide-mémoire harmonique simplifié, « **revu et augmenté de 250 nouvelles harmonies** » des principales harmonies vins et mets, et des recettes, qui vous accompagnera au fil des vins commentés.

Avec la parution du premier tome de mon livre *Papilles et Molécules «La science aromatique des aliments et des vins»*, aux Éditions La Presse, en mai 2009, et l'évolution à la vitesse grand V de mes recherches harmoniques depuis l'été 2008, cet aide-mémoire a, comme les années précédentes, une fois de plus été mis à jour.

Ainsi, les harmonies proposées dans *La Sélection Chartier 2012*, tout comme celles des éditions *2011*, *2010* et *2009*, sont plus que jamais en lien direct avec les résultats de mes recherches actuelles d'harmonies et de sommellerie aromatiques. Sans compter qu'elles sont aussi inspirées et en lien direct avec les 200 recettes du nouveau livre *Papilles pour tous! Cuisine aromatique d'automne* (paru le 26 août 2011), ainsi que les 85 recettes du livre *Les Recettes de Papilles et Molécules*, tous deux concoctés avec mon complice du duo Mc², le chef Stéphane Modat.

Comme ce travail de compréhension aromatique est en constante progression, vous bénéficierez aussi, dans cette *Sélection 2012*, de nombreuses harmonies résultant de recherches qui n'ont pas encore été publiées. Elles le seront dans le **tome II** de *Papilles et Molécules*, en plus détaillé, lors de sa parution prévu en 2012. Ce guide des vins demeurant avant tout un guide pratique de référence et de consultation rapide pour découvrir les meilleurs vins du moment et les harmonies relatives à ces crus.

Donc, vous y trouverez **63 déclinaisons harmoniques pour les cépages blancs**, suivies de **68 déclinaisons harmoniques pour les cépages rouges**, pour un grand total de **1 250 propositions vins et mets**.

Ce précieux aide-mémoire vous permettra à nouveau, en un seul coup d'œil, de repérer rapidement de multiples idées harmoniques et de nombreuses recettes à envisager avec le ou les vins que vous vous apprêtez à servir à table.

L'harmonie vins et mets ne vous aura jamais paru aussi simple!

Chaque proposition harmonique se présente en deux parties. Exemple:

CHARDONNAY (NOUVEAU MONDE)

Lapin (à la crème moutardée) (*), **Dos de morue poché au lait de coco à la rose** (gingembre mariné et pois craquants) (**).

La partie en gras des harmonies proposées ici – **Lapin** et **Dos de morue poché au lait de coco à la rose** – vous indique l'harmonie simplifiée pour atteindre la zone de confort harmonique avec les vins de type chardonnay du Nouveau Monde.

La partie entre parenthèses – (à la crème moutardée) et (gingembre mariné et pois craquants) – vous donne une indication plus pointue de la sauce, du parfum ou de la méthode de cuisson à envisager afin d'atteindre l'harmonie parfaite avec une cuisine plus élaborée.

Enfin, certains plats proposés, comme ce **Lapin** (à la crème moutardée) (*) et ce **Dos de morue poché au lait de coco à la rose** (gingembre mariné et pois craquants) (**) sont suivis d'un astérisque (*) ou de deux astérisques (**) entre parenthèses, indiquant que cette harmonie fait l'objet d'une recette soit dans le livre *À table avec François Chartier* (*), soit dans le nouveau livre *Les recettes de Papilles et Molécules* (**) (paru en juin 2010). Tandis que les recettes suivis de trois astérisques (***) proviennent de la nouvelle collection *Papilles pour tous!*, plus particulièrement des deux premiers ouvrages: *Cuisine aromatique d'automne* (paru le 26 août 2011) et *Cuisine aromatique d'hiver* (à paraître fin novembre 2011).

LES CÉPAGES BLANCS EN HARMONIES

ALBARIÑO (RÍAS BAIXAS, ESPAGNE)

Calmars en tempura d'amandes (fleur de sel au cèdre, mousse de riz en paella) (**), **Canapés de saumon fumé** (à l'aneth), **Filet d'escolar poêlé, anguille « unagi » BBQ** (crème de céleri-rave aux graines de cerfeuil, feuilles et huile de menthe fraîche) (**), **Flétan** (au beurre d'agrumes), **Fromage de chèvre cendré** (à l'huile d'olive et romarin) (**), **Huîtres frites à la coriandre et wasabi** (**), **Jarret d'agneau au pastis et tomates fraîches** (**), **Paella aux fruits de mer** (et safran), **Risotto de crevettes** (au basilic), **Salade de vermicelles** (au poulet et au citron), **Sashimi** (de poisson blanc), **Truite saumonée** (à l'huile de basilic).

ALIGOTÉ (BOURGOGNE, FRANCE)

Apéritif, Calmars frits (et vinaigrette épicée), **Escargots** (à la crème de persil), **Feuilles de vigne**, *Fish and chips* (sauce tartare), **Huîtres crues** (en version anisée) (**), **Moules marinière** («à ma façon») (*), **Salade César** (aux crevettes grillées), **Saumon mariné** (à l'aneth) (*), **Truite grillée** (et purée de céleri-rave).

ALVARHINO, ARINTO ET LOUREIRO (VINHO VERDE, PORTUGAL)

Apéritif, *Fish and chips* (sauce tartare), **Huîtres crues** (en version anisée) (**), **Huîtres frites à la coriandre et wasabi** (**), **Poisson grillé** (arrosé de jus de citron), **Trempette tzatziki** (à la menthe fraîche).

BUAL ET MALMSEY (MADÈRE, PORTUGAL)

«Caramous_Mc^2» (caramel mou à saveur d'érable «sans érable») (**), **Cigare** (panatela petit Cohiba Exquisitos), **Fromages** (vieux gouda et vieux cheddars accompagnés de confiture de coings portugaise et de noix de Grenoble), **«Ganache chocolat / Soyable_Mc^2»** (**), **Gâteau au café** (et meringue au chocolat), **Gâteau Davidoff** (*), **Millefeuille de pain d'épices** (aux figues) (*), **Palets de ganache de chocolat noir** (au caramel), **«Soyable_Mc^2»** (**).

CHARDONNAY (BOURGOGNE, CÔTE DE BEAUNE)

Crabe à carapace molle (en tempura), **Dos de morue poché au lait de coco à la rose** (gingembre mariné et pois craquants) (**), **Gravlax de saumon** (*), **Polenta au gorgonzola** (version «umami») (***), **Poulet au curry** (***), **Ris de veau** (saisis aux champignons à la crème) (*), **Risotto** (aux champignons) (*), **Salade de champignons** (***), **Salade de champignons** (portobellos sautés et copeaux de parmesan), **Salade de riz sauvage aux champignons** (***), **Saumon** (sauce chardonnay).

CHARDONNAY (CHAMPAGNE BLANC DE BLANCS)

Arancini (au safran), **Canapés de poisson fumé** (au fromage à la crème), **Crevettes tempura, Fromage** (comté, 12 mois d'affinage), **Huîtres crues** (en version anisée) (**), **Saumon infusé au saké** (et aux champignons shiitake), **Tartare** (d'huîtres), **Tartelettes chaudes de fromage** (de chèvre frais et de noix de pin grillées), *Toast* **de foie gras de canard** (au torchon) (*).

CHARDONNAY (ÉVOLUÉ, BOURGOGNE ET JURA)

Amandes apéritives à l'espagnole (*pimentón* fumé, miel et huile d'olive) (**), **Burgers de saumon** (***), **Poulet au curry** (***), **Queue de langouste grillée, cubes de gelées de xérès, de café ou de livèche, trait d'amlou et côtes de céleri à la vapeur** (**), **Rôti de porc farci aux abricots** (et sauce au scotch et lait de coco) (***), **Salade de riz sauvage aux**

champignons (***), **Saumon laqué sauce soya/vinaigre balsamique** (**) **et riz sauvage soufflé au café_Mc²** (**).

CHARDONNAY (ÉVOLUÉ, CHAMPAGNE)

Noix de cajous apéritives à la japonaise « Soyable_Mc² » (huile de sésame, gingembre et graines de coriandre) (**).

CHARDONNAY (NOUVEAU MONDE)

Abattis de dinde croustillants farcis à la fraise « cloutée », laqués à l'ananas (**), **« Balloune de mozarella_Mc² »** (à l'air de clou de girofle, éclats de viande de grison et piment d'Espelette) (**), **Brochettes de poulet** (et de crevettes à la salsa d'ananas), **Camembert chaud au sirop d'érable** (***), **Casserole de poulet** (à la pancetta), **Curry de crevettes** (***), **Dos de morue poché au lait de coco à la rose** (gingembre mariné et pois craquants) (**), **Filet de sole** (à la moutarde et au miel), **Foie gras de canard poêlé** (aux pommes et safran), **Fougasse parfumée au clou de girofle** (et fromage bleu fondant caramélisé) (**), **Homard rôti** (à la salsa d'ananas au quatre-épices), **Jambon glacé aux fraises et girofle** (**), **Lapin** (à la crème moutardée) (*), **Meringue de pois verts, tomates confites** (« filets d'anchois croustillants au vinaigre de xérèx_Mc² » : air de shiitakes dashi) (**), **Mozzarella gratinée « comme une pizza »** (viande des Grisons et piment d'Espelette) (***), **Pâtes aux fruits de mer sauce à la crème** (et lardons), **Pétoncles poêlés, couscous de noix du Brésil à l'orange sanguine, lait de coco au gingembre** (**), **Pétoncles rôtis fortement, shiitakes poêlés, copeaux de parmigiano reggiano et écume de bouillon de kombu** (**), **Polenta au gorgonzola** (version « umami ») (***), **Pot-au-feu d'agneau cuit rosé, au thé et aux épices** (**), **Raviolis** (aux champignons), **Rôti de porc farci aux abricots** (***), **Saumon grillé** (à la salsa d'ananas), **Tapas de fromage en crottes_Mc²** (à l'huile de safran et morceaux de pommes jaunes fraîches) (***).

CHARDONNAY
(STYLE CHABLIS NON BOISÉ et NOUVELLE-ZÉLANDE)

Coulibiac de saumon, Fricassée de poulet (aux champignons), **Fromages** (azeitão, comté Fort des Rousses 12 mois d'affinage ou Victor et Berthold), **Homard grillé** (et mayonnaise à l'aneth), **Huîtres crues** (en version anisée) (**), **Salade de crevettes, Salade de fenouil grillé** (et fromage de chèvre chaud), **Saumon** (au cerfeuil et au citron), **Saumon mariné** (à l'aneth) (*), **Rouleaux de printemps** (au thon et sauce citron-soya).

CHENIN BLANC LIQUOREUX (LAYON et VOUVRAY, LOIRE)

Ananas confits (au vin du Layon avec glace au vieux rhum et aux raisins de Corinthe), **Foie gras de canard poêlé** (aux pommes et vinaigre de cidre), **« Fondue à Johanne_Mc² »** (cubes de fromage à croûte lavée, frits et parfumés à l'ajowan) (**), **Homard rôti** (à la salsa d'ananas), **Salade d'ananas** (et de fraises à la menthe fraîche), **Tarte Tatin.**

CHENIN BLANC SEC (CORSÉ, LOIRE et AFRIQUE DU SUD)

Avocats farcis à la chair de crabe (et vinaigrette au jus d'agrumes), **Blanc de volaille cuit au babeurre, «émulsion d'asperges vertes aux crevettes_Mc^2»** (feuilles de choux de Bruxelles, vinaigrette acide à la chicorée) (**), **Crevettes caramélisées, écume de carotte, pomme McIntosh et graines de cumin** (purée de carottes à l'huile de crustacés et *pimentón* fumée) (**), **«Émulsion d'asperges vertes aux crevettes_Mc^2»** (**), **Fromages** (de chèvre mi-affinés sainte-maure ou pouligny-saint-pierre), **Médaillons de homard** (sauté au vouvray), **Pâtes** (alla morosana) (*), **Pâtes aux fruits de mer** (au Pernod), **Poulet sauté** (aux épices asiatiques), **Salade d'asperges** (vinaigrette au gingembre), **Saumon** (grillé à la cajun et salsa d'ananas), **Saumon confit** (et sauté de fenouil et pommes vertes), **Suprêmes de poulet** (au tilleul).

CHENIN BLANC SEC (MODÉRÉ, LOIRE)

Blanquette de veau, Bloody Ceasar_Mc^2 (version solide pour l'assiette) (**), **Fricassée de porc** (tandoori), **Fromage de chèvre** (Selles-sur-Cher), **Huîtres frites à la coriandre et wasabi** (**), **Linguine aux crevettes** (au cari et à l'orange), **Paella aux fruits de mer** (et safran), **Pétoncles** (à l'émulsion d'huile d'olive et au jus de limette), **Saumon** (au beurre blanc).

CIDRE DE GLACE (QUÉBEC)

Foie gras de canard poêlé (et déposé sur une tranche grillée de pain d'épices), **Fromages** (Gruyère Réserve très vieux ou Cru des érables), **Palais de ganache au chocolat** (et au piment d'Espelette), **Millefeuille de pain d'épices** (aux pommes et aux abricots) (*), **Pouding poché au thé *Earl Grey*** (beurre de cannelle et scotch highland *single malt*) (**), **Tarte Tatin** (rehaussée de poivre de Sichuan rouge impérial), **Tatin de pommes au curry** (noix de macadamia salées au sirop d'érable, tranche de foie gras de canard poêlé) (**).

FIANO (DI AVELLINO, ITALIE)

Crabe des neiges, ketchup aux pois verts, épinards fanés à l'huile d'olive (caviar de mulet et mousse de bière noire) (**), **Côtes levées** (à l'anis et à l'orange), **Filet de porc** (au miel et aux poires), **Pâtes aux fruits de mer** (sauce à la crème), **Poulet au gingembre** (et à l'ananas), **Salade de pâtes** (crémeuses au thon), **Saumon fumé** (sauce au miel), **Vol-au-vent** (de fruits de mer).

FUMÉ BLANC (NOUVEAU MONDE)

Blanc de volaille cuit au babeurre, «émulsion d'asperges vertes aux crevettes_Mc^2» (feuilles de choux de Bruxelles, vinaigrette acide à la chicorée) (**), **Bloody Ceasar_Mc^2** (version solide pour l'assiette) (**), **Brochettes de poulet et de crevettes** (sauce moutarde et miel), **Brochettes de saumon** (au beurre de pamplemousse) (*), **Carré de porcelet de la Ferme Gaspor au safran** (carottes, pommes golden et melon d'eau) (**), « **Fondue à Johanne_Mc²** » (cubes de fromage à croûte lavée, frits et parfumés à l'ajowan) (**), **Gravlax de saumon** (*), **Homard frit au *pimentón* doux fumé** (compote de poivrons jaunes au concentré de jus d'orange) (**), **Lasagne de poissons** (au pesto), **Lotte à la vapeur de thé gyokuro** (salade d'agrumes et pistils de safran) (**), **Saumon confit dans l'huile d'olive** (et orzo à la bette à carde), **Taboulé** (à la menthe fraîche).

FURMINT (TOKAJI ASZU «LIQUOREUX», HONGRIE)

Ananas caramélisé (cassonade, sauce soya, saké et réglisse noire, copeaux de chocolat noir) (**), **Barbe à papa** (au sirop d'érable), **Médaillons de porc à l'érable** (et patates douces, garniture de pacanes épicées), **Noix de macadamia sablées au sirop d'érable et curry** (**), **Palets de ganache de chocolat noir** (à l'érable), **Petit poussin laqué** (**), **Saumon laqué** (à l'érable et à la bière noire), **Steak de magret de canard** (sauce aux noix), **Tarte pécan** (et sirop d'érable), **Tarte Tatin de pommes au curry** (rehaussée d'une escalope de foie gras de canard poêlé), **Tatin à l'ananas** (et caramel au rhum), **Tatin de pommes au curry** (noix de macadamia salées au sirop d'érable, tranche de foie gras de canard poêlé) (**).

FURMINT (TOKAJI SEC, HONGRIE)

Crevettes caramélisées, écume de carotte, pomme McIntosh et graines de cumin (purée de carottes à l'huile de crustacés et *pimentón* fumée) (**), **Filet de truite** (fumée), **Filet de turbot poêlé** (et jus aux pommes vertes et cerfeuil), **Pâtes au saumon fumé** (sauce à l'aneth) (*), **Rouleaux de printemps** (à la coriandre fraîche), **Huîtres crues** (en version anisée) (**), **Huîtres frites à la coriandre et wasabi** (**), **Lotte à la vapeur de thé gyokuro** (salade d'agrumes et pistils de safran) (**).

GARGANEGA (SOAVE, ITALIE)

Arancini (au safran), **Bruschetta** (au pesto de roquette), **Casserole de poulet** (à la pancetta), **Escargots aux champignons** (et à la crème de persil), **Fettucine** (Alfredo), **Fettucine au saumon fumé** (à l'aneth), **Fettucine aux crevettes** (et coriandre fraîche), **Fondue** (au fromage), **Linguine aux moules**, **Minibrochettes de crevettes** (au basilic), **Pizza** (au pesto), **Pleurotes à la moelle** (sur croûtons de pain), **Quiche** (aux asperges), **Risotto** (aux champignons) (*), **Salade de magret** (de canard fumé), **Sole** (aux amandes grillées), **Vol-au-vent de crevettes** (au Pernod).

GEWURZTRAMINER (ALSACE, FRANCE)

Baklavas de bœuf en bonbons (miel de menthe à la lavande et eau de géranium, viande de grison) (**), **Brochettes de poulet grillées sur brochettes de bambou imbibées au gingembre** (voir Brochettes de bambou imbibées au gingembre « pour grillades de bœuf et de poisson ») (***), **Carré de porc glacé aux fraises, poivre du Sichuan** (galanga et miel) (**), **Cuisine cantonaise épicée**, **Cuisine sichuanaise**, **Cuisine**

thaï, **Curry** (de poulet), **Fricassée de crevettes** (à l'ananas et poivrons doux fouettés au curry rouge et au parfum de romarin) (*), **Fricassée de poulet** (aux fraises et gingembre), **Filet de truite en gravlax nordique, granité de gingembre et de pamplemousse** (litchi) (**), **Fromage Munster** (aux graines de cumin et salade de pomme et noix de Grenoble) (*), **Panna cotta au fromage bleu, air de rose et craquelins de clou de girofle** (**), **« Pâte de fruits_Mc²»** (litchi/gingembre, sucre à la rose) (**), **Pomme tiède farcie** (au fromage Sir Laurier) (*), **Pot-au-feu froid d'agneau cuit rosé, cubes de bouillon à la sauge, condiment au curcuma, sel de romarin** (**), **Potage de courge Butternut** (au gingembre et curcuma) (***), **Poulet au thé** *Earl Grey* (et romarin) (***), **Poulet aux litchis** (et piments forts), **Sashimi sur salade de nouilles** (au gingembre et au sésame), **Tapas de fromage en crottes_Mc²** (à l'huile de gingembre et litchis) (***), **Terrine de foie gras et cailles, parfums de pétales de rose, gingembre, litchi et piment d'Espelette** (**).

GEWURZTRAMINER
(VENDANGES TARDIVES, ALSACE, FRANCE)

Crémeux citron, meringue/siphon au romarin (**), **Cuisine cantonaise épicée**, **Cuisine thaï**, **Fromage à croûte lavée « affiné » parfumé au romarin** (macéré quelques jours au centre du fromage), **Litchis au gingembre** (et salsa d'agrumes), **Pain au safran** (et terrine de foie gras de canard au torchon) (*), **Panna cotta** (aux pêches et romarin), **« Pâte de fruits_Mc²»** (litchi/gingembre, sucre à la rose) (**), **Pêches pochées** (au romarin), **Poires** (au gingembre confit), **Salade d'ananas et fraises** (parfumée au romarin), **Shortcake aux fraises** (chantilly parfumée au romarin), **Terrine de foie gras et cailles, parfums de pétales de rose, gingembre, litchi et piment d'Espelette** (**).

GRECANICO (SICILE, ITALIE)

Brochettes de poulet (et de crevettes à la salsa d'ananas), **Calmars** (au mojo), **Canapés de crevettes** (mayonnaise au curry), **Escalopes de veau** (à l'orange et aux amandes), **Fricassée de poulet** (à l'asiatique).

GROS ET PETIT-MANSENG – SEC (SUD-OUEST, FRANCE)

Abattis de dinde croustillants farcis à la fraise « cloutée », laqués à l'ananas (**), **Avocats farcis à la chair de crabe** (et vinaigrette au jus d'agrumes), **Carré de porc glacé aux fraises, poivre du Sichuan** (galanga et miel) (**), **Chutney d'ananas au curcuma, gingembre et vinaigre de xérès** (**), **Crabe des neiges, ketchup aux pois verts, épinards fanés à l'huile d'olive** (caviar de mulet et mousse de bière noire) (**), **Fromages** (asiago stravecchio ou cabra transmontano), **Jambon** (à l'ananas ou aux fraises), **Omelette** (aux asperges), **Sashimi sur salade de nouilles** (au gingembre et au sésame), **Sauté de porc** (à l'ananas ou aux fraises), **Truite en papillote** (et bettes à carde).

GRÜNER VELTLINER (AUTRICHE)

Acras (de morue), **Crevettes caramélisées, écume de carotte, pomme McIntosh et graines de cumin** (purée de carottes à l'huile de crustacés et *pimentón* fumée) (**), **Huîtres crues** (en version anisée) (**), **Poulet** (au gingembre et à l'ananas), **Salade de crevettes au mojo** (ail, huile d'olive, graines de cumin grillées, jus de lime et jus d'orange), **Salade de fenouil** (et pommes au fromage de chèvre chaud).

INSOLIA (SICILE, ITALIE)

Fettucine au saumon fumé (à l'aneth), **Risotto de crevettes** (au basilic), **Salade de crevettes** (à la mayo-wasabi), **Vol-au-vent de crevettes** (au Pernod).

MARSANNE (RHÔNE, LANGUEDOC, AUSTRALIE)

Crevettes sautées aux noisettes concassées (et réduction de sauce soya et café noir), **Filets de porc au café noir** (voir Filets de bœuf au café noir) (*), **Fricassée de porc au soya** (et sésame), **Morceau de flanc de porc poché** (vinaigrette de boudin à la noix de coco, *crumble* de boudin noir) (**), **Pétoncles poêlés, couscous de noix du Brésil à l'orange sanguine, lait de coco au gingembre** (**), **Saumon laqué sauce soya/vinaigre balsamique** (**) **et « riz sauvage souf-**é au café_Mc^2 » (**).

MOSCATO (D'ASTI, ITALIE)

Figues fraîches confites « linalol » (cannelle et eau de rose, mousse de tangerine au babeurre, huile de thé à la bergamote) (**).

MUSCADET (LOIRE, FRANCE)

Apéritif, Canapés de saumon mariné, Crevettes (mayonnaise au wasabi), **Escargots** (à la crème de persil), **Huîtres crues** (en version anisée) (**), **Moules marinière** (« à ma façon ») (*), **Pâtes aux asperges** (légèrement crémées), **Raclette, Salade de fenouil** (et pommes), **Salade niçoise, Sole** (au beurre meunière), **Truite grillée** (et purée de céleri-rave).

MUSCAT (VIN DOUX NATUREL, PASSITO)

Ananas caramélisé (cassonade, sauce soya, saké et réglisse noire, copeaux de chocolat noir) (**), **Foie gras de canard poêlé** (compote d'abricots aux zestes d'orange), **Fromage** (gorgonzola accompagné de marmelade d'oranges), **Gâteau Davidoff** (*), **Millefeuille de pain d'épices** (aux pêches) (*), **Mousse au chocolat noir** (et au parfum de Grand Marnier) (*), **Palets de ganache de chocolat noir** (à l'orange), **Pêches rôties au caramel** (à l'orange) (*), **Tarte Tatin de pommes au curry** (rehaussée d'une escalope de foie gras de canard poêlé).

MUSCAT SEC (ALSACE et EUROPE)

Antipasto (melon et prosciutto), **Apéritif**, **Canapés d'asperges** (enroulées de saumon fumé), **Canapés d'asperges** (et de fromage de chèvre frais), **Canapés de crevettes** (mayonnaise au curcuma), **Crème de carotte** (au safran et moules), **Filet de truite saumonée** (à l'huile de basilic), **Risotto au safran** (et petits pois), **Sole pochée** (et tagliatelles au safran et fenouil), **Taboulé à la menthe fraîche** (et aux crevettes), **Trempette de guacamole et mangue.**

MUSCAT/MOSCATO (VIN DOUX NATUREL, JEUNE)

Baklavas de bœuf en bonbons (miel de menthe à la lavande et eau de géranium, viande de grison) (**), **Bavarois de mascarpone sucré au miel d'orange** (aromatisé en trois versions : géranium/lavande; citronnelle/menthe; eucalyptus) (**), **Bonbons d'abricots secs** (et pistaches parfumées à l'eau de fleur d'oranger et crème Chantilly à la badiane) (*), **Crémeux citron, meringue/siphon au romarin** (**), **Croustade de pommes jaunes** (au safran) (***), **Figues fraîches confites «linalol»** (cannelle et eau de rose, mousse de tangerine au babeurre, huile de thé à la bergamote) (**), **Figues rôties** (au miel et à la ricotta), **Gratin de litchis, Jardinière de fruits** (à la crème pâtissière), **Mangues confites** (pour Pavlova) (***), **Melon cantaloup** (arrosé d'eau de fleur d'oranger), **Millefeuille de pain d'épices** (aux pêches et à l'eau de fleur d'oranger) (*), **Palets de ganache de chocolat noir** (au thé *Earl Grey*), **Panna cotta** (aux agrumes), **Panna cotta aux framboises** (et à l'eau de rose), **«Pâte de fruits_Mc^2»** (litchi/gingembre, sucre à la rose) (**), **Salade de fruits** (exotiques à la menthe fraîche), **Tarte à l'ananas** (et zestes d'orange confits) (*).

PALOMINO (XÉRÈS AMONTILLADO et OLOROSO, ESPAGNE)

Amandes apéritives à l'espagnole (*pimentón* fumé, miel et huile d'olive) (**), **Carré aux figues séchées** (crème fumée et cassonade à la réglisse) (**), **Cigare** (figurados Arturo Fuente Don Carlos N° 2), **Fromage camembert aux noix mélangées** (éclats de chocolat noir et scotch macérés quelques jours au centre du fromage), **Jambon glacé** (à l'ananas), **Mousseux au chocolat noir** (et thé Lapsang Souchong) (**), **Palets de ganache de chocolat noir** (aux noix), **Salade de tomates et vinaigrette balsamique** (à la réglisse fantaisie) (***), **Sucre à la crème aux noisettes grillées et Frangelico** (***), **Tarte de pommes de terre cuites au thé Pu-erh et fromage Saint-Nectaire** (***), **Tarte Tatin** (à l'ananas et aux fraises), **«Whippet_Mc^2»** (guimauve au sirop d'érable vanillé, coque de chocolat blanc caramélisé) (**).

PALOMINO (XÉRÈS FINO et MANZANILLA, ESPAGNE)

Apéritif, Calmars en tempura d'amandes (fleur de sel au cèdre, mousse de riz en paella) (**), **Canapés de fromage** (de chèvre), **Chips de jambon serrano** (pommade de nectar d'abricot, chapelure d'oreilles de crisse) (**), **Crème safranée aux pétoncles** (et langoustines), **«Émulsion d'asperges vertes** (aux crevettes_Mc^2)» (**), **Filets de maquereau**

grillés et marinés à la graine de coriandre (mousse de risotto froid au lait de muscade) (**), **Figues confites au thé Pu-Erh, chantilly de fromage Saint-Nectaire** (**), **Figues séchées** (enroulées de prosciutto), **Fromage de chèvre cendré** (à l'huile d'olive et romarin) (**), **Minis brochettes de figues séchées enroulées de jambon Serrano** (ou de prosciutto), **Pétoncles poêlés** (couscous de noix du Brésil à l'orange sanguine, yogourt au gingembre) (**), **Salade d'asperges, Salade d'asperges** (et vinaigrette à la cannelle), **Salade de fenouil** (et de pommes à l'huile de persil), **Salade de fromage de chèvre sec** (mariné dans l'huile d'olive parfumée au romarin), **Tapas classiques** (olives, anchois, noix salées), **« Vraie crème de champignons_Mc^2 »** (lait de champignons de Paris et mousse de lavande) (**).

PETIT-MANSENG (MOELLEUX, JURANÇON)

Abattis de dinde croustillants farcis à la fraise « cloutée », laqués à l'ananas (**), **« After 8_Mc^2 »** (version originale à la menthe) (**), **« After 9_Mc^2 »** (version au basilic) (**), **« After 10_Mc^2 »** (version à l'aneth) (**), **Confiture de fraises au clou de girofle et au rhum brun** (**), **Poires asiatiques cuites au safran et belle de Brillet** (éclats de vieux cheddar, mangue glacée/râpée) (**), **Tatin de pommes au curry** (noix de macadamia salées au sirop d'érable, tranche de foie gras de canard poêlé) (**).

PINOT BLANC (ALSACE, CANADA et ITALIE)

Apéritif, Blanquette de veau, Fondue au fromage (suisse), **Frites de panais** (sauce au yogourt et au cari), **Poitrines de poulet** (farcies au fromage brie et au carvi), **Raclette, Salade César, Salade de pâtes** (à la grecque), **Trempette** (crémeuse et légumes).

PINOT GRIGIO (ITALIE et CALIFORNIE)

Apéritif, Escargots (à la crème de persil), **Fettucine au saumon fumé** (à l'aneth), **Pâtes aux fruits de mer** (au Pernod).

PINOT GRIS (ALSACE)

Dinde rôtie (à l'ananas), **Fromage** (croûte fleurie farci de noix grillées et un sirop de miel épicé aux sept épices macérés quelques jours au centre du fromage), **Mon lapin exotique** (pour amateurs de vins blancs) (*), **Parfait de foie de volaille** (à la poire), **Poitrines de poulet** (au beurre de gingembre), **Polenta au gorgonzola** (***), **Salade de figues fraîches et de fromage de chèvre** (vinaigrette au miel et cannelle), **Sauté de porc à l'asiatique** (au jus d'ananas).

RIESLING DEMI-SEC (KABINETT ET SPATLESE, ALLEMAGNE)

Apéritif, Bar grillé (avec sauce yuzu miso) (*), **Cuisines asiatiques épicées** (cuisine sichuanaise et cuisine thaï), **Fricassée de crevettes** (à l'ananas et poivrons doux fouettés au curry rouge et au parfum de romarin) (*), **Poulet** (du général Tao), **Poulet tandoori, Salade d'endives** (et de fromage de chèvre émietté vinaigrette au jus d'orange), **Sushis** (avec gingembre), **Tarte au citron** (et meringue « à l'italienne » parfumée au romarin).

RIESLING LIQUOREUX (AUSLESE, ALLEMAGNE)

Bouillon de lait de coco piquant (aux crevettes), **Crémeux citron, meringue/siphon au romarin** (**), **Crevettes aux épices** (et aux légumes croquants) (*), **Cuisines asiatiques très épicées** (cuisine sichuanaise et cuisine thaï), **Salade d'ananas et fraises** (parfumée au romarin), **Tarte au citron** (et meringue « à l'italienne » parfumée au romarin).

RIESLING SEC (CORSÉ, ALSACE et AUTRICHE)

Crème safranée aux pétoncles (et langoustines), **Filet d'escolar poêlé, anguille « unagi » BBQ** (crème de céleri-rave aux graines de cerfeuil, feuilles et huile de menthe fraîche) (**), **Fricassée de crevettes** (à l'ananas et poivrons doux fouettés au curry rouge et au parfum de romarin) (*), **Fromage de chèvre cendré** (à l'huile d'olive et romarin) (**), **Gigot d'agneau, cuisson lente, au romarin** (casserole de panais à la cardamome) (**), **Morue poêlée** (et salade de fenouil cru à l'orange), **Pattes de pieuvre rôties, compote de tomates au thé noir** (pamplemousse rose, lavande et safran du Maroc) (**), **Pétoncles poêlés** (couscous de noix du Brésil à l'orange sanguine, yogourt au gingembre) (**), **Rosace de saumon mariné** (sur salade de fenouil à la crème), **Rouget au romarin** (et à l'huile d'olive citronnée), **Saumon grillé** (et jus de carotte au gingembre), **« Vraie crème de champignons_Mc^2 »** (lait de champignons de Paris et mousse de lavande) (**).

RIESLING SEC (CORSÉ, AUSTRALIE et CALIFORNIE)

Calmars en tempura d'amandes (fleur de sel au cèdre, mousse de riz en paella) (**), **Chips de jambon serrano** (pommade de nectar d'abricot, chapelure d'oreilles de crisse) (**), **Crème de carotte** (au safran et moules), **Fromage de chèvre cendré** (à l'huile d'olive et romarin) (**), **Gigot d'agneau, cuisson lente, au romarin** (casserole de panais à la cardamome) (**), **Minibrochettes de crevettes** (au romarin), **Mix grill de légumes** (au romarin), **Pattes de pieuvre rôties, compote de tomates au thé noir** (pamplemousse rose, lavande et safran du Maroc) (**), **Pétoncles poêlés** (couscous de noix du Brésil à l'orange sanguine, yogourt au gingembre) (**), **Truite en papillote** (au romarin), **« Vraie crème de champignons_Mc^2 »** (lait de champignons de Paris et mousse de lavande) (**).

RIESLING SEC (ÉVOLUÉ)

Filet de truite en gravlax nordique, granité de gingembre et de pamplemousse (**), **Filets de maquereau grillés et marinés à la graine de coriandre** (mousse de risotto froid au lait de muscade) (**), **Gigot d'agneau, cuisson lente, au romarin** (casserole de panais à la cardamome) (**).

RIESLING SEC (MODÉRÉ, ALSACE)

Avocats farcis à la chair de crabe (et vinaigrette au jus d'agrumes), **Calmars en tempura d'amandes** (fleur de sel au cèdre, mousse de riz en paella) (**), **Filet de saumon grillé** (sauce soya et jus de lime), **Huîtres fraîches** (à l'huile de basilic), **Roulade de saumon fumé** (au fromage à la crème et au wasabi), **Salade de fenouil** (et pommes à l'huile de cerfeuil), **Salade de fromage de chèvre sec** (mariné dans l'huile d'olive parfumée au romarin), **Sashimi** (à l'huile de basilic), **Saumon** (au beurre de pamplemousse rose), **Sauté de crevettes aux épices** (et aux légumes croquants), Truite (au jus de cresson).

RIESLING SEC/TROCKEN
(KABINETT ET SPATLESE, ALLEMAGNE)

Apéritif, Arancini (au safran), **Calmars en tempura d'amandes** (fleur de sel au cèdre, mousse de riz en paella) (**), **Filet de truite** (au jus de cresson), **Rouleaux de printemps** (au crabe et à la coriandre fraîche), **Sashimi** (sur salade de nouilles de cellophane au gingembre et au sésame), **Tarte fine feuilletée aux tomates** (et au romarin).

ROUSSANNE ET MARSANNE (Rhône et Languedoc)

Brochette de poulet (sauce moutarde et miel), **Crevettes aux épices** (et au gingembre), **Curry de poulet** (à la noix de coco) (*), **Dos de morue poché au lait de coco à la rose** (gingembre mariné et pois craquants) (**), **Escalopes de porc** (à la salsa fruitée), **Filets de porc** (à la salsa de pêche et abricot), **Filets de porc au miel** (et gingembre), **Fricassée de poulet** (au gingembre et au sésame), **Fromage à croûte fleurie** (farci d'une poêlée de champignons macérés quelques jours), **Fromages** (chaumes, pied-de-vent, comté 12 mois d'affinage, Saint-Basile ou tomme de plaisir), **Lapin** (à la crème moutardée) (*), **Mignon de porc** (mangue-curry) (*), **Morceau de flanc de porc poché** (vinaigrette de boudin à la noix de coco, *crumble* de boudin noir) (**), **Mozzarella gratinée « comme une pizza »** (viande des Grisons et piment d'Espelette) (***), **Petit poussin laqué** (**), **Pétoncles poêlés, couscous de noix du Brésil à l'orange sanguine, lait de coco au gingembre** (**), **Pétoncles rôtis fortement, shiitakes poêlés, copeaux de parmigiano reggiano et écume de bouillon de kombu** (**), **Polenta au gorgonzola** (version « umami ») (***), **Potage de courge Butternut** (au poivre de Guinée) (***), **Rôti de porc farci aux abricots** (***).

SAKÉ (JAPON, ÉTATS-UNIS)

Noix de cajous apéritives à la japonaise « Soyable_Mc^2 » (huile de sésame, gingembre et graines de coriandre) (**), **« Saumon fumé_Mc^2 »** (**).

SAKÉ NIGORI (JAPON, ÉTATS-UNIS)

« Caramous_Mc^2 » (caramel mou à saveur d'érable « sans érable ») (**), **« Guimauve érable_Mc^2 »** (sirop d'érable, vanille et amandes amères) (**), **« Soyable_Mc^2 »** (**),

« **Whippet_Mc^2** » (guimauve au sirop d'érable vanillé, coque de chocolat blanc caramélisé) (**).

SAUVIGNON BLANC (LOIRE, BORDEAUX et EUROPE)

Assiette de tomates fraîches (et basilic), **Assiette de tomates fraîches et mozzarella** (à l'émulsion d'huile d'olive et jus de pamplemousse rose), **Canapés d'asperges** (enroulées de saumon fumé et d'aneth), **Carré de porcelet de la Ferme Gaspor au safran** (carottes, pommes golden et melon d'eau) (**), **Ceviche de crevettes** (à la coriandre), **Crevettes sautées** (à la papaye et basilic), « **Émulsion d'asperges vertes** (aux crevettes_Mc^2) » (**), **Escalope de saumon** (au cerfeuil et au citron), **Escargots** (à la crème de persil), **Fettucine au saumon fumé** (à l'aneth), **Homard frit au** *pimentón* **doux fumé** (compote de poivrons jaunes au concentré de jus d'orange) (**), **Huîtres crues** (en version anisée) (**), **Huîtres frites à la coriandre et wasabi** (**), **Jarret d'agneau au pastis et tomates fraîches** (**), **Lotte à la vapeur de thé gyokuro** (salade d'agrumes et pistils de safran) (**), **Pétoncles poêlés** (au jus de persil simple) (*), **Purée de rutabaga à l'anis étoilé** (voir sur papillesetmolecules.com), **Risotto d'asperges et crevettes** (au basilic), **Rouleaux de printemps** (à la menthe), **Salade d'asperges et de mozzarella** (à l'émulsion de jus de pamplemousse rose), **Salade de farfalle aux crevettes** (tomates fraîches et melon d'eau grillé, vinaigrette de pamplemousse rose) (***), **Salade de fenouil** (et fromage de chèvre chaud), **Salade de tomates fraîches et asperges** (au basilic frais), **Sandwich vietnamien Banh-mi** (au porc en mode anisé) (***), **Taboulé de crevettes** (à la menthe fraîche et persil), **Truite saumonée** (à l'huile de basilic).

SAUVIGNON BLANC (NOUVELLE-ZÉLANDE)

Asperges vertes à la vapeur (et émulsion filet d'huile d'olive espagnole et jus de pamplemousse rose), **Avocats farcis aux crevettes** (et asperges), **Bloody Ceasar_Mc^2** (version solide pour l'assiette) (**), **Crêpes fines aux asperges** (et saumon fumé), **Crevettes caramélisées, écume de carotte, pomme McIntosh et graines de cumin** (purée de carottes à l'huile de crustacés et *pimentón* fumée) (**), « **Émulsion d'asperges vertes aux crevettes_Mc^2** » (**), **Fusillis au saumon** (et basilic), **Huîtres crues** (en version anisée) (**), **Huîtres frites à la coriandre et wasabi** (**), **Lotte à la vapeur de thé gyokuro** (salade d'agrumes et pistils de safran) (**), **Moules marinière** (« à ma façon ») (*), **Salade de crevettes froides** (vinaigrette au jus de pamplemousse rose) (***), **Sandwich pita au thon** (***), **Saumon grillé** (à la cajun et salsa d'ananas), **Tapas de fromage en crottes_Mc^2** (à l'huile de basilic et morceaux de pommes rouges fraîches) (***), **Tomates farcies au thon** (avec céleri et persil).

SAUVIGNON BLANC (VENDANGE TARDIVE)

**Abattis de dinde croustillants farcis à la fraise « cloutée »,
laqués à l'ananas** (**), « **After 8_Mc^2** » (version originale à la menthe) (**), « **After 9_Mc^2** » (version au basilic) (**), « **After 10_Mc^2** » (version à l'aneth) (**), **Cacahouètes**

apéritives à l'américaine : sirop d'érable, cannelle, zestes d'orange et piment Chipotle fumé (**), **Confiture de fraises au clou de girofle et au rhum brun** (**).

SAVAGNIN (VIN JAUNE)

Amandes apéritives à l'espagnole (*pimentón* fumé, miel et huile d'olive) (**), **Chips de jambon serrano** (pommade de nectar d'abricot, chapelure d'oreilles de crisse) (**), **Côtelettes d'agneau au safran** (et à la cannelle), **« Émulsion d'asperges vertes (aux crevettes_Mc²) »** (**), **Fromage de chèvre cendré** (à l'huile d'olive et romarin) (**), **Médaillons de porc à l'érable** (et patates douces, garniture de pacanes épicées), **Noix de macadamia sablées au sirop d'érable et curry** (**), **Pétoncles poêlés, couscous de noix du Brésil à l'orange sanguine, lait de coco au gingembre** (**), **Queue de langouste grillée, cubes de gelées de xérès, de café ou de livèche, trait d'amlou et côtes de céleri à la vapeur** (**), **Saumon laqué sauce soya/vinaigre balsamique** (**) et **« riz sauvage soufflé au café_Mc² »** (**), **« Soyable_Mc² »** (**).

SCHEUREBE (TBA LIQUOREUX, AUTRICHE)

Cuisine cantonaise épicée, Cuisine thaï, Fromage à croûte lavée « affiné » parfumé au romarin (macéré quelques jours au centre du fromage), **Litchis au gingembre** (et salsa d'agrumes), **Pain au safran** (et terrine de foie gras de canard au torchon) (*), **Panna cotta** (aux pêches et romarin), **Pêches pochées** (au romarin), **Poires** (au gingembre confit), **Salade d'ananas et fraises** (parfumée au romarin), **Shortcake aux fraises** (chantilly parfumée au romarin), **Terrine de foie gras et cailles, parfums de pétales de rose, gingembre, litchi et piment d'Espelette** (**).

SÉMILLON BLANC (AUSTRALIE)

Amandes apéritives à l'espagnole (*pimentón* fumé, miel et huile d'olive) (**), **Crabe des neiges, ketchup aux pois verts, épinards fanés à l'huile d'olive** (caviar de mulet et mousse de bière noire) (**), **Côtes levées** (à l'anis et à l'orange), **Filet de porc grillé** (au miel et aux poires), **Poulet au gingembre** (et à l'ananas), **Saumon fumé** (vinaigrette au miel), **Saumon laqué sauce soya/vinaigre balsamique** (**) et **« riz sauvage soufflé au café_Mc² »** (**).

SÉMILLON BLANC
(LIQUOREUX, SAUTERNES et AUTRES VOISINS)

Dattes chaudes (dénoyautées et farcies au roquefort), **Figues rôties** (à la cannelle et au miel), **Filet de veau sauce crémeuse** (à l'érable et aux noix), **Foie gras de canard poêlé** (à l'ananas ou aux fraises), **Fromage** (époisses accompagné de pain aux figues ou aux dattes), **Gâteau à l'érable** (et pralines), **« Guimauve érable_Mc² »** (sirop d'érable, vanille et amandes amères) (**), **Jambon glacé** (à l'ananas ou aux fraises), **Millefeuille de pain d'épices** (à l'ananas et aux fraises) (*), **Noix de macadamia sablées au sirop d'érable et curry** (**), **Palets de ganache de chocolat noir** (au caramel),

Shortcake (aux fraises ou à l'ananas), **Tarte Tatin** (à l'ananas et aux fraises), **Terrine de foie gras de canard** (au torchon et Pain au safran) (*), **« Whippet_Mc^2 »** (guimauve au sirop d'érable vanillé, coque de chocolat blanc caramélisé) (**).

SÉMILLON BLANC (SAUTERNES ÉVOLUÉ)

Crème brûlée (à l'érable), **Palets de ganache de chocolat noir** (parfumée à l'érable), **Pêche tiède** (sur son craquant aux noix de pacane, baignée d'un caramel de jus de pêche parfumé à l'anis étoilé, au girofle et à la cannelle) (*), **Petit poussin laqué** (**), **Tatin de pommes au curry** (noix de macadamia salées au sirop d'érable, tranche de foie gras de canard poêlé) (**).

SYLVANER (ALSACE)

Calmars frits (et vinaigrette épicée), **Poisson grillé** (arrosé de jus de citron), **Salade César, Salade d'endives** (et de fromage de chèvre), **Salade de crevettes** (à la mayo-wasabi), **Salade de fenouil** (et pommes).

TORRONTÉS (ARGENTINE)

Apéritif, Crevettes sautées (et émulsion de gingembre), **Dim sum, Escalopes de porc** (à la salsa de fruits exotiques), **Frites de panais** (sauce au yogourt et au cari), **Riz** (à l'ananas), **Salade d'épinards** (et de pommes, vinaigrette épicée), **Sandwich au poulet** (et mangue).

VERDEJO (RUEDA, ESPAGNE)

Apéritif, Bloody Ceasar_Mc^2 (version solide pour l'assiette) (**), **Bruschetta** (au pesto), **Ceviche d'huîtres** (au wasabi et à la coriandre fraîche), **Crevettes caramélisées, écume de carotte, pomme McIntosh et graines de cumin** (purée de carottes à l'huile de crustacés et *pimentón* fumée) (**), **« Émulsion d'asperges vertes aux crevettes_Mc^2 »** (**), **Escargots** (à la crème de persil), **Huîtres crues** (en version anisée) (**), **Huîtres frites à la coriandre et wasabi** (**), **Jarret d'agneau au pastis et tomates fraîches** (**), **Lotte à la vapeur de thé gyokuro** (salade d'agrumes et pistils de safran) (**), **Moules** (au vin blanc et à l'émincé de fenouil frais), **Pasta au citron** (asperges et basilic frais), **Pâtes** (au pesto), **Pâtes au saumon fumé** (sauce à l'aneth) (*), **Pétoncles poêlés** (au jus de persil simple) (*), **Terrine de poisson** (truite fumée), **Tomates farcies au thon** (avec céleri et persil).

VIDAL (ICEWINE) (QUÉBEC, CANADA)

Croustade de foie gras (aux pommes) (*), **Foie gras de canard poêlé** (aux pommes épicées et déglacé au cidre de glace), **Fromages** (époisses accompagné de pain aux figues ou gorgonzola accompagné de marmelade d'oranges), **Magret de canard** (et radicchio aux pommes et à l'érable), **Millefeuille de pain d'épices** (aux mangues) (*), **Palets de ganache de**

chocolat noir (aux fruits exotiques ou au gingembre), **Tartare de litchis** (aux épices) (*), **Tarte à la citrouille** (et au gingembre) (*).

VIDAL (SEC) (QUÉBEC/CANADA)

Brochettes de poulet (à la salsa d'ananas), **Fricassée de poulet** (aux fraises et gingembre), **Poulet aux litchis** (et piments forts), **Sashimi sur salade de nouilles** (au gingembre et au sésame).

VIN SANTO (ITALIE)

Mousseux au chocolat noir et thé Lapsang Souchong (**), « **Soyable_Mc^2** » (**).

VIOGNIER (CONDRIEU SEC, FRANCE)

Homard (à l'émulsion de thé au citron), **Pétoncles poêlés** (enrubannés d'algues nori), **Ris de veau braisé** (aux citrons verts confits), **Salade de daïkon mariné** (et émulsion de thé au jasmin).

VIOGNIER (LANGUEDOC et CALIFORNIE)

Brochettes de poulet (à l'ananas et au cumin), **Cocotte de poulet et lentilles aux piments forts** (curcuma, cardamome et coriandre), **Escalopes de porc** (à la salsa de pêche et curcuma), **Filet de poisson blanc** (en croûte de gingembre), **Fricassée de poulet** (à l'asiatique), **Pilaf de poulet** (et d'agrumes), **Rôti de porc** (farci aux abricots), **Sandwich « pita » au poulet** (au chutney de mangue), **Vol-au-vent de crevettes** (au Pernod).

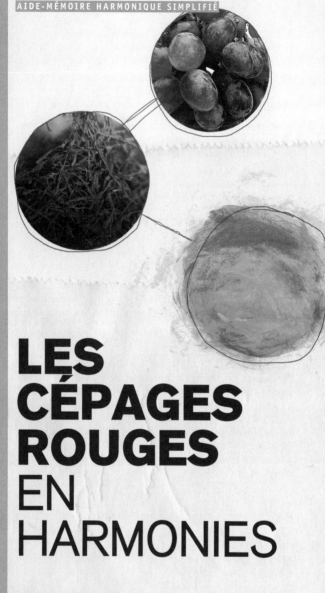

LES CÉPAGES ROUGES EN HARMONIES

AGLIANICO (TAURASI, ITALIE)

Carré d'agneau (en croûte de menthe fraîche), **Entrecôte** (à la bordelaise), **Filet de bœuf Angus** (aux champignons sauvages).

BARBERA (PIÉMONT, ITALIE)

Brochettes de poulet (et lardons), **Cailles sautées à la poêle** (et riz sauvage aux champignons) (*), **Casserole de poulet** (à la pancetta et carottes), **Côtes de veau au vin rouge** (polenta au parmigiano), **Pétoncles en civet** (*), **Pétoncles poêlés enrubannés d'algues nori** (et réduction de jus de veau), **Poitrines de volaille** (à la crème d'estragon) (*), **Salade de champignons** (portobellos sautés et copeaux de parmesan), **Saumon grillé** (et coulis de sauce tomate de longue cuisson), **Steak de saumon au café noir** (et au cinq-épices chinois) (*).

CABERNET FRANC (LOIRE, FRANCE)

Asperges vertes rôties au four (à l'huile d'olive), **Brochettes de bœuf** (teriyaki), **Brochettes de foie de veau** (et de poivrons rouges), **Brochettes de foie de veau et de poivrons rouges** (accompagnées d'asperges vertes rôties au four à l'huile d'olive et au thym), **Casserole d'escargots** (à la tomate et aux saucisses italiennes épicées), **Casserole de poulet** (à la pancetta et carottes), **Figues confites au thé Pu-Erh,** chantilly de fromage Saint-Nectaire (**), **Pétoncles poêlés enrubannés d'algues nori** (et réduction de jus de veau et framboises), **Poitrines de poulet farcies** (au chèvre et aux poivrons rouges), **Poulet** (basquaise ou chasseur), **Rôti de porc, Saucisses grillées** (merguez), **Saumon grillé** (au beurre de pesto de tomates séchées), **Tarte de pommes de terre cuites au thé Pu-erh et fromage Saint-Nectai**re (***).

CABERNET SAUVIGNON (CORSÉ, EUROPE)

Côtes de veau (et purée de pois à la menthe) (*), **Filet de bœuf enveloppé d'algues nori** (accompagné d'un braisé de carottes au jus de bœuf), **Filets de bœuf** (au café noir) (*), **Filets de bœuf** (et coulis de poivrons verts) (*), **Magret de canard rôti** (à la nigelle), **Rôti de bœuf** (au vin rouge).

CABERNET SAUVIGNON (MODÉRÉ, EUROPE)

Brochettes de bœuf (et de foie de veau aux poivrons), **Côtes de veau** (et purée de pois à la menthe) (*), **Lapin** (à la crème moutardée) (*), **Lapin** (aux poivrons verts), **Pâte concentrée de poivrons verts et menthe** (voir sur papillesetmole cules.com), **Rôti de bœuf, Sandwich de canard confit et nigelle** (voir sur papillesetmolecules.com).

CABERNET SAUVIGNON (CORSÉ, NOUVEAU MONDE)

Asperges vertes rôties, enrobées de chocolat noir (infusé au thé fumé Zheng Shan Xiao Zhong, fleur de sel au café) (**), **Brochettes de bœuf** (sauce au fromage bleu) (*), **Côte de veau grillée** (au fromage bleu et réduction de porto, balsamique et miel), **Côtelettes d'agneau marinées** (au porto et au romarin frais), **« Feuilles de vigne farcies_Mc^2 »** (riz sauvage soufflé, bacon de sanglier, sirop de riz brun/café) (**), **Filet de bœuf de la Ferme Eumatimi, sauce** *mole* **mexicaine** (à la noix de coco et au cinq-épices) (**), **Filets de bœuf** (sauce au cabernet sauvignon), **Fromage à croûte fleurie au romarin frais** (haché très finement et macéré quelques jours au centre du fromage), **Magret de canard rôti** (parfumé de baies roses), **Pot-au-feu froid d'agneau cuit rosé, cubes de bouillon à la sauge** (condiment au curcuma, sel de romarin) (**), **Tranches d'épaule d'agneau grillées** (au poivre noir et sauté de poivrons verts et rouges au paprika).

CABERNET SAUVIGNON (ÉVOLUÉ, EUROPE)

Tarte de pommes de terre cuites au thé Pu-erh et fromage Saint-Nectaire (***).

CABERNET SAUVIGNON (ÉVOLUÉ, NOUVEAU MONDE)

Cerf (sauce aux griottes et au chocolat noir) (*), **Filets de bœuf sauce balsamique** (poêlée de champignons sauvages), **Magret de canard au vin rouge** (et aux baies de sureau) (*).

CABERNET SAUVIGNON/SHIRAZ (CORSÉ, NOUVEAU MONDE)

Carré d'agneau et jus au café expresso (*) accompagné d'asperges vertes rôties au four à l'huile d'olive et au poivre noir.

CANNONAU (SARDAIGNE, ITALIE)

Braisé de bœuf (à l'anis étoilé), **Lièvre** (à l'aigre-doux) (*), **Osso buco de cerf** (aux parfums de mûres et de réglisse) (*).

CARMENÈRE (CHILI)

Asperges vertes rôties, enrobées de chocolat noir (infusé au thé fumé Zheng Shan Xiao Zhong, fleur de sel au café) (**), **Bifteck grillé** (au beurre d'estragon), **Brochettes de bœuf** (et poivrons verts et rouges marinés à l'huile de sésame) (***), **Carré d'agneau** (en croûte de menthe fraîche aux parfums balsamiques), **Côtes de veau** (et purée de pois à la menthe) (*), **Côtes levées à la bière noire** (bouillon de bœuf et sirop d'érable) (***), **« Feuilles de vigne farcies_Mc^2 »** (riz sauvage soufflé, bacon de sanglier, sirop de riz brun/café) (**), **Filets de bœuf grillés** (et coulis de poivrons verts) (*), **Hamburgers d'agneau** (aux poivrons rouges confits et au paprika), **Pâte concentrée de poivrons verts et menthe** (voir sur papillesetmolecules.com), **Rôti de palette** (« comme un chili de Cincinnati ») (***), **Sandwich de canard confit et nigelle** (voir sur papillesetmolecules.com), **Souvlakis** (à l'origan et aux épices à steak).

CORVINA (AMARONE, ITALIE)

Côtes de cerf (sauce griottes et chocolat noir) (*), **Fromages** (caciocavallo affumicato, parmigiano reggiano 24 mois d'affinage ou pecorino affumicato), **Magret de canard rôti** (et réduction du porto LBV), **Médaillons de porc sauce aux canneberges** (et au porto LBV), **Osso buco de cerf** (aux parfums de mûres et de réglisse) (*), **Ragoût de bœuf** (épicé à l'indienne), **Rognons de veau aux champignons** (et baies de genévrier).

CORVINA (RIPASSO, ITALIE)

Brochettes de bœuf (et jus au café expresso) (*), **Côtes levées** (sauce barbecue épicée), **Endives braisées au fromage bleu** (***), **Foie de veau** (aux betteraves confites), **Médaillons de veau aux bleuets**, **Pâtes aux champignons** (et fond de veau), **Pizza sicilienne aux saucisses épicées** (et olives noires), **Poulet aux pruneaux** (et aux olives), **Quesadillas** (*wraps*) **d'agneau confit** (oignons caramélisés).

DOLCETTO (PIÉMONT, ITALIE)

Bœuf braisé (au jus de carotte), **Caponata à la sicilienne** (version italienne de la ratatouille niçoise), **Chili** (con carne), **Focaccia** (au pesto de tomates séchées), **Pâtes aux saucisses** (italiennes et à la tomate), **Pizza** (au poulet et au pesto de tomates séchées), **Poulet cacciatore**, **Salade de pâtes à la méditerranéenne** (tomates cerises, olives noires, feta, aneth), **Spaghetti** (bolognaise épicé).

GAMAY (BEAUJOLAIS et TOURAINE)

Ailes de poulet, **Boudin noir** (aux oignons et aux lardons), **Brochettes de poulet** (teriyaki), **Côtelettes de porc** (à la niçoise), **Filet de saumon** (au pinot noir) (*), **Pain de viande** (à la tomate), **Pâtes** (aux tomates séchées), **Pizza aux tomates séchées** (et fromage de chèvre), **Poulet grillé** (au pesto de tomates séchées), **Salade d'endives braisées et cerises** (avec noix et fromage parmesan émietté), **Salade de betteraves rouges parfumées au quatre-épices** (poivre, muscade, gingembre en poudre et clou de girofle), **Salade de foie de volaille** (et de cerises noires), **Sukiyaki de bœuf** (aux poivrons verts et rouges), **Tacos** (de bœuf épicés), **Tartare** (de bœuf), **Tartare** (de thon), **Veau marengo** (sur pâtes aux œufs).

GARNACHA (CORSÉ, ESPAGNE)

Bœuf de la Ferme Eumatimi frotté à la cannelle avant cuisson (compote d'oignons brunis au four et parfumée à la pâte d'anchois salés) (**), **Braisé de bœuf** (à l'anis étoilé), **Carré d'agneau** (farci aux olives noires et au romarin), **Côtes levées** (à la cannelle et au curry de vin rouge), **Émulsion_Mc^2 « Mister Maillard »** (voir sur papillesetmolecules.com), **Filet d'agneau enveloppé d'algues nori** (accompagné d'un braisé de carottes au jus d'agneau), **Filets de caribou** (sauce aux bleuets et au chocolat noir 90 % cacao), **Magret de canard rôti** (graines de sésame et cinq-épices, navets confits au clou de girofle) (**), **Morceau de flanc de porc poché, vinaigrette de boudin à la noix de coco**, *crumble* de boudin noir (**), **Navets blancs confits au clou de girofle** (voir sur papillesetmolecules.com), **« On a rendu le pâté chinois »** (**), **Poitrines de poulet farcies** (au fromage brie et à la sauge), **Pot-au-feu froid d'agneau cuit rosé, cubes de bouillon à la sauge** (condiment au curcuma, sel de romarin) (**), **« Purée_Mc^2 » pour amateur de vin** (au céleri-rave et clou de girofle) (**), **Ragoût d'agneau** (au cinq-épices et aux oignons cipollini caramelisés fromage à croûte fleurie grillé dans une feuille de brick parfumé au thym), **Salade d'endives braisées et cerises** (avec noix et fromage bleu), **Tatin de tomates** (herbes de Provence).

GRENACHE/SYRAH/MOURVÈDRE
(RHÔNE, LANGUEDOC et AUSTRALIE)

Ananas caramélisé (cassonade, sauce soya, saké et réglisse noire, copeaux de chocolat noir) (**), **Bœuf grillé** (et réduction de Soyable_Mc^2) (**), **Brochettes d'agneau** (à l'ajowan), **Brochettes d'agneau** (au thym), **Brochettes de bœuf** (au café noir) (voir Filets de bœuf au café noir) (*), **Carré d'agneau** (en croûte de menthe fraîche), **Carré d'agneau** (et jus au café expresso) (*), **Carré de porc** (aux tomates confites), **Carré de porc glacé aux fraises, poivre du Sichuan** (galanga et miel) (**), **Côtelettes d'agneau marinées** (au porto et au romarin frais), **Daube d'agneau** (au vin et à l'orange), **Émulsion_Mc²** « **Mister Maillard** » (voir sur papillesetmolecules.com), **Filet de bœuf de la Ferme Eumatimi, sauce *mole* mexicaine** (à la noix de coco et au cinq-épices) (**), **Hamburgers de bœuf** (à la pommade d'olives noires), **Médaillons de porc** (à la pommade d'olives noires), **Pâté chinois** (revu et magnifié « pour vin rouge ») (***), **Pétoncles rôtis fortement, shiitakes poêlés, copeaux de parmigiano reggiano et écume de bouillon de kombu** (**), **Pommade d'olives noires** (à l'eau de poivre) (***), **Poulet aux olives noires** (et aux tomates), « **Purée_Mc²** » **pour amateur de vin** (au céleri-rave et clou de girofle) (**), **Steak de saumon au café noir** (et au cinq-épices chinois) (*), **Tajine d'agneau** (au safran).

GRENACHE – VIN DOUX NATUREL
(BANYULS, MAURY, RASTEAU et RIVESALTES)

Ananas caramélisé (cassonade, sauce soya, saké et réglisse noire, copeaux de chocolat noir) (**), **Bleuets** (trempés dans le chocolat noir), **Fondue au chocolat noir** (et fruits rouges et noirs), **Fougasse parfumée au clou de girofle** (et fromage bleu fondant caramélisé) (**), **Fromage bleu** (fourme d'Ambert), **Fudge au chocolat noir** (sauce au caramel), « **Gelées_Mc²** » (au café) (**), **Palets de ganache de chocolat noir** (parfumée au café), **Panna cotta au fromage bleu, air de rose et craquelins de clou de girofle** (**), **Tarte au chocolat noir** (au thé Lapsang Souchong) (*), **Tarte aux bleuets, Truffes au chocolat** (aux parfums de havane) (*).

JAEN (DÃO, PORTUGAL)

Carré d'agneau façon « pot-au-feu » (cuisson rosée, parfumé au thé et aux épices), **Hachis Parmentier** (de canard au quatre-épices), **Ragoût d'agneau** (au quatre-épices), **Steak de saumon grillé** (au *pimentón* et tomates séchées), **Tataki de thon rouge** (au quatre-épices).

MALBEC (ARGENTINE)

Asperges vertes rôties au four (à l'huile d'olive), **Bifteck** (à l'ail et aux épices), **Brochettes de bœuf** (au café noir) (voir Filets de bœuf au café noir) (*), **Chili** (con carne épicé), **Confipote_Mc²** (voir sur papillesetmolecules.com), **Couscous** (aux merguez épicées), **Foie de veau** (sauce au poivre et à la cannelle), **Hamburgers de bœuf** (à la pommade d'olives noires), **Poulet grillé sur une canette de bière** (frotté aux épices barbecue et copeaux d'hickory), « **Purée_Mc²** » **pour amateur de vin au céleri-rave et clou de girofle** (**), **Quesadillas** (*wraps*) **au poulet grillé** (teriyaki).

MALBEC (CAHORS, FRANCE)

Bœuf à la bière, **Filets de bœuf** (au café noir) (*), **Carré d'agneau** (et jus au café expresso) (*), **Cassoulet** (et cuisses de canard confites), **Foie de veau** (en sauce à l'estragon), **Moussaka** (au bœuf).

MENCIA (BIERZO, ESPAGNE)

Baklavas de bœuf en bonbons (miel de menthe à la lavande et eau de géranium, viande de grison) (**), **Brochettes de porc sur brochettes de bambou imbibées au scotch** (voir Brochettes de bambou imbibées au scotch «pour grillades de porc») (***), **Carré d'agneau façon «pot-au-feu»** (cuisson rosée, parfumé au thé et aux épices), **Hachis Parmentier** (de canard au quatre-épices), **Magret de canard rôti** (graines de sésame et cinq-épices, navets confits au clou de girofle) (**), **Mozzarella gratinée «comme une pizza»** (et sel au clou de girofle) (***), **«Purée_Mc^2»** pour amateur de vin (au céleri-rave et clou de girofle) (**), **Ragoût d'agneau** (au quatre-épices), **Steak de saumon grillé** (au *pimentón* et tomates séchées), **Tagliatelles à la réglisse noire, queues de langoustines rôties, tomates séchées et petits pois** (**), **Tataki de thon rouge** (au quatre-épices), **Terrine de foie gras et cailles, parfums de pétales de rose, gingembre, litchi et piment d'Espelette** (**).

MERLOT (CORSÉ, BORDEAUX et EUROPE)

Burger de bœuf au foie gras (et champignons), **Carré d'agneau** (et jus au café expresso) (*), **Côte de veau rôtie** (aux morilles), **Côte de veau rôtie et jus au café expresso** (voir Carré d'agneau et jus au café expresso) (*), **Filets de bœuf en croûte** (fines herbes), **Jarret d'agneau confit** (et champignons sauvages), **Magret de canard** (caramélisé aux épices) (*), **Magret de canard fumé au thé Lapsang Souchong** (et risotto au jus de betterave parfumé au girofle), Magret de canard grillé (parfumé de baies roses), **Terrine de foie gras de canard** (au naturel) (*).

MERLOT (CORSÉ, NOUVEAU MONDE)

Asperges vertes rôties, enrobées de chocolat noir (infusé au thé fumé Zheng Shan Xiao Zhong, fleur de sel au café) (**), **Bœuf à la Stroganov**, **Cailles sautées à la poêle** (et riz sauvage aux champignons) (*), **Filet de porc** (au café noir) (voir Filets de bœuf au café noir) (*), **«Feuilles de vigne farcies_Mc^2»** (riz sauvage soufflé, bacon de sanglier, sirop de riz brun/café) (**), **Hamburgers d'agneau** (aux poivrons rouges confits et au paprika), **Osso buco accompagné de carottes rouges** (cuites en fin de cuisson à même l'osso buco), **Pâtes aux tomates séchées** (et au basilic), **Poulet basquaise** (version basque du poulet chasseur italien avec ajout de lanières de poivrons vert en fin de cuisson), **Pétoncles poêlés, couscous de noix du Brésil à l'orange sanguine, lait de coco au gingembre** (**), **Pot-au-feu froid d'agneau cuit rosé, cubes de bouillon à la sauge** (condiment au curcuma, sel de romarin) (**).

MERLOT (MODÉRÉ, BORDEAUX, LANGUEDOC et EUROPE)

Brochettes de poulet (aux champignons portobellos), **Côtelettes de porc** (aux poivrons rouges confits épicés), **Filet de saumon grillé** (sauce au vin rouge) (*), **Foie de veau** (en sauce à l'estragon), **Hachis Parmentier** (au canard), **Poitrines de volaille** (à la crème d'estragon) (*), **Polenta crémeuse** (au parmigiano), **Poulet aux olives noires** (aux tomates séchées), **Quesadillas** (*wraps*) **au bifteck** (et aux champignons), **Rôti de veau** (à la dijonnaise), **Veau marengo** (de longue cuisson).

MONASTRELL (JUMILLA, ESPAGNE)

Brochettes de bœuf ou d'agneau (sauce teriyaki), **Carré de porc** (sauce chocolat épicée *mole poblano*), **Chili** (de Cincinnati) (***), **Foie de veau** (et confit de betteraves et d'oignons rouges au vinaigre balsamique), **Gigot d'agneau** (aux herbes séchées), **Magret de canard rôti** (à la nigelle), **Pâtes aux saucisses** (épicées), **Ragoût de bœuf** (épicé à l'indienne), *T-bone* **grillé** (aux épices à steak).

MONDEUSE (VIN DE SAVOIE, FRANCE)

Poulet grillé sur une canette de bière (frotté aux épices barbecue et copeaux d'hickory), **Salade de bœuf** (aux fines herbes et vinaigrette au vinaigre de framboise), **Saumon grillé** (teriyaki).

MONTEPULCIANO (CORSÉ, ITALIE)

Carré de porc (aux tomates séchées), **Fettucine all'amatriciana** («à ma façon») (*), **Foie de veau** (en sauce à l'estragon), **Osso buco**, **Polenta crémeuse** (aux oignons caramélisés et parmigiano reggiano).

MONTEPULCIANO (MODÉRÉ, ITALIE)

Hamburger d'agneau (au pesto de tomates séchées), **Lasagne au four**, **Pizza classique**, **Poitrines de poulet** (tomate et champignons), **Saucisses** (italiennes), **Spaghetti** (bolognaise), **Terrine de campagne**.

MOURVÈDRE (AUSTRALIE)

Jambon glacé aux fraises et girofle (**).

MOURVÈDRE (AUSTRALIE/CALIFORNIE)

Braisé de bœuf (à l'anis étoilé), **Carré de porc** (sauce chocolat épicée *mole poblano*), **Côtes levées à la bière noire** (bouillon de bœuf et sirop d'érable) (***), **Daube de bœuf** (au vin et à l'orange), **Homard au vin rouge** (et chocolat noir et *pimentón*), **Lièvre ou lapin** (à l'aigre-doux) (*), **Magret de canard rôti** (à la nigelle), **Morceau de flanc de porc poché** (vinaigrette de boudin à la noix de coco, *crumble* de boudin noir) (**), **Polenta au gorgonzola** (version «umami») (***).

MOURVÈDRE (PROVENCE, RHÔNE et LANGUEDOC, FRANCE)

Canard rôti (badigeonné au scotch *single malt*), **Carré d'agneau** (et jus au café expresso) (*), **Filet de bœuf saignant** (et sauté de champignons sauvages), **Gigot d'agneau** (aux herbes séchées), **Jarret d'agneau confit** (parfumé à l'huile de truffes).

NEBBIOLO (BAROLO et BARBARESCO, ITALIE)

Bœuf braisé au vin rouge (et aux carottes), **Carré d'agneau au poivre vert** (et à la cannelle), **Filets de bœuf aux champignons** (et au vin rouge), **Magret de canard fumé** (aux feuilles de thé), **Parmigiano reggiano** (plus de 24 mois d'affinage) **accompagné d'une réduction de café noir** (avec un doigt de balsamique).

NÉGRETTE (FRONTON, FRANCE)

Brochettes de bœuf (marinées aux herbes de Provence), **Filets de bœuf** (à la pommade d'olives noires).

NEGROAMARO (MODÉRÉ, ITALIE)

Côtes de veau grillées (marinées aux herbes), **Daube de bœuf** (au vin et à l'orange), **Fettucine all'amatriciana** (« à ma façon ») (*), **Focaccia à la sauce tomate de longue cuisson** (et aux olives noires et thym séché), **Focaccia** (au pesto de tomates séchées), **Pennine all'arrabbiata**, **Risotto** (aux tomates séchées et aux olives noires).

NERO D'AVOLA (CORSÉ, ITALIE)

Brochettes d'agneau (à l'ajowan), **Brochettes de bœuf** (à la pommade de menthe fraîche, poivre concassé et vinaigre balsamique), **Endives braisées** (aux cerises et au kirsch) (***), **Filets de bœuf** (au café noir) (*), **Filets de bœuf Angus** (aux champignons sauvages), **Gigot d'agneau** (aux herbes séchées), **Mozzarella gratinée « comme une pizza »** (et sel au clou de girofle) (***), **Osso buco accompagné de carottes rouges** (cuites en fin de cuisson à même l'osso buco).

NERO D'AVOLA (MODÉRÉ, ITALIE)

Chips aux olives noires et au poivre (***), **Endives braisées aux cerises et au kirsch** (***), **Lapin au vin rouge « sans vin rouge »!** (***), **Salade de framboises à l'eau de rose et julienne d'algue nori** (***).

PEDRO XIMÉNEZ
(MONTILLA-MORILLES, AMONTILLADO et OLOROSO, ESPAGNE)

Amandes apéritives à l'espagnole (*pimentón* fumé, miel et huile d'olive) (**), **« Caramous_Mc^2 »** (caramel mou à saveur d'érable « sans érable ») (**), **Cigare** (figurados Arturo Fuente Don Carlos N° 2), **Fromage camembert aux noix mélangées** (éclats de chocolat noir et scotch macérés quelques jours au centre du fromage), **Jambon glacé** (à l'ananas), **Mousseux au chocolat noir et thé Lapsang Souchong** (**), **Palets de**

ganache de chocolat noir (aux noix), **Petit poussin laqué** (**), **Queue de langouste grillée**, cubes de gelées de xérès, de café ou de livèche, trait d'amlou et côtes de céleri à la vapeur (**), **Tarte Tatin** (à l'ananas et aux fraises).

PEDRO XIMÉNEZ (XÉRÈS et MONTILLA-MORILLES, ESPAGNE)

Cigares (churchill Bolivar Corona Gigante ou robusto Partagas Série D N° 4), **« Ganache chocolat / Soyable_Mc² »** (**), **Glace à la vanille saupoudrée de raisins de Corinthe** (macérés dans un pedro ximénez), **Mousseux au chocolat noir et thé Lapsang Souchong** (**), **Palets de ganache de chocolat noir** (au vinaigre balsamique), **Tarte aux pacanes** (et au bourbon).

PETITE SIRAH (CALIFORNIE et MEXIQUE)

Bavette de bœuf (sauce teriyaki), **Brochette de bœuf** (sauce au poivre vert), **Côtes levées** (sauce barbecue épicée), **« On a rendu le pâté chinois »** (**), **Pâte concentrée de poivrons rouges rôties** (voir sur papillesetmolecules.com), **Purée de panais au basilic thaï** (voir sur papillesetmolecules.com), **Ragoût de bœuf** (à la bière brune).

PINOT NOIR (CHAMPAGNE BLANC DE NOIRS)

Brochettes de pétoncles grillés (et couscous de noix du Brésil) (***), **Carpaccio d'agneau** (fumé), **Fromages** (comté Fort des Rousses 24 mois d'affinage ou parmigiano reggiano 24 mois d'affinage et plus), **Huîtres chaudes** (au beurre de poireaux), **Mousse de foie de volaille** (aux poires), **Sablés au parmesan** (et au café) (***), **Surf'n Turf Anise** (pétoncles et foie gras) (*), **Tapas de fromage en crottes_Mc²** : (à l'huile de safran et morceaux de pommes jaunes fraîches) (***).

PINOT NOIR (CHAMPAGNE ROSÉ)

Cailles laquées au miel (et au cinq-épices), **Cuisines asiatiques** (cantonaise ou indienne), **Focaccia** (au pesto de tomates séchées), **Foie gras de canard poêlé** (aux fraises), **Fromages jeunes** (maroilles, chaource ou brie de Meaux), **Mozzarella gratinée « comme une pizza »** (viande des Grisons et piment d'Espelette) (***), **Risotto au jus de betterave** (parfumé au girofle), **Risotto aux langoustines** (et au basilic), **Salade de tomates fraîches et de cubes de melon d'eau** (à l'huile de basilic), **Saumon grillé** (au beurre de pesto de tomates séchées), **Tartare de bœuf** (champignons shiitakes, vinaigrette de betteraves et copeaux de parmesan) (***), **Tartare** (de thon), **Thon grillé** (à l'huile de basilic), **Tomates cocktail** (au tartare de pétoncles), **Truite saumonée** (et coulis de tomate).

PINOT NOIR (CORSÉ, FRANCE)

Cailles sautées à la poêle (et riz sauvage aux champignons) (*), **Joues de veau braisées** (aux tomates confites), **Magret de canard rôti** (parfumé de baies roses), **Pétoncles en civet** (*), **Poitrines de volaille** (à la crème d'estragon) (*), **Poulet**

au soja (et à l'anis étoilé), **Risotto au jus de betterave** (parfumé au girofle), **Steak de saumon au café noir** (et au cinq-épices chinois) (*), **Thon poêlé** (aux tomates confites et à l'huile d'olive épicée).

PINOT NOIR (CORSÉ, NOUVEAU MONDE)

Bœuf de la Ferme Eumatimi frotté à la cannelle avant cuisson (compote d'oignons brunis au four et parfumée à la pâte d'anchois salés) (**), **Bœuf en salade asiatique** (***), **Brochettes de bœuf sur brochettes de bambou imbibées au clou de girofle** (voir Brochettes de bambou imbibées au clou de girofle «pour grillades de viande rouge») (***), **Cailles laquées au miel** (et au cinq-épices), **Camembert aux clous de girofle** (macérés quelques jours au centre du fromage), **Canard du lac Brome rôti** (et jus de cuisson parfumé à l'anis étoilé), **«Feuilles de vigne farcies_Mc^2»** (riz sauvage soufflé, bacon de sanglier, sirop de riz brun/café) (**), **Filet de saumon grillé** (au quatre-épices chinois), **Filets de porc à la cannelle** (et aux canneberges), **Magret de canard rôti, graines de sésame et cinq-épices** (navets confits au clou de girofle) (**), **Mozzarella gratinée «comme une pizza»** (viande des Grisons et piment d'Espelette) (***), **Pâté chinois** (revu et magnifié «pour vin rouge») (***), **Pâtes aux tomates séchées** («umami») (***), **Pétoncles poêlés, couscous de noix du Brésil à l'orange sanguine, lait de coco au gingembre** (**), **Pot-au-feu d'agneau cuit rosé, au thé et aux épices** (**), **Thon poêlé** (aux tomates confites et à l'huile d'olive épicée),

PINOT NOIR (MODÉRÉ, FRANCE)

Dindon rôti (sauce au pinot noir), **Filet de saumon** (au pinot noir) (*), **Filets de porc à la cannelle** (et aux canneberges), **Pâtes à la sauce tomate** (au prosciutto et à la sauge), **Pâtes aux tomates séchées**, **Pot-au-feu** (de *L'Express*) (*), **Poulet chasseur**, **Quesadillas** (*wraps*) **au bifteck** (et aux champignons), **Risotto à la tomate** (et au basilic avec aubergines grillées), **Salade de bœuf grillé** (à l'orientale), **Tourtière** (aux épices douces).

PINOT NOIR (MODÉRÉ, NOUVEAU MONDE)

Brochettes de poulet (teriyaki), **Bruschetta** (à la tapenade de tomates séchées), **Chutney d'ananas au curcuma, gingembre et vinaigre de xérès** (**), **Pâté chinois** (revu et magnifié «pour vin rouge») (***), **Pesto de tomates séchées** (***) (pour pâtes), **Poulet au soja** (et à l'anis étoilé), **Risotto à la tomate** (et au basilic), **Salade de bœuf grillé** (à l'orientale), **Sandwich aux légumes grillés** (et tapenade de tomates séchées), **Saumon grillé** (et coulis de sauce tomate de longue cuisson), **Sauté de bœuf** (au gingembre), **Sauté de porc vietnamien** (au cinq-épices), **Sukiyaki** (de saumon), **Sushis en bonbon de purée de framboises** (***), **Thon rouge mi-cuit au poivre et risotto au jus de betterave** (parfumé au clou de girofle).

PINOTAGE (AFRIQUE DU SUD)

Bœuf à la bière (brune et polenta crémeuse au parmesan), **Chili** (de Cincinnati) (***), **Côtes levées** (glacées aigres-douces), **Hamburgers de veau à l'italienne** (oignons rouges, poivrons rouges rôtis et paprika), **Longe de porc fumée** (sauce au boudin noir et vin rouge), **Pâtes aux saucisses** (italiennes épicées), **Quesadillas** (*wraps*) **au bifteck** (et fromage bleu).

PRIMITIVO (ITALIE)

Bifteck (à la pommade d'olives noires), **Bœuf bourguignon** (et polenta crémeuse), **Brochettes de bœuf** (et de foie de veau aux poivrons rouges confits), **Chili** (de Cincinnati) (***), **Fettucine all'amatriciana** («à ma façon») (*), **Hamburger d'agneau** (aux poivrons rouges confits et au fromage bleu), **Orecchiette** (pâtes en forme de petites oreilles; sauce au fond de veau et duxelles de champignons portobellos), **Terrine** (de gibier).

SANGIOVESE (CALIFORNIE)

Confipote_Mc^2 (voir sur papillesetmolecules.com), **« Feuilles de vigne farcies_Mc^2 »** (riz sauvage soufflé, bacon de sanglier, sirop de riz brun/café) (**), **Hamburgers** (aux tomates séchées et cheddar extrafort), **Magret de canard grillé** (parfumé de baies roses), **Pâtes** (aux tomates séchées et au basilic), **Pizza** (au poulet et au pesto de tomates séchées), **Poulet** (à la ratatouille), **Risotto** (au jus de betterave parfumé au clou de girofle), **Saumon grillé** (à la pommade d'olives noires),

SANGIOVESE (CORSÉ, ITALIE)

Carré d'agneau (et jus au café expresso) (*), **Côtes de veau grillées** (et champignons portobellos), **Gigot d'agneau aux herbes** (accompagné d'une purée de patates douces aux olives noires), **Lapin** (à la toscane) (*), **Magret de canard rôti** (à la nigelle), **Osso buco** (au fenouil et gremolata).

SANGIOVESE (MODÉRÉ, ITALIE)

Blanquette de veau, **Carré de porc** (aux tomates séchées), **Côtes levées au bouillon pour côtes levées** (voir Bouillon pour côtes levées (***), **Cubes de bœuf en sauce** (***), **Fettucine all'amatriciana** («à ma façon») (*), **Panini au poulet** (et aux poivrons rouges grillés), **Pâté chinois** (revu et magnifié «pour vin rouge») (***), **Pennine all'arrabbiata**, **Poulet** (chasseur), **Salade de framboises à l'eau de rose et julienne d'algue nori** (***), **Sandwich de canard confit et nigelle** (voir sur papillesetmolecules.com), **Souvlakis** (brochettes), **Tartare de bœuf** (champignons shiitakes, vinaigrette de betteraves et copeaux de parmesan) (***), **Veau marengo** (de longue cuisson).

SHIRAZ (CORSÉ, NOUVEAU MONDE)

Sushis_Mc^2 «pour amateur de vin rouge» (voir sur papille setmolecules.com), **Bœuf braisé** (au jus de carotte), **Brochettes de bœuf** (à la pommade de menthe fraîche, poivre concassé et vinaigre balsamique), **Carré de porc glacé aux fraises, poivre du Sichuan** (galanga et miel) (**), **Côtelettes d'agneau grillées** (sauce teriyaki à l'orange), **Gigot d'agneau** (à l'ail et au romarin), **Médaillons de porc** (sauce aux canneberges et au porto LBV), **Mozzarella gratinée** («comme une pizza» et sel au clou de girofle) (***), **«On a rendu le pâté chinois»** (**), *Pop-corn* (au goût de bacon et cacao) (***), **Purée de rutabaga à l'anis étoilé** (voir sur papillesetmolcecules.com), **Quiche de pain perdu aux asperges grillées** («pour vins rouges») (***), **Steak de thon grillé** (à la pommade d'olives noires), **Steak de thon grillé** (frotté au concassé de baies de genièvre), **Tajine d'agneau** (au safran), **Tajine de ragoût d'agneau** (au cinq-épices et aux oignons cipollini caramélisés), **Thon rouge mi-cuit au poivre** (et purée de pommes de terre aux olives noires).

SHIRAZ (MODÉRÉ, NOUVEAU MONDE)

Bifteck au poivre (et à l'ail), **Brochettes de poulet** (teriyaki), **Côtes levées** (sauce barbecue épicée), **Poulet** (aux olives noires), **Rôti de porc** (farci aux canneberges), **Sauté de bœuf** (au gingembre), **Souvlaki pita** (aux boulettes de bœuf), **Tartinades d'olives noires** (graines de fenouil et zestes d'orange), **Thon rouge mi-cuit** (frotté au concassé de baies de genièvre), **Thon rouge mi-cuit au poivre** (et purée de pommes de terre aux olives noires).

SHIRAZ ET CABERNET SAUVIGNON (CORSÉ, AUSTRALIE)

Carré d'agneau (au poivre vert et à la cannelle), **Carré d'agneau** (marocain et provençal), **Filets de bœuf** (sauce au cabernet sauvignon), **Filets de bœuf à la fourme d'Ambert** (et au romarin) (*), **Magret de canard** (au vin rouge et aux baies de sureau) (*).

SYRAH (CORSÉ, FRANCE)

Brochettes d'agneau (à l'ajowan), **Brochettes d'agneau aux olives noires** («sur brochettes imbibées d'une eau parfumée au thym») (***), **Brochettes d'agneau grillées** (et parfumées de baies roses), **Carré d'agneau farci** (aux olives noires et au romarin, sauce au porto LBV), **Filets de bœuf** (surmonté de raviolis de pâtes d'algues nori farcies à la purée de framboise), **Filets de bœuf mariné** (au parfum d'anis étoilé), **Gigot d'agneau** (aux herbes séchées), **Légumes d'automne rôtis au four pour syrah/shiraz** (***), **Magret de canard grillé** (parfumé de baies roses accompagné d'une purée de patates douces aux olives noires et au romarin frais), **Purée de rutabaga à l'anis étoilé** (voir sur papillesetmolecules.com), **Pommade d'olives noires** (à l'eau de poivre) (***), **Rognons de veau** (aux baies de genévrier), **Sushis_Mc^2 «pour amateur de vin rouge»** (voir sur papillesetmolecules.com), **Tranches d'épaule d'agneau** (et pommade d'olives noires).

SYRAH (MODÉRÉ, FRANCE)

Blanquette de veau, **Bœuf braisé** (au jus de carotte), **Brochettes de bœuf sur brochettes de bambou imbibées à l'anis étoilé** (Brochettes de bambou imbibées à l'anis étoilé « pour cubes de bœuf ») (***), **Carré de porc** (aux tomates confites et aux herbes de Provence), **Gigot d'agneau** (au romarin frais), **Hamburgers de bœuf avec pommade d'olives noires** (à l'eau de poivre) (***), **Lasagne** (aux saucisses italiennes épicées), **Pâtes** (aux olives noires) (*), **Pennine all'arrabbiata**, **Tartinades d'olives noires**, **Tagliatelles à la réglisse noire, queues de langoustines rôties, tomates séchées et petits pois** (**).

SYRAH, GRENACHE ET MOURVÈDRE (CORSÉ, LANGUEDOC, FRANCE)

Carré d'agneau (farci à la pommade d'olives noires), **Filets de bœuf grillés** (et sauté de poivrons rouges au curcuma), **Jarret d'agneau confit** (et bulbe de fenouil braisé).

SYRAH, GRENACHE ET MOURVÈDRE (MODÉRÉ, LANGUEDOC, FRANCE)

Hamburgers de bœuf (à la pommade d'olives noires), **Pâtes aux olives noires**, **Poulet** (et ratatouille), **Poulet grillé sur une canette de bière** (frotté aux épices barbecue et copeaux d'hickory), **Quesadillas** (*wraps*) **au poulet grillé** (teriyaki), **Souvlakis** (brochettes), **Spaghetti** (bolognaise), **Tartinades d'olives noires**.

SYRAH, GRENACHE ET MOURVÈDRE (VINS ROSÉS CORSÉS)

Cacahouètes apéritives à l'américaine : sirop d'érable, cannelle, zestes d'orange et piment chipotle fumé (**), **Calmars en tempura d'amandes** (fleur de sel au cèdre, mousse de riz en paella) (**), **Carré de porcelet de la Ferme Gaspor au safran** (carottes, pommes golden et melon d'eau) (**), **Pattes de pieuvre rôties, compote de tomates au thé noir** (pamplemousse rose, lavande et safran du Maroc) (**), **Tagliatelles à la réglisse noire, queues de langoustines rôties, tomates séchées et petits pois** (**).

TANNAT (MADIRAN, FRANCE)

Carré d'agneau (jus de cuisson réduit), **Filets de bœuf** (au café noir) (*), **Jarret d'agneau confit** (et lentilles du Puy au jus d'agneau parfumé à l'anis étoilé).

TANNAT (URUGUAY)

Bœuf braisé (à la Stroganov), **Brochettes de bœuf** (teriyaki), **Chili** (con carne), **Côtes levées** (à l'ail et au romarin), **Quesadillas** (*wraps*) **aux saucisses** (italiennes épicées), **Souvlakis** (brochettes).

TEMPRANILLO
(CORSÉ, RIOJA et RIBERA DEL DUERO, ESPAGNE)

« Balloune de mozarella_Mc² » (à l'air de clou de girofle, éclats de viande de grison et piment d'Espelette) (**), **Braisé de bœuf** (à l'anis étoilé), **Carré d'agneau** (et jus au café expresso) (*), **Émulsion_Mc²** « Mister Maillard » (voir sur papillesetmolecules.com), « **Feuilles de vigne farcies_Mc²** » (riz sauvage soufflé, bacon de sanglier, sirop de riz brun/café) (**), **Hamburgers d'agneau** (aux poivrons rouges confits et au curcuma), **Magret de canard** (fumé aux feuilles de thé Lapsang Souchong), **Magret de canard rôti** (à la nigelle), **Magret de canard rôti** (graines de sésame et cinq-épices, navets confits au clou de girofle) (**), **Navets blancs confits au clou de girofle** (voir sur papillesetmolecules.com), **Pâté chinois** (revu et magnifié « pour vin rouge ») (***), « **Purée_Mc²** » pour amateur de vin au céleri-rave et clou de girofle (**), **Osso buco de jarret de veau** (à la vanille de Tahiti sauce liée au chocolat noir), **Tranches d'épaule d'agneau** (sauce au porto LBV).

TEMPRANILLO (MODÉRÉ, ESPAGNE)

Bœuf bourguignon, **Boudin noir grillé** (avec sauté de poivrons rouges épicés), **Brochette de bœuf** (sauce au poivre vert), **Filet de porc** (au café noir) (voir Filets de bœuf au café noir) (*), « **On a rendu le pâté chinois** » (**), **Saucisses grillées** (chipolatas).

TOURIGA NACIONAL ET TINTA RORIZ
(CORSÉ, ALENTEJO et DOURO, PORTUGAL)

Brochettes d'agneau aux olives noires (« sur brochettes imbibées d'une eau parfumée au thym ») (***), **Brochettes de bœuf** (au café noir) (voir Filets de bœuf au café noir) (*), **Carré d'agneau** (au poivre vert et à la cannelle), « **Feuilles de vigne farcies_Mc²** » (riz sauvage soufflé, bacon de sanglier, sirop de riz brun/café) (**), **Filet de bœuf** (sauce au cabernet sauvignon), **Filets de bœuf au poivre** (patates douces au romarin), **Gigot d'agneau** (au romarin frais), **Magret de canard rôti** (parfumé de baies roses), **Mozzarella gratinée** « comme une pizza » (et sel au clou de girofle) (***), **Osso buco**, « **Purée_Mc²** » pour amateur de vin au céleri-rave et clou de girofle (**).

TOURIGA NACIONAL ET TINTA RORIZ
(MODÉRÉ, DÃO et DOURO, PORTUGAL)

Bavette de bœuf (sauce teriyaki), **Brochettes d'agneau** (à l'ajowan), **Brochettes de bœuf** (aux épices à steak), **Côtes levées** (à l'ail et au romarin), **Fettucine all'amatriciana** (« à ma façon ») (*), **Médaillons de porc** (à la pommade d'olives noires), **Pâtes aux saucisses** (italiennes épicées), **Pizza aux tomates séchées** (et à l'origan), **Sandwich au rôti de bœuf** (parfumé au thym frais), **Saucisses grillées** (chipolatas), **Steak de thon rouge grillé** (et frotté au concassé de baies de genièvre).

TOURIGA NACIONAL ET TINTA RORIZ
(PORTO RUBY, LBV et VINTAGE, PORTUGAL)

Fondue au chocolat noir (et fruits rouges et noirs), **Fougasse parfumée au clou de girofle** (et fromage bleu fondant caramélisé) (**), **Fromage à croûte fleurie mature** (farci de fraises et estragon macérés quelques jours au centre du fromage), **Fromage fourme d'Ambert** (accompagné de confiture de cerises noires), **Gâteau au chocolat** (et coulis de fruits rouges), **Jarrets de veau braisés au porto** (et polenta aux champignons), **Mousse au chocolat noir** (aux cerises), **Palets de ganache de chocolat noir** (aux fruits rouges ou au poivre).

TOURIGA NACIONAL ET TINTA RORIZ
(PORTO TAWNY, PORTUGAL)

Bœuf grillé (et réduction de Soyable_Mc^2) (**), **« Caramous_Mc^2 »** (caramel mou à saveur d'érable « sans érable ») (**), **Figues macérées au porto tawny** (à la vanille), **Fromages** (são jorge et vieux cheddar accompagnés de confiture de coings portugaise et de noix de Grenoble), **« Ganache chocolat / Soyable_Mc^2 »** (**), **Gâteau au café** (et meringue au chocolat), **Gâteau Reine-Élisabeth**, **« Guimauve érable_Mc^2 »** (sirop d'érable, vanille et amandes amères) (**), **Jambon** (aux parfums d'Orient) (*), **Millefeuille de pain d'épices** (aux figues) (*), **Mousse au chocolat noir** (et au parfum de Grand Marnier) (*), **Palets de ganache de chocolat noir** (parfumée au café), **Soyable_Mc^2** (**), **« Whippet_Mc^2 »** (guimauve au sirop d'érable vanillé, coque de chocolat blanc caramélisé) (**).

ZINFANDEL (CALIFORNIE)

Bœuf grillé (et réduction de Soyable_Mc^2) (**), **Brochettes de bœuf** (à la pommade de menthe fraîche, poivre concassé et vinaigre balsamique), **Brochettes de bœuf** (sauce au fromage bleu) (*), **Filet de bœuf de la Ferme Eumatimi, sauce *mole* mexicaine** (à la noix de coco et au cinq-épices) (**), **Gigot d'agneau** (aux herbes séchées), **Longe de porc fumée** (sauce au boudin noir et vin rouge), **Meringue de pois verts, tomates confites** (filets d'anchois croustillants au vinaigre de xérès_Mc^2 »: air de shiitakes dashi) (**), **Pétoncles rôtis fortement, shiitakes poêlés, copeaux de parmigiano reggiano et écume de bouillon de kombu** (**), **« Purée_Mc^2 »** pour amateur de vin (au céleri-rave et clou de girofle) (**), **Quesadillas** (*wraps*) **au bifteck** (et fromage bleu), **Ragoût d'agneau** (au quatre-épices), **Rognons de veau aux champignons** (et baies de genévrier).

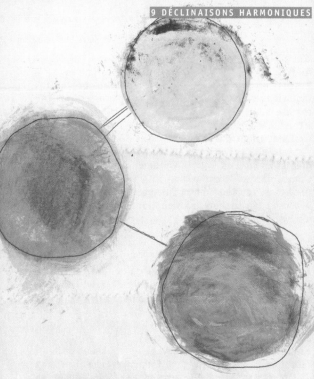

LES BIÈRES EN HARMONIES

À l'aide-mémoire harmonique simplifié des principaux cépages et de leurs harmonies avec les mets (voir à la page 51), devenu un grand classique depuis les trois précédentes éditions, s'ajoute maintenant un aide-mémoire harmonique simplifié des principaux types de bières.

Cet aide-mémoire se synchronise avec les recettes publiées dans les livres *LES RECETTES DE PAPILLES ET MOLÉCULES*, *PAPILLES POUR TOUS – CUISINE AROMATIQUE D'AUTOMNE* – tout comme dans les versions *HIVER*, *PRINTEMPS* et *ÉTÉ* à venir –, ainsi que dans *À TABLE AVEC FRANÇOIS CHARTIER* et sur le site *papillesetmolecules.com* et vous aidera à réaliser vos harmonies avec les bières.

BIÈRE BLANCHE

Ailes de poulet BBQ orange et graines de coriandre (***), Brochettes de crevettes et melon d'eau sur brochettes imbibées au pamplemousse rose et au paprika, Crème de carotte aux graines de coriandre et à l'orange (***), « Fondue à Johanne_Mc^2 » (**), Lotte à la vapeur de thé gyokuro, salade d'agrumes et pistils de safran (**), Maïs en épis, Olives vertes marinées au zeste d'orange et graines de coriandre (***), Morue en papillote à l'orange et aux graines de coriandre (***), Sablés au parmesan, graines de coriandre et au curcuma (***), Trempette de yogourt à la coriandre, pomme Granny Smith et à l'huile d'olive.

BIÈRE BLONDE CORSÉE

Burgers d'agneau (***), Cuisses de canard confites à l'orange et aux graines de coriandre (***), Sandwich vietnamien Banh-mi au porc en mode anisé (***).

BIÈRE BRUNE SCOTCH ALE

Ailes de poulet à la sauce soyable (***), Bœuf grillé et réduction de Soyable_Mc^2 (**), Camembert chaud au sirop d'érable/amandes/pâte de curry rouge (***), Cannelés au curry et à l'érable (***), Caviar d'aubergines rôties au miso (***), « Feuilles de vigne farcies_Mc^2 » (riz sauvage soufflé, bacon de sanglier, sirop de riz brun/café) (**), Fondues au fromage bleu (***), Fromage cheddar âgé accompagné de Riz sauvage soufflé au café_Mc^2 (***), « Ganache chocolat/Soyable_Mc^2 » (**), Pain d'épices poêlé, sabayon à la bière scotch ale (***), Noix de macadamia sablées au sirop d'érable et curry (**), Poulet au curry (***).

BIÈRE EXTRA FORTE ÉPICÉE

Bœuf grillé et réduction de Soyable_Mc^2 (**), Braisé de bœuf à l'anis étoilé, Brochettes de figues séchées enroulées de prosciutto, Fromage Gruyère âgé, « Ganache chocolat/Soyable_Mc^2 » (**), Marinade de bœuf au miso (***), Poulet au soja et à l'anis étoilé.

BIÈRE INDIA PALE ALE

Ailes de poulet BBQ orange et graines de coriandre (***), Cuisses de canard confites à l'orange et aux graines de coriandre (***), Dahl aux lentilles oranges, cumin et coriandre fraîche en trempette (***), Fromage de chèvre mariné à l'huile de cardamome (***), Huiles aromatiques au basilic (***) pour huîtres fraîches.

BIÈRE DOUBLE IPA

Endives braisées au fromage bleu (***), Fromage de chèvre mariné à l'huile de cardamome (***), Gaspacho de concombre, de gingembre et de coriandre (***), Pickle de concombre au curcuma (***), Poulet épicé à la marocaine aux olives vertes et citrons confits (***), Raita estivale de concombre à la coriandre et cumin, Trempette de yogourt à la coriandre, pomme Granny Smith et à l'huile d'olive (***).

BIÈRE ROUSSE

Pommade de pommes au curry et à l'érable (***) pour fromages à croûte fleurie, Houmous au miso et aux graines de lin (***), Riz sauvage soufflé au café_Mc^2 (***).

BIÈRE ROUSSE EXTRA BITTER

Crevettes pochées paprika et pamplemousse rose, mayonnaise au safran et sauce sriracha (***), Fromages à pâte ferme accompagnés de Compote de pommes Délicieuse Jaunes au safran « cuite au micro-ondes » (***), Homard rôti, carottes glacées à l'huile de crustacés (***).

BIÈRE NOIRE STOUT

Crème brûlée au cacao et au thé noir fumé (***), Fondues au fromage bleu (***), « Ganache chocolat / Soyable_Mc^2 » (**), Noix de cajous apéritives à la japonaise « Soyable_Mc^2 » (huile de sésame, gingembre et graines de coriandre) (**), Pudding au chocolat comme un chômeur (***), Saumon laqué sauce soya/vinaigre balsamique (**).

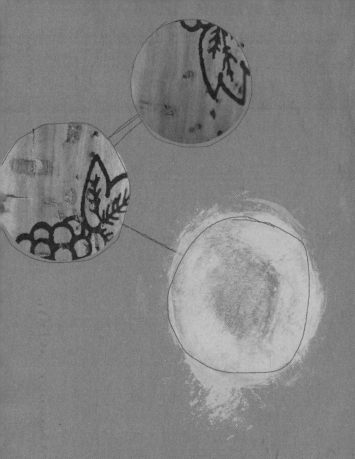

VINS
DE LA
VIEILLE
EUROPE

VINS BLANCS DE LA VIEILLE EUROPE

Pyrène 2010 ✓ TOP 30 BAS PRIX

CÔTES-DE-GASCOGNE, LIONEL OSMIN, FRANCE

| 12,50 $ | SAQ C (11253564) | ★★☆ $ | Modéré+ | BIO |

■ **NOUVEAUTÉ!** Voilà un blanc sec des plus originaux, aromatique, vivace, croquant et invitant. Le nez, d'une fraîcheur unique, s'exprime haut et fort avec des tonalités de papaye, de lime, de menthe, de pomme verte et de buis. La bouche suit avec autant d'aplomb, d'éclat et de vivacité, déroulant ses saveurs longuement, spéciale-ment pour un vin à prix si doux. L'un de mes blancs préférés cette année chez les crus aromatiques et digestes offerts sous la barre des quinze dollars. **Cépages:** colombard, gros manseng, sauvignon blanc. **Alc./**11,5 %.

☛ *Servir dans les deux années suivant le millésime, à 12 °C*

Apéritif, tapas de fromage en crottes_Mc² : à l'huile de basilic et morceaux de pommes rouges fraîches (***), sandwich vietnamien Banh-mi au porc en mode anisé (***), salade de chou et vinaigrette à la papaye (***), poisson frit et mayonnaise au wasabi et au citron vert (***).

Grillo/Sauvignon Blanc Montalto 2010

SICILIA, BARONE MONTALTO, ITALIE

12,95 $	SAQ C (10676371)	★★ $	Modéré

Si vous servez cet élégant, aromatique et subtilement anisé assemblage grillo et sauvignon blanc à température plus élevée qu'à l'habitude, c'est-à-dire entre 12 et 14 °C, vous serez en mesure de réaliser une étonnante mais ô combien juste et précise harmonie avec notre recette de jarret d'agneau au pastis (dans *Les Recettes de Papilles et Molécules*). Surpris? C'est que la synergie aromatique entre le pastis et le profil anisé du vin surpasse la viande rouge pour ainsi permettre une harmonie aromatique plus que déstabilisante – remettant en question, heureusement (!), l'idée trop simpliste de «viande rouge vin rouge»... Ce nouveau venu se montre d'une belle tenue pour son rang. Sans casser la baraque, il demeure un très bon achat pour le prix requis. **Cépages :** 50 % grillo, 50 % sauvignon blanc. **Alc./**12,5 %. **baronemontalto.it**

☛ *Servir dans les trois années suivant le millésime, à 12 °C*

Taboulé au basilic (***) ou jarret d'agneau au pastis et tomates fraîches (**).

Corvo Bianco 2010

SICILIA, DUCA DI SALAPARUTA, ITALIE

13,40 $	SAQ C (061168)	★★ $	Modéré

Tout comme la cuvée rosso du même nom, ce blanc sec se montre très aguicheur et désaltérant pour son prix. Croquant comme une pomme McIntosh, saisissant comme une lime bien mûre, frais comme une brise d'été et sapide comme une limonade faite de vrais citrons! Mais bien sûr, sans l'acidité mordante de cette dernière. Et surtout, ne le servez pas glacé, mais plutôt un bon vingt minutes après l'avoir sorti du réfrigérateur. **Cépages :** insolia, grecanico. **Alc./**11,5 %. **vinicorvo.it**

☛ *Servir dans les deux années suivant le millésime, à 12 °C*

Tapas de fromage en crottes_Mc^2 (à l'huile de coriandre fraîche et morceaux de pommes vertes fraîches) (***), fusillis au saumon et basilic, huîtres frites à la coriandre et wasabi (**) ou moules marinière «à ma façon» (*).

Château Calabre 2010   ✓ TOP 30 BAS PRIX

MONTRAVEL, PUY-SERVAIN, FRANCE

13,60 $	SAQ S (10258638)	★★☆ $	Modéré

Ce château présente à nouveau un millésime plus que réussi, ce qui fait de lui l'une des plus satisfaisantes aubaines en matière de blanc du Sud-Ouest, incluant les bordeaux. Car ici, c'est un assemblage à la bordelaise dont on parle, dominé par le très aromatique et anisé sauvignon blanc, s'exprimant haut et fort par des tonalités de menthe fraîche et d'agrumes. Un vin sec, droit, mais aussi doté d'une certaine texture satinée, aux saveurs qui ont de l'éclat, spécialement pour son rang. Gazon fraîchement coupé, pomme et lime ajoutent au plaisir de cette trouvaille chez les blancs de France offerts à prix doux. Et, comme je vous l'ai déjà mentionné dans un précédent millésime, même supérieur à nombreux bordeaux blancs vendus quelques dollars de plus. **Cépages :** 50 % sauvignon blanc, 40 % sémillon blanc, 10 % muscadelle. **Alc./**13 %. **puyservain.com**

☛ *Servir dans les trois années suivant le millésime, à 12 °C*

Apéritif, olives vertes marinées au gin Hendrick's (avec cardamome et thé vert) (***), salade de carotte à la menthe (***), fromage de chèvre frais mariné à l'huile d'olive parfumée à la cardamome (***), rouleaux de printemps aux crevettes et à la menthe fraîche, ceviche de crevettes à la coriandre fraîche ou pâtes au saumon fumé en sauce légèrement crémée et parfumée à l'aneth (*).

Château de Campuget « Invitation » 2010

COSTIÈRES-DE-NÎMES, CHÂTEAU DE CAMPUGET, FRANCE

13,65 $	SAQ S (919340)	★★?☆ $	Modéré+

D'un charme aromatique engageant au possible, sans extrême, dégageant des notes subtiles de tilleul, de pêche et de miel, à la bouche à la fois ronde et fraîche, éclatante et presque tendue, aux saveurs longues et pures, où s'ajoutent des tonalités de noyau de pêche et d'aubépine. Ensemble certes généreux, mais magnifiquement harmonisé par une minéralité sous-jacente. Difficile de trouver mieux à ce prix chez les blancs du Midi. **Cépages :** 60 % roussanne, 30 % grenache, 10 % marsanne. **Alc./**13 %. **campuget.com**

☛ *Servir dans les trois années suivant le millésime, à 14 °C*

Polenta au gorgonzola version « umami » (***), potage de courge Butternut au poivre de Guinée (***), rôti de porc farci aux abricots (***), fricassée de poulet au gingembre et au sésame, saumon à la dijonnaise ou brochettes de poulet sauce moutarde et miel.

Sauvignon Blanc
Le Jaja de Jau 2010

✓ TOP 30 BAS PRIX

CÔTES-DE-GASCOGNE, CHÂTEAU DE JAU, FRANCE

13,65 $	SAQ C (11459693)	★★ $	Modéré

■ NOUVEAUTÉ! Tout comme la cuvée Syrah, Le Jaja de Jau est un excellent rapport qualité-prix. Difficile d'être plus représentatif du sauvignon blanc, avec ses parfums anisés et mentholés, ainsi qu'avec sa vivacité qui fouette les papilles avec éclat, sans trop. Menthe fraîche, gazon fraîchement coupé, pomme verte et lime ferment la marche en bouche. Rien de mieux pour se rafraîchir l'haleine, tout en ayant quelque chose à se mettre sous la dent! **Cépage :** sauvignon blanc. **Alc./**11,5 %. **chateaudejau.com**

☛ *Servir dans les deux années suivant le millésime, à 12 °C*

Sandwich pita au thon (***), tapas de fromage en crottes_Mc^2 (à l'huile de basilic et morceaux de pommes rouges fraîches) (***) ou salade de crevettes froides (vinaigrette au jus de pamplemousse rose) (***).

Chaminé Branco 2010

VINHO REGIONAL ALENTEJANO, CORTES DE CIMA, PORTUGAL

13,90 $	SAQ S* (11156238)	★★☆ $	Léger+

Un original assemblage de cépages autochtones, auquel s'ajoute moins de 20 % de sauvignon blanc. Vous vous sustenterez plus que jamais d'un blanc des plus aromatiques et invitant, non sans finesse, aux saveurs qui giclent littéralement au palais, sur des tonalités d'agrumes (pamplemousse rose et lime) et de fleurs, façon sauvignon blanc, à l'acidité et à la minéralité saisissantes de fraîcheur, laissant comme toujours pour ce vin la bouche sapide et l'estomac digeste. Réalisez vos harmonies à table avec soit les aliments sur la piste de la papaye (qui est un aliment complémentaire au sauvignon blanc et à ce style de vin), comme ma recette de crème de chou-fleur à l'huile de papaye-wasabi (***), soit les aliments de la famille des anisés, c'est-à-dire avec les recettes dominées par la menthe, le basilic, la coriandre fraîche, le céleri, le persil ou les légumes-racines. **Cépages :** 30 % antão vaz, 27 % viognier, 25 % verdelho, 18 % sauvignon blanc. **Alc./**12,5 %. **cortesdecima.com**

☞ *Servir dans les trois années suivant le millésime, à 12 °C*

Crème froide de chou-fleur à l'huile de papaye (***), salade de chou-fleur et vinaigrette à la papaye, aux câpres et au wasabi (***), salade de betteraves jaunes à l'huile parfumée au basilic, huîtres fraîches à l'émulsion de lime et coriandre fraîche ou poisson simplement poêlé accompagné d'un céleri rémoulade.

L'Arrogant! « Chardonnay-Viognier » 2010
PAYS D'OC, THE HUMBLE WINEMAKER, JEAN-CLAUDE MAS, FRANCE

13,95 $	SAQ C (10915301)	★★☆ $	Corsé

Si vous appréciez les vins blancs secs très aromatiques, aux parfums un brin exotiques (banane, mangue, fleurs jaunes), et à la bouche gourmande, ronde et peu acide, vous serez conquis par cet assemblage chardonnay et viognier. De l'expression, du gras, des courbes sensuelles, de la texture, des saveurs éclatantes, rappelant la pêche et les fleurs. Rien de bien compliqué, mais drôlement efficace et ragoûtant, et ce, autant à l'apéritif qu'à table. **Cépages :** viognier, chardonnay. **Alc./**13,5 %. **arrogantfrog.fr**

☞ *Servir dans les deux années suivant le millésime, à 14 °C*

Camembert chaud au sirop d'érable (***), burgers de saumon (***), poulet au curry (***), sandwich « pita » au poulet et au chutney de mangue, brochettes de poulet à l'ananas et au cumin ou mignon de porc mangue-curry (*).

Les Fumées Blanches 2010
VIN DE FRANCE, FRANÇOIS LURTON, FRANCE

13,95 $	SAQ C (643700)	★★?☆ $	Léger+

Il y a déjà quelques millésimes consécutifs que ce fumé blanc est au sommet de sa forme, faisant de lui l'un des plus beaux coups de cœur chez les blancs tous azimuts offerts sous la barre des quinze dollars. Il se montre donc une fois de plus très aromatique, passablement détaillé, aux notes classiques de menthe, de pomme verte et de groseille, avec un petit côté anisé, à la bouche tout aussi croquante et vivifiante, laissant des traces de pamplemousse rose. Amusez-vous en cuisine avec les recettes dominées par les aliments complémentaires à ce type de vin, comme le sont le basilic frais, l'estragon, le chou, les asperges, le jus de pamplemousse rose, les crevettes ou la papaye. **Cépage :** sauvignon blanc. **Alc./**12 %. **francoislurton.com**

☞ *Servir dans les deux années suivant le millésime, à 12 °C*

Tapas de fromage en crottes_Mc^2 : à l'huile de basilic et morceaux de pommes rouges fraîches (***), « émulsion d'asperges vertes aux crevettes_Mc^2 » (**), salade de chou et vinaigrette à la papaye (***), crème de petits pois (***) ou salade de farfalle aux crevettes, tomates fraîches et melon d'eau grillé, vinaigrette de pamplemousse rose (***).

Riesling Selbach 2010 ✓ TOP 30 BAS PRIX

MOSEL-SAAR-RUWER, J. & H. SELBACH, ALLEMAGNE

13,95 $	SAQ S (11034741)	★★★ $$	Léger+

Comme je vous le dis depuis trois ou quatre ans, il est plutôt difficile de dénicher un riesling de cette qualité chez les crus germaniques et français offerts sous la barre des quinze dollars. Et à
nouveau, en 2010, il récidive avec un vin sec, aromatique et fin,
aux notes de pomme et de fleurs blanches, à la bouche vivace et
éclatante, droite et saisissante, aux saveurs longues et digestes. À
boire jusqu'à plus soif. **Cépage:** riesling. **Alc./**10,5%. **selbach.com**

☛ *Servir dans les quatre années suivant le millésime, à 12 °C*

Apéritif, rouleaux de printemps au crabe et à la coriandre
fraîche, fromage de chèvre cendré à l'huile d'olive et romarin (**), calmars en tempura d'amandes, fleur de sel au cèdre,
mousse de riz en paella (**) ou filet de truite en gravlax nordique,
granité de gingembre et de pamplemousse (**).

Les Jardins de Meyrac 2010

VIN DE PAYS D'OC, CHÂTEAU CAPENDU, FRANCE

14,50 $	SAQ C (637850)	★★?☆ $$	Modéré

Belle régularité pour ce blanc sec qui, millésime après millésime,
présente un vin d'un très bon rapport qualité-prix. Vous y retrouvez
un Meyrac des plus aromatiques et fins, aux notes de fleurs blanches,
d'ananas, de poire et de fruits secs, d'une agréable acidité vivifiante,
lui donnant de l'élan, sans nuire à sa texture satinée et à son
ampleur. Longue finale anisée et zestée pour un vin de soif certes,
mais qui a quelque chose à dire. **Cépages:** chardonnay, sauvignon.
Alc./12,5%. **chateau-capendu.com**

☛ *Servir dans les trois années suivant le millésime, à 12 °C*

Huîtres crues en version anisée (**), salade de crevettes,
salade de fenouil grillé et fromage de chèvre chaud ou saumon mariné à l'aneth (*).

Mouton Cadet 2009 ✓ TOP 30 BAS PRIX

BORDEAUX, BARON PHILIPPE DE ROTHSCHILD, FRANCE

14,50 $	SAQ C (002527)	★★☆ $$	Modéré

Ce Mouton blanc est franchement plus réussi et avantageux pour le
prix que ne l'est le rouge, d'où son absence dans ce guide. Ici, le
sauvignon s'exprime avec justesse et éclat, anisé à souhait, aux
notes détaillées de menthe fraîche, de fenouil, de pamplemousse et
de pomme verte. La bouche suit avec fraîcheur, droiture et digestibilité. **Cépages:** sauvignon blanc, sémillon, muscadelle. **Alc./**12,5%.
moutoncadet.com

☛ *Servir dans les trois années suivant le millésime, à 12 °C*

Moules marinière «à ma façon» (*), salade de crevettes
froides (vinaigrette au jus de pamplemousse rose) (***),
sandwich pita au thon (***) ou rouleaux de printemps en mode
anisé (***).

S'elegas Argiolas 2010

NURAGUS DI CAGLIARI, CANTINA ARGIOLAS, ITALIE *(DISP. FIN 2011)*

14,80 $	SAQ **S** (10675159)	★★☆ $$	Léger+

De la même maison qui élabore les excellents rapports qualité-prix rouges Costera et Perdera (aussi commentés), ce S'elegas, de Cagliari, est d'un charme fou évident, tout en fraîcheur et en rondeur, léger et aérien, aux saveurs croquantes de melon, de fleurs et de miel. Un léger *frizzante* perlant en bouche n'est pas sans rappeler celui des muscadets, tout comme la finale amande amère. Original, digeste et enchanteur. Le coup de cœur y était presque. **Cépage:** nuragus. **Alc./**13,5 %. **argiolas.it**

☛ *Servir dans les trois années suivant le millésime, à 12 °C*

Fish and chips sauce tartare, moules marinière « à ma façon » (*) ou salade César aux crevettes grillées.

Viña Esmeralda 2010

CATALUNYA, MIGUEL TORRES, ESPAGNE

14,95 $	SAQ **S** (10357329)	★★☆ $$	Modéré

Comme toujours avec cette cuvée à base de muscat, 85 % moscatel (muscat d'Alexandrie) et 15 % gewurztraminer pour être plus précis, ce vin est l'apéritif sur mesure. Vous y dénicherez un blanc floral au possible, presque sec, tout en ayant une très légère pointe de sucre résiduel qui titille le bout de la langue avec bonheur, sans apporter aucune lourdeur, d'une fraîcheur parfaite et d'une digestibilité festive. Réservez-lui une salade de fromage de chèvre cendré à l'huile d'olive poivrée, des canapés de minibrochettes de poulet à la salsa d'ananas au poivre cubèbe ou une fricassée de poulet aux fraises et au gingembre parfumée au poivre sancho. **Cépages:** 85 % moscatel (muscat d'Alexandrie), 15 % gewurztraminer. **Alc./**11,5 %. **torres.es**

☛ *Servir dans les quatre années suivant le millésime, à 17 °C*

Apéritif, fromage de chèvre cendré à l'huile d'olive et romarin (**), trempette de guacamole et mangue, canapés de minibrochettes de poulet à la salsa d'ananas au poivre cubèbe ou fricassée de poulet aux fraises et au gingembre parfumée au poivre sancho.

Sauvignon Blanc La Grande Cuvée Dourthe 2010

BORDEAUX, VINS ET VIGNOBLES DOURTHE, FRANCE

15,05 $	SAQ **C** (231654)	★★☆ $$	Modéré

Une ixième belle réussite de ce sauvignon bordelais, plus aromatique que jamais, s'exprimant par des tonalités de pomme et d'agrumes, à la bouche à la fois revitalisante et satinée, égrainant de longues et expressives saveurs de pamplemousse rose et de gazon fraîchement coupé, rappelant littéralement les composés volatils au profil gazon/asperge/artichaut des huiles d'olive espagnoles. **Cépage:** sauvignon blanc. **Alc./**12 %. **dourthe.com**

☛ *Servir dans les quatre années suivant le millésime, à 12 °C*

Salade d'asperges vertes et émulsion d'huile d'olive et jus de pamplemousse rose.

Verdejo Prado Rey 2009
RUEDA, BODEGAS PRADO REY, ESPAGNE

15,20 $	SAQ S (10856371)	★★☆?☆ $$	Modéré

Commenté en primeur dans *La Sélection 2011*, ce blanc sec espagnol, qui devait être disponible en début d'année 2011, aura mis quelques mois de plus à nous parvenir, arrivant seulement en juillet. Vous serez charmé plus que jamais par ce verdejo, cépage cousin du sauvignon blanc, qui s'exprime en 2009 par des notes aromatiques toujours aussi proches de ce dernier, où l'on retrouve des tonalités anisées, jouant dans l'univers du cerfeuil, de la menthe et du fenouil, ainsi que des touches de pamplemousse rose et de pomme verte. En bouche, il se montre tout aussi croquant et vivifiant que lors de la première dégustation en août 2010, mais ayant depuis gagné en satiné de texture lorsque je l'ai dégusté à nouveau en juillet 2011. Une belle réussite. **Cépage :** verdejo. **Alc./**12,5 %. **pradorey.com**

☞ *Servir dans les quatre années suivant le millésime, à 12 °C*

Rouleaux de printemps à la menthe (***), ceviche d'huîtres au wasabi et à la coriandre fraîche, « émulsion d'asperges vertes aux crevettes_Mc^2 » (**), escargots à la crème de persil ou huîtres crues en version anisée (**).

Jorio Bianco 2010
MARCHE, UMANI RONCHI, ITALIE *(DISP. SEPT. 2011)*

16,25 $	SAQ S (11573218)	★★☆ $$	Léger+

■ NOUVEAUTÉ! *Crispy* disent nos voisins du Sud. Ce nouvel assemblage blanc se montre croquant comme une pomme verte, aromatique comme un citron fraîchement cueilli, aérien comme un nuage de pollen de fleurs blanches printanières, et digeste comme un vin de soif. **Cépages :** verdicchio, sauvignon blanc, chardonnay. **Alc./**12,5 %. **umanironchi.com**

☞ *Servir dans les deux années suivant le millésime, à 12 °C*

Apéritif, escalopes de veau au citron (al'limone), feuilles de vigne, *fish and chips* sauce tartare ou huîtres crues en version anisée (**).

Cuvée des Conti
« Tour des Gendres » 2010
✓ TOP 100 CHARTIER
BERGERAC, FAMILLE DE CONTI, CHÂTEAU TOUR DES GENDRES, FRANCE

16,30 $	SAQ S* (858324)	★★★?☆ $$	Modéré+	BIO

Superbe nez épuré et mûr à souhait, exhalant des parfums complexes d'agrumes, de crème et de pêche, à la bouche à la fois moelleuse et très fraîche, ample et tendue, d'une harmonie d'ensemble rarissime chez les vins de ce prix. Saveurs très longue et éclatante. « J'AIME » vraiment! Comme je vous le soulignais l'année dernière, voici l'un des blancs ayant reçu le plus souvent un coup de cœur au fil des millésimes depuis seize ans de *Sélection*. Cette grande Cuvée des Conti, vinifiée avec maestria par Luc de Conti, dynamo de l'appellation, est à ranger à nouveau parmi les références les plus abordables de la France des terroirs. **Cépages :** 70 % sémillon, 20 % sauvignon blanc, 10 % muscadelle. **Alc./**13 %. **chateautourdesgendres.com**

☞ *Servir dans les quatre années suivant le millésime, à 14 °C*

Tapas de fromage en crottes_Mc^2 : à l'huile de basilic et morceaux de pommes rouges fraîches (***), salade de farfalle aux crevettes, tomates fraîches et melon d'eau grillé, vinaigrette de pamplemousse rose (***), salade de tomates fraîches et asperges au basilic frais ou sandwich vietnamien Banh-mi au porc en mode anisé (***).

Costamolino Argiolas 2010

VERMENTINO DI SARDEGNA, CANTINA ARGIOLAS, ITALIE *(DISP. AOÛT/SEPT. 2011)*

16,55 \$	SAQ **S** (10675095) ★★☆ \$\$	Modéré

De la même maison qui élabore les excellents rapports qualité-prix S'elegas, en blancs et en rouges, Costera et Perdera (aussi commentés), ce vermentino se montre très fin et mûr, presque ample et texturé, zesté à souhait, parfumé et long, à l'acidité discrète et au corps voluptueux et frais, tout à fait coulant et soyeux. Ça vous sortira du chardonnay quotidien... **Cépage :** vermentino. **Alc./**13,5 %. **argiolas.it**

☛ *Servir dans les trois années suivant le millésime, à 12 °C*

 Blanquette de veau, fondue au fromage suisse, poitrines de poulet farcies au fromage brie et au carvi ou raclette.

Muga Blanco 2010

RIOJA, BODEGAS MUGA, ESPAGNE

16,60 \$	SAQ **S** (860189) ★★★ \$\$	Modéré+

Un blanc sec à base de viura, qui embaume l'amande fraîche, et légèrement boisé, à la fois vivifiant et patiné. Il faut dire que cette excellente *bodega* présente, comme à son habitude, l'un des meilleurs vins blancs de la Rioja, d'allure bourguignonne tout en demeurant très espagnole, les deux pieds dans le terroir. Vous y dénicherez comme à son habitude un vin passablement aromatique (amande, fleurs blanches, miel), à la bouche ample, presque en chair pour un blanc, mais aussi fraîche qu'une pomme McIntosh (!). Vin bien ficelé, tout en fraîcheur. L'élevage et la vinification des vins blancs espagnols s'étant raffinés au cours des dernières années, profitez-en plus que jamais pour apprécier les vins que l'on y élabore d'une fraîcheur tout simplement inexistante il y a à peine dix ans. **Cépages :** 90 % viura, 10 % malvasia. **Alc./**13,5 %. **bodegasmuga.com**

☛ *Servir dans les quatre années suivant le millésime, à 14 °C*

 Gaspacho blanc façon « Ajo blanco » (***) ou curry de crevettes au lait de coco et à l'ananas (***).

La Segreta Bianco 2010

SICILIA, PLANETA, ITALIE

16,70 \$	SAQ **S** (741264) ★★ \$\$	Léger+

Lime, abricot sec et amande fraîche donnent le ton à cette Segreta, certes toujours aussi festive et croquante, mais juste un brin moins soutenue que dans le millésime 2009 (aussi commenté). Ce savant assemblage non boisé de grecanico, de fiano, de chardonnay et de viognier se montre par contre toujours aussi vivifiant et aromatique, fin et digeste, même plus minéralisant. Il faut dire que ce blanc sec, pour ceux qui ne le savent pas encore, est signé par l'une des meilleures maisons du Midi de la péninsule italienne. Difficile de trouver mieux pour les salades estivales où entrent les ingrédients comme le concombre frais, la coriandre et le yogourt, mais aussi le basilic, la menthe, le fenouil frais, la lime, les crevettes et les poissons blancs. **Cépages :** 50 % grecanico, 30 % chardonnay, 10 % viognier, 10 % fiano. **Alc./**12,5 %. **planeta.it**

☛ *Servir dans les deux années suivant le millésime, à 12 °C*

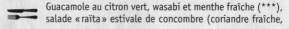 Guacamole au citron vert, wasabi et menthe fraîche (***), salade « raïta » estivale de concombre (coriandre fraîche,

cumin et yogourt), brochettes de poulet et de crevettes à la salsa d'ananas, fricassée de poulet à l'asiatique ou calmars au mojo (ail, huile d'olive, graines de cumin grillées, jus de lime et jus d'orange).

Pino & Toi 2010

VENETO, MACULAN, ITALIE

16,80 $	SAQ S (10218935)	★★☆ $$	Modéré

Comme à son habitude, cet assemblage de pinot blanc et de tocai friulano se montre aromatique et ultra-raffiné, charmeur au possible, exhalant des notes de melon de miel et de pêche blanche, à la bouche satinée, coulante et épurée de tout artifice, fraîche et festive. Un vin de soif, sapide et digeste, qui ravira les amants de la pureté, mais décevra les aficionados du gras et de l'opulence – à moins qu'ils apprennent qu'il y a un moment pour chaque style de vin ☺. **Cépages:** pinot blanc, tocai friulano. **Alc./**12,5 %. **maculan.net**

☛ *Servir dans les trois années suivant le millésime, à 12 °C*

Apéritif, roulade à la truite fumée et au fromage à la crème, filet de sole grillé aux amandes.

Gentil Hugel 2010

ALSACE, HUGEL ET FILS, FRANCE *(DISP. AUTOMNE 2011)*

17,15 $	SAQ C (367284)	★★ $$	Modéré

Ce futur millésime 2010, dégusté en primeur, en juillet 2011, d'un échantillon du domaine, et qui doit prendre la relève du 2009 (aussi commenté dans le Répertoire additionnel) au cours de l'automne 2011, se montre tout aussi raffiné et épuré que lors de la précédente vendange. Fraîcheur, digestibilité plaisir à boire, le tout marqué par des notes délicates d'agrumes et de fruits exotiques, mais rien de trop, plutôt juste et précis. **Cépages:** gewurztraminer, pinot gris, riesling, muscat, sylvaner. **Alc./**12,5 %. **hugel.com**

☛ *Servir dans les deux années suivant le millésime, à 12 °C*

Apéritif, cocktail Campari « solide » (***), sablés au parmesan, graines de coriandre et curcuma (***) ou linguine aux crevettes au cari et à l'orange.

Château Saint-Martin de la Garrigue « Bronzinelle » 2010

COTEAUX-DU-LANGUEDOC, CHÂTEAU SAINT-MARTIN DE LA GARRIGUE, FRANCE

17,50 $	SAQ S* (875328)	★★★ $$	Modéré+

D'un domaine qui se passe de présentation au Québec tant ses rouges sont à ranger depuis longtemps parmi les choix préférés des amateurs de crus languedociens offrant un rapport qualité-prix d'exception. Son blanc, à la fois minéral et digeste, n'y fait pas exception. On y retrouve un très frais et élégant profil aromatique, comme par le passé, mais toujours aussi appuyé d'une certaine richesse, comme c'était le cas en 2009, exhalant des effluves jouant dans l'univers crémeux et fruité des lactones (pêche, abricot, noix de coco). Sec, ample, texturé et très long, tout en étant minéralisant et anisé à souhait. **Cépages:** roussanne, grenache blanc et marsanne + picpoul, terret (vieilles vignes). **Alc./**13,5 %. **stmartingarrigue.com**

☛ *Servir dans les quatre années suivant le millésime, à 14 °C*

Escalopes de porc à la salsa fruitée, mignon de porc mangue-curry (*), petit poussin laqué (**) ou pétoncles poêlés, couscous de noix du Brésil à l'orange sanguine, lait de coco au gingembre (**).

Domaine du Bicheron 2008

MÂCON-PÉRONNE, GENEVIÈVE ET DENIS ROUSSET, FRANCE

17,70 $	SAQ **S** (11387546)	★★☆?☆ $$	Modéré+

■ NOUVEAUTÉ! Ce mâcon, provenant du village de Péronne, se montre d'une très engageante pureté aromatique, étonnamment concentré et profond pour son rang, compact et longiligne, sans esbroufe ni boisé inutile. Du pur «jus» de chardonnay, aux saveurs de fenouil, de pomme et de poire. Difficile d'être plus bourguignon et plus abordable à la fois, ce qui n'est pas toujours compatible en Bourgogne! Bravo. **Cépage :** chardonnay. **Alc./**13 %. **domainedubicheron. pagesperso-orange.fr**

☛ *Servir dans les six années suivant le millésime, à 14 °C*

Salade de champignons (***), papillote de pétoncles au Noilly ou sauté de poulet et de champignons à l'orientale. Fromages : Tour Saint-François (tomme de chèvre québécoise) ou Valbert.

Causse Marines «Les Greilles» 2010

GAILLAC, PATRICE LESCARRET, FRANCE *(RETOUR SEPT./OCT. 2011)*

17,95 $	SAQ **S** (860387)	★★☆?☆ $$	Modéré BIO

Sans avoir la complexité, la maturité de fruit et l'ampleur de bouche de la percutante cuvée 2009 (aussi commentée dans le Répertoire additionnel), ce 2010 demeure un incontournable en matière de blanc sec, épuré et digeste. Vous y trouverez un cru rafraîchissant, aérien, longiligne et croquant, tout à fait savoureux. Tout en sachant que le 2009 avait atteint un sommet unique... **Cépages :** 60 % len de l'el (loin de l'œil), 20 % mauzac, 5 % muscadelle, 15 % ondenc. **Alc./**12,5 %. **causse-marines.com**

☛ *Servir dans les quatre années suivant le millésime, à 14 °C*

Caviar d'aubergines rôties et gaines de lin (***), huîtres gratinées et fondue d'endives (***), vol-au-vent de fruits de mer ou sablés au parmesan, graines de coriandre et curcuma (***).

Conde de Valdemar 2009

RIOJA, BODEGAS VALDEMAR-MARTINEZ BUJANDA, ESPAGNE

18,45 $	SAQ **S** (860171)	★★★ $$	Corsé

Ce blanc m'a toujours laissé sur ma faim, étant à chaque précédent millésime trop marqué par son élevage en barriques et ayant des tonalités toujours oxydatives. Mais le voilà très réussi avec cette version 2009, tout en fruit, en ampleur, en densité et en longueur, même si tout de même boisé. Ananas, pomme golden, vanille et mie de pain donnent le ton avec panache et persistance. **Cépage :** viura. **Alc./**13 %. **condedevaldemar.com**

☛ *Servir dans les cinq années suivant le millésime, à 14 °C*

Mozzarella gratinée «comme une pizza», viande des Grisons et piment d'Espelette (***), rôti de porc farci aux abricots (***) ou polenta au gorgonzola version «umami» (***).

Naia 2009

RUEDA, BODEGAS NAIA, ESPAGNE

18,75 $	SAQ **S** (11465153)	★★☆?☆ $$	Modéré

■ NOUVEAUTÉ! Dégusté à plusieurs reprises au cours des dernières années, dans plusieurs bars à tapas de Barcelone, lors de mes sessions de travail dans l'atelier du restaurant elBulli, il était temps que ce blanc de cépage verdejo fasse son entrée à la SAQ. Vous y déni-cherez un vin sec au profil on ne peut plus classique de ce cépage espagnol, qui a des airs de sauvignon blanc, s'exprimant par des notes très fraîches de gazon fraîchement coupé, de menthe et d'agrumes, à la bouche tout aussi rafraîchissante, mais avec du corps, dont un prenant satiné de texture. À la fois digeste et nour-rissant. **Cépage :** verdejo. **Alc./**13 %. **bodegasnaia.com**

☛ *Servir dans les quatre années suivant le millésime, à 12 °C*

Apéritif, escargots à la crème de persil, ceviche d'huîtres au wasabi et à la coriandre fraîche ou moules au vin blanc et à l'émincé de fenouil frais.

Nosis 2009

RUEDA, BUIL & GINÉ, ESPAGNE *(DISP. NOV./DÉC. 2011)*

18,75 $	SAQ S (10860928)	★★☆?☆ $$	Modéré+

Ce verdejo 2009 se montre beaucoup plus mûr et plus riche que les précédents millésimes, salué dans les trois éditions précédentes de ce guide pour ses millésimes 2005, 2007 et 2008 (ce dernier est aussi commenté dans cette édition). Couleur jaune or soutenue. Nez aromatique et prenant, aux riches effluves de fruits mûrs. Bouche pleine et fraîche, ample et longiligne, aux saveurs persistantes, rap-pelant l'ananas, les agrumes et la menthe. **Cépage :** verdejo. **Alc./**13 %. **builgine.com**

☛ *Servir dans les trois années suivant le millésime, à 12 °C*

Bruschetta au pesto, ceviche d'huîtres au wasabi et à la coriandre fraîche, « émulsion d'asperges vertes aux cre-vettes_Mc² » (**) ou huîtres frites à la coriandre et wasabi (**).

Black Tie Pinot Gris/Riesling 2010

ALSACE, LES VIGNERONS DE PFAFFENHEIM, FRANCE *(DISP. FIN 2011/DÉBUT 2012)*

19,10 $	SAQ S (11469621)	★★★ $$	Modéré+

■ NOUVEAUTÉ! Un rarissime assemblage de pinot gris et riesling, pro-venant d'une très bonne cave alsacienne, se montrant certes discret au nez, mais grandement bavard en bouche, où les saveurs éclatent au palais. Un vin sec, d'une bonne présence, presque rond, mais ten-due par une fraîche acidité sous-jacente, égrainant de longues saveurs d'agrumes et de pomme. Le coup de cœur y était presque. **Cépages :** pinot gris, riesling. **Alc./**13 %. **pfaffenheim.com**

☛ *Servir dans les quatre années suivant le millésime, à 14 °C*

Polenta au gorgonzola (***), mon lapin exotique pour amateurs de vins blancs (*) ou sauté de porc à l'asiatique au jus d'ananas.

Chardonnay d'A 2010

LIMOUX, DOMAINE ASTRUC, FRANCE *(DISP. SEPT. 2011)*

19,20 $	SAQ S (11367511)	★★★ $$	Corsé

■ NOUVEAUTÉ! De l'un des domaines de Paul Mas (voir les autres cuvées en rouges du Domaine Paul Mas), ce chardonnay de Limoux se montre à la fois mûr et frais, ample et satiné, plein et tendu, mar-qué par des saveurs de noisette, de pain grillé, de pomme golden et de vanille. Boisé, certes, mais sur le fruit aussi et harmonieux à sou-hait. **Cépage :** chardonnay. **Alc./**13,5 %. **dastruc.com**

☛ *Servir dans les quatre années suivant le millésime, à 14 °C*

Poulet au curry (***), salade de riz sauvage aux champignons (***) ou polenta au gorgonzola version « umami » (***).

Château des Tours des Verdots 2009

BERGERAC, DAVID FOURTOUT, FRANCE

19,40 $	SAQ S (10889675)	★★★ $$	Modéré

Très engageant blanc sec de Bergerac, dont l'encépagement à la bordelais, tout comme l'élevage en barriques, lui procure de l'expressivité et de l'ampleur. Une réussite. Complexe, il déploie des notes de maltose (fraise), de miel, de pamplemousse et de pomme golden. La bouche est texturée et fraîche, d'une certaine densité pour le style et persistante à souhait. Rappelle la superbe Cuvée des Conti (aussi commentée) de la même appellation, mais ici avec un boisé un tantinet plus appuyé. **Cépages :** 25 % sauvignon blanc, 35 % sémillon, 23 % sauvignon gris, 17 % muscadelle. **Alc./**14,5 %.

☛ *Servir dans les cinq années suivant le millésime, à 14 °C et oxygéné en carafe 5 minutes*

Bloody Ceasar_Mc² (version solide pour l'assiette) (**), crêpes fines aux asperges et saumon fumé ou crevettes caramélisées, écume de carotte, pomme McIntosh et graines de cumin, purée de carottes à l'huile de crustacés et *pimentón* fumée (**).

Château Coupe Roses 2010   ✓ TOP 100 CHARTIER

MINERVOIS, FRANÇOISE FRISSANT-LE CALVEZ, FRANCE

19,55 $	SAQ S (894519)	★★★ $$	Corsé	BIO

D'un domaine phare de l'appellation, les vins blancs et rouges de ce château se sont taillé une belle réputation au Québec au fil des seize ans de *La Sélection Chartier*, ce qui lui a valu une belle place dans le « TOP 100 CHARTIER » du 15e anniversaire, donc dans l'édition 2011. Coupe Roses récidive avec un blanc sec, 100 % roussanne, plus aromatique que jamais, d'une rare suavité pour le style, ample et complexe, à l'image des très engageants et pénétrants 2007 et 2008. Les saveurs sont expressives et d'une grande allonge, rappelant le curry, le miel, la pêche blanche et l'abricot. Un grand cru de table, à servir plus frais que froid, en carafe, avec des plats pouvant être dominés par les aliments complémentaires à ses parfums de la famille des lactones, comme le sont la viande de porc, la noix de coco, la pacane, l'abricot, la pêche, le miel et le scotch. **Cépage :** roussanne. **Alc./**14 %. **coupe-roses.com**

☛ *Servir dans les quatre années suivant le millésime, à 14 °C et oxygéné en carafe 15 minutes*

Curry de crevette au lait de coco et à l'ananas (***), camembert chaud au sirop d'érable/amandes/pâte de curry rouge (***), burger de saumon sotolon (***) ou brochettes de filet de porc mariné au scotch et champignons portobellos sur brochettes imbibées au lait de coco (***).

Gewurztraminer Hugel 2010

ALSACE, HUGEL ET FILS, FRANCE *(DISP. AUTOMNE 2011)*

19,95 $	SAQ C (329235)	★★★ $$	Modéré+

Aromatique, passablement riche, plein, ample et d'un bon volume de bouche, sans trop, ce « gewurz » sec 2010, dégusté en primeur, en juillet 2011, d'un échantillon du domaine, poursuit la grande suite de millésimes réussis coup sur coup. Son profil aromatique est plus floral que fruité, et avec une certaine retenue pour le cépage, ce qui lui procure une évidente distinction. Tout comme le 2009 (aussi commenté dans le Répertoire additionnel), et qui était disponible au moment de mettre sous presse, difficile d'être plus *benchmark* gewurztraminer que ce blanc sec vinifié avec brio, comme c'est le cas de tous les vins signés par la grande famille Hugel. **Cépage :** gewurztraminer. **Alc./**13,5 %. **hugel.com**

☞ *Servir dans les quatre années suivant le millésime, à 14 °C*

Tapas de fromage en crottes_Mc² : à l'huile de gingembre et litchis (***), feuilletés au gruyère et au gingembre (***), potage de courge Butternut au gingembre et curcuma (***), poulet au thé *Earl Grey* et romarin (***) ou brochettes de poulet grillées sur brochettes de bambou imbibées au gingembre (voir Brochettes de bambou imbibées au gingembre « pour grillades de bœuf et de poisson ») (***).

Pinot Grigio Attems 2010 ✓ TOP 100 CHARTIER

VENEZIA GIULIA, CONTI ATTEMS, ITALIE *(DISP. MI-SEPT. 2011)*

19,95 $	SAQ **S** (11472409)	★★★ **$$**		Modéré

■ NOUVEAUTÉ! Un grigio épuré, croquant, vivifiant, droit et aérien, qui claque littéralement sur la langue avec ses saveurs de pomme verte et d'agrumes. Longue finale minérale et digeste à souhait. J'aime vraiment! **Cépage :** pinot gris. **Alc./**12,5 %. **attems.it**

☞ *Servir dans les trois années suivant le millésime, à 12 °C*

Apéritif, canapés de saumon fumé à l'aneth ou calmars en tempura d'amandes, fleur de sel au cèdre, mousse de riz en paella (**).

Pinot Bianco Lageder 2010 ✓ TOP 100 CHARTIER

SÜDTIROLER-ALTO ADIGE, ALOIS LAGEDER, ITALIE *(DISP. AUTOMNE 2011)*

20,20 $	SAQ **S** (11035911)	★★★ **$$**	Modéré	BIO

Ce pinot bianco d'Alois Lageder, un autre très bon cru avec l'Haberle (aussi commenté dans le Répertoire), se montre d'une étonnante race aromatique pour le cépage, d'une bouche texturée avec maestria, satinée et ample, sans trop, à l'acidité juste dosée et fraîche avec brio en fin de bouche. Pureté, précision aromatique, saveurs croquantes, rappelant la pomme, le basilic et l'amande fraîche. Vous avez compris, une autre réussite vinifiée par l'allumé Alois Lageder, l'un des vignerons les plus éclairés du Haut Adige. **Cépage :** pinot blanc. **Alc./**12,5 %. **aloislageder.eu**

☞ *Servir dans les quatre années suivant le millésime, à 14 °C*

Frites de panais sauce au yogourt et au cari ou trempette crémeuse et légumes.

Godello Godeval 2009 ✓ TOP 100 CHARTIER

VALDEORRAS, GODEVAL, ESPAGNE *(DISP. OCT./NOV. 2011)*

21,20 $	SAQ **S** (11412959)	★★★ **$$**	Modéré+

■ NOUVEAUTÉ! Il était temps que la SAQ élargisse son carnet de commandes en matière de blancs secs espagnols, plus particulièrement à base de cépage godello, car il engendre actuellement parmi les meilleurs blancs du pays. Pour preuve, ce Godeval aromatique à souhait, d'une belle maturité de fruit, sans boisé apparent, à la bouche à la fois texturée et fraîche, ample et minérale. Pomme poire, amande, crème fraîche et fleurs blanches donnent le ton à cette belle réussite. **Cépage :** godello. **Alc./**13 %. **godeval.com**

☞ *Servir dans les quatre années suivant le millésime, à 14 °C*

Tapas de fromage en crottes_Mc² : à l'huile de basilic et morceaux de pommes rouges fraîches (***) ou huîtres crues en version anisée (**).

Domaine Pellé « Morogues » 2010
MENETOU-SALON, DOMAINE HENRY PELLÉ, FRANCE

21,40 $	SAQ S (852434)	★★★?☆ $$	Modéré

Coup de cœur des précédentes éditions de ce guide, donc sur plusieurs millésimes, ce domaine présente à nouveau l'archétype du sauvignon blanc loirien. C'est-à-dire un blanc sec et minéralisant à souhait, au nez très aromatique, fin et détaillé, s'exprimant par des notes classiques de groseille blanche, de menthe fraîche et de pamplemousse rose, à la bouche vive et vibrante, rafraîchissante, satinée et d'une grande allonge, égrainant des tonalités de pomme verte et de lime. Si vous servez vos tomates fraîches avec le classique basilic frais, tout comme avec des asperges, de la mozzarella, une émulsion d'huile d'olive et de jus de pamplemousse rose, des crevettes ou de la papaye, qui sont tous des aliments complémentaires à ce cépage, c'est plus que jamais ce sauvignon blanc qu'il vous faut! **Cépage :** sauvignon blanc. **Alc./**12,5 %. **domainepelle.com**

☞ *Servir dans les quatre années suivant le millésime, à 12 °C*

Salade de tomates fraîches et asperges au basilic frais, assiette de tomates fraîches et mozzarella à l'émulsion d'huile d'olive et de jus de pamplemousse rose ou crevettes sautées à la papaye et basilic ou salade de chou-fleur et vinaigrette à la papaye, aux câpres et au wasabi (***).

La Sereine 2007
CHABLIS, LA CHABLISIENNE, FRANCE

21,85 $	SAQ C (565598)	★★★ $$	Modéré+

Un chablis tout aussi épuré de tout artifice, élégant et frais, comme il se montrait déjà dans le millésime 2006, avec une minéralité plus affirmée et des notes d'anis vert et de pomme, à l'acidité toujours aussi croquante que lors de sa première dégustation, en août 2010, mais juste dosée, au corps à la fois satiné et tendu. Poire, pomme golden et anis signent une longue fin de bouche revitalisante. Digeste et nourrissant, intellectuellement parlant... Résultant à nouveau du très beau chablis, à bon prix. **Cépage :** chardonnay. **Alc./**12,5 %. **chablisienne.com**

☞ *Servir dans les sept années suivant le millésime, à 12 °C*

Huîtres frites à la coriandre et wasabi (**), saumon mariné à l'aneth (*), saumon confit et sauté de fenouil et pommes vertes ou crevettes caramélisées, écume de carotte, pomme McIntosh et graines de cumin, purée de carottes à l'huile de crustacés et *pimentón* fumée (**).

Riesling Selbach-Oster Kabinett 2009
MOSEL, WEINGUT SELBACH-OSTER, ALLEMAGNE *(DISP. AOÛT/SEPT. 2011)*

22,10 $	SAQ S (10750841)	★★☆ $$	Modéré

Un nouveau 2009 aromatique à souhait, élégant et raffiné, aux subtiles notes de fenouil, de racine d'angélique confite, de pomme et de citron, à la bouche certes un tantinet sucrée, mais charmeuse, vivifiante et aérienne au possible, terminant sa course en se transformant en un vin presque sec. Du sérieux, comme toujours pour les rieslings germaniques signés Selbach. Sapide et digeste au possible, pour de grands plaisirs harmoniques à table avec les aliments complémentaires au fenouil et à l'angélique, comme le sont, entre autres, le basilic, les graines de cerfeuil, la racine de persil, le panais et le céleri-rave, la betterave jaune et le shiso. **Cépage :** Riesling. **Alc./**10 %. **selbach-oster.de**

☛ *Servir dans les quatre années suivant le millésime, à 12 °C*

🍴 Salade de crevettes et fenouil frais à la vinaigrette au jus de pomme et graines de cerfeuil.

Château Villa Bel-Air 2009

GRAVES, J. M. CAZES, FRANCE

22,40 $	SAQ S (11341679)	★★★?☆ $$	Corsé

Superbe réussite dans ce millésime 2009 pour ce château appartenant depuis 1990 à Jean-Michel Cazes, aussi propriétaire, entre autres, du célèbre Château Lynch-Bages. Il en résulte un assemblage des plus aromatiques, et passablement riche, dominé par des notes anisées (menthe, fenouil) ainsi que par des tonalités de miel et de pêche de vigne, à la bouche à la fois ample et très fraîche, texturée et tendue, aux saveurs d'une grande allonge et présentes au possible. **Cépages :** 65 % sauvignon blanc, 35 % sémillon. **Alc./**13 %. **villabelair.com**

☛ *Servir dans les cinq années suivant le millésime, à 14 °C*

🍴 Salade de farfalle aux crevettes, tomates fraîches et melon d'eau grillé, vinaigrette de pamplemousse rose (***), sandwich vietnamien Banh-mi au porc en mode anisé (***), carré de porcelet de la Ferme Gaspor au safran (carottes, pommes golden et melon d'eau) (**) ou légumes d'automne rôtis au four pour syrah/shiraz (***).

Domaine de Mouscaillo 2008

LIMOUX, MARIE-CLAIRE FORT, FRANCE

22,85 $	SAQ C (10897851)	★★★?☆ $$	Corsé

Ce chardonnay de Limoux mérite plus que jamais votre attention, tant la qualité, la minéralité et l'expressivité du lieu sont au rendez-vous. Le nez s'exprime avec justesse et éclat par des tonalités fraîches d'amande, de poire et de verveine. La bouche, qui suit et confirme son statut de nouvelle vedette chez les chardonnays du sud, se montre à la fois vive et ample, pleine et compacte, minéralisante et tendue. Donc, à nouveau un millésime d'équilibre entre la matière et la fraîcheur. **Cépages :** 99 % chardonnay, 1 % mauzac. **Alc./**13,5 %. **mouscaillo.com**

☛ *Servir dans les sept années suivant le millésime, à 14 °C*

🍴 Fricassée de poulet aux champignons ou saumon infusé au saké et aux champignons shiitakes. Fromages : azeitão, comté Fort des Rousses (12 mois d'affinage) ou Victor et Berthold.

La Vigne de la Reine 2009

CHABLIS, J. DURUP PÈRE ET FILS, FRANCE

23,20 $	SAQ S* (560763)	★★★ $$	Modéré

Comme toujours pour les crus signés par le Château de Maligny, la pureté et la fraîcheur sont de mises. Un chablis on ne peut plus classique, sans boisé ni surmaturité, très frais, mais aussi satiné et texturé pour le style, au corps aérien et un brin détendu, et aux longues saveurs de fleurs blanches, de miel et de mie de pain. Presque de l'eau de roche, comme se doit d'être un chablis qui respecte son origine. **Cépage :** chardonnay. **Alc./**12,5 %. **durup-chablis.com**

☛ *Servir dans les cinq années suivant le millésime, à 12 °C*

🍴 Saumon mariné «gravlax» au goût de froid (***), sandwich vietnamien Banh-mi au porc en mode anisé (***), salade de fenouil grillé et fromage de chèvre chaud ou saumon au cerfeuil et au citron.

Saint Martin Laroche 2009

CHABLIS, DOMAINE LAROCHE, FRANCE

23,95 $ SAQ C (114223) ★★★ $$ Modéré

Ce nouveau millésime du chablis d'entrée de gamme de Laroche se montre comme il le fait pratiquement à chaque millésime. C'est-à-dire d'une pureté, d'une franchise et d'une précision qui bousculent, sans détrôner les autres chablis villages offerts à la SAQ. Lime, pomme et amande donnent le ton au nez subtil et raffiné de ce 2009, tandis que la fraîcheur, la minéralité et le satiné de texture habituel sont au rendez-vous. Plus que jamais un modèle, si vous cherchez un chablis sans esbroufe. **Cépage :** chardonnay. **Alc./**12 %. **larochewines.com**

☛ *Servir dans les cinq années suivant le millésime, à 14 °C*

Salade de demi-bulbes de fenouil grillés surmontés de fromage de chèvre chaud, saumon mariné en sauce à l'aneth (*), truite braisée au cidre, tartare de saumon ou huîtres fraîches et jus de lime.

Gewurztraminer Beyer 2005

ALSACE, LÉON BEYER, FRANCE

24,10 $ SAQ C (978577) ★★★?☆ $$ Modéré+

Voilà un gewurztraminer *benchmark* sec comme je les aime. Vous y dénicherez un blanc à la robe d'un jaune pâle au reflet or, au nez aromatique, fin et élégant, sans l'exotisme à tout vent et trop facile de certains crus de ce cépage, à la bouche d'une belle présence, à l'acidité fraîche, à la texture passablement dense et ample, s'exprimant par des saveurs de litchi, de mangue, d'épices douces (cannelle et muscade), avec des pointes subtiles et très rafraîchissantes de citron et d'ananas. D'une remarquable allonge en finale, laissant des traces à la fois épicées et fruitées, résultant en un gewurztraminer merveilleusement équilibré par sa fraîche acidité, donc sans lourdeur. **Cépage :** gewurztraminer. **Alc./**13,5 %. **leonbeyer.fr**

☛ *Servir dans les neuf années suivant le millésime, à 14 °C*

Fromage munster aux graines de cumin et salade de pomme et noix de Grenoble (*), raclette accompagnée d'aliments cuisinés avec curcuma et/ou gingembre, curry de crevette au lait de coco et à l'ananas (***), poulet au gingembre (***) ou carré de porc glacé aux fraises, poivre du Sichuan, galanga et miel (**).

Chardonnay Les Ursulines 2009

BOURGOGNE, JEAN-CLAUDE BOISSET, FRANCE
(DISP. DÉC. 2011/JANV. 2012)

24,25 $ SAQ S (11008112) ★★★ $$ Modéré+

Un blanc raffiné et épuré, marqué par une belle patine de bouche, sans lourdeur, plutôt même frais, égrainant de longues saveurs subtiles de poire, presque beurrée, de lait de coco et d'amande. Du beau et du bon chardonnay comme je les aime. Il faut dire que la maison Boisset présente depuis quelques millésimes déjà une collection de cépages et de crus bourguignons tout aussi inspirants les uns que les autres. **Cépage :** chardonnay. **Alc./**12,5 %. **jcboisset.com**

☛ *Servir dans les six années suivant le millésime, à 14 °C*

Salade de champignons et noix de coco grillée avec vinaigrette à la noisette (***), brochettes de filet de porc et champignons portobellos sur brochettes imbibées au lait de coco (***), camembert chaud au sirop d'érable/amandes/pâte de curry rouge (***) ou rôti de porc farci aux abricots et sauce au porto tawny et lait de coco (***).

Château Puech-Haut « Prestige » Blanc 2010

✓ TOP 100 CHARTIER

COTEAUX-DU-LANGUEDOC SAINT-DRÉZÉRY, GÉRARD BRU, FRANCE
(DISP. AOÛT/SEPT. 2011)

25,35 $	SAQ S (11098331)	★★★☆ $$	Corsé

■ NOUVEAUTÉ! Tout comme le Puech-Haut « Prestige » 2009 en rouge (aussi commenté), dégustés tous deux en primeur en juin 2011, ce blanc se montre tout à fait réussi pour son rang, richement aromatique, plein, sphérique et même très frais pour l'ampleur généreuse que la bouche déploie. Pêche, mangue et amande grillée donnent le ton. Très belle matière raffinée, tout en étant pleine. Il faut savoir que ce cru est élaboré sous la houlette du célèbre œnologue Philippe Cambie, nommé par ses pairs l'œnologue-consultant de l'année en 2011. **Cépages:** 40% roussanne, 40% marsanne, 20% carignan blanc. **Alc./**14%. **puech-haut.com**

☛ *Servir dans les six années suivant le millésime, à 14 °C et oxygéné en carafe 20 minutes*

Rôtis de porc farci aux abricots et pêches jaunes (***), mozzarella gratinée « comme une pizza », viande des Grisons et piment d'Espelette (***) ou pétoncles rôtis fortement, shiitakes poêlés, copeaux de parmigiano reggiano et écume de bouillon de kombu (**).

Nowat 2009

CÔTES-DE-PROVENCE, DUPÉRÉ BARRERA, FRANCE

25,40 $	SAQ S (11457313)	★★★☆ $$$	Corsé+	BIO

■ NOUVEAUTÉ! « Nowat » comme dans pas d'électricité! Donc, un vin, comme tous les autres signés Dupéré Barrera, né avec une philosophie non interventionniste, question de laisser parler le terroir, laissant place aux méthodes ancestrales, qui ont fait leur preuve, tout en ayant l'ouverture de prendre ce que l'œnologie moderne à de mieux à offrir. Très beau nez d'aubépine, de miel, de pomme golden, de noix de coco et de chêne, sans excès, mais riche et profond. Bouche tout aussi prenante, marquée par une imposante patine, texturée à fond, longue et enveloppante, sans aucune lourdeur. Un vin de plaisir harmonique à table. Servez-lui des recettes dominées par des ingrédients de la même famille que ses arômes boisés de noix de coco, comme le sont la viande de porc, l'abricot, la pêche, la pacane et le scotch, sans oublier la noix de coco et la vanille bien sûr. Une nouveauté mise en marché pour la première fois en juin, lors de l'opération Vins d'été. Souhaitons vivement une reconduction! **Cépages:** rolle (vermentino) et ugni blanc (très vieilles vignes). **Alc./**13%. **duperebarrera.com**

☛ *Servir dans les six années suivant le millésime, à 15 °C*

Filets de porc à la salsa de pêche et abricot, pétoncles poêlés, couscous de noix du Brésil à l'orange sanguine, lait de coco au gingembre (**) ou fougasse parfumée au clou de girofle et fromage bleu fondant caramélisé (**).

Les Vénérables Vieilles Vignes 2007

CHABLIS, LA CHABLISIENNE, FRANCE

26,95 $	SAQ S (11094639)	★★★☆ $$	Corsé

Coup de cœur de l'édition 2010, avec son très beau 2005, cette cave performante, qui avait récidivé avec un 2006 encore plus harmonieux, et coup de cœur de l'édition 2011, complète un tour du chapeau avec ce puissamment aromatique et tendu 2007. Acacia, amande, noisette et pomme se donnent la réplique dans un ensemble à la fois vivifiant et nourri, minéralisant et prenant. Grande allonge et harmonie suprême. Plus que jamais sérieux, ajoutant aux différentes cuvées de cette excellente cave qui fait un retour en force à la SAQ depuis 2009. **Cépage :** chardonnay. **Alc./**12,5 %. **chablisienne.com**

☛ *Servir dans les sept années suivant le millésime, à 14 °C*

Coulibiac de saumon, fricassée de poulet aux champignons ou homard grillé et mayonnaise à l'aneth.

Domaine Valette
Vieilles Vignes 2008   ✓ TOP 100 CHARTIER
MÂCON-CHAINTRÉ, DOMAINE VALETTE, FRANCE *(DISP. SEPT./OCT. 2011)*

28,40 $	SAQ S (10224526)	★★★?☆ $$$	Corsé	BIO

Dégusté en primeur, en juillet 2011, d'un échantillon du domaine, ce nouveau millésime de ce domaine phare du Mâconnais se montre toujours aussi prenant, complexe et hors normes. Curry, racine de gentiane, érable donnent le ton à ce vin complexe et prenant, pour son rang. La bouche suit avec un corps à la fois dense et élancé, plein et texturé, où les saveurs un tantinet oxydatives dévoilent des notes de café et de curry, ainsi que de pomme-poire. Je dois l'avouer, «J'AIME» ce style de blanc hors sentiers battus, doté d'une grande vibration aromatique, permettant de belles envolées harmoniques. Il faut dire que les vins signés Valette sont à acheter les yeux fermés. Malheureusement, au moment de mettre sous presse, seulement 100 caisses étaient attendues à la SAQ quelque part en septembre ou en octobre 2011. **Cépage :** chardonnay. **Alc./**13 %.

☛ *Servir dans les six années suivant le millésime, à 14 °C*

Salade de riz sauvage aux champignons (★★★), burgers de saumon (★★★), poulet au curry (★★★) ou rôti de porc farci aux abricots et sauce au scotch et lait de coco (★★★).

Pinot Gris « Barriques »
Ostertag 2009   ✓ TOP 100 CHARTIER
ALSACE, DOMAINE ANDRÉ OSTERTAG, FRANCE

28,90 $	SAQ S (866681)	★★★☆ $$$	Modéré+	BIO

Nez, comme toujours pour ce cru, mûr et presque confit, dégageant des tonalités de pamplemousse rose, de miel et de poire chaude, suivi d'une bouche d'une grande harmonie et persistante à souhait, à la fois gourmande et texturée, pleine et fraîche, aux saveurs pénétrantes, marquées par des notes de coing, de crème et de miel. Depuis 1983, André Ostertag vinifie ses trois pinots – le blanc, le gris et le noir – en barriques bourguignonnes, ce qui démarque, entre autres, cette cuvée de celles des autres vignerons alsaciens qui ne séjournent habituellement pas dans des barriques de ce type. **Cépage :** pinot gris. **Alc./**14 %.

☛ *Servir dans les six années suivant le millésime, à 14 °C*

Flanc de porc «façon bacon» fumé au bois de pommier, mélasse, sauce soya, rhum et clou de girofle (★★) ou crabe des neiges, ketchup aux pois verts, épinards fanés à l'huile d'olive, caviar de mulet et mousse de bière noire (★★).

Coudoulet de Beaucastel 2009

CÔTES-DU-RHÔNE, VIGNOBLES PIERRE PERRIN, FRANCE

29,75 $	SAQ S* (449983)	★★★?☆ $$$	Modéré+

Un sensuel et prenant coudoulet blanc, au nez tout aussi subtil et discret que dans le millésime 2008, mais à la bouche plus que jamais suave, satinée, texturée et harmonieuse, aux saveurs pures et précises, sans esbroufe, à l'acidité juste dosée, lui donnant de l'élan et de la fraîcheur. Miel, fleurs blanches, tilleul et pêche blanche se donnent la réplique avec retenue. Une belle bouteille pour s'amuser à table avec les aliments complémentaires à ses parfums : porc, crabe des neiges, noix de pétoncle, abricot, pêche, lait de coco, pacane et scotch. **Cépages :** viognier, marsanne, clairette, bourboulenc. **Alc./**13 %. beaucastel.com

☛ *Servir dans les sept années suivant le millésime, à 14 °C et oxygéné en carafe 15 minutes*

Polenta au gorgonzola version « umami » (***), rôti de porc farci aux abricots (***) ou pétoncles poêlés, couscous de noix du Brésil à l'orange sanguine, lait de coco au gingembre (**).

Moulin des Dames 2009

BERGERAC, FAMILLE DE CONTI, FRANCE

33,50 $	SAQ S* (701896)	★★★☆ $$$	Corsé	BIO

Richesse, race, haute définition, retenue européenne, texture patinée, matière compacte, persistance imposante et saveurs complexes, jouant dans la sphère aromatique du miel, de la crème fraîche, de l'amande, de l'abricot et des agrumes. Et quelle belle matière engageante au possible ! Donc, une ixième grande pointure vinifiée avec maestria par Luc de Conti, dynamo de l'appellation. **Cépages :** 25 % sémillon, 75 % sauvignon blanc. **Alc./**14,5 %. chateautourdesgendres.com

☛ *Servir dans les sept années suivant le millésime, à 14 °C et oxygéné en carafe 15 minutes*

Crevettes caramélisées, écume de carotte, pomme McIntosh et graines de cumin, purée de carottes à l'huile de crustacés et *pimentón* fumée (**) ou queue de langouste grillée, cubes de gelées de xérès, de café ou de livèche, trait d'amlou et côtes de céleri à la vapeur (**).

Riesling Les Écaillers Beyer 2004

ALSACE, LÉON BEYER, FRANCE

35 $	SAQ S (974667)	★★★☆ $$$	Corsé

La famille Beyer présente comme à son habitude un riesling d'une complexité et d'une typicité tout à fait uniques, pour ne pas dire singulières. Ici, comme dans tous les millésimes récents de cette cuvée, point de mollesse, point de surmaturité. Que de l'éclat et du fruit, avec des notes terpéniques classiques rappelant l'épinette, le pamplemousse rose et la citronnelle. En bouche, vous vous délecterez d'un vin toujours aussi sec, élancé, vibrant et minéralisant, presque tranchant, mais avec vinosité, texture et persistance. Déjà bon, mais sera plus détaillé et plus pénétrant à compter de 2012, donc osez quelques flacons en cave. **Cépage :** riesling. **Alc./**12,5 %. leonbeyer.fr

☛ *Servir dans les douze années suivant le millésime, à 12 °C*

Filet de truite en gravlax nordique, granité de gingembre et de pamplemousse (**), gigot d'agneau, cuisson lente, au romarin, casserole de panais à la cardamome (**) ou pattes de pieuvre rôties, compote de tomates au thé noir, pamplemousse rose, lavande et safran du Maroc (**).

Château de Maligny « Fourchaume » 2010

CHABLIS 1ᵉʳ CRU, J. DURUP PÈRE ET FILS, FRANCE *(DISP. DÉC. 2011)*

| 35,50 $ | SAQ S (480145) | ★★★☆ $$$ | Modéré+ |

Un Fourchaume 2010 tout aussi nourri et expressif que ne l'était le 2005 (commenté dans *La Sélection 2008*). J'aime beaucoup son style qui alterne entre la patine texturée et la fraîcheur aérienne, la plénitude des saveurs et la minéralité qui le tend en fin de bouche. Le meilleur des deux mondes, tout en restant bel et bien les deux pieds dans le sol fossilisé de ce remarquable premier cru. Déjà beau, mais ira loin, alors osez la cave. **Cépage :** chardonnay. **Alc./**12,5 %. **durup-chablis.com**

☞ *Servir dans les huit années suivant le millésime, à 14 °C et oxygéné en carafe 15 minutes*

 Huîtres crues en version anisée (**) ou saumon au cerfeuil et au citron.

Château de Maligny « Montée de Tonnerre » 2010

CHABLIS 1ᵉʳ CRU, J. DURUP PÈRE ET FILS, FRANCE *(DISP. DÉC. 2011)*

| 35,50 $ | SAQ S (895110) | ★★★☆ $$$ | Corsé |

Minéralité explosive au nez et fruité débordant en bouche. Une très belle réussite que ce 2010, à l'attaque ample, large et prenante, mais non sans la fraîcheur et la droiture habituelle des vins de cette maison. Pomme, fleurs blanches et miel se donnent la réplique longuement. Tout comme le tout aussi réussi Fourchaume 2010 de ce domaine, ce Montée de Tonnerre évoluera en beauté. **Cépage :** chardonnay. **Alc./**12,5 %. **durup-chablis.com**

☞ *Servir dans les dix années suivant le millésime, à 14 °C et oxygéné en carafe 30 minutes*

Tartare de saumon asiatique en mode anisé-goût de froid (***) ou saumon infusé au saké aux champignons shiitakes.

Riesling Heissenberg 2009

✓ TOP 100 CHARTIER

ALSACE, DOMAINE ANDRÉ OSTERTAG, FRANCE *(DISP. SEPT. 2011 ET RETOUR JANV. 2012)*

| 37,25 $ | SAQ S (739813) | ★★★☆?☆ $$$ | Corsé | BIO |

Après un 2007 vaporeux et ample, à l'acidité discrète, puis un 2008 archétype du riesling sec alsacien, droit et viril, élancé et épuré, ce 2009 se montre hors norme, singulier au possible, d'une vibration aromatique unique. Agrumes, fleurs, houblon et camomille en composent le bouquet, tandis que la bouche se montre étonnamment texturée pour le cépage, ample et presque dense, mais avec fraîcheur et profondeur, ainsi que présence et persistance. Un vin d'esprit et de corps, qui porte à réfléchir, comme tous les crus magnifiés par André Ostertag, viticulteur réfléchi. **Cépage :** riesling. **Alc./**14 %.

☞ *Servir dans les huit années suivant le millésime, à 14 °C*

Calmars en tempura d'amandes, fleur de sel au cèdre, mousse de riz en paella (**) ou filet d'escolar poêlé, anguille « unagi » BBQ, crème de céleri-rave aux graines de cerfeuil, feuilles et huile de menthe fraîche (**).

Riesling Muenchberg 2008

✓ TOP 100 CHARTIER

ALSACE GRAND CRU, DOMAINE ANDRÉ OSTERTAG, FRANCE *(DISP. OCT. 2011)*

42,75 $	SAQ **S** (739821)	★★★★ $$$$	Corsé	BIO

Une fois de plus, ce remarquable cru d'André Ostertag me secoue comme pas un. Quelle profondeur dans la matière, quelle noblesse dans l'expression et quelle justesse dans le propos! Grande subtilité aromatique, d'une haute définition, où s'expriment avec retenue et race des notes d'épinette, d'agrumes et de sauge. Bouche prenante et pénétrante, d'une grande ampleur pour le cépage, aux saveurs d'une percutante allonge. Après plusieurs années de biodynamie dans les vignes, les vins de ce vigneron attentif ont gagné en complexité et en profondeur de goût. **Cépage:** riesling. **Alc./**13,5%.

☛ *Servir dans les dix années suivant le millésime, à 14 °C et oxygéné en carafe 15 minutes*

«Vraie crème de champignons_Mc^2» (lait de champignons de Paris et mousse de lavande) (**), gigot d'agneau, cuisson lente, au romarin, casserole de panais à la cardamome (**) ou pattes de pieuvre rôties, compote de tomates au thé noir, pamplemousse rose, lavande et safran du Maroc (**).

Château de Beaucastel 2008

CHÂTEAUNEUF-DU-PAPE, VIGNOBLES PIERRE PERRIN, FRANCE

89,25 $	SAQ **S** (11352335)	★★★★☆ $$$$	Corsé+	BIO

Très grande richesse aromatique et concentration de bouche sont au rendez-vous de cette superbe réussite 2008. Tout y est. Couleur dorée soutenue. Nez complexe, prenant et détaillé, au fruité d'une belle maturité, où s'entremêlent des tonalités de miel de sarrasin, de confiture de pêche, de crème fraîche, de lait de coco. Bouche large, d'un grand volume et d'une imposante patine, du gras, de la plénitude et de la prestance, tout ça dans un ensemble nourri et dense, aux saveurs d'une très grande allonge, terminant sur des notes de noisettes et d'arachides grillées. À ranger une fois de plus parmi les plus illustres blancs du Sud, avec, au sommet, entre autres, la cuvée Vieilles Vignes de Beaucastel, le blanc du Domaine de Trévallon, dans les Baux de Provence, et les Vieilles Vignes du Domaine Gauby, en Côtes-du-Roussillon. **Cépages:** 80% roussanne, 20% grenache blanc, clairette, picardan, bourboulenc. **Alc./**14%. **beaucastel.com**

☛ *Servir dans les douze années suivant le millésime, à 14 °C*

Potage de courge Butternut au poivre de Guinée (***), rôti de porc farci aux abricots et sauce au scotch et lait de coco (***) ou homard «Hommage à la route des épices» (*).

RÉPERTOIRE ADDITIONNEL

Les vins des **Répertoires additionnels**, qui font l'objet d'une description plus concise, mais presque tous offerts avec un choix de mets, sont ou seront généralement disponibles dans les mois suivant la parution de cette seizième édition. De multiples futurs arrivages y sont aussi commentés cette année. En revanche, certains de ces vins peuvent ne plus être disponibles au moment où vous lirez ces lignes, ce qui explique le commentaire moins détaillé pour certains crus.

Soyez tout de même vigilants, car la majorité de ces vins fera l'objet d'un nouvel arrivage au cours de l'automne 2011 et des premiers mois de 2012, et ce, dans le même millésime proposé dans ce guide. Autre fait important cette année, plusieurs vins des *Répertoires additionnels* sont de futurs arrivages, commentés ici en primeur, avec leur date de mise en marché. Le retour ou l'arrivée de ces vins, comme de tous les vins commentés dans *La Sélection Chartier 2012*, vous sera annoncé par le biais du service de **Mises à jour Internet de** *La Sélection Chartier 2012*, via le site Internet **www.francoischartier.ca**.

Chardonnay Baron Philippe de Rothschild 2010
PAYS D'OC, BARON PHILIPPE DE ROTHSCHILD, FRANCE
12,95 $ SAQ C (407528)   ★ $ Modéré
Un chardonnay simple, souple et coulant, en toute fraîcheur, aux saveurs timides, rappelant la pomme. Bien fait, mais sans vice ni vertu. **Alc./**13 %.
bpdr.com ▪ *Apéritif.*

Grillo/Sauvignon Blanc Montalto 2008
SICILIA, BARONE MONTALTO, ITALIE
12,95 $ SAQ C (10676371)   ★★ $ Modéré
Un délicieux, expressif et anisé assemblage grillo et sauvignon blanc qui se montre d'une belle tenue pour son rang. **Alc./**12,5 %. **baronemontalto.it**

Chaminé Branco 2009
VINHO REGIONAL ALENTEJANO, CORTES DE CIMA, PORTUGAL
13,90 $ SAQ S* (11156238) ★★☆ $ Léger+
Un blanc sec aromatique et revitalisant, croquant et rafraîchissant, aux saveurs éclatantes, à la fois anisées et exotiques, façon sauvignon blanc, laissant la bouche sapide et l'estomac digeste. **Alc./**12,5 %.
cortesdecima.com

Domaine La Lieue « Chardonnay » 2009
VIN DE PAYS DU VAR, FAMILLE VIAL, FRANCE
14,80 $ SAQ S (10884655)   ★★☆ $$ Modéré   BIO
Toujours aussi fin et élégant que ce blanc sec aux nuances d'acacia, de jasmin, de vanille, de miel et d'amande. La bouche se montre très fraîche, aérienne et satinée, d'une bonne allonge, laissant des traces de fruits secs. **Alc./**14 %. **chateaulalieue.com** ▪ *Sashimi sur salade de nouilles au gingembre et au sésame.*

Aligoté Bouchard 2009
BOURGOGNE-ALIGOTÉ, BOUCHARD PÈRE ET FILS, FRANCE
14,95 $ SAQ C (464594)   ★☆ $$ Léger
Vivace, sapide et craquant comme se doit de l'être l'aligoté, laissant des traces subtiles de pomme verte, d'amande et de citron. Un beau coup de fouet sur les papilles! **Alc./**12 %. **bouchard-pereetfils.com** ▪ *Tapas de fromage en crottes_Mc² : à l'huile de basilic et morceaux de pommes rouges fraîches (***).*

Sauvignon Blanc La Grande Cuvée Dourthe 2008

BORDEAUX, VINS ET VIGNOBLES DOURTHE, FRANCE

15,05 $ SAQ C (231654)   ★★★ $$ Modéré

Une belle réussite, aux effluves assez prononcés, exhalant des notes de feuilles de tomate, de pomme verte et d'agrumes. La bouche suit avec une acidité fraîche, une belle texture à la fois aérienne et satinée, s'exprimant aux arômes de pamplemousse rose et de pomme verte. D'une belle longueur et d'une finale aux relents de basilic et de gazon fraîchement coupé. **Alc./**12%. **dourthe.com** ■ *Taboulé au basilic (***).*

Mouton Cadet Réserve 2009

BORDEAUX, BARON PHILIPPE DE ROTHSCHILD, FRANCE

15,95 $ SAQ C (11314953)   ★☆ $$ Modéré

Pour 1,50 $ de moins, je lui préfère l'expressivité vivifiante de la cuvée de base Mouton Cadet (aussi commentée). **Alc./**12,5%. **moutoncadet.com**

Cuvée des Conti « Tour des Gendres » 2009

BERGERAC, FAMILLE DE CONTI, CHÂTEAU TOUR DES GENDRES, FRANCE

16,30 $ SAQ S* (858324)   ★★★?☆ $$ Modéré+   BIO

Quelle réussite que ce 2009! Tout y est. Expressivité, détail, finesse et complexité aromatique, jouant dans l'univers de l'abricot, de l'acacia, du miel, de la menthe et du pamplemousse, avec une bouche plus texturée et enveloppante que jamais, au volume étonnant pour son rang, à l'éclat juste et précis et aux saveurs d'une grande allonge. **Alc./**13,5%. **chateautourdesgendres.com** ■ *Amandes apéritives à l'espagnole (pimentón fumé, miel et huile d'olive) (**).*

Viognier Domaine Cazal-Viel 2010

VIN DE PAYS D'OC, HENRI MIQUEL, FRANCE

16,55 $ SAQ S* (895946)   ★★?☆ $$ Modéré

Un viognier plus aérien et digeste que par le passé, tout en fraîcheur et en minéralité, aux aguichants et subtils parfums d'abricot et de fleurs jaunes. **Alc./**13,5%. **cazal-viel.com** ■ *Fettucine alla morosana (cantaloup, huile d'olive, prosciutto et parmigiano reggiano) (*).*

Muga Blanco 2009

RIOJA, BODEGAS MUGA, ESPAGNE

16,60 $ SAQ S (860189)   ★★★ $$ Modéré+

Un blanc sec à base de viura, qui embaume l'amande fraîche, et légèrement boisé, qui possède à la fois la fraîcheur vivifiante nécessaire et la texture patinée pour épouser les plats les plus onctueux, rehaussés d'amandes. **Alc./**13,5%. **bodegasmuga.com**

La Segreta Bianco 2009

SICILIA, PLANETA, ITALIE

16,70 $ SAQ S (741264)   ★★☆ $$ Modéré

Un blanc sec croquant et festif, vivifiant et aromatique, fin et digeste. Difficile de trouver mieux pour les salades estivales. **Cépages :** 50% grecanico, 30% chardonnay, 10% viognier, 10% fiano. **Alc./**12,5%. **planeta.it** ■ *Salade « raïta » estivale de concombre (coriandre fraîche, cumin et yogourt).*

Gentil Hugel 2009

ALSACE, HUGEL ET FILS, FRANCE

17,15 $ SAQ C (367284)   ★★?☆ $$ Modéré

Cet assemblage de cépages alsaciens se montre dans sa version 2009 subtilement aromatique, très fin et délicat, à la texture satinée, à l'acidité discrète et aux saveurs tout aussi en détail et en retenue. Une fleur qui éclot à peine... **Alc./**12,5%. **hugel.com** ■ *Apéritif ou calmars au mojo (ail, huile d'olive, graines de cumin grillé, jus de lime et jus d'orange).*

Martín Códax 2009

RÍAS BAIXAS, BODEGAS DE VILARINO, ESPAGNE

17,15 $ SAQ S (454140)   ★★★ $$ Modéré+

Ce blanc sec espagnol excelle à nouveau par son expression, sa fraîcheur, son ampleur, sa vitalité et sa tonicité, le tout supporté par un ensemble passablement nourri, mais légèrement plus élancé qu'en 2008. **Cépage :** albariño. **Alc./**12,5%. **martincodax.com** ■ *Huîtres crues en version anisée (**).*

Domaine des Aubuisières « Cuvée de Silex » 2009

VOUVRAY, BERNARD FOUQUET, FRANCE

17,30 $ SAQ S* (858886)   ★★★ $$ Modéré+

Même s'il se montre presque comme un vin sec, sa texture suave et enveloppante pour l'appellation lui procure un charme fou. Certes, un vin
presque droit, mais parfumé à souhait, fin et minéralisant, presque longiligne, aux persistantes saveurs d'agrumes, de pomme, d'amande et de
houblon. Donc, tout à fait classique et épuré de tout artifice. Alc./13 %.
vouvrayfouquet.com ■ *Salade Waldorf à l'indienne (avec endives, noix et sauce
à base de mayonnaise et de yogourt).*

Domaine des Aubuisières « Cuvée de Silex » 2010

VOUVRAY, BERNARD FOUQUET, FRANCE

17,30 $ SAQ S* (858886)   ★★ $$ Modéré

Ce 2010 se montre moins expressif et moins complexe que les précédents
millésimes (lire le commentaire du 2009) de cette cuvée qui était devenue un incontournable de *La Sélection*. Il lui manque l'éclat qui a fait le
succès et l'intérêt de ce cru. Il n'en demeure pas moins croquant et pur,
mais je serais porté à vous dire d'attendre le prochain millésime...
Alc./13 %. vouvrayfouquet.com

Picpoul de Pinet Château Saint-Martin de la Garrigue 2010

COTEAUX-DU-LANGUEDOC PICPOUL DE PINET, CHÂTEAU SAINT-MARTIN DE LA GAR-
RIGUE, FRANCE

17,45 $ SAQ S (11460045)   ★★ $$ Modéré+

■ NOUVEAUTÉ! Voilà l'un des rares vins de Picpoul de Pinet à se montrer
aussi généreux et mûr, ample et prenant, tout en demeurant bien sûr
très frais et digeste, comme il se doit pour les crus de cette appellation.
Seule ombre au tableau, le nez est un brin dévié, ce qui rebutera certains amateurs – à moins de lui donner un bon gros coup de carafe agitée pour ainsi le remettre dans le droit chemin aromatique! Alc./13,5 %.
stmartingarrigue.com

Château Saint-Martin de la Garrigue « Bronzinelle » 2009

COTEAUX-DU-LANGUEDOC, CHÂTEAU SAINT-MARTIN DE LA GARRIGUE, FRANCE

17,50 $ SAQ S* (875328)   ★★★ $$ Modéré+

Rares sont les blancs du Midi avec autant de fraîcheur, de minéralité et
de digestibilité. Ce à quoi répond ce 2009, s'exprimant par un profil
aérien, mais d'une certaine richesse, aux tonalités aromatiques complexes, rappelant l'abricot, la pêche, le miel, avec une pointe anisée à
l'arrière-scène. Un blanc sec à la fois plein et très frais, ample et satiné,
aux relents subtils de fruits exotiques et à la longue finale presque crémeuse, mais aussi revitalisante. Alc./13,5 %. stmartingarrigue.com
■ *Pétoncles poêlés, couscous de noix du Brésil à l'orange sanguine, lait de coco
au gingembre (**).*

Causse Marines « Les Greilles » 2009

✓ TOP 100 CHARTIER

GAILLAC, PATRICE LESCARRET, FRANCE

17,95 $ SAQ S (860387)   ★★★☆ $$ Corsé   BIO

Assurément la meilleure cuvée Les Greilles, élaborée à ce jour par l'allumé Patrice Lescarret, saluée à quelques reprises dans les précédentes
éditions de ce guide. Ce blanc sec se montre d'une richesse aromatique
inouïe et enivrante pour son rang. Fleurs séchées, pomme, miel, zestes
d'agrume et fruits secs se donnent la réplique avec grâce et justesse d'à-
propos. La bouche est encore plus convaincante et surprenante, d'une
ampleur considérable, à l'attaque presque sucrée, sans sucre, dont la
maturité de la matière est haute. Profil aromatique de bouche presque
botrytisien, façon sauternes! L'une des plus belles réussites en blanc à
nous être parvenue en 2011. Alc./13 %. cause-marines.com ■ *Suprêmes
de poulet au tilleul.*

Polena 2009

SICILIA, TENUTA DONNAFUGATA, ITALIE *(DISP. SEPT./OCT. 2011)*

18,15 $ SAQ S (11355704)   ★★☆ $$ Modéré

■ NOUVEAUTÉ! Ce nouveau produit, né d'un assemblage de viognier et de
catarratto, débarqué en succursales spécialités au printemps 2011, ferait
l'objet d'un second arrivage à l'automne. Nez subtil et raffiné à la fois

minéralisant et floral, pointe de fruits exotiques, sec, ample, satiné et surtout vivifiant. Rose blanche, eau de fleur d'orange et melon, avec longue finale croquante d'agrumes. **Alc./**12,5 %. **donnafugata.it** ■ *Pattes de pieuvre rôties, compote de tomates au thé noir, pamplemousse rose, lavande et safran du Maroc (**).*

Moschofilero Tselepos 2009

MANTINIA, DOMAINE TSELEPOS, GRÈCE

18,35 $ SAQ S (11097485) ★★★ $$ Modéré

■ NOUVEAUTÉ! Nez aromatique, très fin et frais, autour de la lavande, de la jacinthe et de la pêche blanche. Bouche tout aussi saisissante, rafraîchissante et nourrissante pour le style, à l'acidité plus discrète à l'avant de la scène, laissant place à une fine texture satinée et à de longues saveurs florales. Fait fureur sur les plats où domine la figue ou la lavande. **Alc./**12 %. **tselepos.gr** ■ *Figues au miel de lavande (***).*

Shaya Verdejo Old Vines 2008

RUEDA, JORGE ORDOÑEZ, ESPAGNE

18,45 $ SAQ S (11377014) ★★★ $$ Corsé

■ NOUVEAUTÉ! Un blanc sec à base de verdejo, qui se montre plus texturé et plus riche que d'habitude pour les crus de ce cépage «petit frère lointain» du sauvignon blanc. Vous y dénicherez un blanc au corps ample, malgré une belle acidité à l'arrière-scène, aux saveurs longues et exubérantes, rappelant les agrumes, le melon de miel et les fleurs séchées. Du sérieux, pour les crustacés et les poissons à saveurs relevées, accompagnés d'agrumes et/ou de safran. **Alc./**13,5 %. ■ *Salade de crevettes, tomates, melon d'eau et bocconcini, vinaigrette (sans vinaigre) au jus de pamplemousse rose, huile d'olive et paprika.*

Viognier Pesquié 2010

VIN DE PAYS DE MÉDITERRANÉE, CHÂTEAU PESQUIÉ, FRANCE

18,55 $ SAQ S (10257441) ★★?☆ $$ Modéré

Tout aussi raffiné et retenu, pour le style, que le viognier du Domaine Cazal-Viel (aussi commenté). Rien à voir avec les trop lourds et capiteux viogniers qui sont légion. J'aurais quand même aimé une touche supplémentaire d'expression et de texture. **Alc./**13,5 %. **chateaupesquie.com**

Shaya Verdejo Old Vines 2009

RUEDA, JORGE ORDOÑEZ, ESPAGNE *(DISP. AOÛT 2011)*

18,70 $ SAQ S (11377014) ★★★ $$ Modéré+

■ NOUVEAUTÉ! Un 2009 d'une grande pureté aromatique, pur et défini, à la bouche tout aussi raffinée, d'une texture satinée, presque pleine, mais aussi effilée, aux saveurs longues, laissant des traces de pomme, de gazon fraîchement coupé et de basilic frais. Il se montre donc plus subtil que le 2008 (aussi commenté). **Alc./**13,5 %. ■ *Salade de carottes au cumin (***).*

Château Rouquette sur Mer «Cuvée Arpège» 2009

COTEAUX-DU-LANGUEDOC LA CLAPE, JACQUES BOSCARY, FRANCE

18,75 $ SAQ S (11367481) ★★★?☆ $$ Modéré+   BIO

■ NOUVEAUTÉ! Abricot, pêche et violette donnent le ton à ce blanc sec du Midi, né d'un assemblage de bourboulenc et de roussanne, à la bouche à la fois ample et rafraîchissante, satinée et suave, déroulant longuement ses saveurs où s'ajoutent des tonalités de poire, de figue fraîche et de crème fraîche. **Alc./**13,5 %. **chateaurouquette.com** ■ *Rôti de porc farci aux abricots et sauce au scotch et lait de coco (***).*

Nosis 2008

RUEDA, BUIL & GINÉ, ESPAGNE

18,75 $ SAQ S (10860928) ★★★ $$ Modéré

Fidèle à ses habitudes, il exhale ses classiques parfums anisés de menthe fraîche et de gazon fraîchement coupé, auxquels s'ajoutent des pointes de pomme verte et de pamplemousse rose, tandis que la bouche se montre plus que jamais vivifiante et sapide, aérienne et satinée, d'une vitalité juvénile engageante au possible. **Alc./**13 %. **builgine.com** ■ *Bloody Ceasar_Mc^2 (version solide pour l'assiette) (**).*

Riesling Hattenheimer Schützenhaus Kabinett 2009
RHEINGAU, BALTHASAR RESS WEINGUT, ALLEMAGNE
18,90 $**   SAQ S (10244551)   ★★★ **$$ Modéré+
Très invitant et prenant riesling germanique, spécialement en bouche, où l'attaque est fruitée à souhait, débordante de saveurs de pêche blanche et de mangue, fraîche et presque sucrée, sans trop, suivie d'une finale minéralisante, transformant comme par magie ce blanc en un vin sec. **Alc./**10,5 %. ■ *Morue en papillote (à l'orange et graines de coriandre)* (***).

Domaine des Aubuisières « Le Marigny » 2009
VOUVRAY SEC, BERNARD FOUQUET, FRANCE
19 $**   SAQ S (11428213)   ★★☆ **$$ Modéré
Cette cuvée, qui complète la gamme avec la déjà populaire Cuvée de Silex (aussi commentée), se montre certes discrète au nez, mais richement bavarde en bouche. Un vin sec, droit et vif, sans être nerveux, aux saveurs qui ont de l'éclat et au corps compact et longiligne. Du chenin blanc digeste et invitant, sans être prenant. **Alc./**13 %. **vouvrayfouquet.com** ■ *Salade de carottes à la menthe (***).*

Petit Fumé 2010
POUILLY-FUMÉ, MICHEL REDDE ET FILS, FRANCE
19,20 $**   SAQ S (11365110)   ★★☆?☆ **$$ Modéré
■ NOUVEAUTÉ! Un sauvignon blanc de Pouilly-Fumé à moins de vingt dollars, c'est une première à la SAQ. Ce qui en fait un attrait auprès des amateurs de cru de cette appellation. Il n'atteint pas les hauts sommets des meilleurs vendus plus ou moins cinq dollars de plus, mais il n'en demeure pas moins tout en fraîcheur, digeste, élégant et presque croquant, dévoilant de subtiles notes de menthe, de basilic et d'agrumes. **Alc./**13 %. ■ *Salade d'asperges vertes et émulsion d'huile d'olive et jus de pamplemousse rose.*

Clos de la Fortune Bouzeron 2009
BOUZERON, DOMAINE CHANZY, FRANCE
19,30 $**   SAQ S (868984)   ★★★ **$$ Modéré+
Voilà un vin à base d'aligoté qui a du sérieux. Il faut dire que ce domaine est l'un des meilleurs en la matière, et ce, depuis la fin des années 1980, période où j'ai découvert leurs vins lors d'un séjour de travail à Gevrey-Chambertin, en Bourgogne, où cet aligoté était le seul offert sur la carte du restaurant Les Millésimes, avec plus de 2 500 sélections et 45 000 bouteilles! À nouveau, vous y retrouverez un bouzeron au nez qui étonne par sa maturité de fruits pour un aligoté, à la bouche tout aussi engageante, débordante de saveurs (pomme, amande grillée, minéralité), d'une fraîcheur exemplaire, mais aussi avec du corps, toujours pour un aligoté. **Cépage:** aligoté. **Alc./**12,5 %. **chanzy.com** ■ *Apéritif, salade de demi-bulbes de fenouil grillés surmontés de fromage de chèvre chaud ou truite aux amandes.*

Château Coupe Roses 2009
MINERVOIS, FRANÇOISE FRISSANT-LE CALVEZ, FRANCE
19,55 $**   SAQ S (894519)   ★★★☆ **$$ Corsé   BIO
Après un 2006 riche de promesses, généreux et sphérique, ainsi qu'un 2007 parfumé à souhait, ample et suave, et un 2008 dense, plein et complet, Coupe Roses a récidivé avec un blanc sec, 100 % roussanne, parfumé, ample et complexe, donc, à l'image du très bon 2007! **Alc./**14 %. **coupe-roses.com** ■ *Coquilles Saint-Jacques.*

Legado del Conde 2010
RÍAS BAIXAS, MORGADIO LEGADO DEL CONDE, ESPAGNE
19,65 $**   SAQ S (11155403)   ★★★ **$$ Modéré+
Un excellent blanc sec espagnol à base de l'original cépage albariño, qui est le cépage dégageant le plus haut taux de composés volatils de la famille des terpènes – parfums zestés floraux/fruités et hydrocarbure/pin/épinette –, arômes qui signent aussi le profil des pamplemousses. Ce cru offre un nez alternant entre les notes fruitées (poire, pomme) et celles terpéniques (agrumes et épinette), rappelant vague-

ment le riesling, très jeune, avec une certaine minéralité, à l'acidité vivifiante, presque bridée par une texture satinée. **Alc./**12,5 %. **morgadio.com**
■ *Salade de pamplemousse et d'avocats.*

Gewurztraminer Hugel 2009
ALSACE, HUGEL ET FILS, FRANCE
19,95 $** SAQ C (329235) ★★★ **$$ Modéré+
Ce gewurztraminer est une fleur épanouie, dans toute sa splendeur aromatique, sans être par contre trop odorante. Juste et précis, le nez, d'une certaine complexité, s'exprime par des notes de rose blanche, de lime et de litchi. Sec, en bouche il se montre à la fois suave et caressant, ample et frais, long et savoureux, terminant dans une assez longue finale sur les fruits jaunes. **Alc./**13,5 %. **hugel.com** ■ *Filet de truite en gravlax nordique, granité de gingembre et pamplemousse, litchi (**).*

Château London 2008
MÂCON-IGÉ, DOMAINE FICHET, FRANCE
20,90 $** SAQ S (917781) ★★☆?☆ **$$ Modéré
Ce mâcon, provenant du village d'Igé, ainsi que du lieu-dit Château London, représente à nouveau l'une des nombreuses aubaines bourguignonnes à dénicher dans le Mâconnais. Il se montre actuellement certes retenu au nez, mais ultra-raffiné et minéral, à la bouche à la fois effilée et ample, fraîche et suave, au boisé plus que subtilement intégré, à la finale minérale signant sa noble origine. **Alc./**13 %. **domaine-fichet.fr**
■ *Fromages : Tour Saint-François (tomme de chèvre québécoise) ou Valbert.*

Pinot Gris Preiss-Zimmer Réserve Personnelle 2009
ALSACE, PREISS-ZIMMER, FRANCE
21,15 $** SAQ S (967414) ★★ **$$ Modéré
Beau pinot gris, sans être transcendant ni très expressif. Classique, d'une certaine ampleur, sans trop, frais, et unidimensionnel. **Alc./**13 %.

Domaine Pellé « Morogues » 2008
MENETOU-SALON, DOMAINE HENRY PELLÉ, FRANCE
21,40 $** SAQ S (852434) ★★★☆ **$$ Modéré+
Nez engageant au possible, bouche pleine, extravertie, presque juteuse, tout en étant rafraîchissante, satinée et longue. Fruit de la passion, agrumes et pomme McIntosh signent cette remarquable réussite coup de cœur. **Alc./**12,5 %. **domainepelle.com** ■ *Jarret d'agneau au pastis et tomates fraîches (**).*

Clos de la Chaise Dieu 2009
BOURGOGNE-HAUTES-CÔTES-DE-BEAUNE, PHILIPPE-LE-HARDI, FRANCE
21,45 $ SAQ S* (869784) ★★★ **$$** Modéré+
Enfin, un millésime de ce cru qui se montre légèrement moins boisé que par le passé, où ce vin était généralement de profil Nouveau Monde tant le boisé était appuyé. Nez aromatique, passablement riche, aux notes de pomme golden et d'amande grillée, à la bouche à la fois fraîche et texturée, d'une bonne ampleur pour son rang. **Alc./**13 %. **chateau-de-santenay.com** ■ *Brochettes de poulet sauce moutarde et miel.*

Barranc dels Closos « blanc » 2009
✓ TOP 100 CHARTIER
PRIORAT, IGNEUS, ESPAGNE
21,65 $** SAQ S (10857729) ★★★?☆ **$$ Corsé BIO
Depuis le millésime 2006, ce puissant blanc sec a été l'un de mes coups de cœur favoris chez les puissants blancs du Midi. Ce qui joue en sa faveur, c'est que, malgré cette concentration, il sait aussi se montrer minéral et élancé. Vous y dénicherez donc un blanc sec à la fois riche et raffiné, harmonieux et frais, au volume substantiel et aux saveurs tout aussi expressives que dans les millésimes l'ayant précédé. Le terroir de schiste parle à nouveau. **Cépages :** 50 % grenache blanc, 30 % maccabeo, 17 % pedro ximénez, 3 % muscat. **Alc./**14 %. **masigneus.com**
■ *« Fondue à Johanne_Mc2 » : cubes de fromage à croûte lavée, frits et parfumés à l'ajowan) (**) ou pétoncles rôtis fortement, shiitakes poêlés, copeaux de parmigiano reggiano et écume de bouillon de kombu (**).*

Riesling Selbach-Oster Kabinett 2008
MOSEL, WEINGUT SELBACH-OSTER, ALLEMAGNE
22,10 $ SAQ S (10750841)   ★★★ $$ Modéré

Parfumé par des notes de houblon et de camomille, comme le sont certaines bières, ce riesling se montre pur, détaillé et précis, doté d'une attaque quasi sucrée, dont l'acidité minéralisante vient faire oublier ce sucre pour propulser le vin dans le temps et le futur. Une subtile présence de CO_2 en bouche lui procure un profil presque vaporeux, rarissime chez les rieslings germaniques. Sapide et digeste au possible, pour de grands plaisirs harmoniques à table avec les aliments complémentaires à la camomille, comme le sont, entre autres, l'amande, la lavande, la fève tonka, la cannelle, la racine d'angélique, le clou de girofle, la réglisse et la vodka polonaise Zubrówka. **Alc./**8,5 %.
selbach-oster.de ■ *Salade de crevettes et fenouil frais à l'huile de lavande ou flétan cuit à la vapeur de camomille.*

Chardonnay Gaun 2009

SÜDTIROLER-ALTO ADIGE, TENUTŒ LAGEDER, ITALIE
22,85 $ SAQ S (742114)   ★★★?☆ $$ Modéré+   BIO

Singulier chardonnay, ce qui est plutôt rare pour ce cépage trop souvent de profil « commercial », ce blanc origine de la philosophie biodynamique, comme tous les crus de cette tenutœ. Un bon gros coup de carafe, d'une trentaine de minutes, est nécessaire pour qu'il se révèle pleinement. Un vin à la fois de soif et de corps, plein et aérien, frais et mûr, à l'acidité discrète, juste dosée, et sans boisé inutile. Fleurs jaunes, miel et amande s'y donnent la réplique. **Alc./**12,5 %. **aloislageder.eu** ■ *Ris de veau saisis aux champignons à la crème (*).*

Montus Blanc 2007

PACHERENC-DU-VIC-BILH, MONTUS-BOUSCASSÉ, FRANCE
23,05 $ SAQ S (11017625)   ★★★☆ $$ Corsé

Brumont élabore des rouges au sommet de l'appellation Madiran, tout comme de grands blancs secs, dont ce 2007 pénétrant et texturé comme pas un, à la prise de bois quasi parfaite, et au grand potentiel d'évolution en bouteilles. Pour preuve, un 1999 dégusté en mars 2011 qui se montrait d'une folle complexité, spécialement à table avec des plats dominés par soit le curry, soit la noix de coco, soit la noisette, soit l'érable. **Alc./**14 %. **brumont.fr**

Pinot Bianco Haberle 2009

SÜDTIROLER-ALTO ADIGE, ALOIS LAGEDER, ITALIE
24,20 $ SAQ S (898395)   ★★★ $$ Modéré   BIO

Ce pinot bianco Haberle, vinifié avec maestria par l'allumé Alois Lageder, l'un des vignerons les plus éclairés du Haut Adige, est à nouveau parmi mes préférés de l'Italie, pour ne pas dire mon préféré! Il se montre aromatique, distingué, pur et précis, d'une fraîcheur de bouche invitante au possible, mais avec aussi du satiné dans la texture. **Alc./**12,5 %. **aloislageder.eu** ■ *Apéritif ou salade de poulet au carvi et fromage brie.*

Gewürztraminer Alois Lageder 2009
SÜDTIROLER-ALTO ADIGE, ALOIS LAGEDER, ITALIE
24,60 $ SAQ S (10780400)   ★★★ $$ Modéré+   BIO

Parfumé à souhait, s'exprimant avec élégance et éloquence, sur des tonalités de jacinthe, de rose et de litchi, à la bouche certes ample et pleine à l'attaque, mais terminant avec fraîcheur et droiture, sans aucune mollesse. Sec, éclatant et distingué pour le style, donc digeste et charmeur à la fois. **Alc./**12,5 %. **aloislageder.eu** ■ *Dos de morue poché au lait de coco à la rose (gingembre mariné et pois craquants) (**).*

Chardonnay Clos du Château 2009
BOURGOGNE, DOMAINE DU CHÂTEAU DE MEURSAULT, FRANCE
24,80 $ SAQ S (965665)   ★★★ $$ Modéré+

Un 2009 au nez actuellement retenu, mais à la bouche à la fois d'une bonne ampleur et élégante, texturée et très fraîche, presque longiligne même si elle développe une certaine largeur. Noisette, amande et poire se laissent désirer en fin de bouche. **Alc./**13 %. **meursault.com** ■ *Potage de courge Butternut au poivre de Guinée (***).*

Pinot Grigio Porer 2009
SÜDTIROLER-ALTO ADIGE, TENUTE LAGEDER, ITALIE
24,90 $ SAQ S (10248712) ★★★ $$ Modéré+   BIO
Nez certes discret, mais bouche bavarde à souhait, texturée comme se doit de l'être un pinot griggio de noble descendance, au corps ample et aux longues saveurs de pomme, de poire et de miel. **Alc./**13 %. **aloislageder.eu** ■ *Filet de porc au miel et aux poires.*

Les Tuffeaux 2006
VOUVRAY, FRANÇOIS CHIDAINE, FRANCE
25 $ SAQ S (11420019) ★★★?☆ $$ Corsé   BIO
■ NOUVEAUTÉ! Un autre cru réussi avec brio par ce viticulteur de génie. Vous vous sustenterez d'un blanc à la robe soutenue et dorée, au nez riche, mais subtilement détaillé, à la bouche pleine et gorgée de saveurs de fruits confits, devenant plus minérale et plus ramassée en fin de course. À la fois nourrissant et digeste. **Alc./**13,5 %. **francois-chidaine.com** ■ *Blanc de volaille cuit au babeurre, « émulsion d'asperges vertes aux crevettes_Mc²»: feuilles de choux de Bruxelles, vinaigrette acide à la chicorée (**).*

Les Argiles 2009
✓ TOP 100 CHARTIER
VOUVRAY, FRANÇOIS CHIDAINE, FRANCE
25,60 $ SAQ S (11461056) ★★★?☆ $$ Modéré+   BIO
■ NOUVEAUTÉ! Pur, précis et sans artifices, ce blanc sec de l'une des figures de l'appellation Vouvray se montre réussi avec maestria. Difficile d'être plus engageant et prenant en bouche. Le fruité est gourmand et presque juteux, sans trop, avec éclat et persistance. L'acidité, certes discrète, joue les funambules à l'arrière-scène, tendant le vin vers une fraîcheur minérale et lui donnant de l'élan. Grande harmonie, et surtout grand plaisir à boire. **Alc./**13,5 %. **francois-chidaine.com** ■ *Salade Waldorf à l'indienne (avec endives, noix et sauce à base de mayonnaise et de yogourt) ou fettucine alla morosana (cantaloup, huile d'olive, prosciutto et parmigiano reggiano) (*).*

Les Challeys 2007
SAINT-JOSEPH, DELAS, FRANCE
25,95 $ SAQ S (11153846) ★★★?☆ $$ Corsé
Un blanc gras et patiné, à l'acidité en retrait, qui laisse place à une texture généreuse et prenante, tout comme aux longues saveurs boisées, beurrées, crémeuses et noisettées. Plein les papilles! **Alc./**14,5 %. **delas.com** ■ *Fougasse parfumée au clou de girofle et fromage bleu fondant caramélisé (**).*

Le Clos 2008
MARSANNAY, RENÉ BOUVIER, FRANCE
26 $ SAQ S (10793585) ★★★?☆ $$ Modéré+
Du beau et du bon chardonnay dans la plus pure tradition bourguignonne, c'est-à-dire sur le fruit, sans boisé apparent, même si ample et texturé, débordant et vivifiant. Tout y est. Fraîcheur et ampleur, saveurs débordantes (pomme, poire, figue fraîche, vanille), mais épurées, persistance et digestibilité. **Alc./**13 %. ■ *Saumon laqué sauce soya/vinaigre balsamique (**) accompagné de riz sauvage soufflé au café_Mc² (**).*

Riesling Zeltinger Sonnenuhr Spätlese Trocken 2008
MOSEL, WEINGUT SELBACH-OSTER, ALLEMAGNE
26,20 $ SAQ S (904243) ★★★?☆ $$ Modéré+
Pour saisir la vraie nature du riesling rhénan, laissez-vous fouetter les papilles par l'acidité électrisante de ce riesling sec, totalement sec, droit, épuré et vibrant comme de l'eau de roche. Agrume, pomme et romarin en signent le cocktail de saveurs d'une grande allonge. Digeste et vivifiant au possible. **Alc./**12 %. ■ *Crème de carotte (***) ou crevettes pochées au paprika et pamplemousse rose (***).*

Vaillons 2009

CHABLIS 1er CRU, BERNARD DEFAIX, FRANCE

26,85 $**   SAQ S (10864953)   ★★★☆ **$$ Modéré+

Invitante pureté aromatique, fraîcheur et profondeur, laissant dégager des notes de miel et de noisette, avec une arrière-scène minérale de pain grillé. Texture satinée, acidité juste dosée, avec retenue, mais tendant le vin vers le futur, matière noblement extraite et saveurs longilignes. Amande grillée, mie de pain et graines de fenugrec grillées donnent le ton à ce premier cru réussi. **Alc./**13 %. **bernard-defaix.com**

Ca'del Bosco Curtefranca 2009

CURTEFRANCA, CA'DEL BOSCO, ITALIE *(DISP. AUTOMNE 2011)*

28,40 $**   SAQ S (11155577)   ★★☆ **$$$ Modéré

Un blanc sec, droit, rafraîchissant, claquant sur les papilles, sans trop, aux parfums floraux, au corps modéré et aux saveurs longues, sans être très riches. Pur et digeste, mais je lui préfère de beaucoup sa version en rouge Curtefranca 2007 (aussi commentée). **Alc./**12,5 %. **cadelbosco.com**

Les Rosiers 2009
✓ TOP 100 CHARTIER

JASNIÈRES, ERIC NICOLAS, FRANCE

28,80 $**   SAQ S (11153205)   ★★★?☆ **$$ Modéré+   BIO

■ NOUVEAUTÉ! Raffiné à souhait, ce blanc singulier s'exprime par de délicats et ultra-raffinés effluves floraux, ainsi que par une attaque en bouche ample et large, rapidement bridée par une minéralité qui tend le vin vers le haut, et vers le temps, lui procurant une digestibilité unique. Presque sucré, sans sucre, ce cru étonne par sa longueur et par son profil tenu, mais éclatant – c'est ce que l'on appelle un oxymoron à fond! J'achetais ce cru, tout comme les vins de ce domaine de pointe, en Ontario depuis une bonne dizaine d'années, bien heureux d'enfin le voir apparaître à la SAQ. **Alc./**13,5 %. **belliviere.com** ■ *Vraie crème de champignons_Mc²* » *(lait de champignons de Paris et mousse de lavande) (**).*

Coudoulet de Beaucastel 2008

CÔTES-DU-RHÔNE, VIGNOBLES PIERRE PERRIN, FRANCE

29,75 $ SAQ S* (449983)   ★★★ **$$$**   Modéré+

Un coudoulet au nez plus discret et moins riche que par les millésimes passés, mais à la bouche toujours aussi suave, satinée, texturée et harmonieuse. **Alc./**13 %. **beaucastel.com** ■ *Pétoncles poêlés, couscous de noix du Brésil à l'orange sanguine, lait de coco au gingembre (**).*

Domaine Vacheron 2009
✓ TOP 100 CHARTIER

SANCERRE, VACHERON & FILS, FRANCE

30,25 $**   SAQ S (10523892)   ★★★☆ **$$$ Modéré+   BIO

Pour les plats dominés par la truffe – comme dans les assemblages asperge/truffe, bonite séchée/truffe, maïs/truffe –, il faut opter pour un sauvignon blanc de grand terroir, minéral à souhait, ainsi que d'une présence de bouche imposante, comme les vins de ce domaine phare savent exprimer, tout en demeurant subtils et raffinés. Ce 2009 est une grande réussite, presque crémeux tant la texture est généreuse pour le style, mais bridée par une fraîcheur électrique et complexifiée par des saveurs détaillées (livèche, anis vert, craie, amande grillée, etc.). Ne pas servir trop frais afin de bien profiter de ses parfums et de sa patine de bouche. Même sans truffe, une salade d'asperges rehaussée de flocons de bonite séchée sera en osmose avec ce cru unique. **Alc./**14 %. ■ *Salade d'asperges rehaussée de flocons de bonite séchée (ou de copeaux de truffe).*

Vaucoupin Domaine Millet 2009

CHABLIS 1er CRU, MILLET PÈRE & FILS, FRANCE

30,25 $**   SAQ S (11199351)   ★★★☆ **$$$ Corsé

■ NOUVEAUTÉ! Les vins de ce domaine sont à ranger maintenant parmi les meilleurs achats de Chablis, et ce Vaucoupin 2009 le confirme avec éclat. Quel fruit! Un blanc sec certes minéral, mais aussi presque juteux tant la matière est ample, séveuse et texturée pour le style. Pomme poire et craie participent au cocktail. J'aime! **Alc./**13 %. **chablis-millet.fr**

Plácet « Valtomelloso » 2007

RIOJA, PALACIOS REMONDO, ESPAGNE

30,30 $**   SAQ S (11318170)   ★★★☆ **$$$ Corsé

Commenté en primeur dans *La Sélection Chartier 2011*, voici enfin le retour tant attendu de cette grande pointure espagnole. Un blanc sec très aromatique, sur les fruits blancs très jeunes, à la bouche fraîche et expressive, ayant gagné en amplitude et en texture moelleuse depuis les deux dernières années – j'ai eu l'occasion de déguster ce vin en primeur à quelques reprises depuis décembre 2008, à Barcelone, puis au domaine, à mon bureau, et maintenant –, aux longues saveurs pures et précises. Goyave, miel, fleurs blanches, crème pâtissière et amande grillée donnent le ton. À base de viura, en très petits rendements, et de maccabeo, qui est le chardonnay du sud selon Àlvaro Palacios. Fermentation en barriques ovales, durant neuf mois, avec élevage sur lies. Enfin, les peaux du marc sont remises dans les fûts pour trois mois, pour une fermentation à très basse température. C'est le seul vin levuré parmi tous ses vins. **Alc./**14%. ■ *Gravlax de saumon (*) ou ris de veau saisis aux champignons à la crème (*).*

Château de Maligny « L'Homme Mort » 2009

CHABLIS 1er CRU, J. DURUP PÈRE ET FILS, FRANCE

34,50 $**   SAQ S (872986)   ★★★☆ **$$$ Modéré+

Un 2009 des plus expressifs et jouissifs, avec un fruité mûr et précis, comme toujours pour ce cru vinifié avec brio, à la bouche presque texturée, tout en demeurant aérienne et minérale grâce à une électrisante acidité sous-jacente. Déjà beau mais ira loin. **Alc./**12,5%. **durup-chablis.com** ■ *Saumon mariné à l'aneth (*).*

Château de Maligny « L'Homme Mort » 2010

CHABLIS 1er CRU, J. DURUP PÈRE ET FILS, FRANCE *(DISP. DÉC. 2011)*

34,50 $**   SAQ S (872986)   ★★☆?☆ **$$$ Modéré

Contrairement au 2009 (aussi commenté dans le Répertoire additionnel), qui se montre des plus expressifs et jouissifs, ce 2010 est actuellement sur sa retenue juvénile, tout en ne possédant pas la même profondeur que son précédent. Par contre, sa droiture, sa précision et sa longueur très minérale font de lui un premier cru qui devrait gagner en complexité et en définition d'ici 2014. **Alc./**12,5%. **durup-chablis.com** ■ *Filet de turbot poêlé et jus aux pommes vertes et cerfeuil.*

Riesling Heissenberg 2008

ALSACE, DOMAINE ANDRÉ OSTERTAG, FRANCE

37,25 $**   SAQ S (739813)   ★★★☆ **$$$ Modéré+   BIO

Contrairement au 2007 qui se montrait vaporeux et ample, à l'acidité discrète, ce 2008 est l'archétype du riesling sec alsacien, droit et viril, élancé et épuré, doté d'une acidité vibrante. Il se montre aromatiquement très jeune, sans aucune note terpénique, plutôt sur la pomme et les agrumes. Très long et digeste, pour amateur de la verticalité dont en connaît le secret ce grand cépage. **Alc./**13,5%. ■ *Pattes de pieuvre rôties, compote de tomates au thé noir, pamplemousse rose, lavande et safran du Maroc (**).*

Chardonnay Planeta 2008

SICILIA, AZIENDA AGRICOLA PLANETA, ITALIE

37,75 $**   SAQ S (855114)   ★★★☆?☆ **$$$ Corsé+

Planeta présente à nouveau avec un chardonnay de style très californien, sans être boisé à outrance, au nez percutant, d'une grande richesse et complexité (abricot, fruits secs grillés, orange, vanille), à la bouche tout aussi plantureuse et dense, d'une patine prenante et d'une grande allonge, où s'ajoutent des tonalités de pêche, de miel et de crème fraîche. Donc, une grande pointure sicilienne qui vient jouer dans la cour des grands chardonnays californiens et de certains chardonnays bourguignons de l'ère moderne. **Alc./**13,5%. **planeta.it** ■ *Rôti de porc farci aux abricots (***).*

Cometa 2008

SICILIA, AZIENDA AGRICOLA PLANETA, ITALIE

38,75 $ SAQ **S** (705046)   ★★★★ **$$$**   Corsé+

Difficile de trouver mieux, une fois de plus, en matière de cépage fiano, même en Campanie, la région d'origine de ce cépage. Nous voici en Sicile, avec un blanc sec au nez exubérant, ultra-mûr, jouant dans la sphère de la fleur d'oranger, l'amande, le miel et l'aubépine, d'une incroyable plénitude en bouche, large et prenant, non dénuée de fraîcheur et de minéralité, aux saveurs d'une très grande allonge. Du sérieux. **Alc./**14%. **planeta.it** ■ *Crabe des neiges, ketchup aux pois verts, épinards fanés à l'huile d'olive, caviar de mulet et mousse de bière noire (**).*

Terre de Fuissé 2009
     ✓ TOP 100 CHARTIER

POUILLY-FUISSÉ, BRET BROTHERS, FRANCE *(DISP. FÉVR./MARS 2012)*

41 $ SAQ **S** (10788882)   ★★★☆ **$$$$**   Corsé+

Pénétrant nez de miel, de poire chaude au beurre et de graines de fenugrec grillées, lui donnant des airs de sirop d'érable! Bouche tout aussi prenante, texturée, moelleuse et mellifère, à l'acidité certes discrète, mais jouant les funambules en arrière-scène. Noisette, amande grillée, vanille et crème fraîche signent cette grande pointure bourguignonne, dégustée en primeur en août 2011, d'un échantillon du domaine et qui est attendue en début d'année 2012. **Alc./**13,5%. **bretbrothers.com** ■ *Pétoncles fortement poêlés et salade de champignons portobellos sautés aux noisettes.*

Riesling Herrenweg de Turckeim 2008
     ✓ TOP 100 CHARTIER

ALSACE, DOMAINE ZIND-HUMBRECHT, FRANCE

43 $ SAQ **S** (10836549)   ★★★★ **$$$$**   Puissant   BIO

À la façon du Riesling Muenchberg 2008 d'André Ostertag (aussi commenté), ce cru de la grande famille Zind-Humbrecht, qui se passe de présentation, se montre hors norme et donc singulier. Le nez nous conduit dans des méandres aromatiques inhabituels pour ce grand cépage, où s'expriment la cire d'abeille, la sauge, le cumin et les agrumes. La bouche suit avec la générosité commune aux vins de ce domaine de pointe, mais avec aussi la fraîcheur tendue et la minéralité sous-jacente typique. De l'éclat et de la prestance, pour une grande pointure marquée par une finale botrytisienne, à la manière des sauternes, et ce, même si le vin est sec. **Alc./**13%. **zindhumbrecht.com** ■ *Crabe des neiges, ketchup aux pois verts, épinards fanés à l'huile d'olive, caviar de mulet et mousse de bière noire (**).*

Pinot Gris Heimbourg 2008

ALSACE, DOMAINE ZIND-HUMBRECHT, FRANCE

43,75 $ SAQ **S** (10258064)   ★★★☆?☆ **$$$$**   Corsé   BIO

Ce cru de la grande famille Zind-Humbrecht, qui se passe de présentation, se montre, comme tous les vins magnifiés par eux, hors norme et donc singulier. Il en résulte un pinot gris au nez ultra-raffiné et retenu, mais profond et mûr, exhalant de fraîches notes de pamplemousse, de miel et de coing, à la bouche à la fois ample et presque tendue, pleine et d'une fraîcheur saisissante pour le cépage, longue et effilée, dotée d'une minéralité sous-jacente qui bride la matière avec maestria en fin de bouche. **Alc./**13%. **zindhumbrecht.com** ■ *Homard frit au pimentón doux fumé et compote de poivrons jaunes au concentré de jus d'orange (**).*

Chardonnay Löwengang 2007

SÜDTIROLER-ALTO ADIGE, ALOIS LAGEDER, ITALIE

44 $ SAQ **S** (10264608)   ★★★☆?☆ **$$$**   Corsé   BIO

Jaune doré soutenu. Nez très riche et prenant. Bouche sphérique et enveloppante, au moelleux imposant, sans lourdeur, aux saveurs d'une grande allonge, laissant des traces de poire chaude au beurre, de noisette et de curry. Ce chardonnay Löwengang, vinifié avec maestria par l'allumé Alois Lageder, l'un des vignerons les plus éclairés du Haut Adige, dont tous les vins méritent d'être achetés les yeux « presque fermés ». **Alc./**13%. **aloislageder.eu** ■ *Fougasse parfumée au clou de girofle et fromage bleu fondant caramélisé (**).*

Marquise de la Tourette 2009 ✓ TOP 100 CHARTIER

HERMITAGE, DELAS, FRANCE *(DISP. SEPT. 2011)*

59 $ SAQ **SS** (11544169) ★★★★?☆ **$$$$** Corsé+

■ NOUVEAUTÉ! Un blanc gras au possible, sans tomber dans la caricature, d'une forte présence de bouche, manière vin rouge (!), plein, compact et dense, aux percutantes saveurs de noix de coco grillée, de noisette, de crème fraîche et de beurre. Le nez est plus qu'aromatique, mais dans un seul morceau, et marqué par un fruité pur, rappelant la pêche blanche. Une grande bouteille dès maintenant pour réussir de vibrantes harmonies à table avec des plats dominés par des aliments de la famille des lactones (porc, pacane, noix de coco, pêche, abricot, scotch), tout comme avec les recettes dont le gène de saveur est dominé par l'umami (coquillages et crustacés fortement poêlés, shiitake, très vieux parmigiano reggiano, kombu). Au moment de mettre sous presse, seulement 10 caisses étaient attendues aux SAQ Signature. **Alc./**14 %. **delas.com** ■ *Pétoncles rôtis fortement, shiitakes poêlés, copeaux de parmigiano reggiano et écume de bouillon de kombu (**).*

Blanchot 2005

CHABLIS GRAND CRU, LA CHABLISIENNE, FRANCE

63 $ SAQ **S** (11094663) ★★★★ **$$$$** Corsé+

Engageant et prenant, voilà un grand cru à ne pas laisser passer. Nez intensément aromatique, riche et fruité à souhait, exhalant des notes de goyave, de miel, d'ananas et de crème fraîche, un brin vanillé. Bouche volumineuse, fraîche et concentrée, au boisé présent, mais juste dosé, égrainant de très longues et expressives saveurs de la famille des lactones (noix de coco, pêche), ainsi que des notes de pomme golden, de noisette, de beurre d'arachides et crème anglaise. Une grande pointure, au profil mûr et boisé, jouant dans la cour des chardonnays du Nouveau Monde, mais avec une assise minérale et élancée on ne peut plus chablisienne. **Alc./**13 %. **chablisienne.com** ■ *Homard rôti à la salsa d'ananas au quatre-épices.*

Blanchot 2006

CHABLIS GRAND CRU, LA CHABLISIENNE, FRANCE

63 $ SAQ **S** (11439668) ★★★★ **$$$$** Corsé

Après un engageant et prenant 2005 (voir commentaire), voilà un nouveau millésime qu'il ne faudra pas laisser passer. Tout y est : puissance aromatique, haute définition, boisé luxueux et intégré au cœur de la matière, plénitude de bouche, texture patinée, acidité sous-jacente vibrante et longueur immense. Quand le terroir rime avec art. **Alc./**13 %. **chablisienne.com**

Blanchot 2007

CHABLIS GRAND CRU, LA CHABLISIENNE, FRANCE *(DISP. AUTOMNE 2011)*

63 $ SAQ **S** (11439668) ★★★☆?☆ **$$$$** Corsé

Après un engageant et prenant 2005 (voir commentaire), ainsi qu'un puissant et luxueusement boisé 2006, cette cave présente un 2007 à mi-chemin entre ces deux millésimes, passablement gras, prenant et boisé, mais sans la profondeur et la tenue de ces deux précédentes vendanges. **Alc./**13 %. **chablisienne.com** ■ *Pétoncles rôtis fortement, shiitakes poêlés, copeaux de parmigiano reggiano et écume de bouillon de kombu (**).*

Clos Boucher 2009 ✓ TOP 100 CHARTIER

CONDRIEU, DELAS, FRANCE *(DISP. SEPT. 2011)*

68,75 $ SAQ **SS** (11544142) ★★★★ **$$$$** Corsé+

■ NOUVEAUTÉ! Un viognier on ne peut plus classique de l'appellation Condrieu, c'est-à-dire à la robe jaune soutenue, au nez hyper aromatique et charmeur, tout en étant très riche et profond, laissant apparaître des tonalités d'abricot, de fleur d'oranger, de lavande, de tilleul, de houblon et de miel, à la bouche mielleuse, satinée, séveuse et d'une grande allonge, à l'acidité discrète et au corps plus dense que large, terminant sa course sur des notes boisées de noisette et d'amande grillées. Un 2009 plus qu'engageant et réussi avec maestria, dégageant la même sève que l'hermitage Marquis de la Tourette, aussi commenté. Au moment de mettre sous presse, 25 caisses étaient attendues aux SAQ Signature. **Alc./**14 %. **delas.com** ■ *Dos de morue poché au lait de coco à la rose (gingembre mariné et pois craquants) (**).*

Château Grenouilles 2006
CHABLIS GRAND CRU, LA CHABLISIENNE, FRANCE
85,25 $ SAQ **S** (10785083)   ★★★★ **$$$$$**   Modéré+
Grande élégance aromatique et bouche tendue, bâti pour défier le temps, ce nouveau millésime, dégusté en primeur en août 2010, puis à son arrivée en mai 2011, se montre, comme toujours dans ses premières années, par un boisé dominant, compact, dense et longiligne, malgré une certaine tendreté typique du millésime, et d'une très grande allonge. Les plus patients découvriront dans quelques années un cru plus aromatique et plus texturé. **Alc./**13 %. **chablisienne.com** ■ *« Saumon fumé sans fumée_Mc² » : au thé noir fumé Lapsang Souchong.*

Hameau de Blagny 2009
PULIGNY-MONTRACHET 1ᵉʳ CRU, JAFFELIN, FRANCE *(DISP. SEPT./OCT. 2011)*
90,50 $ SAQ **S** (11473858)   ★★★☆?☆ **$$$$**   Modéré+
Élégance, race, minéralité, noisette et amande grillées, corps épuré, acidité discrète, très long, moelleux à venir dans le temps, mais sans une réelle profondeur pour le rang, et pour le prix demandé. Mais à suivre... **Alc./**13,5 %.

VINS ROUGES
DE LA VIEILLE EUROPE

**Agarena « Cabernet Sauvignon/
Tempranillo » 2010** ✓ TOP 30 BAS PRIX

UTIEL-REQUENA, BODEGAS MURVIEDRO, ESPAGNE

8,50 $	SAQ C (620674)	★★ $	Modéré+

Ce 2010 se montre moins marqué par les arômes torréfiés que ne l'étaient les précédents millésimes, ce qui est une bonne chose. Beau fruit, expressivité modérée, corps presque ample et saveurs juteuses, pour ne pas dire gourmandes, spécialement pour son rang. Les tanins sont souples et ronds, l'acidité discrète et la texture veloutée. Prune, cerise et cacao donnent le ton à cette aubaine espagnole. **Cépages:** tempranillo, cabernet sauvignon. **Alc./**13 %.
murviedro.es

☞ *Servir dans les trois années suivant le millésime, à 17 °C*

🍴 Cubes de bœuf en sauce (***), filet de porc en souvlaki (***), filet de porc au café noir) (*) (voir Filets de bœuf au café noir) ou pâté chinois (voir recette «On a rendu le pâté») (**).

Bonal « Tempranillo » 2007 ✓ TOP 30 BAS PRIX
VALDEPEÑAS, BODEGAS REAL, ESPAGNE

| 8,65 $ | SAQ C (548974) | ★★ $ | Modéré |

Coup de cœur de quelques-unes des précédentes *Sélection*, cet abordable rouge espagnol est plus que jamais à compter parmi les crus sous la barre des dix dollars à acheter les yeux fermés. Un rouge complet et jouissif, pour son rang. Il est quasi impossible de dénicher des rouges de ce prix avec autant de matière à se mettre sous la dent. Laissez-vous conquérir une fois de plus par ce vin ample, texturé, presque joufflu, aux saveurs toujours aussi fraîches et éclatantes que lors de la précédente dégustation de ce millésime, en primeur, rappelant le raisin frais et la cerise noire, et aux tanins qui ont du grain, ce qui étonne pour son rang. Du plaisir, rien que du plaisir. **Cépage :** tempranillo. **Alc./**12,5 %. **bodegas-real.com**

☛ *Servir dans les cinq années suivant le millésime, à 16 °C*

Pommade d'olives noires à l'eau de poivre (***) pour tartinades, pâté chinois revu et magnifié « pour vin rouge » (***), « purée_Mc^2 » pour amateur de vin au céleri-rave et clou de girofle (**), pain de viande à la tomate, pizza aux olives noires, spaghetti bolognaise épicé, sandwich au bœuf grillé et aux oignons caramélisés ou saucisses italiennes grillées.

Herdade das Albernoas 2008
VINHO REGIONAL ALENTEJANO, ENCOSTA DO GUADIANA, PORTUGAL

| 9,40 $ | SAQ C (10803051) | ★☆ $ | Modéré |

Cette aubaine portugaise connaît un certain succès depuis son introduction au Québec, il y a plus ou moins quatre ans. Dans ce millésime, il en résulte un rouge certes plutôt discret et simple au niveau aromatique, mais hautement bavard et texturé en bouche, où les tanins se montrent presque gras et fondus, le corps ample et sucré (sans sucre), les saveurs longues et sans aucun boisé inutile. Du beau jus pour le prix, qui devrait convaincre ceux qui passent encore par le dépanneur de plutôt faire leur réserve à la SAQ avec ce genre de rouge moins cher que la majorité des « faux crus » offerts en épicerie... **Cépages :** 60 % aragonez, 20 % trincadeira, 20 % castelão. **Alc./**14 %. **encostadoguadiana.com**

☛ *Servir dans les quatre années suivant le millésime, à 17 °C*

Salade de tomates, bocconcini, basilic thaï et vinaigrette au clou de girofle (***), cubes de bœuf en sauce (***) ou filet de porc en souvlaki (***).

Meia Encosta 2009
DÃO, SOCIEDADE DOS VINHOS BORGES, PORTUGAL

| 10,85 $ | SAQ C (250548) | ★☆ $ | Modéré |

Depuis le millésime 2005, ce vin rouge portugais, d'une belle régularité, représente une bonne affaire chez les crus offerts sous la barre des treize dollars. Tout y est à nouveau chez ce cru de fraîcheur et de plaisir. Nez aux parfums élégants et des plus agréables, rappelant la cerise, le girofle et la fumée. Bouche toujours aussi passablement souple et coulante, au corps modéré mais bien présent, à l'acidité juste dosée et aux saveurs d'une allonge plus que correcte pour son rang. Un cru qui tient ses promesses – donc une autre bonne année de loyaux services à prévoir pour ce 2009! **Cépages :** touriga nacional, jaen, alfrocheiro, tinta roriz. **Alc./**13 %. **borgeswines.com**

☛ *Servir dans les trois années suivant le millésime, à 16 °C*

Salade d'endives braisées et cerises (avec noix et fromage parmesan émietté), salade de betteraves rouges parfumées au quatre-épices (poivre, muscade, gingembre en poudre et clou de girofle), salade de foies de volaille et de cerises noires, sukiyaki de bœuf aux poivrons verts et rouges ou tacos de bœuf épicés.

Merlot Domaine de Moulines 2009

VIN DE PAYS DE L'HÉRAULT, SAUMADE ET FILS, FRANCE *(DISP. AUTOMNE 2011)*

11,20 $	SAQ C (620617)	★★ $	Modéré

Ce 2009, dégusté en primeur en juillet 2011, prendra la relève du 2008 au cours de l'automne 2011. Vous y retrouverez un rouge gourmand pour son rang, au nez très fin, sur les fruits rouges, à la bouche à la fois fraîche, ample et longiligne, aux tanins soyeux et aux saveurs longues, rappelant la framboise chaude et la vanille. Donc, tout aussi agréable et engageant que dans les millésimes qui l'ont précédé, et non sans rappeler les bordeaux classiques, mais à un prix plus que doux. **Cépage:** merlot. **Alc./**13,5%. **domaines-moulines-figueirasse.fr**

☞ *Servir dans les quatre années suivant le millésime, à 16 °C*

Sablés au parmesan et au café (***), cubes de bœuf en sauce (***), quesadillas (*wraps*) au bifteck et aux champignons, côtelettes de porc aux poivrons rouges confits épicés ou rôti de veau à la dijonnaise.

Protocolo 2009

VINO DE LA TIERRA DE CASTILLA, DOMINIO DE EGUREN, ESPAGNE

11,95 $	SAQ C (10754439)	★★ $	Modéré+

Voilà un ixième millésime consécutif de ce vin à se retrouver parmi les bons achats chez les vins offerts sous la barre des treize dollars. Tout y est à nouveau. De la couleur. Du nez, passablement expressif pour son rang, exhalant des notes de fruits noirs et de fumée. De l'ampleur en bouche, aux tanins ronds et dodus, au corps texturé et généreux, ainsi qu'aux saveurs longues. Donc, du très beau tempranillo espagnol, offert à un prix plus que compétitif. Il serait dommage de passer outre seulement parce que ce n'est pas une nouveauté! **Cépage:** tempranillo. **Alc./**13,5%. **eguren.com**

☞ *Servir dans les quatre années suivant le millésime, à 17 °C*

Feuilleté aux olives noires (***), cubes de bœuf en sauce (***), hamburgers d'agneau aux poivrons rouges confits et au curcuma, brochette de bœuf sauce au poivre vert ou filet de porc au café noir (voir Filets de bœuf au café noir) (*).

Château Saint Cyprien 2006

MORNAG, CHÂTEAU LA REINE ELISSA, TUNISIE

12 $	SAQ S (11097557)	★★?☆ $	Modéré+

■ NOUVEAUTÉ! Étonner vos convives en servant un rouge sur un potage, comme la *coda alla vaccinara*, qui est une soupe de fèves, à la romaine, avec de la pancetta, du girofle, de la cannelle et du laurier. Elle a tous les ingrédients pour permettre la synergie aromatique avec un rouge du Midi, marqué à la fois par les épices et par les parfums de la garrigue. Qu'il soit du Languedoc, de Sardaigne, du Liban ou encore de Tunisie comme cet assemblage à base de syrah et de cabernet. Il se montre étonnamment coloré, aromatique et nourri pour le prix demandé. On est loin de la rusticité des vins tunisiens d'autrefois. Le profil est plutôt moderne, gorgé de fruits, sans trop, dodu et généreux. Poivre, herbes de Provence et fruits rouges signent ce beau et abordable vin à l'accent du Midi. **Cépages :** syrah, cabernet. **Alc./**13,5 %. **chateau-reine-elissa.com**

☛ *Servir dans les six années suivant le millésime, à 17 °C*

Tartinades d'olives noires (graines de fenouil et zestes d'orange), *coda alla vaccinara* (soupe de fèves avec pancetta, girofle, cannelle et laurier), bifteck au poivre et à l'ail, côtes levées sauce barbecue épicée.

Merlot Mas des Tourelles 2009
PAYS D'OC, LES VIGNERONS DES TOURELLES, FRANCE

12,05 $	SAQ C (11184870)	★★ $	Modéré+

À nouveau un merlot aromatique et très frais, au charme immédiat, se montrant juste assez dodu en bouche pour être gourmand. Les tanins sont souples, le corps voluptueux pour le rang, et l'acidité discrète. Fraise, framboise et poivre participent au cocktail de saveurs. Plutôt sympathique. **Cépage :** merlot. **Alc./**14,5 %. **tourelles.com**

☛ *Servir dans les trois années suivant le millésime, à 16 °C*

Veau marengo, bœuf à la Stroganov, pâtes aux tomates séchées et basilic thaï ou poulet basquaise (version basque du poulet chasseur italien avec ajout de lanières de poivrons verts en fin de cuisson).

Comtes de Rocquefeuil 2009
COTEAUX-DU-LANGUEDOC MONTPEYROUX, VIGNERONS DE MONTPEYROUX, FRANCE

12,25 $	SAQ C (473132)	★★?☆ $	Modéré+

Très belle et engageante référence de Montpeyroux, l'un des plus beaux terroirs du Languedoc. Tout y est. De la couleur. Du nez, avec de l'expressivité, de la fraîcheur et de la complexité, pour son rang. De la présence en bouche, avec ampleur, rondeur, souplesse et longueur. Fruits noirs, épices douces et violette donnent le ton à cet excellent achat qui fera le bonheur des amateurs de crus du Midi au profil gourmand et nourri. Mériterait probablement un J'AIME! **Cépages :** grenache, carignan, cinsault, syrah, mourvèdre. **Alc./**13 %. **montpeyroux.org**

☛ *Servir dans les quatre années suivant le millésime, à 17 °C*

Tartinades d'olives noires, poulet aux olives noires et aux tomates, lasagne au four ou pizza au capicollo fort et poivrons rouges rôtis.

Lamura Nero d'Avola 2010
SICILIA, CASA GIRELLI, ITALIE

12,35 $	SAQ S* (10304041)	★★☆ $	Modéré+

Tout comme l'était le 2006 (commenté dans *La Sélection 2009*), ce nouveau millésime est à nouveau une réussite pour ce cru sicilien offert à bas prix. Difficile de trouver mieux en matière de nero d'avola offert dans cette gamme de prix. Vous vous sustenterez d'un vin gorgé de saveurs, ample, texturé, presque généreux, mais frais, aux tanins souples et aux saveurs d'une étonnante allonge pour le style. Du plaisir, rien que du plaisir à boire... **Cépage :** nero d'avola. **Alc./**13,5 %. **casagirelli.it**

☛ *Servir dans les trois années suivant le millésime, à 16 °C*

Pâté chinois revu et magnifié « pour vin rouge » (★★★), pâtes aux olives noires/genièvre/thym/shiitake (★★★), hamburger au poulet et aux tomates séchées et cheddars extra-forts ou brochettes de bœuf sur brochettes de bambou imbibées au clou de girofle (voir Brochettes de bambou imbibées au clou de girofle «pour grillades de viande rouge») (***).

Barbera Antara Bersano 2010
PIEMONTE, BERSANO, ITALIE

12,40 $	SAQ C (10803000)	★☆ $	Modéré

Si vous cherchez un rouge léger, sur les fruits rouges, fin et digeste à souhait, pour le ballon de rouge quotidien, sur les mets simples, comme la pizza à l'américaine, les pâtes à la bolognaise et les saucisses grillées, alors ne cherchez plus et servez-vous à grande rasade cette barbera souple et coulante, fraîche et sapide. Classique, d'une autre époque, mais le charme opère. **Cépage :** barbera. **Alc./**12,5 %. **bersano.it**

☛ *Servir dans les deux années suivant le millésime, à 15 °C*

🍴 Pizza à l'américaine, spaghetti bolognaise, saucisses italiennes grillées, salade de pâtes à la méditerranéenne (tomates cerises, olives noires, feta, aneth) ou poulet cacciatore.

Animus 2008
✓ TOP 30 BAS PRIX
DOURO, VINCENTE LEITE DE FARIA, PORTUGAL

12,90 $	SAQ C (11133239)	★★?☆ $	Modéré+

Deuxième vendange de suite à être réussi pour ce sympathique rouge portugais, au profil international, gorgé de fruits noirs, de torréfaction et d'épices. Débarqué l'an passé, avec un tout aussi bon 2007 (aussi commenté dans le Répertoire), ce nouveau produit courant portugais provient de la grande région du Douro, où, soit dit en passant, naissent aussi les portos. Tout y est à nouveau. Couleur, nez, ampleur, fermeté portugaise et complexité de saveurs (mûre, thym, girofle, café). **Cépages :** touriga franca, tinta roriz, touriga nacional. **Alc./**13,5 %. **vlfvinhos.com**

☛ *Servir dans les quatre années suivant le millésime, à 17 °C*

🍴 Pâté chinois revu et magnifié «pour vin rouge» (***), dindon rôti sauce au pinot noir, filet de saumon au pinot noir (*), filets de porc à la cannelle et aux canneberges, salade de bœuf grillé à l'orientale ou tourtière aux épices douces (cannelle et muscade).

Majolica 2009
✓ TOP 30 BAS PRIX
MONTEPULCIANO D'ABRUZZO, PODERE CASTORANI, ITALIE

12,90 $	SAQ C (10754252)	★★☆ $	Modéré+

Pour moins de treize dollars, il faut dire qu'il y a à boire et à manger dans ce montepulciano du réputé et sympathique pilote de F1, Jarno Trulli. Tout y est. Couleur soutenue. Nez aromatique et étonnamment riche et mûr pour son niveau. Bouche généreuse, ample et expressive, avec un certain coffre et des tanins présents, mais sans fermeté. Saveurs longues de fruits noirs, de prune et de café. Il serait dommage de s'en passer tant il y a du plaisir sous le bouchon! **Cépage :** montepulciano. **Alc./**13 %. **poderecastorani.it**

☛ *Servir dans les quatre années suivant le millésime, à 17 °C*

🍴 Filet de porc en souvlaki (***), lasagne aux saucisses italiennes, pizza au capicollo et poivrons rouges confits ou veau marengo et pâtes aux œufs, tourtière de la Beauce et betteraves sautées à l'émulsion «Mister Maillard» (voir recette de l'émulsion «Mister Maillard» sur **papillesetmolecules.com**) ou cubes de bœuf en sauce (***).

Cabernet Sauvignon Baron Philippe de Rothschild 2009

PAYS D'OC, BARON PHILIPPE DE ROTHSCHILD, FRANCE

12,95 $	SAQ C (407551)	★★?☆ $	Corsé

Un cabernet ultra-mûr, plein, ample et texturé, sans boisé ni tanins fermes, juste dosé, harmonieux et fort savoureux pour le prix demandé. À nouveau un excellent rapport qualité-prix, dans ce millésime 2009, pour un cru de la gamme Pays d'Oc de la filiale négoce Baron Philippe de Rothschild. En passant, notez que je préfère ce cabernet au Mouton Cadet 2008, un bordeaux vendu quelques dollars de plus, d'où son absence dans ce guide... **Cépage :** cabernet sauvignon. **Alc./**14%. **bpdr.com**

☞ *Servir dans les quatre années suivant le millésime, à 17 °C*

Brochettes de bœuf et de foie de veau aux poivrons ou côtes de veau et purée de pois à la menthe (*).

Merlot Baron Philippe de Rothschild 2009

PAYS D'OC, BARON PHILIPPE DE ROTHSCHILD, FRANCE

12,95 $	SAQ C (407544)	★★?☆ $	Modéré+

Un merlot joufflu, plein et presque corsé, mais avec son habituel velouté et ses saveurs débordant de fruits noirs et d'épices douces (poivre, muscade). Gourmand et d'un excellent rapport qualité-prix dans ce millésime 2009. **Cépage :** merlot. **Alc./**14%. **bpdr.com**

☞ *Servir dans les trois années suivant le millésime, à 17 °C*

« On a rendu le pâté chinois » (**), quesadillas (*wraps*) au bifteck et aux champignons, rôti de veau à la dijonnaise, veau marengo de longue cuisson ou « purée_Mc² » pour amateur de vin au céleri-rave et clou de girofle (**).

Sangre de Toro 2009

CATALUNYA, MIGUEL TORRES, ESPAGNE

12,95 $	SAQ C (006585)	★★ $	Léger+

Comme à son habitude, ce rouge de plaisir immédiat, d'une régularité exemplaire pour son rang, se montre toujours aussi agréable, expressif, mûr, rond, coulant, mais avec une certaine tenue, aux saveurs de fruits rouges, d'épices douces et de café. Plus que jamais le parfait ballon de rouge de tous les jours, dont le nom, connu aux quatre coins du monde tant le succès de cette cuvée est mondial, est inspiré de Bacchus, dieu romain du vin, autrefois appelé « fils du Taureau ». **Cépages :** grenache et carignan. **Alc./**13,5%. **torres.es**

☞ *Servir dans les cinq années suivant le millésime, à 16 °C*

Salade de foies de volaille et de cerises noires, pain de viande à la tomate, côtelettes de porc à la niçoise, brochettes de poulet teriyaki ou pizza aux tomates séchées et au fromage de chèvre.

Tempranillo Canforrales 2009

LA MANCHA, BODEGAS CAMPOS REALES, ESPAGNE

12,95 $	SAQ C (10327373)	★★☆ $	Modéré+

Nez plus discret et moins riche que par les millésimes passés. Bouche par contre tout aussi prenante, éclatante et expressive, giclant de tous ses fruits, aux tanins ronds, avec un certain grain, à l'acidité discrète et aux saveurs longues, laissant des traces de framboise, de cerise et de café. Ce qui lui permet à nouveau de confirmer son statut d'excellent rapport qualité-prix, pour quiconque apprécie les rouges au profil Nouveau Monde, comme le sont les vins d'Australie et nombreux vins de l'Espagne moderne. **Cépage :** cencibel (tempranillo). **Alc./**14 %. **bodegascamposreales.com**

☛ *Servir dans les quatre années suivant le millésime, à 17 °C*

« Feuilles de vigne farcies_Mc² » (riz sauvage soufflé, bacon de sanglier, sirop de riz brun/café) (**), flanc de porc « façon bacon » fumé au bois de pommier, mélasse, sauce soya, rhum et clou de girofle (**), pizza aux tomates séchées et à l'origan ou pâtes aux olives noires et au poivre.

Vinha do Monte 2009
VINHO REGIONAL ALENTEJANO, SOGRAPE VINHOS, PORTUGAL

12,95 $	SAQ C (501486)	★★☆ $	Corsé

À nouveau l'un des bons achats chez les rouges de la vieille Europe, offerts sous la barre des treize dollars, par surcroît à base de cépages autochtones, donc singulier et unique comparativement aux cabernets et merlots qui inondent le marché mondial... Quoi qu'il en soit, vous y dénicherez un rouge coloré, aromatique, fin, gourmand, texturé, presque juteux, mais avec fraîcheur, aux saveurs expressives, jouant dans l'univers aromatique des épices douces, des fruits rouges mûrs et de la torréfaction. **Cépages :** aragonez, alicante bouschet. **Alc./**14 %. **sograpevinhos.eu**

☛ *Servir dans les cinq années suivant le millésime, à 17 °C*

Brochette de bœuf sauce au poivre vert, saucisses grillées chipolatas ou boudin noir grillé avec sauté de poivrons rouges épicés.

Corvo 2009
SICILIA, DUCA DI SALAPARUTA, ITALIE

13,40 $	SAQ C (034439)	★★?☆ $	Modéré

Ce classique de la Sicile, qui a connu des heures de gloire dans les années 90, mérite une relecture de la part des amateurs de crus italiens tant l'expressivité aromatique en bouche est engageante et le profil singulier. Il faut dire qu'il provient de deux nobles cépages autochtones, le nero d'avola et le nerello mascalese. Le nez, aromatique et passablement riche, est épuré de tout artifice. La bouche suit avec de la présence, de l'ampleur, de la fraîcheur et de la prise, sans fermeté, aux tanins plutôt fins, avec du grain, et aux saveurs longues, rappelant la grenadine, la fraise et la pivoine. **Cépages :** nero d'avola, nerello mascalese. **Alc./**12,5 %. **vinicorvo.it**

☛ *Servir dans les quatre années suivant le millésime, à 17 °C*

Caponata à la sicilienne (version italienne de la ratatouille niçoise), focaccia au pesto de tomates séchées, pâtes aux saucisses italiennes et à la tomate, pizza au poulet et au pesto de tomates séchées.

Il Brecciarolo 2008   ✓ TOP 30 BAS PRIX
ROSSO PICENO SUPERIORE, VELENOSI, ITALIE

13,55 $	SAQ S* (10542647)	★★☆?☆ $	Modéré+

Ce très réussi et plus qu'abordable rouge des Marches, à base de montepulciano et de sangiovese, signé par l'une des grandes maisons de cette région, s'exprime plus que jamais par un profil enchanteur et fruité, frais et digeste, coulant et soyeux, au corps certes modéré mais aux saveurs longues et éclatantes, jouant dans l'univers aromatique des fleurs et des fruits rouges, ainsi que des épices et de la torréfaction. **Cépages:** sangiovese, montepulciano. **Alc./**13,5%. **velenosivini.com**

☛ *Servir dans les quatre années suivant le millésime, à 17 °C*

Brochettes de poulet et lardons, spaghetti bolognaise épicé, rôti de porc aux épices à steak ou salade de champignons portobellos sautés et de copeaux de parmesan.

Laderas de El Sequé 2009
ALICANTE, BODEGAS Y VINEDOS EL SEQUÉ, ESPAGNE

13,55 $	SAQ S (10359201)	★★☆ $$	Corsé

Pour en avoir fait à quelques reprises un coup de cœur de *La Sélection Chartier*, ce cru d'Alicante se montre toujours aussi engageant, complet, passablement riche, généreux et d'une bonne allonge, spécialement pour le prix demandé. Le plus beau, c'est qu'avec le temps, après une ou deux années de bouteille, il gagne en définition et en expressivité. Sachez que le domaine Laderas de Pinoso, appartenant à la célébrissime maison Artadi, est l'un des spécialistes du cépage monastrell, qui compose ce cru à 70% (complété par un assemblage de syrah et de cabernet sauvignon). Après l'avoir oxygéné en carafe 15 minutes, servez-lui un sauté de bœuf au gingembre accompagné de betteraves rouges sautées à la poêle, avec notre émulsion «Mister Maillard», une vinaigrette sans vinaigre pour amateur de vin rouge. **Cépage:** monastrell. **Alc./**14%. **artadi.com/uk**

☛ *Servir dans les quatre années suivant le millésime, à 17 °C*

Sauté de bœuf au gingembre et betteraves rouges sautées à la poêle à l'émulsion «Mister Maillard» (voir recette d'émulsion «Mister Maillard» sur **papillesetmolecules.com**).

Clos Bagatelle « Cuvée Tradition » 2010
SAINT-CHINIAN, HENRY SIMON, FRANCE

13,60 $	SAQ C (446153)	★★☆ $	Modéré

Cette cuvée du Languedoc est à ranger parmi les rouges qui ont été soulignés le plus souvent au fil des seize éditions de *La Sélection*, l'excellent rapport qualité-prix étant, bon an mal an, presque toujours au rendez-vous. Voyez par vous-mêmes avec ce très réussi 2010, au nez on ne peut plus languedocien, où s'expriment garrigue, fruits rouges et olives noires, à la bouche d'un charme juvénile immédiat, caressante, d'une bonne plénitude de saveurs pour le rang, aux tanins souples et au corps texturé. Digeste et plaisant. **Cépages:** syrah, grenache, carignan, mourvèdre. **Alc./**13%. **closbagatelle.com**

☛ *Servir dans les trois années suivant le millésime, à 16 °C*

Sandwich au rôti de bœuf parfumé au thym frais, brochettes d'agneau aux olives noires «sur brochettes imbibées d'une eau parfumée au thym» (***), filets de bœuf au poivre et patates douces au romarin, mozzarella gratinée «comme une pizza» et sel au clou de girofle (***) ou pâtes en sauce méditerranéenne aux aubergines et à l'ail (avec poivrons, olives noires, câpres, tomates, origan).

Terra di Corsica 2009

CORSE, UNION DE VIGNERONS DE L'ÎLE DE BEAUTÉ, FRANCE

13,75 $	SAQ C (10668186)	★★ $	Corsé

Si vous êtes à la recherche d'un rouge un brin sauvage, marqué par la garrigue du Midi, et offert à prix doux, alors faites-vous les dents sur ce Terra di Corsica à la peau tannée par le soleil brûlant de l'Île de Beauté. Un cru au nez aromatique et complexe, où s'entremêlent des notes de violette, de gibier, de menthe, de girofle et de moka, à la bouche tannique, aux tanins fermes et tissés serrés, qui s'agrippent sur vos dents, sans trop, à l'acidité fraîche et aux courbes généreuses, laissant des traces de confiture de fruits noirs et de torréfaction. **Cépages :** nielluccio et syrah. **Alc./**12,5 %. **scauvib.fr**

☞ *Servir dans les trois années suivant le millésime, à 17 °C et oxygéné en carafe fortement 15 minutes*

Filets de bœuf au café noir (*), gigot d'agneau au romarin (**) ou mozzarella gratinée « comme une pizza » et sel au clou de girofle (***).

El Miracle 2009 ✓ TOP 30 BAS PRIX

ALICANTE, VICENTE GANDIA, ESPAGNE

13,80 $	SAQ C (11184941)	★★☆ $	Corsé

Un 2009 réussi avec brio pour cette cave, de la zone d'appellation Alicante, issu de monastrell de culture biologique. Un rouge engageant et débordant de saveurs, au nez riche et expressif, marqué par une tonalité fortement poivrée, à la bouche juteuse, pleine et fraîche, sans lourdeur, mais bien en chair et généreuse, aux saveurs de mûre, de framboise, de poivre et de torréfaction. Un excellent achat pour le prix demandé, si vous êtes amateur de crus européens au profil solaire Nouveau Monde. **Cépage :** monastrell. **Alc./**13,5 %. **vicentegandia.com**

☞ *Servir dans les trois années suivant le millésime, à 17 °C*

Sushis_Mc² « pour amateur de vin rouge » (voir recette sur **papillesetmolecules.com**), rôti de porc aux épices à steak, cuisses de poulet grillées au pesto de tomates séchées, couscous aux merguez, *mix grill* de légumes au romarin ou pâté chinois aux lentilles.

Château Roubia 2007

MINERVOIS, FAMILLE GROTTI MESTRE, FRANCE *(RETOUR SEPT./OCT. 2011)*

13,95 $	SAQ S (912816)	★★☆ $	Modéré+	BIO

Certifié par Nature & Progrès, ce rouge, né de raisins provenant de la culture biologique, représente à nouveau l'une des belles aubaines du Languedoc chez les crus offerts sous la barre des quinze dollars. Tout y est. Couleur franche. Nez très aromatique, étonnamment riche pour son rang, détaillant des notes de fruits rouges mûrs, d'épices douces et de fleurs rouges. Bouche gorgée de saveurs, et éclatante, sans être lourde ni ferme, plutôt ample et texturée, fraîche et persistante. Comme je l'ai déjà écrit par le passé, pureté, précision et éclat de fraîcheur, voilà à quoi riment les vins issus de la culture bio lorsqu'ils sont vinifiés avec soin. **Cépages :** carignan, syrah, mourvèdre, grenache. **Alc./**13 %.

☞ *Servir dans les sept années suivant le millésime, à 17 °C*

Salade de tomates, bocconcini, basilic thaï et vinaigrette au clou de girofle (***), poulet grillé au pesto de tomates séchées ou côtes de porc grillées sauce teriyaki.

Domaine de Sérame Réserve 2009

PAYS D'OC, CHÂTEAU DE SÉRAME, FRANCE

13,95 $	SAQ C (11315032)	★★☆ $	Modéré+

Comme toujours pour les vins de ce château, sous la houlette de la grande maison bordelaise Dourthe, un excellent rapport qualité-prix, qui, en plus, est offert dans tout le réseau de la SAQ. D'un rouge profond grenat intense. Aromatique, fin et charmeur, aux parfums de puissance modérée, exhalant des notes complexes de mûre, de cassis, de lys, de poivre et de violette. Quel nez enjôleur! La bouche suit avec des tanins coulants, une acidité juste fraîche et une texture à la fois détendue et presque enveloppante. Terminant sur une allonge bien soutenue, égrainant des saveurs relevées de réglisse, d'olive noire et de muscade. Très beau vin prêt à boire. **Cépages:** syrah et cabernet sauvignon. **Alc./**13%. **chateaudeserame.com**

☛ *Servir dans les quatre années suivant le millésime, à 17°C*

Sushis_Mc² «pour amateur de vin rouge» (voir sur **papillesetmolecules.com**), brochettes d'agneau aux olives noires «sur brochettes imbibées d'une eau parfumée au thym» (***) ou brochettes de bœuf sur brochettes de bambou imbibées à l'anis étoilé (voir Brochettes de bambou imbibées à l'anis étoilé «pour cubes de bœuf») (***).

La Ciboise 2009   ✓ TOP 30 BAS PRIX

LUBERON, M. CHAPOUTIER, FRANCE

14,15 $	SAQ C (11374382)	★★☆?☆ $	Modéré+	BIO

■ NOUVEAUTÉ! Ce nouveau produit, que j'avais commenté en primeur dans *La Sélection 2011*, après avoir dégusté un échantillon reçu du domaine en août 2010, se montrait toujours aussi engageant et débordant lors de son arrivée à la SAQ en 2011. Cet assemblage grenache et syrah, de la nouvelle appellation d'origine Luberon, se veut donc expressif, au fruité mûr et débordant, sans trop, à la bouche généreuse, dodue et tonique, aux tanins mûrs, presque enveloppés, mais avec du grain, aux saveurs longues et précises, rappelant les fruits noirs, le poivre et la violette, avec de nouvelles tonalités de framboise, de mûre, de muscade et de truffe. Mérite le coup de cœur annoncé dans la précédente édition. **Cépages:** grenache, syrah. **Alc./**14,5%. **chapoutier.com**

☛ *Servir dans les quatre années suivant le millésime, à 17°C*

Tartinade de pommade d'olives noires à l'eau de poivre (***), bonbons de framboise et algue nori (***), sushis_Mc² «pour amateurs de vin rouge» (voir recette sur **papilles etmolecules.com**) ou brochettes d'agneau aux olives noires sur brochettes parfumées au thym (***).

Les Traverses 2009   ✓ TOP 30 BAS PRIX

CÔTES-DU-VENTOUX, PAUL JABOULET AÎNÉ, FRANCE

14,20 $	SAQ C (543934)	★★★ $$	Modéré+

Un Ventoux bien charpenté, à l'alcool plutôt bien intégré et à un prix plus que doux. Robe rouge profonde et violine. Nez très aromatique, passablement riche et complexe, aux notes de cuir, de mûre, d'olive noire, de violette et de lys. Quel nez envoûtant pour son rang! Bouche tannique, aux tanins à la fois fins et tissés serrés, d'une texture détendue et ample, d'une acidité fraîche, presque saisissante. Longue finale aux saveurs plus confites, épicées et cacaotées. Un régal. **Cépages:** grenache et syrah. **Alc./**13%. **jaboulet.com**

☛ *Servir dans les cinq années suivant le millésime, à 17°C*

🍴 Pommade d'olives noires à l'eau de poivre (***) dans hamburgers de bœuf ou pâté chinois revu et magnifié « pour vin rouge » (***).

Ludovicus 2009
✓ TOP 100 CHARTIER

TERRA ALTA, CELLER PIÑOL, ESPAGNE

14,30 $	SAQ S (11096909)	★★★ $$	Corsé

Après deux millésimes consécutifs réussis avec brio, et commentés dans les deux précédentes *Sélection*, ce 2009 confirme l'adage jamais deux sans trois! Il y a à boire et à manger à prix plus que doux. Couleur soutenue. Nez explosif, riche et complexe, exhalant des notes de fruits noirs, de girofle et de fumée. Bouche joufflue, pleine et sphérique, avec du coffre et de la présence, aux tanins jeunes, mais enveloppés, aux saveurs longues et au boisé modéré. C'est le « petit Ludo », l'un des quatre enfants de mon complice, le chef Stéphane Modat, qui va être ému de voir son nom catalan sur une bouteille! Démontre une fois de plus l'exceptionnel rapport qualité-prix des crus catalans, tout comme ceux d'Espagne. **Cépages :** 35 % garnacha, 30 % tempranillo, 25 % syrah, 10 % cabernet sauvignon. **Alc./**14,5 %. **cellerpinol.es**

☛ *Servir dans les six années suivant le millésime, à 17 °C*

🍴 Rôti de palette « comme un chili de Cincinnati » (***), filet de porc en souvlaki (***), brochettes d'agneau au thym ou côtes levées à la cannelle et au curry de vin rouge.

Clos La Coutale 2009
✓ TOP 30 BAS PRIX

CAHORS, V. BERNÈDE ET FILS, FRANCE

14,35 $	SAQ C (857177)	★★☆?☆ $$	Modéré+

Toujours aussi beau, plein et sur les fruits rouges, aux tanins soyeux à souhait, mais avec un grain juvénile, aux saveurs longues et précises, avec un éclat certain. Plus que jamais un excellent rapport qualité-prix chez les produits courants, La Coutale devient même un *must* chez les cahors offerts sous la barre des vingt dollars. Depuis l'édition 2007 de ce guide, je reconnais avoir un faible pour ce cahors qui, millésime après millésime, se montre d'une régularité sans faille, comme cette fois-ci, faisant de lui un rouge à acheter, bon an mal an les yeux fermés. **Cépages :** 80 % malbec, 20 % merlot. **Alc./**13,4 %. **closlacoutale.com**

☛ *Servir dans les huit années suivant le millésime, à 17 °C et oxygéné en carafe rapidement 15 minutes*

🍴 Hamburgers d'agneau et pâte concentrée de poivrons verts à la menthe (voir recette de Pâte concentrée de poivrons verts à la menthe sur **papillesetmolecules.com**), foie de veau en sauce à l'estragon ou bœuf à la bière (***) ou « feuilles de vigne farcies_Mc² » (riz sauvage soufflé, bacon de sanglier, sirop de riz brun/café) (**).

Perdera Argiolas 2009

MONICA DI SARDEGNA, ARGIOLAS, ITALIE

14,55 $	SAQ S (424291)	★★☆?☆ $$	Modéré+

Nez ultra-poivré, et aussi marqué par des tonalités d'olive noire et de garrigue. Bouche à la fois fraîche et aérienne, expressive et élégante, aux tanins fins, à l'acidité juste et fraîche, au corps modéré et digeste, ainsi qu'aux saveurs longues, terminant sur des notes de zestes d'orange et de cerise. Il est composé de l'original et rarissime cépage monica. Amusez-vous à table avec les aliments complémentaires au poivre, comme le sont l'olive noire, l'orange, le romarin, le thé, le café, le safran, le girofle et l'agneau. **Cépage :** monica. **Alc./**13,5 %. **cantine-argiolas.it**

☛ *Servir dans les cinq années suivant le millésime, à 16 °C*

Pommade d'olives noires à l'eau de poivre (***) en farce d'hamburger d'agneau haché, «purée_Mc²» pour amateur de vin au céleri-rave et clou de girofle (**), steak de saumon au café noir et au cinq-épices chinois (*), gigot d'agneau à l'ail et au romarin ou côtes levées à l'ail et au romarin.

Sciaranèra «Corvo» 2010
SICILIA, DUCA DI SALAPARUTA, ITALIE *(DISP. AUTOMNE 2011)*

14,55 $	SAQ S (10967725)	★★☆?☆ $	Modéré+

Un petit air «aromatique» avec la cuvée classique Corvo (aussi commentée), mais en plus expressif et en plus riche. Il faut savoir qu'il est à dominance de nero d'avola, ce qui explique, en partie, cette supériorité sur son frangin. Du fruit à profusion, sur des notes de pomme grenade et de cerise au marasquin, à la bouche presque juteuse, mais fraîche, ample, mais élancée, aux tanins fins, qui ont du grain, et à l'acidité fraîche. Un italien d'une fraîcheur nordique, ce qui le rend très digeste. **Cépages :** 90 % nero d'avola, 10 % frappato. **Alc./**12,5 %. **vinicorvo.it**

☛ *Servir dans les six années suivant le millésime, à 17 °C*

Endives braisées aux cerises et kirsch (***), feuilleté aux olives noires (***) ou lapin au vin rouge «sans vin rouge» (***), casserole de poulet à la pancetta et carottes ou côtes de veau au vin rouge et polenta au parmigiano.

Juan Gil «Monastrell» 2010
JUMILLA, BODEGAS JUAN GIL, ESPAGNE

14,60 $	SAQ S (10858086)	★★☆?☆ $$	Modéré+

Avec les vins généreusement fruités et dodus qu'il engendre, le monastrell permet à l'Espagne de rivaliser avec brio sur la scène internationale contre les vins à prix doux du Nouveau Monde. C'est ce que fait cette maison, car, comme à chaque millésime mis en marché depuis le 2006, ce plus qu'abordable monastrell, petit frère de la cuvée Juan Gil, se montre toujours gourmand et expressif à souhait. Ce qu'il signe à nouveau avec un 2010 tout en complexité (cuir, poivre, cassis, café, réglisse), en chair et en plaisir à boire, même si les tanins se montrent un brin plus fermes qu'en 2009, mais avec assez de moelleux pour envelopper le tout. **Cépage :** monastrell. **Alc./**14,5 %. **juangil.es**

☛ *Servir dans les cinq années suivant le millésime, à 17 °C*

Chili de Cincinnati (***), foie de veau et confit de betteraves et d'oignons rouges au vinaigre balsamique, carré de porc sauce chocolat épicée *mole poblano* ou «feuilles de vigne farcies_Mc²» (riz sauvage soufflé, bacon de sanglier, sirop de riz brun/café) (**).

Borsao Crianza 2008
✓ TOP 30 BAS PRIX

CAMPO DE BORJA, BODEGAS BORSAO, ESPAGNE *(DISP. AUTOMNE 2011)*

14,65 $	SAQ C (10463631)	★★☆?☆ $$	Modéré+

Dégusté en primeur, en juin 2011, d'un échantillon du domaine, ce futur 2008, qui prendra la relève du 2007 (aussi commenté) au cours de l'automne 2011, se montre plus aromatique, plus engageant, plus prenant et plus gourmand que jamais! Cette *bodega* est passée maître dans l'art de présenter des rouges d'une complexité immédiate et d'une texture d'une bonne épaisseur veloutée pour le prix demandé. Café, fumée, poivre, girofle et fruits noirs se donnent la réplique en bouche avec autant d'aplomb qu'au nez. Un 2008 qui positionnera une fois de plus ce sympathique rouge comme l'une des références espagnoles du répertoire général de la SAQ. Je me suis même retenu pour ne pas lui décerner trois étoiles! **Cépages:** grenache, tempranillo, cabernet sauvignon. **Alc./**14,5%. **bodegasborsao.com**

☛ *Servir dans les cinq années suivant le millésime, à 17°C*

Rôti de palette «comme un chili de Cincinnati» (***), hamburgers d'agneau à la pommade d'olives noires, ragoût de bœuf à la bière, daube d'agneau au vin et à l'orange ou fromage à croûte fleurie grillé dans une feuille de brick parfumée au thym.

Château Puy-Landry 2009 ✓ TOP 30 BAS PRIX
CÔTES-DE-CASTILLON, RÉGIS ET SÉBASTIEN MORO, FRANCE

| 14,65 $ | SAQ S* (852129) | ★★☆?☆ $$ | Modéré+ | BIO |

Un 2009 qui signe à nouveau le profil classique et charmeur de cette référence à prix plus que doux chez les crus bordelais offerts à la grandeur du réseau de la SAQ. On y retrouve l'élégance aromatique qui a fait son charme dans les précédents millésimes, encensés dans quelques éditions de *La Sélection*, s'exprimant par un nez à la fois élégant et expressif, laissant dégager des notes de rose, de cassis, de framboise et de poivre blanc, dévoilant une bouche sensuelle, aux tanins soyeux, marqués par une certaine fermeté juvénile, à l'acidité fraîche et aux saveurs toujours aussi longues pour son rang. Il faut savoir que la famille Moro élabore aussi les très bons Vieux Château Champs de Mars et Château Pelan Bellevue, tous deux aussi d'excellents rapports qualité-prix. **Cépages:** 80% merlot, 10% cabernet franc, 10% cabernet sauvignon. **Alc./**13%.

☛ *Servir dans les six années suivant le millésime, à 17°C et oxygéné en carafe 15 minutes*

Sablés au parmesan et au café (***), brochettes de foie de veau et de poivrons rouges, cubes de bœuf en sauce (***) ou poitrines de poulet farcies au chèvre et aux poivrons rouges.

Terre à Terre 2009 ✓ TOP 30 BAS PRIX
VIN DE PAYS DE L'AUDE, JEAN-NOËL BOUSQUET, FRANCE

| 14,65 $ | SAQ C (11374391) | ★★☆?☆ $$ | Modéré+ |

■ NOUVEAUTÉ! Ixième réussite signée Jean-Noël Bousquet, au fruité débordant, marquée par des notes torréfiées subtiles, à la bouche ample et ronde, fraîche et longue, aux tanins soyeux et aux saveurs gourmandes de fruits rouges, de café, d'olive noire et d'épices douces. Donc, un superbe rapport qualité-prix de plus à se mettre sous la dent. **Cépages:** 60% syrah, 20% carignan, 20% grenache. **Alc./**13,8%. **chateau-grand-moulin.com**

☛ *Servir dans les cinq années suivant le millésime, à 17°C*

Pâtes aux olives noires (***), bonbons de framboise et algue nori (***) ou tartinade de pommade d'olives noires à l'eau de poivre (***), bœuf braisé au jus de carotte ou lasagne aux saucisses italiennes épicées.

Blés Crianza 2008 ✓ TOP 30 BAS PRIX

VALENCIA, DOMINO DE ARANLEÓN, ESPAGNE

| 14,75 $ | SAQ C (10856427) | ★★★ $$ | | Corsé | BIO |

Coup de cœur des deux précédentes éditions de ce guide, ce cru issu de raisin d'agriculture biologique certifié, provenant de la région de Valence, récidive avec un troisième millésime consécutif à ranger parmi les meilleurs rapports qualité-prix espagnols. Il se montre une fois de plus étonnamment étoffé et gourmand pour son prix, dévoilant une texture d'une certaine épaisseur veloutée, aux tanins fins, avec un grain juvénile, qui se fondra à compter de 2012, aux saveurs éclatantes, rappelant les fruits noirs très mûrs, le poivre et le café. Une ixième réussite qui démontre la place de l'Espagne au sommet des pays producteurs d'innombrables rapports qualité-prix. **Cépages :** 40 % tempranillo, 30 % monastrell, 30 % cabernet sauvignon. **Alc./**14 %. **aranleon.com**

☛ *Servir dans les six années suivant le millésime, à 17 °C*

Rôti de palette « comme un chili de Cincinnati » (***), « feuilles de vigne farcies_Mc^2 » (riz sauvage soufflé, bacon de sanglier, sirop de riz brun/café) (**), ragoût de bœuf épicé à l'indienne ou foie de veau et jus au café expresso (voir Carré d'agneau et jus au café expresso (*).

Luzon Organic 2008

JUMILLA, BODEGAS LUZÓN, ESPAGNE *(RETOUR SEPT./OCT. 2011)*

| 14,75 $ | SAQ S (10985780) | ★★☆ $$ | | Modéré+ | BIO |

Un autre millésime réussi avec brio pour cet excellent domaine de la zone d'appellation Jumilla, nouvel Eldorado espagnol en matière de percutants rouges à prix doux. Vous vous sustenterez plus que jamais d'un vin, issu de raisins de culture biologique, richement parfumé mais avec finesse, au corps modéré mais aux saveurs pleines et expressives (mûre, vanille, poivre, café), aux tanins de jeune premier, donc qui ont une certaine prise, mais au grain fin et à l'acidité juste fraîche, même si elle laisse toute la place à l'enveloppe charnelle. Toujours aussi digeste, comme l'était le 2007, coup de cœur de l'édition 2010. **Cépage :** monastrell. **Alc./**13,5 %. **bodegasluzon.com**

☛ *Servir dans les cinq années suivant le millésime, 16 °C*

Sushis_Mc^2 « pour amateur de vin rouge » (voir recette sur **papillesetmolecules.com**), rôti de porc aux épices à steak, cuisses de poulet grillées au pesto de tomates séchées, couscous aux merguez, *mix grill* de légumes au romarin ou pâté chinois aux lentilles.

Castillo de Monséran « Old Vine » 2007

CARIÑENA, BODEGAS SAN VALERO, ESPAGNE

| 14,80 $ | SAQ S* (10898723) | ★★☆?☆ $$ | | Modéré+ |

Servez vos viandes accompagnées d'une purée de légumes-racines automnaux rehaussés de clous de girofle, tout comme d'anis étoilé. Ces deux épices, peu importe d'ailleurs le plat que vous en ferez, feront le pont harmonique dans la réussite de l'accord avec ce grand frère du Castillo de Monséran (aussi commenté), succès commercial des dix dernières années chez les vins offerts sous la barre des dix dollars. Cette version à base de vieilles vignes se montre tout aussi engageante que par les millésimes passés, à la fois boisée et poivrée, à la bouche presque joufflue, mais plus ramassée et plus dense que son frangin, aussi pleine et enveloppante, non dénuée de fraîcheur, aux tanins présents mais mûrs. Cassis, poivre,

café et clou de girofle signent une assez longue fin de bouche.
Cépage: garnacha. **Alc./**13%. **sanvalero.com**

☛ *Servir dans les six années suivant le millésime, à 17 °C*

Rôti de palette «comme un chili de Cincinnati» (***),
purée de navets au clou de girofle (voir recette sur
papillesetmolecules.com), brochettes de bœuf au café noir (voir
Filets de bœuf au café noir) (*), rôti de porc aux épices à steak ou
côtes levées sauce teriyaki.

Grands Terroirs Dourthe 2009
CÔTES-DE-BORDEAUX, DOURTHE, FRANCE

15,05 $	SAQ C (11133280)	★★☆ $$	Modéré+

Voilà un savoureux merlot des Côtes-de-Bordeaux à se mettre sous
la dent à prix doux. D'un rouge cerise profond, au pourtour violacé.
D'un nez aromatique, élégant et fin, aux discrets effluves, qui
déploie des notes classiques de sous-bois et de framboise. D'une
bouche aux tanins fins et assez souples, à l'acidité fraîche, à la texture dense qui remplit bien la bouche, égrainant des saveurs passablement persistantes de mûre, de cassis et de violette. Harmonie
d'ensemble et plaisir garantis. **Cépages:** 90% merlot et 10% cabernet sauvignon. **Alc./**12,5%. **dourthe.com**

☛ *Servir dans les cinq années suivant le millésime, à 17 °C*

Brochettes de bœuf et poivrons verts et rouges marinés à
l'huile de sésame (***), filet de saumon grillé sauce au vin
rouge (voir Filet de saumon au pinot noir) (*), pétoncles poêlés
enrubannés d'algues nori et réduction de jus de veau et framboises
ou sauté de bœuf aux lanières de poivrons rouges et verts.

Autrement 2009
COTEAUX-DU-LANGUEDOC, GÉRARD BERTRAND, FRANCE *(DISP. DÉBUT 2012)*

15,15 $	SAQ S (11200972)	★★☆?☆ $$	Modéré+	BIO

Dégusté en primeur, avant son arrivée à la SAQ, prévue au cours de
l'automne 2011, ce 2009 languedocien né de raisins de culture biologique se montre des plus aromatiques et riches au nez, marqué par
des parfums poivrés et fruités, à la bouche à la fois ample et fraîche,
pleine et soutenue, aux tanins fins et aux saveurs d'une bonne
allonge, laissant des traces de poivre, de thym, d'olive noire et de
fruits rouges. Le cru sur mesure pour les grillades à base
d'agneau, ce dernier étant sur la même piste aromatique que le
thym, le poivre et l'olive noire. **Alc./**13%. **gerard-bertrand.com**

☛ *Servir dans les cinq années suivant le millésime, à 17 °C*

Brochettes d'agneau aux olives noires «sur brochettes
imbibées d'une eau parfumée au thym» (***), fettucine
all'amatriciana «à ma façon» (*) ou tranches d'épaule d'agneau
grillées aux épices à steak réinventées pour donner de la longueur
aux vins (***).

Prado Rey 2009
✓ TOP 30 BAS PRIX
RIBERA DEL DUERO, REAL SITIO DE VENTOSILLA, ESPAGNE *(DISP. AUTOMNE 2011)*

15,15 $	SAQ S* (585596)	★★☆ $$	Modéré

Aussi disponible en format 500 ml, ce classique des rouges de la
Ribera offerts au Québec à prix doux se montre plus pur et plus frais
que jamais dans ce millésime 2009, dégusté en primeur en juin 2011
et attendu au cours de l'automne de la même année. Les précédents
millésimes étaient plus torréfiés. Ici, que du fruit et de la fraîcheur

dans le propos. Tanins extrafins, acidité juste fraîche, corps modéré, mais bien senti, et saveurs longues, rappelant la fraise et la violette. Parfait pour ceux qui sont las de certains rouges espagnols au boisé à la sauce Nouveau Monde. **Cépages:** 95% tempranillo, 3% cabernet sauvignon, 2% merlot. **Alc./**14,5%. **pradorey.com**

☛ *Servir dans les quatre années suivant le millésime, à 16°C*

Pâté chinois revu et magnifié «pour vin rouge» (***), brochettes de poulet aux champignons portobellos, foie de veau en sauce à l'estragon ou pesto de tomates séchées (***) pour bruschetta ou pâtes.

Domaine La Croix d'Aline 2009
SAINT-CHINIAN, MICHEL GLEIZES, FRANCE

15,45 $	SAQ S* (896308)	★★☆ $$	Modéré

Depuis le millésime 2007, ce saint-chinian atteint des sommets inégalés pour cet abordable cru, ce qu'il poursuit avec ce 2009. Vous y retrouverez une syrah, provenant d'un terroir de schistes purs, toujours aussi richement parfumée et fraîche, d'une belle complexité pour le rang (framboise, violette, poivre, muscade), à la bouche à la fois fraîche et coulante, tendue et enveloppée, aux longues saveurs jouant dans l'univers du girofle et du thym. Plus que jamais à ranger parmi les réguliers en matière de rouges languedociens offerts sous la barre des seize dollars. **Cépages:** 60% syrah, 40% grenache. **Alc./**14%.

☛ *Servir dans les cinq années suivant le millésime, à 17°C*

Pommade d'olives noires à l'eau de poivre (***) pour hamburger d'agneau, mozzarella gratinée «comme une pizza» et sel au clou de girofle (***), brochettes de boulettes d'agneau haché à la menthe ou tranches d'épaule d'agneau aux herbes de Provence.

Conde de Valdemar «Crianza» 2006
RIOJA, BODEGAS VALDEMAR-MARTINEZ BUJANDA, ESPAGNE

15,55 $	SAQ S* (897330)	★★☆?☆ $$	Modéré+

Fidèle au style maison, au boisé à la fois soutenu, sans trop, au fruité ultra-mûr (cerise noire, confiture de framboises, café, vanille) et aux tanins ronds, ce 2006 de cette cuvée «Crianza» se montre tout aussi engageant et satisfaisant qu'en 2005, mais avec un soupçon de fraîcheur digeste. Un rouge charmeur, presque pulpeux, aux tanins fins et bien arrondis par un judicieux et court élevage en barriques américaines et françaises, au corps modéré et aux saveurs qui ont de l'éclat, terminant leur course sur des notes torréfiées de café et de cacao. **Cépages:** 85% tempranillo, 10% mazuela, 5% graciano. **Alc./**13,5%. **valdemar.es**

☛ *Servir dans les huit années suivant le millésime, à 17°C*

Purée de rutabaga à l'anis étoilé (voir sur **papillesetmolecules .com**), *pop-corn* «au goût de bacon et cacao» (***), quiche de pain perdu aux asperges grillées «pour vins rouges» (***), «purée_Mc^2» pour amateur de vin au céleri-rave et clou de girofle (**), brochettes de bœuf sur brochettes de bambou imbibées au clou de girofle (voir Brochettes de bambou imbibées au clou de girofle «pour grillades de viande rouge») (***) ou fettucine all'amatriciana «à ma façon» (*).

Honoro Vera Garnacha 2009

CALATAYUD, BODEGAS ATECA, JORGE ORDOÑEZ, ESPAGNE *(DISP. OCT. 2011)*

15,75 $	SAQ C (11462382) ★★★ $$	Corsé

■ NOUVEAUTÉ! Une nouveauté, attendue au cours du mois d'octobre 2011, qui sera disponible en produit courant, à travers l'ensemble du réseau de la SAQ, et que j'ai eu le privilège de déguster en primeur à deux reprises, en mai et en juin 2011. Ce cru, de la Catalogne, à base de garnacha, donc de grenache, est signé par la réputée famille Gil, dont les vins sont très cotés au Québec. C'est en fait le petit frère du Atteca (aussi commenté), excellent rapport qualité-prix, élaboré par le puissant Jorge Ordoñez, propriétaire de Oro wines, l'homme qui a mis l'Espagne sur la mappe aux États-Unis, aussi propriétaire des fameux crus de Jumilla des *bodegas* Il Nido de l'Alto Moncayo, de l'appellation Campo de Borja. Il a décidé de vendre cette cuvée Honoro Vera, qui portait jusqu'ici le nom de Fuego (d'où les flammes sur l'étiquette...), à la famille Gil. Il en résulte un rouge tout en fruits et en épices, gourmand, presque dodu, rond, mais avec une certaine prise, velouté, éclatant et très long. Quel fruit en bouche pour son rang! Un vin de plaisir certes, mais qui offre aussi à boire et à manger, sans tomber dans la lourdeur solaire. Bravo. Il faut dire que ce cru a été sélectionné par l'agence LesVinsHorizon.com, qui sélectionne presque toujours de superbes rapports qualité-prix, dont les vins d'Alvaro Palacios. **Cépage:** garnacha. **Alc./**14,5%. orowines.com

☛ *Servir dans les cinq années suivant le millésime, à 17 °C*

Rôti de palette «comme un chili de Cincinnati» (***), tourtière de la Beauce et betteraves sautées à l'émulsion «Mister Maillard» (voir recette de l'émulsion «Mister Maillard» sur **papillesetmolecules.com**), cubes de bœuf en sauce (***) ou viande rouge rôtie à l'*outside cut* fortement torréfiée et purée de topinambour parfumée de café et/ou d'anis étoilé.

Château Lamarche 2009   ✓ TOP 100 CHARTIER

BORDEAUX-SUPÉRIEUR, ÉRIC JULIEN, FRANCE
(DISP. AOÛT 2011 ET RETOUR OCT./NOV. 2011)

15,90 $	SAQ S (10862991) ★★★ $$	Modéré+

Coup de cœur des deux précédentes *Sélection Chartier*, cet excellent domaine, qui élabore aussi le délicieux canon-fronsac Château Lamarche Canon (aussi salué dans ce guide), décroche un tour du chapeau avec ce délectable 2009 – qui, au moment de mettre sous presse, était attendu à la SAQ, et devait faire l'objet d'un second arrivage plus tard au cours de l'automne 2011. Le nez est d'un charme immédiat, à la fois fruité et crayeux, où s'expriment des notes fraîches de fraise, de framboise, de poivron et de champignon de Paris. La bouche suit avec des tanins plus tendres que jamais, un corps détendu, laissant toute la place aux courbes sensuelles et aux tanins ultrafins, sans oublier les longues saveurs. Dommage qu'il ne soit pas disponible en produit courant, toute l'année, sans rupture de stock... **Cépages:** 70% merlot, 30% cabernet sauvignon. **Alc./**13%.

☛ *Servir dans les cinq années suivant le millésime, à 17 °C*

Quiche de pain perdu aux asperges grillées «pour vins rouges» (***), pâte concentrée de poivrons rouges rôtis (voir sur **papillesetmolecules.com**) pour foie de veau, purée de panais au basilic thaï (voir sur **papillesetmolecules.com**) pour filet de bœuf grillé ou pétoncles poêlés, couscous de noix du Brésil à l'orange sanguine, lait de coco au gingembre (**).

Merlot Atrium 2009

PENEDÈS, MIGUEL TORRES, ESPAGNE

15,95 $	SAQ C (640201)	★★☆ $$	Modéré+

À nouveau une cuvée de l'excellente maison Torrès se situant à mille lieues des trop souvent flasques et dodus merlots du Nouveau Monde. Donc, cet espagnol se montre on ne peut plus européen avec son profil plein, élancé et passablement nourri pour son rang. Ampleur et rondeur sont certes au rendez-vous, mais avec tenue et fraîcheur. Fruits noirs et café signent une longue fin de bouche un brin crémeuse. Charmeur et expressif à souhait. **Cépage :** merlot. **Alc./**14 %. **torreswines.com**

☛ *Servir dans les cinq années suivant le millésime, à 17 °C*

Sablés au parmesan et au café (***), cubes de bœuf en sauce (***), «feuilles de vigne farcies_Mc² » (riz sauvage soufflé, bacon de sanglier, sirop de riz brun/café) (**), pétoncles poêlés, couscous de noix du Brésil à l'orange sanguine, lait de coco au gingembre (**) ou asperges vertes rôties, enrobées de chocolat noir (infusé au thé fumé Zheng Shan Xiao Zhong, fleur de sel au café) (**).

Tempranillo Albet i Noya 2009

PENEDÈS, ALBET I NOYA, ESPAGNE *(RETOUR SEPT./OCT. 2011)*

15,95 $	SAQ S (10985801)	★★☆ $$	Modéré+	BIO

Un vin bio remarquable par sa pureté d'expression. D'un rouge clair grenat au disque légèrement violacé. D'un nez aromatique, fin et charmeur, aux effluves modérés, exhalant des notes de cerise et de cacao. D'une bouche souple, à l'acidité fraîche et aux tanins fins et fondus, à la texture ample, sans trop, aux saveurs expressives de café, de réglisse, de chocolat noir et d'épices douces. Malgré ses 14 % en alcool, il se montre plutôt harmonieux et même digeste. Il faut dire que ce domaine est reconnu comme l'un des leaders espagnols de l'agriculture biologique. **Cépages :** tempranillo (et petite quantité de syrah). **Alc./**14 %. **albetinoya.com**

☛ *Servir dans les cinq années suivant le millésime, à 18 °C*

Brochettes de bœuf au café noir (voir Filets de bœuf au café noir) (*), boudin noir et poivrons rouges confits ou fettucine all'amatriciana «à ma façon» (*).

Vitiano 2009

✓ TOP 100 CHARTIER

ROSSO UMBRIA, FALESCO MONTEFIASCONE, ITALIE

15,95 $	SAQ C (466029)	★★★ $$	Corsé

Comme toujours pour ce cru à acheter bon an mal an les yeux fermés, il se montre aromatique et passablement riche pour son rang, au nez complexe de café, de cacao, de prune et d'épices douces, à la bouche presque juteuse, mais avec le grain classique des vins italiens, la fraîcheur de la péninsule et la prestance que seuls les crus de cette maison connaissent. Finale de café espresso. Que demander de plus! Coup de cœur dans de multiples millésimes, soulignés dans la presque totalité des *Sélection Chartier*, sauf pour le millésime 2006, Vitiano représente l'une des aubaines les plus régulières du marché québécois. Enfin, comme la cannelle, l'anis étoilé, le poivre, le basilic, le thé et le clou de girofle sont à ranger parmi les aliments complémentaires à la prune, l'une de ses signatures aromatiques, tout comme le café et le cacao, sélectionnez des recettes où ces aliments dominent. **Cépages :** 34 % sangiovese, 33 % cabernet sauvignon, 33 % merlot. **Alc./**13,5 %. **falesco.it**

☛ *Servir dans les six années suivant le millésime, à 17 °C*

🍴 Hachis Parmentier de canard au quatre-épices, foie de veau sauce au poivre vert et à la cannelle, côtes levées à la cannelle et au curry de vin rouge, filets de bœuf au café noir (*) ou asperges vertes rôties, enrobées de chocolat noir (infusé au thé fumé Zheng Shan Xiao Zhong, fleur de sel au café) (**).

La Vendimia 2010 ✓ TOP 100 CHARTIER
RIOJA, BODEGAS PALACIOS REMONDO, ESPAGNE

| 16 $ | SAQ S* (10360317) ★★★ $$ | Modéré+ |

Alvaro Palacios *ride again*! Ce Vendimia 2010, invitant et débordant de fruit, permettra à ce cru de poursuivre le succès qu'il connaît avec brio. Il faut savoir que le Québec est devenu en 2010 le plus gros importateur au monde de ce vin signé par ce grandissime viticulteur. Cette Vendimia a donc tout pour plaire, comme en 2009 où elle avait été positionnée dans le «Top Ten» du «Top 100 Chartier» anniversaire. Vous y dénicherez cette fois un rouge légèrement plus retenu au nez, mais tout aussi riche et même un brin plus profondément fruité, à la bouche presque dense, pour le style et le niveau, bien ramassée, aux tanins tissés serrés, mais avec un grain plus que fin, à l'acidité discrète, mais juste fraîche, au corps ample, qui gagnera en velouté d'ici le début 2012, égrainant de longues saveurs de cerise noire, de fraise chaude, de noix de coco, de vanille et de girofle. Comme je vous l'écris depuis quelques éditions déjà, ce rouge est l'un des meilleurs rapports qualité-prix d'Espagne, tous vins confondus. À table, en prenant en compte les données communiquées dans mon livre *Papilles et Molécules*, osez cuisiner une recette où dominera soit l'un de ces ingrédients complémentaires au poivre (genièvre, olive noire, algue nori, thym, agneau, orange, safran), soit l'un des aliments de même famille aromatique que le girofle (asperges rôties à l'huile, basilic thaï, bœuf grillé, café, cinq-épices, fraise, romarin, vanille). **Cépages:** garnacha, tempranillo. **Alc./**14,5 %.

☛ *Servir dans les quatre années suivant le millésime, à 17 °C et oxygéné en carafe fortement 15 minutes*

🍴 Mozzarella gratinée «comme une pizza», viande des Grisons et piment d'Espelette (***), sandwich vietnamien Banh-mi au porc pour syrah (***), brochettes de bœuf grillées sur brochettes de bambou imbibées au clou de girofle (voir Brochettes de bambou imbibées au clou de girofle «pour grillades de viande rouge») (***) ou légumes d'automne rôtis au four pour vins boisés (***).

Château Saint-Antoine 2008
BORDEAUX-SUPÉRIEUR, CHÂTEAU AUBERT, FRANCE

| 16,15 $ | SAQ C (10915263) ★★☆ $$ | Modéré+ |

Difficile d'être plus bordelais que ça! Pureté, précision, fraîcheur, tanins fins, avec du grain, corps modéré et élancé, saveurs sur les fruits rouges, la prune et la mine de crayon, terminant sur une finale ramassée, comme tout bon bordeaux se doit d'être. Une très belle affaire dans ce millésime 2008 pour le prix demandé. **Cépages:** 65 % merlot, 35 % cabernet franc. **Alc./**12,5 %. **aubert-vignobles.com**

☛ *Servir dans les six années suivant le millésime, à 17 °C*

🍴 Brochettes de bœuf et poivrons verts et rouges marinés à l'huile de sésame (***), rôti de bœuf, asperges vertes rôties au four à l'huile d'olive ou hachis Parmentier de canard.

Château Tour Boisée
« Marielle et Frédérique » 2010

MINERVOIS, DOMAINE LA TOUR BOISÉE, FRANCE *(DISP. AUTOMNE 2011)*

16,15 $	SAQ S* (896381)	★★☆?☆ $$	Modéré+

Fruité débordant et expressif à souhait au nez, ampleur des saveurs et finesse des tanins, gourmand et juteux, sans lourdeur, plutôt frais et inspirant, aux longues saveurs de fruits rouges et de cannelle. Difficile de ne pas succomber au charme juvénile de ce ragoûtant et festif 2010. Il poursuit la ligne qualitative instaurée au fil des précédentes années où le rapport qualité-prix était toujours au rendez-vous. Pour en savoir plus sur cette cuvée, n'hésitez pas à rouvrir les précédentes *Sélection Chartier*. **Cépages :** 35 % cinsault, 25 % grenache, 15 % syrah, 15 % carignan (vieilles vignes de 40 à 80 ans), 10 % mourvèdre. **Alc./**13,8 %. **domainelatourboisee.com**

☞ *Servir dans les quatre années suivant le millésime, à 16 °C*

Brochettes d'agneau sur brochettes de bambou imbibées au thym (***), lasagne aux saucisses italiennes épicées, hamburgers de veau à l'italienne (avec oignons rouges, poivrons rouges rôtis et paprika) ou foie de veau accompagné d'un confit de betteraves et d'oignons rouges (avec une pointe de vinaigre balsamique).

Château Cailleteau Bergeron
« Tradition » 2009

PREMIÈRES-CÔTES-DE-BLAYE, DARTIER ET FILS, FRANCE

16,25 $	SAQ S* (10388601)	★★☆?☆ $$	Modéré+

Cette désormais populaire cuvée Tradition de ce château se montre toujours aussi dense, charnue et complète que dans les précédents millésimes commentés dans quelques *Sélection Chartier*. Un merlot plus que jamais subtilement parfumé, aux tonalités à la fois boisées et fruitées, sur les fruits noirs et le girofle, à la bouche à la fois compacte et ample, d'un bon volume, sans excès, tout en chair, plus détendue que ne l'était celle du 2008 (aussi commenté dans le Répertoire), aux longues saveurs fruitées et torréfiées. Le style est par contre maintenant plus Nouveau Monde, à l'image de la cuvée « Élevé en fûts de chêne » du même domaine, mais drôlement avantageux pour le prix demandé. **Cépages :** 90 % merlot, 10 % cabernet sauvignon. **Alc./**14 %. **cailleteau-bergeron.com**

☞ *Servir dans les cinq années suivant le millésime, à 17 °C*

« Feuilles de vigne farcies_Mc² » (riz sauvage soufflé, bacon de sanglier, sirop de riz brun/café) (**), pétoncles poêlés, couscous de noix du Brésil à l'orange sanguine, lait de coco au gingembre (**) ou rôti de bœuf aux champignons.

Domaine Haut Saint Georges 2009

CORBIÈRES, GÉRARD BERTRAND, FRANCE

16,25 $	SAQ S (853796)	★★★ $$	Corsé

À nouveau un très beau corbières, vinifié avec retenue et précision, et réussi avec brio pour une ixième fois, particulièrement pour le prix demandé. La couleur est soutenue, le nez tout aussi engageant et passablement riche et détaillé, exprimant des notes de garrigue, de poivre et d'olive noire. La bouche suit avec ampleur et générosité, mais sans lourdeur ni chaleur, aux tanins presque gras, mais avec un grain fin, à l'acidité discrète et aux saveurs longues et expressives, au fruité débordant. Un excellent rapport qualité-prix, comme tous les crus signés Gérard Bertrand. **Alc./**14 %. **gerard-bertrand.com**

☛ *Servir dans les six années suivant le millésime, à 17 °C*

Brochettes d'agneau à l'ajowan, côtelettes d'agneau marinées au porto et au romarin frais ou hamburgers d'agneau
à la pommade d'olives noires.

Moulin de Gassac « Grenache » 2009
PAYS D'HÉRAULT, LES VIGNERONS DE VILLEVEYRAC, FRANCE

16,35 $ (1 litre)   SAQ **Dépôt** (11469736)   ★★☆?☆ **$$**   Modéré+

■ NOUVEAUTÉ! Un nouveau cru de cette excellente cave, disponible
uniquement dans les cinq SAQ Dépôt du Québec. Et quel nouveau
venu! Du fruit à revendre, en toute fraîcheur et plaisir à boire jusqu'à plus soif, d'autant plus qu'il est offert en format de 1 litre...
Framboise et violette explosent littéralement du verre, les tanins
sont souples et coulants, le corps aérien. Que demandez de plus?
Qu'il soit aussi disponible à la grandeur du réseau des succursales
classiques... **Cépage:** grenache. **Alc./**13,5%. **daumas-gassac.com**

☛ *Servir dans les quatre années suivant le millésime, à 16 °C*

Côtelettes de porc à la niçoise, poulet chasseur, panini au
poulet et aux poivrons rouges grillés, pâtes en sauce méditerranéenne aux aubergines et à l'ail (avec poivrons, olives noires,
câpres, tomates, origan) ou rôti de porc froid.

Château Mourgues du Grès
« Les Galets Rouges » 2009
COSTIÈRES-DE-NÎMES, FRANÇOIS COLLARD, FRANCE

16,40 $ SAQ **S*** (10259753)   ★★☆?☆ **$$**   Modéré

Cette cuvée nîmoise, d'un excellent rapport qualité-prix, nous a
habitués depuis quelques millésimes à un rouge plus qu'engageant
et satisfaisant. Et c'est ce quelle propose à nouveau avec ce millésime, certes plus discret au nez, mais sachant être bavard en bouche,
dévoilant des saveurs d'olive noire, de poivre, de muscade et de
réglisse, ainsi que de framboise, de garrigue et de cacao. Les tanins
sont plus fins que par le passé, l'acidité plus vibrante, et le corps
toujours aussi aérien et digeste. Je vous le redis, du sérieux à prix
plus que doux. Amusez-vous à table avec les principaux aliments
complémentaires au poivre, qui est l'une de ses pistes aromatiques harmoniques, telles que le gingembre, le genièvre, les
graines de fenouil, l'orange, le basilic, le thym, le thé noir, les
algues nori, les champignons ou l'olive noire. **Cépages:** 70%
syrah, 30% grenache, carignan, mourvèdre. **Alc./**14%. **mourgues-
dugres.fr**

☛ *Servir dans les cinq années suivant le millésime, à 16 °C*

Feuilleté aux olives noires (***), pâtes aux olives noires
(***), sauté de bœuf au gingembre, sandwich au gigot
d'agneau parfumé au thym frais et olives noires ou brochettes
d'agneau aux olives noires sur brochettes parfumées au thym (***).

Moulin Lagrezette 2005
CAHORS, ALAIN-DOMINIQUE PERRIN, FRANCE

16,45 $ SAQ **S*** (972620)   ★★★ **$$**   Corsé

Après un charnu et généreux 2004, Lagrezette nous revient avec un
Moulin 2005 tout aussi coloré, aromatique, riche et pur, sans
esbroufe, à la bouche dodue, ronde et veloutée, même si dotée d'un
certain grain de tanins. Elle se montre par contre moins boisée qu'en
2004, pour ne pas dire pas boisée du tout, du moins à la dégustation.

Le style oscille donc maintenant entre le côté pulpeux des vins du Nouveau Monde et celui plus ramassé de la vieille Europe, ce qui me plaît encore plus. **Cépages:** 85 % malbec, 15 % merlot. **Alc./**13,5 %. **chateau-lagrezette.tm.fr**

☞ *Servir dans les huit années suivant le millésime, à 17 °C*

Brochettes de bœuf au café noir (voir Filets de bœuf au café noir) (*), asperges vertes rôties au four à l'huile d'olive ou «purée_Mc²» pour amateur de vin au céleri-rave et clou de girofle (**).

Nero d'Avola Scinthilì Morgante 2010
SICILIA, MORGANTE, ITALIE *(DISP. DÉBUT 2012)*

16,45 $	SAQ S* (10542946)	★★☆?☆ $$	Modéré+

■ NOUVEAUTÉ! Cette nouvelle cuvée Scinthilì, à base du noble nero d'avola, de la grande maison Morgante, se montre tout en fruit et en plaisir à boire jusqu'à plus soif, tout en offrant une certaine matière et une belle complexité d'ensemble. Cerise, prune et framboise explosent en bouche avec éclat et fraîcheur. Les tanins sont souples et fondus, l'acidité modérée et le corps soyeux. La troisième étoile y était presque. Vraiment, que du plaisir – mais il faudra attendre le début de l'année 2012 avant que ce 2010 n'apparaisse sur les tablettes de la SAQ. Suivez-moi sur **francoischartier.ca**, ainsi vous en serez avisé avant tout le monde! **Cépage:** nero d'avola. **Alc./**13 %. **morgantevini.it**

☞ *Servir dans les quatre années suivant le millésime, à 16 °C*

Chips aux olives noires et au poivre (***), endives braisées aux cerises et au kirsch (***), lapin au vin rouge «sans vin rouge»! (***) ou salade de framboises à l'eau de rose et julienne d'algue nori (***).

Jorio 2009
MONTEPULCIANO D'ABRUZZO, UMANI RONCHI, ITALIE
(DISP. AUTOMNE 2011)

16,70 $	SAQ S* (862078)	★★★ $$	Modéré+

Ce plus que gourmand et réussi 2009, qui prendra la relève au cours de l'automne 2011 du tout aussi plein et sensuel 2008 (aussi commenté dans le Répertoire additionnel), devient plus que jamais l'un des meilleurs achats chez les rouges italiens offerts sous la barre des vingt dollars. Quelle matière et quel raffinement pour un cru de ce prix. Vous y trouverez un rouge très coloré, richement aromatique, éclatant de tous ses fruits rouges et noirs, à la bouche pulpeuse, ronde, pleine et veloutée à souhait, aux tanins enveloppés et aux saveurs d'une grande allonge pour son rang. Bleuet et confiture de fraises signent ce cocktail de saveurs. Que demander de plus? **Cépage:** montepulciano. **Alc./**13,5 %. **umanironchi.com**

☞ *Servir dans les cinq années suivant le millésime, à 17 °C*

Mozzarella gratinée «comme une pizza» et sel au clou de girofle (***), «purée_Mc²» pour amateur de vin au céleri-rave et clou de girofle (**), steak de saumon grillé au *pimentón* et tomates séchées, fettucine all'amatriciana «à ma façon» (*), hamburgers d'agneau aux poivrons rouges confits et au paprika ou dindon rôti et risotto au jus de betterave parfumé au girofle.

La Segreta 2010
SICILIA, PLANETA, ITALIE

16,70 $	SAQ S* (898296)	★★☆?★ $$	Modéré+

Nez plus engageant et plus expressif que le précédent 2009, aux riches parfums de poivre et de garrigue, à la bouche à la fois pleine et ronde, ample et texturée, aux tanins fins, avec une certaine fermeté de jeunesse, sans plus, aux saveurs qui ont de l'éclat, très marquées par les fruits rouges (grenadine, cerise). Un vin de plaisir certes, mais avec un profil presque fauve! **Cépages :** 50 % nero d'avola, 25 % merlot, 20 % syrah, 5 % cabernet franc. **Alc./**13 %. **planeta.it**

☛ *Servir dans les quatre années suivant le millésime, à 17 °C*

Endives braisées aux cerises et au kirsch (★★★), mozzarella gratinée « comme une pizza » et sel au clou de girofle (★★★), fettucine all'amatriciana « à ma façon » (★), risotto aux tomates séchées et aux olives noires ou foie de veau en sauce à l'estragon.

Masi Tupungato Passo Doble 2009
TUPUNGATO, MASI, ARGENTINE

16,80 $	SAQ S* (10395309)	★★★ $$	Corsé

Son nom espagnol, Passo Doble (*ripasso* en italien), explique son élaboration, car il a subi deux fermentations : la première, traditionnelle, pour le malbec; la deuxième, à la vénitienne, avec l'ajout de grains de corvina légèrement séchés. Il est coloré, parfumé, passablement riche, dégageant des notes de noix de coco, de poivre et de vanille, à la fois ample et juteux, sans trop, texturé et velouté, aux tanins mûrs et enveloppés par une gangue moelleuse, aux saveurs longues et expressives. Assurément l'une des belles originalités d'Argentine, qui fera malheur sur les grillades de viandes marinées avec notre recette de marinade, puis nappées d'une sauce au fromage bleu (★★★). **Cépages :** malbec, corvina. **Alc./**13,5 %. **cailleteau-bergeron.com**

☛ *Servir dans les six années suivant le millésime, à 18 °C et oxygéné en carafe 30 minutes*

Bœuf grillé et marinade pour grillades (soya/cacao/miso/sésame/bière noire) (★★★).

Château Grand Chêne 2006   ✓ TOP 100 CHARTIER
CÔTES-DU-BRULHOIS, LES VIGNERONS DU BRULHOIS, FRANCE

16,90 $	SAQ S (10259770)	★★★ $$	Corsé

Très bel assemblage de tannat, cabernet et merlot, qui plaira aux amateurs de madirans, à la robe foncée, au nez aromatique, fin et passablement riche pour son rang, à la bouche à la fois dense et pleine, ample et tannique, aux tanins raffinés, qui ont du grain, au corps assez soutenu et aux saveurs d'une bonne allonge. À l'aveugle. j'étais convaincu d'être à Madiran! Prune, fruits noirs et suie donnent la signature aromatique. Vraiment abordable pour la qualité de matière et la singularité qu'il a à offrir. Comme la cannelle, l'anis étoilé, le poivre, le basilic, le thé et le clou de girofle sont à ranger parmi les aliments complémentaires à la prune, l'une de ses signatures aromatiques, tout comme le café et le cacao, sélectionnez des recettes où ces aliments dominent. **Cépages :** tannat, cabernet franc, merlot, cabernet sauvignon. **Alc./**13,5 %. **cave-de-donzac.com**

☛ *Servir dans les huit années suivant le millésime, à 17 °C*

Hachis Parmentier de canard au quatre-épices, foie de veau sauce au poivre vert et à la cannelle, filets de bœuf au café noir (*) ou asperges vertes rôties, enrobées de chocolat noir (infusé au thé fumé Zheng Shan Xiao Zhong, fleur de sel au café) (**).

Dogajolo 2010   ✓ TOP 100 CHARTIER
TOSCANA, CASA VINICOLA CARPINETO, ITALIE *(DISP. AUTOMNE 2011)*

16,90 $	SAQ S* (978874)	★★★ $$	Modéré+

Il y a quelques millésimes déjà que ce cru festif ne m'avait pas paru aussi réussi, aussi aromatique, riche et plein. La couleur est soutenue, le nez éclatant, sur les fruits rouges mûrs et les épices douces (girofle, muscade), la bouche suit avec amplitude et fraîcheur, justesse et ravissement, les tanins sont polis et souples, l'acidité discrète et le corps voluptueux. Prune, cerise et violette s'entrelacent avec persistance. Un ixième vin toscan, dégusté en primeur en juillet 2011, d'un échantillon du domaine, d'une maison qui se passe maintenant de présentation au Québec tant ses crus sont connus de presque tous. Comme la cannelle, l'anis étoilé, le poivre, le basilic, le thé et le clou de girofle sont à ranger parmi les aliments complémentaires à la prune, sa signature aromatique, sélectionnez des recettes où ces aliments dominent. **Cépages :** 70 % sangiovese, 30 % cabernet et autres cépages variés. **Alc./**13 %. **carpineto.com**

☛ *Servir dans les quatre années suivant le millésime, à 17 °C*

Hachis Parmentier de canard au quatre-épices, pâtes aux tomates séchées et au basilic, foie de veau sauce au poivre vert et à la cannelle, côtes levées à la cannelle et au curry de vin rouge ou « purée_Mc² » pour amateur de vin au céleri-rave et clou de girofle (**).

Santa Cristina « Chianti Superiore » 2009
CHIANTI « SUPERIORE », MARCHESI ANTINORI, ITALIE

16,95 $	SAQ C (11315411)	★★★ $$	Corsé

Ce toscan, débarqué l'année dernière avec son tout aussi réussi millésime 2008 (aussi commenté), se montre à nouveau réussi pour le prix demandé, et, bonne nouvelle, ce millésime sera disponible jusqu'à l'été 2012. C'est le grand frère du Santa Cristina d'appellation Chianti (aussi commenté) – ici, soit dit en passant, l'appellation est Chianti Superiore. Il en résulte un rouge toujours aussi enchanteur aromatiquement parlant, à la bouche gorgée de saveurs et aux tanins dodus, lui procurant une texture ronde d'une assez bonne épaisseur veloutée pour le rang. Café, fruits rouges et violette donnent le ton à cet italien plus qu'abordable. **Cépages :** 95 % sangiovese, 5 % merlot. **Alc./**13 %. **antinori.it**

☛ *Servir dans les six années suivant le millésime, à 17 °C*

Pâté chinois revu et magnifié « pour vin rouge » (***), mozzarella gratinée « comme une pizza » et sel au clou de girofle (***), lapin à la toscane (*), osso buco, carré de porc aux tomates séchées ou fettucine all'amatriciana « à ma façon » (*).

Palacio de Ibor Reserva 2004
VALDEPEÑAS, BODEGAS REAL, ESPAGNE

17,15 $	SAQ S (11166604)	★★☆?☆ $$	Corsé

Difficile d'être plus classiquement tempranillo boisé espagnol! L'élevage lui procure un profil que l'on trouve encore parfois, mais surtout il y a plus de vingt ans, dans les vins de la Rioja. C'est-à-dire un rouge à la fois très mûr et torréfié, au boisé marqué, aux arômes évolués, sans trop, où s'entremêlent des notes épicées, fruitées, confites et cacaotées. La bouche suit avec le même profil, où les tanins fermes sont aussi marqués par le passage du vin en barriques françaises (même si les parfums rappellent plus le chêne américain) pendant douze mois. Tout ça pour vous dire que le cru est réussi, mais plaira surtout aux amateurs de rouges de la Rioja d'il y a quelques années. **Cépages :** 80 % tempranillo, 20 % cabernet sauvignon. **Alc./**14 %.

☛ *Servir dans les dix années suivant le millésime, à 17 °C*

Entrecôte aux épices à steak réinventées pour vin rouge élevé en barrique (voir Épices à steak réinventées pour vin rouge élevé en barrique) (***) ou brochettes de bœuf et poivrons verts et rouges marinés à l'huile de sésame (***).

Brentino Maculan 2009 ✓ TOP 100 CHARTIER

BREGANZE ROSSO, FAUSTO MACULAN, ITALIE *(DISP. AUTOMNE 2011)*

17,25 $	SAQ S (10705021) ★★★ $$	Modéré+

Tout comme dans les millésimes 2007 et 2008 (aussi commenté), difficile de croire que ce rouge est offert en dessous de vingt dollars! Il revient avec un 2009 d'une pureté et d'une définition remarquables pour son rang, au fruité précis et d'une fraîcheur unique, aux tanins extrafins, au corps modéré, mais expressif à souhait, à l'acidité juste dosée et aux saveurs très longues, rappelant la fraise, le poivron et le champignon de Paris. Aucun boisé à l'horizon. Que de l'élégance, de la complexité et du plaisir à boire. **Cépages :** 55 % merlot, 45 % cabernet sauvignon. **Alc./**13,5 %. **maculan.net**

☛ *Servir dans les six années suivant le millésime, à 18 °C*

Côtelettes de porc aux poivrons rouges confits épicés, filet de saumon grillé sauce au vin rouge (voir Filet de saumon au pinot noir) (*), quesadillas (*wraps*) au bifteck et aux champignons ou veau marengo (de longue cuisson).

Château de Pennautier « Terroirs d'Altitude » 2008

CABARDÈS, VIGNOBLES LORGERIL, FRANCE

17,30 $	SAQ S (914416) ★★★ $$	Corsé

À nouveau un languedocien au fruité pulpeux et engageant au possible, exprimant des notes complexes de prune, de lard fumé, de poivre et de chêne neuf, sans trop, à la texture tout aussi prenante, pleine et enveloppante, aux tanins dodus et presque gras, avec une certaine prise, et aux saveurs éclatantes et d'une grande allonge. Généreux, texturé et à bon prix. Si vous aimez le style, tout comme moi, alors ne manquez pas ses deux petits frères que sont les abordables **Château de Pennautier** (13,70 $; 560755) et **L'Orangerie de Pennautier** (12,50 $; 605261), réussis, bon an mal an. **Cépages :** cabernet sauvignon, cabernet franc, merlot, malbec, grenache, syrah. **Alc./**13 %. **vignobles-lorgeril.com**

☛ *Servir dans les six années suivant le millésime, à 17 °C*

Filets de bœuf au café noir (*), filets de bœuf et coulis de poivrons verts (*) ou tranches d'épaule d'agneau grillées au poivre noir et sauté de poivrons verts et rouges au paprika.

Bronzinelle 2009 ✓ TOP 100 CHARTIER

COTEAUX-DU-LANGUEDOC, CHÂTEAU SAINT-MARTIN DE LA GARRIGUE, FRANCE

17,50 $	SAQ S* (10268588) ★★★ $$	Modéré+

Chaque millésime de Bronzinelle s'exprime haut et fort avec un vin qui a du nez. Ce que ce 2009 signe à nouveau, avec éclat, fraîcheur et détail, laissant dégager des notes de poivre, d'olive, de thym, de violette et de fruits rouges. En bouche, on retrouve le profil du 2008, avec ampleur, fraîcheur et épaisseur veloutée, pour un assemblage à la fois substantiel et digeste, comme à son habitude. Les tanins sont toujours aussi enveloppés. Réservez-lui des recettes dominées par les aliments complémentaires à ses arômes de violette et de poivre, comme le sont la framboise, le nori et les carottes – pour ce qui est des ingrédients complémentaires à la violette –, ainsi que le thym, l'olive noire, l'agneau, le safran, le gingembre et le café – quant aux aliments partageant la même structure moléculaire que le poivre. Enfin, dire que cette cuvée du Château Saint-Martin de la Garrigue est une habituée de *La Sélection Chartier* est un euphémisme tant ce languedocien s'est mérité d'y apparaître dans de multiples millésimes. J'irais même jusqu'à dire qu'il a été l'une des locomotives de la renaissance des vins du Languedoc sur le marché québécois. **Cépages :** 25 % syrah, 25 % grenache, 25 % carignan (vieilles vignes), 25 % mourvèdre (vieilles vignes). **Alc./**13 %. **stmartingarrigue.com**

☛ *Servir dans les six années suivant le millésime, à 17 °C*

Pommade d'olives noires à l'eau de poivre (***), pâtes aux olives noires (***), tajine d'agneau au safran, filet de bœuf enveloppé d'algues nori et accompagné d'un braisé de carottes au jus de bœuf ou fromage à croûte fleurie grillé dans une feuille de brick parfumée au thym.

Gotim Bru 2008

COSTERS DEL SEGRE, CASTELL DEL REMEI, ESPAGNE

17,50 $	SAQ S* (643858) ★★★ $$	Corsé

Le retour du Gotim Bru, car les précédents millésimes, depuis 2005, m'avaient semblé un brin trop marqués par la barrique. Ici, le fruit est dominant, la matière presque dense, les tanins tissés serrés, sans trop, les saveurs très longues, jouant dans la sphère de la prune, du café et du girofle. Enfin, comme la cannelle, l'anis étoilé, le poivre, le basilic, le thé et le clou de girofle sont à ranger parmi les aliments complémentaires à la prune, l'une de ses signatures aromatiques, tout comme le café et le cacao, sélectionnez des recettes où ces aliments dominent. **Cépages :** tempranillo, grenache, merlot, cabernet sauvignon. **Alc./**14 %. **castelldelremei.com**

☛ *Servir dans les six années suivant le millésime, à 17 °C et oxygéné en carafe 15 minutes*

Hamburgers d'agneau aux poivrons rouges confits et au curcuma, hachis Parmentier de canard au quatre-épices, foie de veau sauce au poivre vert et à la cannelle, côtes levées à la cannelle et au curry de vin rouge, filets de bœuf au café noir (*) ou asperges vertes rôties, enrobées de chocolat noir (infusé au thé fumé Zheng Shan Xiao Zhong, fleur de sel au café) (**).

Mas Haut-Buis
« Les Carlines » 2009
✓ TOP 100 CHARTIER

COTEAUX-DU-LANGUEDOC, OLIVIER JEANTET, FRANCE *(DISP. DÉC. 2011)*

| 17,50 $ | SAQ S (10507278) ★★★ $$ | | Corsé |

Superbe millésime que ce 2009, se montrant dense et ramassé, fougueux et sauvage, mais avec distinction et profondeur, classe et civilité. Couleur très foncée, nez puissamment aromatique, bouche compacte et très longue, égrainant des saveurs de fruits noirs, de thym, de romarin et de cacao. Donc, troisième millésime réussi avec maestria pour ce languedocien, dégusté en primeur, en juillet 2011, d'un échantillon du domaine. **Cépages :** 60 % cinsault, 40 % grenache, syrah et carignan. **Alc./**13,5 %. **mashautbuis.com**

☛ *Servir dans les huit années suivant le millésime, à 17 °C et oxygéné en carafe fortement 30 minutes*

Brochettes d'agneau aux olives noires « sur brochettes imbibées d'une eau parfumée au thym » (***) ou gigot d'agneau au romarin (**).

Sasyr « Sangiovese & Syrah » 2008

TOSCANA, ROCCA DELLE MACÌE, ITALIE

| 17,50 $ | SAQ C (11072907) ★★☆?☆ $$ | | Modéré+ |

En l'espace d'à peine trois vendanges, Sasyr s'est taillé une place de choix parmi les bons rapports qualité-prix italiens offerts dans toutes les succursales. Encore une fois, un expressif assemblage toscan, réussi avec brio par l'équipe dynamique de cette maison toscane mondialement connue, qui élabore, entre autres, le recherché Roccato. Il se montre débordant de fruits, d'épices et de torréfaction, à la bouche presque pulpeuse et sensuelle tant les tanins sont enrobés et l'acidité discrète, laissant place au velours de son toucher de bouche et à ses saveurs complexes (framboise, violette, olive noire, café, poivre). La troisième étoile y était presque. **Cépages :** 60 % sangiovese, 40 % syrah. **Alc./**13,5 %. **roccadellemacie.com**

☛ *Servir dans les six années suivant le millésime, à 17 °C*

Chips aux olives noires et au poivre (***), fettucine all'amatriciana « à ma façon » (*), brochettes d'agneau aux olives noires « sur brochettes imbibées d'une eau parfumée au thym » (***) ou pommade d'olives noires à l'eau de poivre (***) pour hamburger d'agneau.

Château Rouquette sur Mer
« Cuvée Amarante » 2009
✓ TOP 100 CHARTIER

COTEAUX-DU-LANGUEDOC LA CLAPE, JACQUES BOSCARY, FRANCE

| 17,55 $ | SAQ S* (713263) ★★★?☆ $$ | | Corsé | BIO |

Coup de cœur millésime après millésime, donc salué à plusieurs reprises dans *La Sélection Chartier* – et classé dans le « TOP 100 Chartier » de l'édition 15ᵉ anniversaire –, ce cru languedocien est assurément l'une des meilleures affaires du Midi. Aussi engageant et harmonieux que dans les récents millésimes, il peut aisément être acheté bon an mal an les yeux fermés. D'une grande pureté aromatique, avec richesse, le nez, au boisé subtil, laisse parler haut et fort la syrah qui domine comme toujours l'assemblage, du moins au nez, par sa présence aromatique. La bouche suit avec ampleur et chair, aux tanins mûrs et enrobés, aux saveurs fruitées (cerise noire) et épicées (poivre). Une leçon d'harmonie qui évoluera en beauté, même si vous risquez de le boire dans l'année qui vient ! Le vignoble de ce château, un amphithéâtre face à la mer, plein sud, est situé dans un site d'exception, à l'extrémité sud-est du massif de La Clape, et la vigne y est cultivée sur des sols argilo-calcaires et de terres rouges, recouverts de calcaire concassé. Ceci explique cela. **Cépages :** mourvèdre, syrah. **Alc./**13,5 %. **chateaurouquette.com**

☞ *Servir dans les sept années suivant le millésime, à 17 °C et oxygéné en carafe 30 minutes*

« Feuilles de vigne farcies_Mc^2 » (riz sauvage soufflé, bacon de sanglier, sirop de riz brun/café) (**) ou burger d'agneau à la pommade d'olives noires (olives noires dénoyautées et huile d'olive passées au robot).

Pinot Noir Rodet 2010
BOURGOGNE, A. RODET, FRANCE

17,55 $	SAQ C (358606)	★★★ $$	Modéré+

D'un échantillon dégusté en primeur, en juin 2011, ce pinot bourguignon 2010 se montre plus aromatique que jamais, plus fin, plus éclatant, plus élancé et plus gourmand. Ce millésime aidera ce cru à se repositionner parmi les meilleurs achats chez les pinots offerts en produits courants. Fraise et pivoine participent au charme, tandis que les tanins sont souples à souhait. Il faut savoir que Nadine Gublin, la grande œnologue de cette maison, possède un savoir-faire qui la place parmi les références bourguignonnes. **Cépage :** pinot noir. **Alc./**13 %. **rodet.com**

☞ *Servir dans les quatre années suivant le millésime, à 16 °C*

Risotto au jus de betterave parfumé au girofle, poulet rôti au sésame et au cinq-épices, pâtes aux tomates séchées et au basilic ou dindon de Noël accompagné de risotto au jus de betterave parfumé au girofle.

JaspiNegre 2008
MONTSANT, COCA Í FITO, ESPAGNE *(DISP. NOV./DÉC. 2011)*

17,60 $	SAQ S (11387351)	★★★ $$	Corsé

■ NOUVEAUTÉ! Montsant étant l'une des appellations vedettes de l'Espagne, donc ayant actuellement le vent dans les voiles, multiples sont les crus de qualité offerts à un prix plus que doux. Ce nouveau venu confirme la chose une fois de plus en présentant un rouge coloré, aromatique à souhait, passablement plein et texturé, quasi velouté, mais avec du coffre et de la tenue pour le rang, des saveurs expressives, jouant dans l'univers aromatique des fruits noirs, du cacao, du café et de la noix de coco. Texture et plaisir aromatique au rendez-vous. Le « J'AIME! » y était presque. **Cépages :** garnacha, cabernet sauvignon, carignan, tempranillo. **Alc./**14,5 %. **jaspi.cat**

☞ *Servir dans les six années suivant le millésime, à 14 °C*

Pâte concentrée de poivrons rouges à l'huile de sésame grillé (voir sur **papillesetmolecules.com**), « purée_Mc^2 » pour amateur de vin (au céleri-rave et clou de girofle) (**) ou « feuilles de vigne farcies_Mc^2 » (riz sauvage soufflé, bacon de sanglier, sirop de riz brun/café) (**).

Tsantalis Reserve 2006
RAPSANI, EVANGELOS TSANTALIS, GRÈCE

17,60 $	SAQ C (741579)	★★ $	Corsé

En mal d'originalité? Las de tous les médiocres *Livre de Cave* qui polluent le paysage? Alors, filez vers la singularité grecque, qui élabore actuellement parmi les vins les plus originaux qui soient en Europe.

La Grèce, le secret le mieux gardé de la vieille Europe, comme l'était le Portugal au début du troisième millénaire? Poser la question c'est y répondre – d'ailleurs je vous l'écris depuis presque dix ans...! Quoi qu'il soit, vous vous sustenterez de ce rouge coloré, richement aromatique, exhalant des arômes de fruits rouges mûrs, d'épices douces et de torréfaction, avec une arrière-scène rappelant le chanvre, à la bouche débordante de saveurs, pleine, ronde et texturée, façon nero d'avola du sud de l'Italie. À base d'un assemblage de cépages autochtones, ce cru mérite amplement le détour. **Cépages :** xynomavro, stravroto, krassato. **Alc./**13,5 %. **greekwinemakers.com**

☛ *Servir dans les huit années suivant le millésime, à 17 °C et oxygéné en carafe 5 minutes*

Bœuf à la bière (***), pâtes aux olives noires (***), brochettes d'agneau à l'ajowan, filets de bœuf au café noir (*) ou brochettes de bœuf à la pommade de menthe fraîche, poivre concassé et vinaigre balsamique.

La Madura Classic 2007
SAINT-CHINIAN, NADIA ET CYRIL BOURGNE, FRANCE

17,65 $	SAQ S* (10682615) ★★★ $$	Modéré+

Ce 2007 est sur une certaine retenue juvénile, ayant besoin d'un bon gros coup de carafe agitée pour libérer ses subtils arômes (thym, mûre, cassis, violette et poivre). La bouche suit avec des tanins toujours aussi soyeux, mais plus ramassés qu'en 2006, à l'acidité juste dosée et fraîche, à la texture veloutée, et aux saveurs d'une bonne allonge. Un classique en son genre, d'une régularité à toute épreuve, offert à un prix plus que doux. **Cépages :** 36 % carignan, 39 % grenache, 16 % mourvèdre, 9 % syrah. **Alc./**14 %. **lamadura.com**

☛ *Servir dans les huit années suivant le millésime, à 17 °C et oxygéné fortement en carafe 30 minutes*

Sushis pour «amateur de vin» rouge (voir recette sur **papillesetmolecules.com**), hamburgers d'agneau aux poivrons rouges confits et au paprika, bœuf braisé au jus de carotte ou côtes de veau et purée de pois à la menthe (*).

Pirineos « Merlot-Cabernet » Crianza 2006
SOMONTANO, BODEGAS PIRINEOS, ESPAGNE *(RETOUR NOV./DÉC. 2011)*

17,65 $	SAQ S (11305555) ★★★ $$	Corsé

Superbe assemblage à la bordelaise, coloré, aromatique, riche, pur, mûr, intense, sans trop, frais, racé, aux tanins élégants et polis, à l'acidité fraîche, au moelleux marqué, juste assez, et aux saveurs très longues, rappelant les fruits noirs. Du sérieux, à prix plus que doux, au profil plus proche de Bordeaux que du Nouveau Monde, comme le sont trop souvent les crus de Somontano. Bravo! **Cépages :** merlot, cabernet. **Alc./**14 %. **bodegapirineos.com**

☛ *Servir dans les huit années suivant le millésime, à 17 °C et oxygéné fortement en carafe 5 minutes*

Filets de bœuf en croûte de fines herbes, filet de saumon grillé sauce au vin rouge (voir Filet de saumon au pinot noir) (*) ou foie de veau en sauce à l'estragon.

Montecillo Crianza 2007

RIOJA, MONTECILLO, ESPAGNE

17,70 $	SAQ C (144493)	★★☆?☆ $$	Modéré+

Ce crianza, salué dans la dernière édition de ce guide, se montrait en mai 2011 toujours aussi richement aromatique, pour son rang, aux effluves de café, de prune, de girofle et de vanille, à la bouche pleine et enveloppante, aux tanins mûrs, presque gras, mais avec un grain viril de jeunesse. Un rioja certes classique, mais avec une patine et une texture modernes, à l'image du précédent millésime. **Cépage :** tempranillo. **Alc./**13,5 %. **osborne.es**

☛ *Servir dans les six années suivant le millésime, à 17 °C et oxygéné rapidement en carafe 5 minutes*

Sauté de betteraves rouges à l'émulsion « Mister Maillard » (voir recette de l'émulsion « Mister Maillard » sur **papilles etmolecules.com**), chili de Cincinnati (★★★) ou steak de saumon au café noir et au cinq-épices chinois (★).

Cabernet Maculan 2009

VENETO, FAUSTO MACULAN, ITALIE

17,75 $	SAQ S (11028261)	★★★ $$	Modéré+

Un autre rouge réussi avec brio pour cette maison vénitienne « top niveau ». Fraise, poivre et poivron éclatent au nez, où la fraîcheur domine la richesse, tandis que la bouche abonde dans le même sens, c'est-à-dire tout aussi digeste, élégante et épurée, aux tanins fins, qui ont du grain, au corps détendu et aux saveurs longues. Difficile d'être plus européen d'approche en matière de cabernet. **Cépages :** 80 % cabernet sauvignon, 20 % cabernet franc. **Alc./**13 %. **maculan.net**

☛ *Servir dans les six années suivant le millésime, à 18 °C*

Brochettes de bœuf et poivrons verts et rouges marinés à l'huile de sésame (★★★), côtes de veau et purée de pois à la menthe (★) ou lapin aux poivrons verts.

Château Cailleteau Bergeron
« Élevé en fûts de chêne » 2009

PREMIÈRES-CÔTES-DE-BLAYE, DARTIER ET FILS, FRANCE

17,90 $	SAQ S* (919373)	★★★ $$	Corsé

Étonnamment, le boisé est mieux intégré dans cette cuvée « Élevé en fûts de chêne » que dans la cuvée Tradition (aussi commentée), qui, elle, se montre plus torréfiée. Donc, un 2009 fortement coloré, au nez concentré pour le rang, marqué par le cassis, la mûre et la violette, à la bouche plus ramassée, plus dense et plus compacte que la cuvée Tradition. Prise tannique plus ferme, sans trop, et saveurs longues. Du beau jus pour le prix, qui gagnera en définition aromatique à compter de l'automne 2012. Parfait, on déguste la cuvée Tradition dès maintenant, pendant que celle-ci fait ses classes en cave... **Cépages :** 80 % merlot, 10 % cabernet sauvignon, 10 % malbec. **Alc./**14 %. **cailleteau-bergeron.com**

☛ *Servir dans les six années suivant le millésime, à 17 °C et oxygéné en carafe 30 minutes*

Filet de porc au café noir (voir Filets de bœuf au café noir) (★), rôti de palette « comme un chili de Cincinnati » (★★★) ou sandwich de canard confit et nigelle (voir sur **papilleset molecules.com**).

Nero d'Avola Baglio di Pianetto 2008

SICILIA, BAGLIO DI PIANETTO, ITALIE

17,90 $	SAQ **S** (11097346)	★★★ $$		Corsé

Gorgé de fruit, ample, velouté et texturé, voilà un cru sicilien certes de soleil, mais sans aucune lourdeur ni boisé inutile. Les tanins sont mûrs à point, donc enveloppés, l'acidité discrète, mais juste fraîche, le corps détendu et les saveurs persistantes. Comme tous les vins de ce domaine, ce cru a gagné en raffinement dans ce millésime. Une maison à suivre de très près. **Cépage :** nero d'avola. **Alc./**13,5 %. **bagliodipianetto.com**

☛ *Servir dans les sept années suivant le millésime, à 17 °C*

Filets de bœuf au café noir (*) ou osso buco accompagné de carottes rouges (cuites en fin de cuisson à même l'osso buco).

Sedàra 2009

SICILIA, TENUTA DONNAFUGATA, ITALIE

17,95 $	SAQ **S*** (10276457)	★★★ $$		Corsé

Tout comme l'avaient été les 2006, 2007 et 2008 (commentés dans *La Sélection 2009, 2010 et 2011*), ce nouveau millésime 2009 se montre tout aussi complexe et nourri que dans les précédentes vendanges, spécialement pour un cru sicilien de ce prix. Olive noire, garrigue et épices s'expriment haut et fort au nez, tandis que la bouche se montre débordante de saveurs, charnue, tannique, pleine et très longue, égrainant des notes de fruits rouges, de café et d'épices. Un «J'AIME !» s'impose pour ce rouge devenu, au fil des seize ans de *La Sélection Chartier*, une des références de Sicile. **Cépage :** nero d'avola. **Alc./**13 %. **donnafugata.it**

☛ *Servir dans les six années suivant le millésime, à 17 °C*

Pommade d'olives noires à l'eau de poivre (***), gigot d'agneau à l'ail et au romarin ou brochettes d'agneau aux olives noires «sur brochettes imbibées d'une eau parfumée au thym» (***).

Vignes de Crès Ricards 2010

TERRASSES DU LARZAC, LES DOMAINES PAUL MAS, FRANCE

17,95 $	SAQ **S** (11573841)	★★☆?☆ $$		Corsé

■ NOUVEAUTÉ! Dégustée en primeur, en juin 2011, d'un échantillon du domaine, cette nouvelle cuvée de Paul Mas se montre d'un charme aromatique et d'un velouté de texture engageants au possible. Les tanins, enrobés, sont presque gras et fondus, l'acidité discrète et le corps voluptueux, sans être lourd. Cassis, mûre, violette et chêne neuf s'entremêlent dans une longue et fraîche fin de bouche, aux tanins qui ont du grain. Vraiment un bel ajout à la gamme de vins déjà très intéressants signés par cette maison languedocienne. À ne pas manquer à son arrivée à la SAQ, prévue en début d'année 2012. **Cépages :** 55 % syrah, 30 % grenache, 20 % mourvèdre. **Alc./**14 %. **paulmas.com**

☛ *Servir dans les six années suivant le millésime, à 17 °C*

Sushis_Mc^2 «pour amateur de vin rouge» (voir sur **papillesetmolecules.com**), légumes d'automne rôtis au four pour syrah/shiraz (***) ou pâté chinois revu et magnifié «pour vin rouge» (***).

Cuvée des Fées 2009

SAINT-CHINIAN, LAURENT MIQUEL, FRANCE

18,10 $	SAQ **S** (895995)	★★★ $$		Corsé

Cette cuvée, à base de vieilles vignes de syrah, se montre, comme toujours, fort avantageuse pour le prix demandé. Tout y est. Couleur soutenue. Nez aromatique, passablement riche et profond, sans boisé inutile. Bouche presque dense, pleine et large, mais avec fraîcheur et dotée d'une bonne prise tannique, aux tanins fins et mûrs. La finale est persistante et laisse des traces de cassis, de mûre et de violette. Difficile de ne pas succomber au charme et à la complexité de cette cuvée de l'un des domaines de pointe de cette appellation languedocienne. **Cépage :** syrah. **Alc./**13 %. **laurent-miquel.com**

☛ *Servir dans les six années suivant le millésime, à 17 °C et oxygéné en carafe 15 minutes*

Médaillons de porc à la pommade d'olives noires ou carré de porc aux tomates séchées.

Château de Fesles
« La Chapelle Vieilles Vignes » 2009

ANJOU, BERNARD GERMAIN, FRANCE

18,15 $	SAQ S* (710442)	★★★ $$		Corsé

Couleur soutenue, nez enchanteur et passablement riche et mûr, non sans fraîcheur, complexité aromatique, ampleur, plénitude, tanins fins, avec du grain, corps étoffé et grande persistance. Tout y est. Je vous le dis depuis quelques années déjà, bon an mal an, cette cuvée de vieilles vignes de cabernet franc est à ranger parmi les meilleurs rapports qualité-prix chez les rouges de la Loire offerts sous la barre des vingt-cinq dollars. **Cépage :** cabernet franc. **Alc./**12 %. **fesles.com**

☛ *Servir dans les six années suivant le millésime, à 18 °C et oxygéné en carafe 15 minutes*

Figues confites au thé Pu-erh, chantilly de fromage Saint-Nectaire (**), brochettes de foie de veau et de poivrons rouges, poulet basquaise ou poitrines de poulet farcies au chèvre et aux poivrons rouges.

Cabernet Sauvignon Vallformosa 2003

PENEDÈS, VALLFORMOSA, ESPAGNE *(RETOUR OCT./NOV. 2011)*

18,25 $	SAQ **S** (904524)	★★★ $$		Corsé

Mérite un solide « J'AIME ! » tant la matière est expressive et belle, ample et gourmande au possible. Quelle complexité aromatique enivrante (cuir, mûre, cèdre, boîte à tabac et chocolat à la menthe) ! D'une bouche débordante de saveurs, pleine et tannique, aux tanins mûrs, avec du grain, au corps étoffé et persistant longuement en fin de dégustation. Les amateurs de cabernets style Nouveau Monde, à la sauce espagnole, seront au comble. **Cépage :** cabernet sauvignon. **Alc./**13,5 %. **vallformosa.es**

☛ *Servir dans les dix années suivant le millésime, à 17 °C*

Asperges vertes rôties, enrobées de chocolat noir (infusé au thé fumé Zheng Shan Xiao Zhong, fleur de sel au café) (**), bœuf à la Stroganov, filet de porc au café noir (voir Filets de bœuf au café noir) (*) ou hamburgers de bœuf aux poivrons rouges confits et au paprika.

Château Peyros
« Vieilles Vignes » 2006
✓ TOP 100 CHARTIER

MADIRAN, CHÂTEAU PEYROS, FRANCE

18,35 $	SAQ S* (488742)	★★★☆ $$	Corsé

Quel madiran! Depuis plusieurs vendanges déjà que ce cru de tannat se situe parmi les meilleurs de sa catégorie, chez les madirans offerts sous la barre des vingt dollars. Et il récidive avec éclat! Quel nez et quelle matière il a à offrir en 2006. Fruits noirs, épices douces, graphite, suie et café se donnent la réplique avec richesse et fraîcheur. La bouche est d'une concentration unique, tout en étant fraîche et dense, ample et enveloppante, d'une harmonie d'ensemble à son meilleur, comme jamais ce cru n'a atteinte. Vraiment, c'est une chance d'avoir de tel vin offert en produit courant, c'est-à-dire dans tout le réseau des succursales de la SAQ. Et ce 2006 le sera jusqu'à l'été 2012. **Alc./**13,5 %. **vignobles-lesgourgues.com**

☞ *Servir dans les dix années suivant le millésime, à 17 °C*

🍴 Filets de bœuf et lanières de poivrons verts et rouges légèrement confits ou jarret d'agneau confit et lentilles du Puy au jus d'agneau parfumé à l'anis étoilé.

Domaine L'Ostal Cazes « Estibals » 2007

MINERVOIS, L'OSTAL CAZES, FRANCE

18,40 $	SAQ S (11096212)	★★★☆ $$	Corsé

Assemblage très beau et raffiné à dominante de syrah, élaboré sous la houlette de la maison Jean-Michel Cazes, bordelais qui se passe de présentation, ici en terre languedocienne. Nez ultra-raffiné et épuré, jouant dans la sphère aromatique de la prune, de la cerise noire, de la pivoine et de la réglisse noire. Bouche tout aussi fraîche et gourmande, ample et texturée, quasi veloutée, façon taffetas, aux tanins polis avec grâce et à l'alcool intégré avec maestria, malgré les 14,5 %. Sérieux. **Cépages :** 60 % syrah, 20 % carignan (vieilles vignes), 20 % grenache. **Alc./**13,8 %. **jmcazes.com**

☞ *Servir dans les huit années suivant le millésime, à 17 °C et oxygéné en carafe 15 minutes*

🍴 Brochettes d'agneau aux olives noires « sur brochettes imbibées d'une eau parfumée au thym » (***), mozzarella gratinée « comme une pizza » et sel au clou de girofle (***), « on a rendu le pâté chinois » (**) ou purée de rutabaga à l'anis étoilé (voir sur **papillesetmolecules.com**).

Dos Rafael Cambra 2008
✓ TOP 100 CHARTIER

VALENCIA, RAFAEL CAMBRA, ESPAGNE

18,40 $	SAQ S (11305598)	★★★☆ $$	Corsé

■ NOUVEAUTÉ! Trop rares sont les assemblages à parts égales de cabernet franc et cabernet sauvignon, par surcroît d'Espagne. Il en résulte un vin ultra-coloré, au nez d'une exquise finesse aromatique, sans boisé ni surmaturité inutiles, à la bouche tout aussi élégante et racée que le nez, annonçant d'emblée le soyeux des tanins du cabernet franc, tout comme sa fraîcheur et son éclat de fruits rouges. À l'aveugle, j'étais convaincu d'être à Saint-Émilion, et je ne vous dis pas où, question de conserver mon honneur ☺). **Cépages :** 50 % cabernet franc, 50 % cabernet sauvignon. **Alc./**14 %. **rafaelcambra.es**

☞ *Servir dans les dix années suivant le millésime, à 17 °C et oxygéné en carafe 15 minutes*

Hachis Parmentier de canard au quatre-épices, magret de canard rôti, graines de sésame et cinq-épices, navets confits au clou de girofle (**) ou côte de veau rôtie et jus au café expresso (voir Carré d'agneau et jus au café expresso) (*).

Château Coupe Roses « Les Plots » 2009

MINERVOIS, FRANÇOISE FRISSANT-LE CALVEZ ET PASCAL FRISSANT, FRANCE

18,45 $	SAQ S* (914275)	★★☆?☆ $$	Corsé	BIO

Après un généreux 2008, ce domaine phare de l'appellation Minervois récidive avec un nouveau millésime tout en fraîcheur et en expressivité, plus digeste que jamais, tout en demeurant soutenu et nourri. Doté d'une belle complexité aromatique, où s'entremêlent olive noire, poivre, thym et violette, avec une arrière-scène on ne peut plus garrigue, il est donc difficile d'être plus midi de la France que cette cuvée Les Plots. Elle s'est d'ailleurs taillé une solide réputation au Québec au fil des seize ans de *La Sélection*, et poursuivra son chemin avec l'ajout d'un second format de 500 ml (12,90 $; 11067585), plus pratique que le 375 ml, et moins lourd sur l'estomac que le 750 ml lorsque vient le temps du ballon de rouge quotidien. **Cépages:** 60 % syrah, 25 % grenache, 15 % carignan. **Alc./**13,5 %. **coupe-roses.com**

☛ *Servir dans les six années suivant le millésime, à 17 °C*

Légumes d'automne rôtis au four à l'anis étoilé, viandes rouges grillées accompagnées de ketchup de betteraves rouges (***), filets de bœuf mariné au parfum d'anis étoilé ou gigot d'agneau aux herbes séchées.

Costera Argiolas 2009

CANNONAU DI SARDEGNA, CANTINA ARGIOLAS, ITALIE *(DISP. DÉBUT 2012)*

18,45 $	SAQ S (972380)	★★★ $$	Corsé

De la même maison qui élabore l'excellent rapport qualité-prix Perdera, ce Costera, à base de grenache noir, est devenu depuis plusieurs millésimes un incontournable chez les italiens du sud. Ce 2009 s'exprime par des notes passablement riches de mûre et de cassis, mais ayant besoin d'un bon gros coup de carafe agité pour laisser les arômes s'exprimer à leur mieux. La bouche quant à elle se montre gorgée de fruits, ample, charnue, presque généreuse, sans trop, aux tanins présents, mais sans être fermes, et aux saveurs longues, où s'ajoutent des touches de café et de noisette. **Cépages:** 90 % cannonau (grenache noir), 5 % carignano (carignan), 5 % muristello. **Alc./**13 %. **argiolas.it**

☛ *Servir dans les six années suivant le millésime, à 17 °C et oxygéné fortement en carafe 30 minutes*

« On a rendu le pâté chinois » (**), « purée_Mc^2 » pour amateur de vin au céleri-rave et clou de girofle (**), brochettes de bœuf au café noir (voir Filets de bœuf au café noir) (*) ou cuisses de lapin braisées longuement et baignées d'une réduction parfumée à l'estragon.

Domaine de Torraccia 2007

CORSE-PORTO VECCHIO, CHRISTIAN IMBERT, FRANCE *(DISP. AUTOMNE 2011)*

18,45 $	SAQ S (860940)	★★☆ $$	Modéré+	BIO

Beau vin presque séveux et un brin résineux, au fruité mûr, aux tanins présents, mais enveloppés par un corps presque duveteux, aux saveurs longues et torréfiées, rappelant le café, la vanille et la figue séchée. Quelque chose d'italien dans l'approche aromatique, mais bel et bien corsé dans son assise de bouche. **Cépages:** nielluccio, sciaccarello, grenache, syrah. **Alc./**12,5%.

☛ *Servir dans les six années suivant le millésime, à 17 °C*

Pâtes aux olives noires (***), cubes de bœuf en sauce (***), riz sauvage soufflé au café_Mc² (***) ou côtes levées au bouillon pour côtes levées (voir Bouillon pour côtes levées) (***).

Shymer 2008
SICILIA, BAGLIO DI PIANETTO, ITALIE   ✓ TOP 100 CHARTIER

18,45 $	SAQ **S** (10859804) ★★★ **$$**		Corsé

Très beau nez éclatant, mais avec fraîcheur et distinction. Bouche tout aussi droite, dense et allongée, aux saveurs pures et précises, dévoilant des notes de cerise, de mûre, de violette et de poivre blanc. Après un texturé et vanillé 2004, ainsi que des 2006 et 2007 torréfiés et généreux à souhait, Baglio di Pianetto revient avec un Shymer 2008 certes tout aussi concentré, mais plus élégant et plus raffiné. Les conseils prodigués par Fausto Maculan, célèbre vigneron de Vénétie, apportent beaucoup à cette propriété qui semble avoir plus que jamais le vent dans les voiles. **Cépages:** syrah, merlot. **Alc./**14,5%. **bagliodipianetto.com**

☛ *Servir dans les huit années suivant le millésime, à 17 °C*

Sushis_Mc² «pour amateur de vin rouge» (**), brochettes d'agneau grillées et parfumées de baies roses ou carré d'agneau farci aux olives noires et au romarin, sauce au porto LBV.

Le Combal 2007
CAHORS, COSSE MAISONNEUVE, FRANCE   ✓ TOP 100 CHARTIER

18,50 $	SAQ **S*** (10675001) ★★★ **$$**		Corsé	BIO

Comme à son habitude, ce cahors, du millésime 2007, est coloré, aromatique, concentré pour son rang, un brin pris dans un bloc aromatique, mais avec race et élégance, à la bouche à la fois pleine, dense, sans trop, tannique et presque texturée, aux saveurs persistantes, rappelant le bleuet, la mûre et la violette. Et, bonne nouvelle, pas de boisé à l'horizon, ce qui est trop souvent le cas avec les cahors de l'ère moderne. Élaboré par Matthieu Cosse et Catherine Maisonneuve, qui signent quelques cuvées de haut niveau (voir leurs autres vins dans ce guide). **Cépages:** 90% malbec, 7% merlot, 3% tannat. **Alc./**13%.

☛ *Servir dans les huit années suivant le millésime, à 17 °C*

Osso buco accompagné de carottes rouges (cuites en fin de cuisson à même l'osso buco), filet de bœuf enveloppé d'algues nori et accompagné d'un braisé de carottes au jus de bœuf ou «purée_Mc²» pour amateur de vin au céleri-rave et clou de girofle (**).

17-XI 2007
MONTSANT, BUIL & GINÉ, ESPAGNE *(DISP. NOV./DÉC. 2011)*   ✓ TOP 100 CHARTIER

18,55 $	SAQ **S** (11377090) ★★★ **$$**		Modéré+

 NOUVEAUTÉ! Tous les vins de Buil & Giné disponibles au Québec depuis quelques années ont été salués dans les précédentes éditions de ce guide pour leur excellent rapport qualité-prix et leur régularité. Et voici le petit dernier, attendu en fin d'année 2011, mais dégusté en primeur en juillet 2011. Ce montsant, appellation qui ceinture celle plus prestigieuse de Priorat, se montre très épicé et débordant de fruits rouges et de fraîcheur, sans aucune tonalité boisée apparente, contrairement au nouveau montsant JaspiNegre 2008 (aussi commenté) qui, lui, est plus marqué par l'élevage. Donc, un rouge plaisir, expressif, ample et coulant à la fois, aux tanins soyeux et au corps modéré. Rares sont les rouges aussi festifs et frais dans cet îlot de chaleur qu'est cette appellation de Catalogne. **Cépages:** garnacha, cariñena, tempranillo. **Alc./**14%. **builgine.com**

☞ *Servir dans les six années suivant le millésime, à 16 °C*

Pâté chinois revu et magnifié «pour vin rouge» (***) ou pesto de tomates séchées (***) pour pâtes.

Altos del Duratón 2007

VINO DE LA TIERRA DE CASTILLA Y LEÓN, BODEGAS Y VINEDOS RIBERA
DEL DURATÓN, ESPAGNE

18,55 $	SAQ S (11387343) ★★★ $$	Corsé

■ NOUVEAUTÉ! Très engageante nouveauté hispanique, au nez très aromatique, élégant et passablement détaillé, exhalant des notes de fleurs, d'épices douces, de fruits rouges et de vanille, à la bouche pleine, d'une certaine profondeur et densité, sans trop, aux tanins tissés serrés, avec grâce et velouté, aux saveurs très longues et cacaotées. Une ixième aubaine espagnole, assurément à suivre dans les prochains millésimes. **Cépages:** 85% tempranillo, 15% syrah. **Alc./**14,7%. **riberadelduraton.com**

☞ *Servir dans les sept années suivant le millésime, à 17 °C*

Pop-corn au «goût de bacon et cacao» (***), quiche de pain perdu aux asperges grillées «pour vins rouges» (***), «purée_Mc²» pour amateur de vin au céleri-rave et clou de girofle (**) ou brochettes de bœuf sur brochettes de bambou imbibées au clou de girofle (voir Brochettes de bambou imbibées au clou de girofle «pour grillades de viande rouge») (***).

Altesino 2009

TOSCANA, PALAZZO ALTESI DA ALTESINO, ITALIE *(DISP. AUTOMNE 2011)*

18,65 $	SAQ S (10969763) ★★☆?☆ $$	Modéré+

Un *vino rosso de* Toscane tout en fruit et en chair, pour ne pas dire en rondeur. Tanins gommés, acidité discrète, corps ample et saveurs finement torréfiées, fruitées et épicées. Du beau jus, comme on dit dans le jargon des dégustateurs. Parfait pour les grillades servies avec une sauce rehaussée de café. **Cépages:** sangiovese, merlot, cabernet sauvignon. **Alc./**14%. **altesino.it**

☞ *Servir dans les six années suivant le millésime, à 17 °C et oxygéné fortement en carafe 5 minutes*

Brochettes de bœuf au café noir (voir Filets de bœuf au café noir) (*), brochettes de bambou imbibées au clou de girofle «pour grillades de viande rouge» (***) ou brochettes d'agneau aux épices à steak «d'après cuisson» au thé noir fumé et à la vanille (voir Épices à steak «d'après cuisson» au thé noir fumé et à la vanille) (***).

Domaine D'Alzipratu Cuvée Fiumeseccu 2009   ✓ TOP 100 CHARTIER

CORSE-CALVI, ANNE-MARIE & PIERRE ACQUAVIVA, FRANCE

18,95 $	SAQ S (11095658) ★★★?☆ $$	Corsé

■ NOUVEAUTÉ! Superbe nez détaillé et richissime de poivre, de thym, de romarin et d'olive noire, donc très Midi, suivi d'une bouche tout aussi présente, ample et texturée, avec du grain et de la fraîcheur, au fruité d'une belle maturité et aux tanins tissés serrés en fin de bouche. Harmonie parfaite pour ce cru à mi-chemin entre le plaisir immédiat et la structure de garde. À vous de choisir! Réservez-lui des recettes dominées par les aliments complémentaires à ses arômes de poivre et de thym, donc partageant la même structure aromatique, comme le sont, entre autres, le thym, l'agneau, le poivre, le safran, le gingembre et le café. **Cépages:** nielluccio, sciaccarello, grenache. **Alc./**13,5%. **domaine-alzipratu.com**

☛ *Servir dans les huit années suivant le millésime, à 17 °C*

🍴 Pommade d'olives noires à l'eau de poivre (***), gigot d'agneau à l'ail et au romarin ou brochettes d'agneau aux olives noires «sur brochettes imbibées d'une eau parfumée au thym» (***) ou tajine d'agneau au safran.

Cairanne Peyre Blanche 2009 ✓ TOP 100 CHARTIER
CÔTES-DU-RHÔNE-VILLAGES CAIRANNE, PERRIN & FILS, FRANCE
(DISP. AUTOMNE 2011)

19 $	SAQ **S** (11400721)	★★★ $		Corsé

■ NOUVEAUTÉ! Voilà un ixième cru signé Perrin & Fils qui risque de connaître tout un succès tant la matière est engageante et l'expression complexe et prenante. La couleur est soutenue. Le nez des plus aromatiques, riche et détaillé, presque résineux, exprimant des notes de fruits mûrs, presque confits, sans trop, ainsi que de café et d'épices. La bouche suit avec générosité, coffre et profondeur, mais aussi avec fraîcheur. Bonne prise tannique, sans être ferme, acidité juste dosée et saveurs longues. N'est pas sans rappeler certains Gigondas, offerts à un prix pas mal plus élevé. Il faut savoir que la famille Perrin, propriétaire du grandissime Château de Beaucastel, élabore les vins de La Vieille Ferme avec une attention rarement notée chez les vins de ce prix. Ceci explique cela. **Cépages:** grenache, syrah, mourvèdre. **Alc./**13,5%. **perrin-et-fils.com**

☛ *Servir dans les huit années suivant le millésime, à 17 °C*

🍴 Carré d'agneau et jus au café expresso (*) ou filet de bœuf de la Ferme Eumatimi, sauce *mole* mexicaine à la noix de coco et au cinq-épices (**).

Mas Neuf « Compostelle » 2007 ✓ TOP 100 CHARTIER
COSTIÈRES-DE-NÎMES, CHÂTEAU MAS NEUF, FRANCE

19 $	SAQ **S** (914325)	★★★?☆ $$		Corsé

Forte coloration, nez très aromatique et passablement riche et détaillé, à la fois profond et mûr, exhalant des tonalités de cacao, de fruits noirs et de torréfaction, à la bouche ample et veloutée, aux tanins ronds et polis par un élevage judicieux, à l'acidité juste dosée et aux saveurs expressives, rappelant l'olive noire, le musc et le poivre. Ce qui confirme la dominance de la syrah dans l'assemblage. **Cépages:** 70% syrah, 30% grenache. **Alc./**13,5%. **chateau-mas-neuf.com**

☛ *Servir dans les huit années suivant le millésime, à 17 °C et oxygéné en carafe 5 minutes*

🍴 «Feuilles de vigne farcies_Mc² » (riz sauvage soufflé, bacon de sanglier, sirop de riz brun/café) (**), ou carré d'agneau et jus au café expresso (*) accompagné d'asperges vertes rôties au four à l'huile d'olive et au poivre noir.

Cabernet Fazio 2006

SICILIA, CASA VINICOLA FAZIO WINES, ITALIE

19,05 $	SAQ S (741561)	★★★ $$	Corsé

Réglisse et fruits noirs explosent littéralement de ce vin juteux à souhait, plein, dense et texturé, au volume imposant pour son prix, mais sans lourdeur ni générosité inutile. Pas la grande complexité certes, mais quel fruit et quel éclat en bouche! Une vraie bombe sicilienne à ne pas manquer pour les amateurs de cabernet au profil Nouveau Monde. **Cépage :** cabernet. **Alc./**14,5%. **faziowines.it**

☞ *Servir dans les neuf années suivant le millésime, à 17 °C*

 « Purée_Mc^2 » pour amateur de vin au céleri-rave et clou de girofle (**) ou brochettes de bœuf sur brochettes de bambou imbibées à l'anis étoilé (voir Brochettes de bambou imbibées à l'anis étoilé « pour cubes de bœuf ») (***).

Rasteau L'Andéol Perrin & Fils 2009

CÔTES-DU-RHÔNE-VILLAGES, PERRIN & FILS, FRANCE

19,05 $	SAQ S (10678149)	★★★ $$	Corsé

Cacaoté à souhait, voilà un rasteau d'une belle matière, d'un nez aromatique, passablement riche, au fruité pur et frais, à la bouche à la fois ample et fraîche, dense et profonde, aux longues saveurs rappelant le poivre et la mûre. Les tanins, présents, sont polis, l'acidité juste dosée et le corps presque plein. Du bel ouvrage, à prix doux. **Cépages :** 80% grenache, 20% syrah. **Alc./**14%. **perrin-et-fils.com**

☞ *Servir dans les huit années suivant le millésime, à 17 °C et oxygéné en carafe 15 minutes*

Côtelettes d'agneau grillées à la pommade d'olives noires (olives noires dénoyautées et huile d'olive passées au robot).

Pittacum 2007

BIERZO, BODEGAS PITTACUM, ESPAGNE *(DISP. AUTOMNE 2011)*

19,10 $	SAQ S (10860881)	★★★ $$	Corsé+

Troisième millésime à nous parvenir de ce cru du Bierzo, né de vignes de mencia de 50 à 80 ans d'âge, au nez plus ramassé et plus profond qu'en 2006 (aussi commenté dans le Répertoire), à la bouche aussi généreuse et mûre pour l'appellation, mais tout en étant plus compact que dans les précédentes vendanges. Un vin tannique, au boisé neuf appuyé, mais non torréfié, aux saveurs concentrées, rappelant les fruits noirs et la violette, sans l'esprit épicé/girofle des 2005 et 2006. Gagnera en définition d'ici 2013. **Cépage :** mencia. **Alc./**14,5%. **pittacum.com**

☞ *Servir dans les huit années suivant le millésime, à 17 °C et oxygéné en carafe 45 minutes*

Osso buco accompagné de carottes rouges (cuites en fin de cuisson à même l'osso buco).

Giné Giné 2008

PRIORAT, BUIL & GINÉ, ESPAGNE *(DISP. NOV./DÉC. 2011)*

19,20 $	SAQ S (11337910)	★★★ $$	Modéré+

■ **NOUVEAUTÉ!** Au moment de mettre sous presse, cette abordable nouveauté du Priorat, dégustée en primeur en juillet 2011, d'un échantillon du domaine, était attendue à la SAQ en fin d'année

2011. Vous vous sustenterez d'un priorat très frais, de corps modéré, sans être léger, plutôt soutenu, aux tanins qui ont du grain, mais avec finesse, aux saveurs sur les fruits rouges, sans être complexes, et au nez modérément aromatique. Du charme et du plaisir, à bon prix, sans toutefois atteindre le niveau attendu d'un «vrai» cru du Priorat – je dirais que ce vin est plutôt du niveau des crus d'appellation Montsant, mais au prix demandé, peu importe le rang, il demeure un très bon achat. **Cépages:** garnacha, samsó. **Alc./**14%. **builgine.com**

☛ *Servir dans les six années suivant le millésime, à 17 °C et oxygéné en carafe 15 minutes*

Carré de porc aux tomates confites ou carré de porc glacé aux fraises, poivre du Sichuan, galanga et miel (**).

Ramione
« Merlot-Nero d'Avola » 2007   ✓ TOP 100 CHARTIER
SICILIA, BAGLIO DI PIANETTO, ITALIE *(DISP. AUTOMNE 2011)*

19,20 $	SAQ S* (10675693)	★★★?☆ $$		Corsé

Nez enchanteur et passablement riche et frais, suivi d'une bouche tout aussi invitante et saisissante, aux tanins fins, qui ont du grain, à l'acidité juste, au corps plein mais tendu, et aux saveurs très longues, rappelant les fruits rouges et la torréfaction. Il se montre plus harmonieux et plus ramassé que par le passé. Coup de cœur des deux précédentes *Sélection*, ce cru, dégusté en primeur dans le millésime 2007, étant attendu au courant de l'automne 2011. Il se positionne plus que jamais comme un incontournable chez les crus siciliens. Il faut savoir que cette référence sicilienne est élaborée avec les conseils de Fausta Maculan, célèbre viticulteur de Vénétie (voir commentaires des vins de ce producteur). Amusez-vous en cuisine avec des plats de viande où la carotte cuite intervient, car cette dernière possède une structure aromatique jumelle de celle de la violette, de la framboise, deux clés aromatiques dénichées dans les saveurs de ce rouge, tout comme des algues nori. **Cépages:** 50% nero d'avola, 50% merlot. **Alc./**14%. **bagliodipianetto.com**

☛ *Servir dans les huit années suivant le millésime, à 17 °C et oxygéné fortement en carafe 15 minutes*

Burger de bœuf au foie gras et champignons, côte de veau rôtie aux morilles ou côte de veau rôtie et jus au café expresso (voir Carré d'agneau et jus au café expresso (*).

Bouscassé 2007   ✓ TOP 100 CHARTIER
MADIRAN, ALAIN BRUMONT, FRANCE

19,35 $	SAQ C (856575)	★★★ $$		Modéré+

Ce nouveau millésime, qui a pris la relève du 2006, se montre dans le même registre que ce dernier, c'est-à-dire débordant de fruits, texturé et enveloppant comme jamais pour ce cru. Le style s'est beaucoup détendu au fil des derniers millésimes à Bouscassé, et c'est nous qui en profitons, spécialement ceux qui ne recherchent pas nécessairement des vins à attendre quelques années. La matière est belle, les tanins polis avec doigté, l'acidité discrète mais juste, la texture presque veloutée, sans trop, et les saveurs pures et définies. Bravo. Servez-lui un filet de porc fumé et/ou fortement grillé à l'extérieur, accompagné d'une sauce au boudin noir et au vin rouge. Ou osez lier cette sauce boudin noir sans vin avec du lait de coco, comme nous le proposons dans les *Recettes de Papilles*, la synergie aromatique opérera avec éclat! Le tout accompagné de notre recette de *purée_Mc²* pour amateur de vin au céleri-rave et clou de girofle –

ce dernier entrant en fusion avec les vins qui ont séjourné dans le chêne. **Cépages :** 50 % tannat, 26 % cabernet sauvignon, 24 % cabernet franc. **Alc./**13,5 %. **brumont.fr**

☛ *Servir dans les sept années suivant le millésime, à 17 °C et oxygéné en carafe 30 minutes*

Longe de porc fumée sauce au boudin noir et au vin rouge ou morceau de flanc de porc poché, vinaigrette de boudin à la noix de coco, *crumble* de boudin noir (**).

Château La Tour de L'Évêque 2006
CÔTES-DE-PROVENCE, RÉGINE SUMEIRE, FRANCE

19,35 $	SAQ S (440123)	★★★ $$	Modéré+

Très coloré. Nez très fin, riche et profond, sur les fruits rouges, avec une pointe discrète d'épices douces. Bouche à la fois débordante de saveurs et épurée, ramassée et longue, aux tanins extrafins et fondus, à l'acidité discrète, et au volume juste assez large pour exciter les papilles, mais aussi juste assez frais et digeste pour boire jusqu'à plus soif. Longue finale aux relents de fraise, d'olive noire, de rose et de poivre. Ce qui résume cet excellent achat, vinifié avec soin par la grande dame de la Provence, qui est aussi celle qui élabore le désormais célèbre Pétale de Rose, rosé à acheter les yeux fermés bon an mal an. **Cépages :** 84 % syrah, 16 % cabernet sauvignon. **Alc./**14 %. **toureveque.com**

☛ *Servir dans les huit années suivant le millésime, à 17 °C et oxygéné en carafe 15 minutes*

Brochettes d'agneau aux olives noires « sur brochettes imbibées d'une eau parfumée au thym » (***), sushis_Mc² « pour amateur de vin rouge » (voir recette sur **papillesetmo lecules.com**) (**) ou légumes d'automne rôtis au four pour syrah/shiraz (***).

Graciano Ijalba 2009
RIOJA, VIÑA IJALBA, ESPAGNE

19,55 $	SAQ S* (10360261)	★★★ $$	Corsé	BIO

Coup de cœur dans quelques éditions précédentes de ce guide, ce cru, à base du singulier et autochtone cépage graciano, présente un 2009 qui se montre plus retenu au nez, mais d'une belle richesse de bouche. Un rouge actuellement passablement boisé, aux tanins mûrs et bien enveloppés, presque gras, au corps d'une certaine densité, longiligne, et aux saveurs qui ont de l'éclat (fruits noirs, café, vanille, noix de coco et clou de girofle). Donc, un millésime plus Nouveau Monde que les précédents, qui, eux, se situent à mi-chemin entre le style solaire des crus austraux et le profil plus ramassé des vins européens. **Cépage :** graciano. **Alc./**13 %. **ijalba.com**

☛ *Servir dans les six années suivant le millésime, à 17 °C et oxygéné en carafe fortement 30 minutes*

« Feuilles de vigne farcies_Mc² » (riz sauvage soufflé, bacon de sanglier, sirop de riz brun/café) (**), brochettes de bœuf grillées sur brochettes de bambou imbibées au clou de girofle (voir Brochettes de bambou imbibées au clou de girofle « pour grillades de viande rouge ») (***) ou légumes d'automne rôtis au four pour vins boisés (***).

Château Tour Boisée « À Marie-Claude » 2007

MINERVOIS, DOMAINE LA TOUR BOISÉE, FRANCE *(DISP. FIN 2011)*

19,60 $	SAQ **S** (395012)	★★★ $$	Corsé

Contrairement à la fraîche et juteuse cuvée Marielle et Frédérique 2010 (aussi commentée), celle-ci se montre passablement boisée, aux parfums torréfiés appuyés. Par contre, le fruité domine en bouche, où les tanins sont quasi enveloppés par un moelleux imposant, sans trop. Mûre, violette, café et vanille signent une longue fin de bouche un brin ferme. **Cépages :** 55 % syrah, 20 % carignan, 25 % grenache. **Alc./**14 %. **domainelatourboisee.com**

☛ *Servir dans les sept années suivant le millésime, à 17 °C*

Carré d'agneau en croûte de menthe fraîche aux parfums balsamiques ou braisé de bœuf à l'anis étoilé.

Ijalba Reserva 2006

RIOJA, VIÑA IJALBA, ESPAGNE

19,70 $	SAQ **S** (478743)	★★★ $$	Modéré+	BIO

Ce passablement concentré et ramassé rioja se montre dominé par une puissante note poivrée, supportée en contrepoint par des touches de vanille, de cacao et de café. La bouche est quant à elle d'une fraîcheur unique pour ce style de cru, aux tanins ciselés, de grains très fins au corps modéré et aux saveurs longues et passablement torréfiées comme souvent le sont les jeunes tempranillo de cette région. Pomme grenade et musc s'y ajoutent à l'oxygénation. Beau et civilisé, presque digeste. À table, des côtelettes et des tranches d'épaule d'agneau grillées au poivre noir feront le travail simplement, surtout si elles sont escortées d'asperges vertes rôties au four à l'huile d'olive. Ici, pour que la synergie aromatique opère avec la structure du vin, il importe que les asperges vertes soient très torréfiées, donc fortement colorées par la cuisson. **Cépages :** 80 % tempranillo, 20 % grecanico. **Alc./**13 %. **ijalba.com**

☛ *Servir dans les sept années suivant le millésime, à 17 °C*

Sushis_Mc^2 « pour amateur de vin rouge » (voir recette sur **papillesetmolecules.com**), côtelettes et tranches d'épaule d'agneau grillées au poivre noir escortées d'asperges vertes rôties au four à l'huile d'olive ou « purée_Mc^2 » pour amateur de vin au céleri-rave et clou de girofle (**).

Château Paul Mas « Clos des Mûres » 2009

COTEAUX-DU-LANGUEDOC, LES DOMAINES PAUL MAS, FRANCE

19,75 $	SAQ S* (913186)	★★★ $$	Corsé

Plus que jamais, cette syrah se montre certes généreusement aromatique (fruits noirs, poivre, olive noire), mais aussi passablement boisée (noix de coco, torréfaction). La bouche est toujours aussi dense et serrée, pleine et enveloppante, sans dureté aucune, aux saveurs expressives et boisées, qui ont de l'allonge. Les parfums de la syrah et de la barrique créeront une grande synergie à table si vous accompagnez ce cru de plats dominés, entre autres, par l'olive noire, le poivre, l'algue nori, l'agneau, l'orange, qui sont des aliments complémentaires de la syrah, tout comme d'asperges vertes rôties, de champignons, de riz sauvage, de thé noir fumé, de sirop d'érable, de noix de coco, d'abricot, de scotch et de porc, étant les ingrédients sur la même piste aromatique que le chêne. **Cépages :** 90 % syrah, 10 % grenache. **Alc./**14 %. **paulmas.com**

☛ *Servir dans les sept années suivant le millésime, à 18 °C et oxygéné en carafe 30 minutes*

Sushis_Mc² «pour amateur de vin rouge» (voir recette sur **papillesetmolecules.com**).

Château Paul Mas « Clos des Mûres » 2010

COTEAUX-DU-LANGUEDOC, LES DOMAINES PAUL MAS, FRANCE
(DISP. FIN 2011/DÉBUT 2012)

19,75 $	SAQ S* (913186)	★★★ $$	Corsé

Un 2010, dégusté en primeur en juin 2011, se montrant plus poli et plus arrondi que le 2009 (aussi commenté). La matière est belle, comme toujours pour ce cru, mais plus raffinée et parfumée. Cassis, violette, fumée et café donnent le ton tant au nez qu'en bouche. Beaucoup d'éclat et de précision. Boisé juste, sans trop. Finale tannique aux tanins fermes et juvéniles, qui se fondront dans l'ensemble à compter de l'automne 2012. Pour plus de détails sur ce cru, voir le commentaire du 2009. **Cépages :** 90 % syrah, 10 % grenache. **Alc./**14 %. **paulmas.com**

☛ *Servir dans les sept années suivant le millésime, à 18 °C et oxygéné en carafe 15 minutes*

Hamburgers de bœuf avec pommade d'olives noires à l'eau de poivre (***), brochettes de bœuf sur brochettes de bambou imbibées à l'anis étoilé (voir Brochettes de bambou imbibées à l'anis étoilé «pour cubes de bœuf») (***) ou «purée_Mc²» pour amateur de vin (au céleri-rave et clou de girofle) (**).

Château Bujan 2009

✓ TOP 100 CHARTIER

CÔTES-DE-BOURG, PASCAL MELI, FRANCE

19,90 $	SAQ S* (862086)	★★★ $$	Corsé

Un 2009 au nez charmeur, passablement riche et mûr, sans trop, à la bouche charnue, ample et d'une bonne plénitude pour le rang. Fruits noirs, graphite et suie donnent le ton. Belle matière fraîche, aux tanins tissés serrés, sans dureté, au corps aérien et aux saveurs longues, où s'ajoutent le café et le poivron. Après un 2006 retenu au nez, aux tanins fermes et au corps dense, dont il fallait idéalement attendre 2011 avant qu'il ne se détende, puis un 2007 engageant au possible et un 2008 (aussi commenté dans le Répertoire) plus adorable et abordable que jamais, ce domaine de pointe hausse d'un cran l'harmonie d'ensemble de ce cru. **Cépages :** 70 % merlot, 25 % cabernet sauvignon, 5 % cabernet franc. **Alc./**13,5 %. **chateau-bujan.com**

☛ *Servir dans les six années suivant le millésime, à 17 °C et oxygéné en carafe 15 minutes*

Figues confites au thé Pu-Erh, chantilly de fromage Saint-Nectaire (**), pétoncles poêlés enrubannés d'algues nori et réduction de jus de veau et framboises, poitrines de poulet farcies au chèvre et aux poivrons rouges, asperges vertes rôties au four à l'huile d'olive ou brochettes de poulet aux champignons portobellos.

Château de Pic 2006

PREMIÈRES-CÔTES-DE-BORDEAUX, DOMAINE MASSON REGNAULT, FRANCE

19,90 $	SAQ S (10764717)	★★★ $$	Corsé

Nez envoûtant où s'entremêlent de subtils parfums de réglisse noire, d'encens et de prune, suivi d'une bouche à la fois ample, pleine et texturée, aux tanins mûrs, enveloppés d'une gangue veloutée, mais conservant un certain grain, aux saveurs très longues, rappelant les champignons de Paris, la craie et l'encens. Ce qui confirme une fois de plus l'excellent rapport qualité-prix de cette cuvée, millésime après millésime. **Cépages:** 50% cabernet sauvignon, 45% merlot, 5% cabernet franc. **Alc./**12,5%.

☛ *Servir dans les huit années suivant le millésime, à 18°C et oxygéné en carafe 5 minutes*

Tarte de pommes de terre cuites au thé Pu-erh et fromage Saint-Nectaire (***) ou filets de bœuf et coulis de poivrons verts (*).

Château l'Hospitalet « La Réserve » 2009

COTEAUX-DU-LANGUEDOC LA CLAPE, GÉRARD BERTRAND, FRANCE
(DISP. AUTOMNE 2011)

19,95$	SAQ **S** (10920732)	★★★ $$		Corsé

Dégusté en primeur, avant son arrivée à la SAQ, prévue au cours de l'automne 2011, ce 2009 de La Clape se montre à nouveau dans la lignée qualitative du très bon Château Rouquette sur Mer (aussi commenté), mais cette fois-ci, contrairement au plus velouté et souple 2007 (commenté dans *La Sélection 2011*), en plus riche, mûr et soutenu. Un vin ultra-coloré, richement aromatique, marqué par de riches effluves de crème de cassis et de poivre, à la bouche pleine, sphérique et juteuse, mais aussi tannique et ferme. Longue finale au fruité débordant et aux tanins gommés par cette belle matière dense et mûre. Bravo! **Cépages:** 40% syrah, 30% mourvèdre, 30% grenache. **Alc./**14,5%. **gerard-bertrand.com**

☛ *Servir dans les huit années suivant le millésime, à 17°C et oxygéné en carafe 15 minutes*

« Feuilles de vigne farcies_Mc² » (riz sauvage soufflé, bacon de sanglier, sirop de riz brun/café) (**), magret de canard rôti parfumé de baies roses ou pot-au-feu froid d'agneau cuit rosé, cubes de bouillon à la sauge, condiment au curcuma, sel de romarin (**).

Gran Coronas Reserva Cabernet Sauvignon 2007

PENEDÈS, MIGUEL TORRES, ESPAGNE

19,95$	SAQ **C** (036483)	★★★ $$		Corsé

Encore plus joufflu, plein, texturé et prenant que ne l'était le déjà très réussi 2006 (aussi commenté dans le Répertoire additionnel). Succès planétaire depuis que Miguel Torres a eu l'intuition de planter du cabernet, à la fin des années soixante, ce cru se montre plus que jamais concentré et profond pour son rang, laissant aller des tonalités de café, de cerise noire et de vanille, à la bouche plus détendue qu'en 2006, presque sphérique, aux courbes sensuelles et aux saveurs d'une grande allonge. Un catalan sérieux, moderne et bordelais d'approche, vinifié avec doigté, comme toujours avec les vins de cette grande maison historique qui sait ne pas s'asseoir sur ses acquis. **Cépages:** 85% cabernet sauvignon, 15% tempranillo. **Alc./**13,5%. **torreswines.com**

☛ *Servir dans les dix années suivant le millésime, à 17°C*

Filets de bœuf marinés au parfum d'anis étoilé ou filets de bœuf au café noir (*).

Henry Fessy « Brouilly » 2009

BROUILLY, HENRY FESSY, FRANCE *(DISP. OCT./NOV. 2011)*

19,95 $	SAQ **S** (11589842)	★★☆ $$	Modéré+

■ NOUVEAUTÉ! Agréable nouveau venu que ce cru du Beaujolais, né du grand millésime 2009. Couleur soutenue. Nez aromatique et fin, sur les fruits rouges et les fleurs, sans être puissant ni très riche. Bouche d'une bonne tenue, aux tanins serrés, mais avec élégance, à l'acidité juste fraîche et au corps modéré. Saveurs longues et subtiles de violette et de cerise pour un brouilly de plaisir. **Cépage :** gamay. **Alc./**13 %. **henryfessy.com**

☛ *Servir dans les six années suivant le millésime, à 17 °C*

Risotto au jus de betterave parfumé au girofle et flocons de poisson.

La Luna e I Falo 2008

BARBERA D'ASTI « SUPERIORE », TERRE DA VINO, ITALIE

19,95 $	SAQ **S** (627901)	★★★ $$	Corsé

Un excellent millésime pour cette barbera qui se montre plus riche, mûre et pénétrante que jamais. Quelle matière! Couleur soutenue. Nez concentré et profond, passablement mûr, exhalant des tonalités de fruits noirs et de violette. Bouche pleine et presque sphérique, aux tanins dodus, mais conservant un certain grain, à l'acidité discrète, au volume généreux et aux saveurs très longues, où s'ajoutent des notes de café et de cacao. Vraiment de la belle barbera, qui, par son style gourmand, devrait faire de nouveaux adeptes de ce grand cépage piémontais. **Cépage :** barbera. **Alc./**14 %. **terredavino.it**

☛ *Servir dans les huit années suivant le millésime, à 17 °C*

Cailles sautées à la poêle et riz sauvage aux champignons (*), pétoncles poêlés enrubannés d'algues nori et réduction de jus de veau ou steak de saumon au café noir et au cinq-épices chinois (*).

Mouton Cadet Réserve 2009

SAINT-ÉMILION, BARON PHILIPPE DE ROTHSCHILD, FRANCE

19,95 $	SAQ **C** (11314822)	★★★ $$	Corsé

Dégusté à l'aveugle, comme la majorité des vins commentés dans ce guide, cette cuvée réserve se montre tout à fait réussie et plus qu'abordable pour un cru de Saint-Émilion. La robe est soutenue, le nez aromatique et passablement riche, sans trop, d'une maturité de fruit. La bouche suit avec chair, ampleur et texture, débordante de fruits rouges et de notes de craie, de betterave rouge et de violette. La trame tannique est plutôt dodue, mais non dénuée de grippe. Bien joué. **Cépages :** merlot, cabernet sauvignon, cabernet franc. **Alc./**13 %. **moutoncadet.com**

☛ *Servir dans les six années suivant le millésime, à 17 °C et oxygéné en carafe 15 minutes*

Pétoncles poêlés, couscous de noix du Brésil à l'orange sanguine, lait de coco au gingembre (**), cailles sautées à la poêle et riz sauvage aux champignons (*) ou filet de porc au café noir (voir Filets de bœuf au café noir) (*).

Carpineto Chianti Classico 2009

CHIANTI CLASSICO, CASA VINICOLA CARPINETO, ITALIE

20 $	SAQ C (478891)	★★★ $$		Corsé

Un 2009 passablement riche, extrait, complexe et généreux pour son rang. La robe est très foncée. Le nez étonnamment complet et profond, exhalant des notes classiques de chanvre, de fruits noirs et de réglisse. La bouche tout aussi généreuse, avec éclat, aux tanins présents, mais mûrs à point et presque enveloppés, à l'acidité modérée, au corps plein, d'une bonne densité pour l'appellation, aux saveurs longues, égrainant des notes de violette, de cerise noire, de café et d'anis. Rares sont les simples chiantis classico aussi substantiels. Mérite donc plus que jamais le détour dans ce millésime. **Alc./**13%. **carpineto.com**

☛ *Servir dans les six années suivant le millésime, à 18 °C et oxygéné en carafe 15 minutes*

 Filets de bœuf au café noir (*), magret de canard rôti à la nigelle ou osso buco au fenouil et gremolata.

La Montesa 2007

RIOJA, BODEGAS PALACIOS REMONDO, ESPAGNE

20,05 $	SAQ 5* (10556993)	★★★☆ $$		Corsé

Très, très grand millésime que 2007 en Rioja, qui est l'un des plus réussis depuis longtemps, ayant donné de petits raisins concentrés, mais avec de la fraîcheur due au climat harmonieux de l'été. Quant à cette cuvée, quel nez! Racé, profond, pur, intense, épicé/eucalyptus. Un vin coloré et violacé, d'une grande palette aromatique, après un long séjour en carafe, jouant aussi dans la sphère du poivre long, du thym et de la garrigue, mais avec retenue et élégance. La matière est à la fois ramassée et crémeuse, dense et fraîche. Déjà très grand. Il restait cinq mois de barriques à effectuer lors du premier échantillon que j'ai dégusté, à Barcelone, à la fin décembre 2008, et déjà le vin était complet et pratiquement identique au premier arrivage débarqué en juin 2010, tout comme au ixième arrivage dégusté en avril 2011. Ayant en plus été coup de cœur de ce guide dans quelques millésimes, il méritait donc amplement sa place parmi le haut du «Top 100» du 15e anniversaire. **Cépages:** 45% grenache, 40% tempranillo, 15% graciano et mazuelo. **Alc./**14%.

☛ *Servir dans les dix années suivant le millésime, à 17 °C et oxygéné en carafe 30 minutes*

 Tourtière de la Beauce et betteraves sautées à l'émulsion «Mister Maillard» (voir recette de l'émulsion «Mister Maillard» sur **papillesetmolecules.com**), thon rouge mi-cuit au poivre et risotto au jus de betterave parfumé aux clous de girofle ou flanc de porc «façon bacon» fumé au bois de pommier, mélasse, sauce soya, rhum et clou de girofle (**).

Quinta de la Rosa 2008

DOURO, QUINTA DE LA ROSA VINHOS, PORTUGAL

20,10 $	SAQ S (928473)	★★★?☆ $$		Corsé

Cette *quinta* de référence récidive avec un 2008 aussi substantiel et dense que le précédent, et conserve cette élégante signature qui le singularise des autres capiteux crus du Douro. En plus, il s'est grandement complexifié au fil des derniers mois, tout en conservant sa belle retenue européenne au nez, déployant plus que jamais une certaine richesse aromatique et une juste maturité, où s'expriment fruits noirs, épices orientales et fleurs. La bouche, dense, possède toujours la même prise tannique, mais avec finesse et élégance dans le grain, à l'acidité juste dosée, aux saveurs qui ont de l'éclat, se détaillant en tonalités de cassis, de violette, de cèdre, de cumin, de poivre et de girofle, avec une arrière-scène de garrigue. **Cépages:** tinta roriz, touriga nacional, touriga franca. **Alc./**14%. **quintade-larosa.com**

☛ *Servir dans les huit années suivant le millésime, à 18 °C et oxygéné en carafe 30 minutes*

Mozzarella gratinée «comme une pizza» et sel au clou de girofle (***), gigot d'agneau aux herbes séchées (thym, romarin et origan) ou brochettes d'agneau aux olives noires «sur brochettes imbibées d'une eau parfumée au thym» (***).

Sous les Balloquets 2009
BROUILLY, LOUIS JADOT, FRANCE

20,15 $	SAQ S (515841)	★★★ $$	Modéré+

Un brouilly de Jadot qui s'exprime haut et fort en bouche tant la matière est belle et nourrie, le fruit mûr et persistant. Vraiment engageant et prenant pour le style, aux tanins polis avec doigté, à l'acidité discrète, laissant place à la texture presque veloutée. Il y avait quelques vendanges que ce cru ne m'avait pas autant interpellé. Il faut savoir que la maison Jadot sait toucher au sublime pour certains de ses crus. **Cépage:** gamay. **Alc./**13,5%. **louisjadot.com**

☛ *Servir dans les cinq années suivant le millésime, à 17 °C*

Sushis en bonbon de purée de framboises (***), côtelettes de porc à la niçoise, filet de saumon au pinot noir (*), pain de viande à la tomate ou pâtes aux tomates séchées.

Syrah Achelo 2008
CORTONA, LA BRACCESCA, ANTINORI AGRICOLA, ITALIE

20,15 $	SAQ S (11208085)	★★★ $$	Modéré+

■ NOUVEAUTÉ! Une belle et invitante syrah italienne, au profil européen, donc élégante, raffinée et retenue, aux tanins fondus et coulants, à l'acidité discrète et aux saveurs longues. Une ixième réussite provenant de l'un des nombreux domaines de la grande famille Antinori, reconnu pour son excellent vino nobile di montepulciano La Braccesca. **Cépage:** syrah. **Alc./**13%. **antinori.it**

☛ *Servir dans les six années suivant le millésime, à 17 °C*

Osso buco ou ragoût de bœuf au vin rouge et polenta crémeuse au parmesan.

Les Cornuds Vinsobres Perrin & Fils 2009
VINSOBRES, PERRIN & FILS, FRANCE

20,20 $	SAQ S (11095981)	★★★ $$	Corsé

Nez de fruits rouges mûrs, presque confits, pas très loin du profil des portos de type LBV, suivi d'une bouche plutôt détendue, gorgée de saveurs, aux tanins presque enveloppés et dodus, même si marqués par une certaine prise de jeunesse, au corps généreux, sans trop, non dénué de fraîcheur et de persistance. À prix égal, je lui préfère le **Rasteau L'Andéol Perrin & Fils 2009** (aussi commenté), même si ce vinsobres demeure un très bon achat. **Cépages:** 50% grenache, 50% syrah. **Alc./**14,5%. **perrin-et-fils.com**

☛ *Servir dans les huit années suivant le millésime, à 17 °C*

Carré de porc glacé aux fraises, poivre du Sichuan, galanga et miel (**), côtelettes d'agneau marinées au porto et au romarin frais ou daube d'agneau au vin et à l'orange.

Château Roque Le Mayne 2008

CÔTES-DE-CASTILLON, VIGNOBLES MEYNARD, FRANCE

20,65 $	SAQ **S** (10853007)	★★★ $$	Corsé

Un 2008 ultra-coloré, richement aromatique, passablement concentré pour son rang, au boisé juste dosé, même discret, à la bouche tout en fruit et en chair, sans trop, marquée par un grain de tanins plutôt fin, une acidité en arrière-plan, et des saveurs longues, rappelant la prune, le cacao et la vanille, avec une pointe de café. Finale presque crémeuse et expressive à souhait. Difficile d'être plus moderne comme approche bordelaise. Du bel ouvrage, offert à bon prix. **Cépages :** 80 % merlot, 15 % cabernet sauvignon, 5 % malbec. **Alc./**14 %.

☛ *Servir dans les huit années suivant le millésime, à 17 °C et oxygéné en carafe 15 minutes*

Sablés au parmesan et au café (***), brochettes de foie de veau et de poivrons rouges ou cubes de bœuf en sauce (***).

Lamole di Lamole 2008

CHIANTI CLASSICO, PILE E LAMOLE, ITALIE

20,65 $	SAQ **S** (953489)	★★★ $$	Modéré+

Un toscan au nez enchanteur et expressif, rappelant la garrigue du Midi (lavande, romarin), ainsi que l'olive et les fruits rouges, à la bouche à la fois fraîche, ample, tannique, aux tanins très fins, au corps modéré, mais aux saveurs qui ont du bagou et de la longueur. Difficile d'être plus classiquement chianti. Réservez-lui des plats dominés par les aliments complémentaires au romarin (bœuf, girofle, lavande, sauge, laurier, cèdre, genièvre), tout comme à l'olive noire (agneau, poivre, thym, orange). **Cépage :** sangiovese. **Alc./**13,5 %. **lamole.com**

☛ *Servir dans les six années suivant le millésime, à 17 °C*

Filet de bœuf grillé au romarin, côtelettes d'agneau marinées au porto et au romarin frais ou carré d'agneau farci aux olives noires et au romarin.

Château de Carolle 2009

GRAVES, B. D. & P. GUIGNARD, FRANCE

20,75 $	SAQ **C** (11401547)	★★★ $$	Modéré+

■ NOUVEAUTÉ! Un 2009 au nez d'un charme fou, séduisant, au fruité mûr et prenant, suivi d'une bouche tout aussi engageante, d'une belle tenue, sans être pleine ni profonde, mais marquée par des tanins presque ronds, qui ont du grain, et des saveurs épurées et longues, rappelant la prune, la cerise noire, le café et le champignon de Paris. Un bel ajout aux bordeaux offerts sous la barre des trente dollars en produits courants. **Cépages :** cabernet sauvignon, cabernet franc, merlot. **Alc./**13 %. **vignobles-guignard.com**

☛ *Servir dans les six années suivant le millésime, à 17 °C et oxygéné en carafe 5 minutes*

Sablés au parmesan et au café (***), brochettes de foie de veau et de poivrons rouges, cubes de bœuf en sauce (***) ou poitrines de poulet farcies au chèvre et aux poivrons rouges.

Celeste 2008

RIBERA DEL DUERO, MIGUEL TORRES, ESPAGNE

20,95 $	SAQ S* (10461679) ★★★?☆ $$		Corsé+

Sixième millésime – le tout premier 2003 avait été commenté en primeur dans *La Sélection 2007* – à nous parvenir de cette nouvelle aventure de la famille Torres dans la zone de production Ribera del Duero. Celeste 2008 se montre subtilement aromatique, très fin et élégant, ayant besoin d'un coup de carafe pour se révéler pleinement. La bouche suit avec ampleur, chair et volume, mais non sans fraîcheur ni prise tannique. Du sérieux, aux tanins serrés, au fruité débordant, tout en fraîcheur, auquel s'ajoutent des tonalités torréfiées (café, cacao, fumée). Il se montre plus frais et élancé que les précédents millésimes, ce qui me plaît. **Cépage :** tempranillo. **Alc./**14,5 %. **torreswines.com**

☛ *Servir dans les douze années suivant le millésime, à 17 °C et oxygéné fortement en carafe 30 minutes*

« Feuilles de vigne farcies_Mc² » (riz sauvage soufflé, bacon de sanglier, sirop de riz brun/café) (**), hamburgers d'agneau aux poivrons rouges confits et au curcuma ou magret de canard fumé aux feuilles de thé Lapsang Souchong.

Henry Fessy « Moulin-à-Vent » 2009

BROUILLY, HENRY FESSY, FRANCE *(DISP. OCT./NOV. 2011)*

21,15 $	SAQ S (11589818) ★★★ $$		Modéré+

■ NOUVEAUTÉ! Cette nouveauté beaujolais se montre plus expressive et plus enveloppante que le brouilly du même domaine, aussi attendu en octobre/novembre 2011 (et aussi commenté). Un gamay qui a du coffre et de la prestance, sans renier ses origines, qui se signale par une certaine minéralité, au fruité long et large et aux tanins qui ont du grain. Les amateurs de crus du Beaujolais, qui sont heureusement de plus en plus nombreux, devraient apprécier. **Cépage :** gamay. **Alc./**13 %. **henryfessy.com**

☛ *Servir dans les huit années suivant le millésime, à 17 °C*

Salade de betteraves rouges parfumées au quatre-épices (poivre, muscade, gingembre en poudre et clou de girofle) ou poulet rôti au sésame et au cinq-épices.

Carodorum 2006

TORO, BODEGAS CARMEN RODRIGUEZ MENDEZ, ESPAGNE
(DISP. NOV./DÉC. 2011)

21,20 $	SAQ S (11414006) ★★★?☆ $$		Corsé+

■ NOUVEAUTÉ! Un autre cru typiquement tempranillo de Toro, mais à prix plus que doux, ce qui est passablement rare dans cette appellation dont les prix ont beaucoup monté au fil des derniers millésimes. Il en résulte un vin très coloré, débordant de fruits et d'épices, richissime, sans trop, non sans fraîcheur, d'une bonne densité, mais aussi un brin détendu, ce qui le rend déjà engageant à souhait. Fruits noirs, café et épices douces se donnent la réplique. Solaire et généreux, sans être puissant ni trop lourd pour le style. Un bel ajout au répertoire espagnol déjà richement pourvu en découvertes. Fera un malheur à son arrivée, prévue fin 2011. **Cépage:** tempranillo. **Alc./**15 %.

☛ *Servir dans les sept années suivant le millésime, à 17°C*

« Balloune de mozarella_Mc² » : à l'air de clou de girofle, éclats de viande de grison et piment d'Espelette) (**) ou carré d'agneau et jus au café expresso (*).

Conde de Valdemar « Garnacha » 2008

RIOJA, BODEGAS VALDEMAR-MARTINEZ BUJANDA, ESPAGNE

| 21,30 $ | SAQ S (11315737) | ★★★ $$ | Modéré+ |

■ NOUVEAUTÉ! Contrairement aux autres cuvées de cette maison, toutes marquées par un boisé américain façon rioja, ce garnacha se montre débordant de fruits et de fleurs, sans boisé apparent, tout en fraîcheur, en éclat et en pureté, aux tanins extrafins, à l'acidité fraîche et au corps modéré. Quel fruité! Framboise et fraise sauvages explosent littéralement en bouche, ainsi que des tonalités de rose et de pivoine. À l'aveugle, j'étais convaincu d'avoir un pinot noir dans le nez! Fidèle au style maison, au boisé soutenu. J'aime vraiment. **Cépage :** garnacha. **Alc./**14 %. **valdemar.es**

☛ *Servir dans les six années suivant le millésime, à 17 °C*

Sushis en bonbon de purée de framboises (***), bœuf en salade asiatique (***), mozzarella gratinée « comme une pizza », viande des Grisons et piment d'Espelette (***) ou pétoncles poêlés, couscous de noix du Brésil à l'orange sanguine, lait de coco au gingembre (**).

Rasteau Prestige « Ortas » 2006

CÔTES-DU-RHÔNE VILLAGES RASTEAU, CAVE DE RASTEAU, FRANCE

| 21,45 $ | SAQ S (952705) | ★★★?☆ $$ | Corsé+ |

Une autre réussite pour cette cuvée prestige, issue de vieilles vignes, de Rasteau, se signalant par une étonnante épaisseur veloutée pour le cru, très aromatique, aux riches et puissants effluves (poivre, girofle, cassis et thym), aux tanins réglissés et fermes, mais d'une belle maturité, presque gras, à l'acidité discrète, à la texture ample, aux saveurs plus que persistantes. Le bouquet s'est complexifié depuis l'automne 2010, ajoutant des tonalités de muscade, de cuir et de cerise à l'eau-de-vie. À servir avec les ingrédients de liaisons harmoniques du poivre, donc de même famille moléculaire, comme le sont l'olive noire, le thym, le basilic, le genièvre, le gingembre, le café, le thé, les champignons, le romarin et la tomate séchée. **Cépages :** grenache, syrah, mourvèdre. **Alc./**14,5 %. **rasteau.com**

☛ *Servir dans les huit années suivant le millésime, à 17 °C et oxygéné en carafe 15 minutes*

Canapés de pommade d'olives noires au poivre, pâtes sauce au fond de veau et aux champignons portobellos ou gigot d'agneau aux herbes séchées.

Pinot noir Vieilles Vignes Nicolas Potel 2009

BOURGOGNE, NICOLAS POTEL, FRANCE

| 21,55 $ | SAQ S* (719104) | ★★★ $$ | Modéré+ |

Malgré qu'il soit sur une certaine réserve juvénile, ce pinot de l'excellente maison Nicolas Potel se montre passablement nourri et élancé pour son rang, aux tanins fermes, avec du grain et de la finesse, des saveurs franches et fraîches, rappelant la fraise et la cerise, ainsi que la craie. Devrait gagner en expressivité aromatique d'ici l'automne 2012. **Cépage :** pinot noir. **Alc./**12,5 %. **nicolas-potel.fr**

☛ *Servir dans les huit années suivant le millésime, à 16 °C et oxygéné en carafe 30 minutes*

Cailles sautées à la poêle et riz sauvage aux champignons (*), pétoncles en civet (*) ou poulet au soja et à l'anis étoilé.

Pétalos 2009

BIERZO, DESCENDIENTES DE J. PALACIOS, ESPAGNE

21,60 $	SAQ S* (10551471) ★★★ $$		Corsé	BIO

Ce 2009 se montre actuellement plus boisé et torréfié que ne l'étaient les précédents millésimes (tous commentés dans chaque édition de *La Sélection*). Cacao, crème pâtissière, vanille, fumée et goudron dominent le nez d'une bonne richesse. La bouche suit avec un charme évident, une ampleur considérable, une bonne épaisseur veloutée et des tanins mûrs à point, tout en possédant du grain. Certains préféreront les précédents millésimes, plus ramassés et moins boisés. D'autres craqueront littéralement sous le charme juvénile de ce 2009 solaire. **Cépage :** mencia. **Alc./**15 %.

☛ *Servir dans les six années suivant le millésime, à 17 °C*

Mozzarella gratinée « comme une pizza » et sel au clou de girofle (***) ou brochettes de porc sur brochettes de bambou imbibées au scotch (voir Brochettes de bambou imbibées au scotch « pour grillades de porc ») (***).

Tres Picos 2009

CAMPO DE BORJA, BODEGAS BORSAO, ESPAGNE

21,75 $	SAQ S* (10362380) ★★★?☆ $$		Corsé

Belle densité et invitante fraîcheur pour ce 2009, tout en fruit, ramassé et longiligne pour le style, aux tanins tissés serrés, mais très fins, aux saveurs longues et précises, sans boisé dominant. Il gagnera en expressivité et texture à compter de 2013. Il faut savoir que ce cru, composé de vieilles vignes de garnacha, est une autre référence signée Borsao (voir les autres aubaines de cette *bodega* aussi commentées). **Cépage :** garnacha. **Alc./**14,5 %. **bodegasborsao.com**

☛ *Servir dans les six années suivant le millésime, à 17 °C et oxygéné en carafe 45 minutes*

Ragoût de bœuf à la bière et polenta crémeuse aux oignons caramélisés ou « purée_Mc^2 » pour amateur de vin au céleri-rave et clou de girofle (**).

Delphis de La Dauphine 2008   ✓ TOP 100 CHARTIER

FRONSAC, DOMAINES JEAN HALLEY, FRANCE

22 $	SAQ S (11475917) ★★★?☆ $$		Modéré+

■ NOUVEAUTÉ ! Cette nouvelle cuvée de Jean Halley, qui est le deuxième vin du Château de la Dauphine (coup de cœur de cette édition de *La Sélection*) remplace la précédente cuvée autrefois nommée La Croix Canon. Il en résulte un rouge étonnamment aromatique pour son rang de second cru, plutôt élégant et raffiné, exhalant des notes de fruits rouges, de fleurs et de betterave. La bouche se montre quant à elle avec le même éclat que sa grande sœur La Dauphine, mais en plus aérée et détendue, au corps ample et satiné, aux tanins extrafins et aux saveurs très longues et fraîches. Pureté, précision et définition à peu de frais. **Cépages :** 80 % merlot, 20 % cabernet franc. **Alc./**14 %. **chateau-dauphine.com**

☛ *Servir dans les sept années suivant le millésime, à 17 °C*

Brochettes de bœuf et poivrons verts et rouges marinés à l'huile de sésame (***), côtes de veau et purée de pois à la menthe (*) ou lapin aux poivrons verts.

Camins del Priorat 2008
✓ TOP 100 CHARTIER

PRIORAT, BODEGA ÀLVARO PALACIOS, ESPAGNE

22,30 $	SAQ **S** (11180351)	★★★?☆ $$	Corsé

Commenté en primeur dans l'édition 2011 de ce guide, un second arrivage de ce 2008 était de retour en août 2011. Un cru d'une grande fraîcheur aromatique, au nez passablement riche et complexe, jouant dans la sphère du poivre, de la grenadine et de la violette, à la bouche engageante, à l'image des autres crus d'Alvaro, mais avec une fraîcheur qui prend les devants de la scène, ainsi qu'une trame tannique plus serrée que dans le 2007. Les tanins sont déjà plus gras qu'à l'été 2010. L'acidité juste dosée, tout en étant discrète. Le boisé présent, mais sans dominer. Les saveurs gourmandes et très longues. Du sérieux, à prix plus que doux pour l'appellation. **Cépages :** 50 % samsó, 40 % garnacha, 10 % cabernet sauvignon et syrah. **Alc./**14,5 %.

☛ *Servir dans les sept années suivant le millésime, à 17 °C et oxygéné fortement en carafe 15 minutes*

Brochettes d'agneau au thym, risotto au jus de betterave parfumé au girofle, sauté de porc vietnamien au cinq-épices ou pétoncles poêlés, couscous de noix du Brésil à l'orange sanguine, lait de coco au gingembre (**).

Camins del Priorat 2009
✓ TOP 100 CHARTIER

PRIORAT, BODEGA ÀLVARO PALACIOS, ESPAGNE *(DISP. FIN 2011)*

22,30 $	SAQ **S** (11180351)	★★★?☆ $$	Corsé

Un priorat d'un grand charme aromatique, passablement riche et très frais, aux tanins mûrs à point, tout en possédant une certaine prise de jeunesse, aux saveurs qui ont de l'éclat, comme toujours avec les vins de ce viticulteur attentionné. Framboise, mûre, cassis, poivre et girofle s'entrelacent longuement. C'est le troisième millésime à nous parvenir de ce nouveau cru, commenté en primeur, comme l'ont été les 2008 et 2007 dans les éditions 2011 et 2010 de ce guide. L'idée de ce talentueux viticulteur mondialement reconnu est de proposer un priorat de haute tenue, à un prix égal à son remarquable Pétalos, l'un de ses rouges du Bierzo (salués depuis quelques millésimes dans ce guide). Ce à quoi répond à nouveau ce Camins del Priorat (Les sentiers du Priorat), qui, pour ma part, est supérieur au Pétalos en 2009. Notez que ce Camins 2009 sera aussi disponible en format 1,5 litre, dans le magazine *Cellier* du mois de mars 2012. **Cépages :** 50 % samsó, 40 % garnacha, 10 % cabernet sauvignon, syrah. **Alc./**14,5 %.

☛ *Servir dans les sept années suivant le millésime, à 17 °C et oxygéné fortement en carafe 15 minutes*

Brochettes de bœuf sur brochettes de bambou imbibées au clou de girofle (voir Brochettes de bambou imbibées au clou de girofle « pour grillades de viande rouge ») (***) ou « purée_Mc² » pour amateur de vin au céleri-rave et clou de girofle (**).

Château Ramafort 2005

MÉDOC, CHÂTEAU RAMAFORT, FRANCE

22,30 $	SAQ S* (608596)	★★★?☆ $$	Corsé

Nez enivrant et complexe, ce classique médocain se montre au sommet de son art en 2005, exhalant de riches parfums de prune, de suie, de mine de crayon, de fumée. La bouche suit et confirme avec fraîcheur, ampleur et persistance des saveurs, où les tanins tissés serrés démontrent une belle prise médocaine. Amateur de crus bordelais, ne laissez pas filer ce 2005. **Cépages :** 50 % cabernet sauvignon, 50 % merlot. **Alc./**13 %. **chateau-ramafort.com**

☛ *Servir dans les dix années suivant le millésime, à 17 °C*

Cailles sautées à la poêle et riz sauvage aux champignons) (*) ou filet de porc au café noir (voir Filets de bœuf au café noir) (*).

Transhumance 2008 ✓ TOP 100 CHARTIER
FAUGÈRES, DOMAINE COTTEBRUNE, PIERRE GAILLARD, FRANCE

22,30 $	SAQ S (10507307)	★★★?☆ $$	Corsé

Un 2008 fortement coloré, au nez pur et profond, sans boisé ni surmaturité inutile, sur le fruit, ayant besoin de temps ou d'un bon gros coup de carafe agitée pour s'exprimer pleinement, à la bouche tout aussi racée, ample, texturée et même veloutée, aux tanins gras et ronds, pour ne pas dire dodus, aux saveurs très longues, rappelant le cacao et la figue séchée. Cette propriété, reprise par Pierre Gaillard, l'un des membres du désormais réputé quatuor de vignerons rhodaniens qui forment la société *Les Vins de Vienne* – avec Cuilleron, Villard et Villa –, réalise millésime après millésime un cru digne de mention. **Cépages :** 50 % grenache, 35 % syrah, 15 % mourvèdre. **Alc./**15 %. **domainespierregaillard.com**

☛ *Servir dans les sept années suivant le millésime, à 17 °C et oxygéné fortement en carafe 30 minutes*

Carré de porc glacé aux fraises, poivre du Sichuan, galanga et miel (**) ou filet de bœuf de la Ferme Eumatimi, sauce *mole* mexicaine à la noix de coco et au cinq-épices (**).

Château Villerambert-Julien 2007
MINERVOIS, MARCEL JULIEN, FRANCE

22,35 $	SAQ S (743385)	★★★?☆ $$	Corsé+	BIO

Un 2007 au fruité ultra-mûr, rappelant presque la générosité des jeunes portos de type *late bottled vintage*, à la bouche dense, serrée et ferme, sans trop, laissant paraître cette chaleur solaire que le nez exprime avec aplomb. Un vin qui a du coffre, de la mâche, des tanins marqués, sans trop, et de la prestance. À l'aveugle, j'étais convaincu d'être en présence d'un très beau... zinfandel californien! Ce qui explique cette grande maturité. Les amateurs de vins ensoleillés seront conquis, d'autant plus que son prix est plus que sage. **Cépages :** 60 % syrah, 40 % grenache. **Alc./**14,5 %. **villerambert-julien.com**

☛ *Servir dans les dix années suivant le millésime, à 17 °C*

Longe de porc fumée sauce au boudin noir et vin rouge, meringue de pois verts, tomates confites, « filets d'anchois croustillants au vinaigre de xérèx_Mc² » : air de shiitakés dashi (**) (**) ou « purée_Mc² » pour amateur de vin au céleri-rave et clou de girofle (**).

Les Launes 2009 ✓ TOP 100 CHARTIER
CROZES-HERMITAGE, DELAS, FRANCE *(DISP. SEPT./OCT. 2011)*

22,50 $	SAQ S (11544126)	★★★?☆ $$	Corsé

Forte coloration. Nez très aromatique, surtout après un bon coup de carafe, passablement intense et juste mûr, avec fraîcheur, exhalant des notes subtiles d'olive noire, de poivre et de cassis. Bouche tendue, longiligne et très fraîche, non sans être soutenue et presque dense. Tanins polis, presque souples, acidité à point et saveurs très longues, signant un crozes typique et de haut niveau. Il faut savoir que, grâce à un travail important dans les vignes, tout comme dans les chais, la maison Delas se situe depuis quelques millésimes parmi l'élite rhodanienne. Ce que ce 2009 (et quelques crus blancs et rouges commentés en primeur dans ce guide) démontre avec éclat. **Cépage : syrah. Alc./13%. delas.com**

☛ *Servir dans les huit années suivant le millésime, à 17 °C et oxygéné en carafe 30 minutes*

🍴 Tartinade de pommade d'olives noires à l'eau de poivre (***), sushis_Mc^2 « pour amateur de vin rouge » (voir recette sur **papillesetmolecules.com**), filets de bœuf surmontés de raviolis de pâtes d'algues nori farcies à la purée de framboise ou brochettes d'agneau aux olives noires sur brochettes parfumées au thym (***).

Château Treytins 2007
LALANDE-DE-POMEROL, VIGNOBLES LÉON NONY, FRANCE

22,65 $	SAQ S* (892406)	★★★ $$	Modéré+

Toujours aussi distingué au nez, sans esbroufe, exhalant des notes de violette, de framboise, de prune et de café, se montrant tout aussi charmeur en bouche, aux tanins fins et fondus, au corps rond mais frais et soyeux. Du plaisir, rien que du plaisir! Il faut dire que Treytins fait partie des vins qui ont été d'une régularité sans faille au fil des seize ans de *La Sélection*, et ce nouveau millésime reconfirme, si besoin est, son statut d'aubaine bordelaise. Réservez-lui des plats dominés par les aliments complémentaires à la violette et à la framboise – des saveurs qui nous dirigent sur sa piste harmonique –, comme le sont la carotte, les algues nori, la mûre, le safran, le thé et le riz sauvage, tout comme les recettes accompagnées de poivron vert. **Cépages : 20 % cabernet franc, 75 % merlot, 5 % cabernet sauvignon. Alc./13%. chateautreytins.fr**

☛ *Servir dans les huit années suivant le millésime, à 17 °C*

🍴 Cailles sautées à la poêle et riz sauvage aux champignons (*), filet d'agneau enveloppé d'algues nori accompagné d'un braisé de carottes au jus d'agneau ou côtes de veau et pâte concentrée de poivrons verts à la menthe (voir recette de pâte concentrée de poivrons verts à la menthe sur **papillesetmolecules.com**).

Les Vins de Vienne « Crozes-Hermitage » 2009
CROZES-HERMITAGE, LES VINS DE VIENNE, FRANCE

23,15 $	SAQ S (10678229)	★★★?☆ $$	Modéré+

Plus que jamais classiquement « crozes », ce cru se montre plus raffiné et plus digeste que jamais en 2009. Il a tout pour plaire à l'amateur de syrah française, non dénuée de minéralité. On y trouve un rouge au nez aromatique et fin, d'une certaine intensité, exhalant des tonalités typiques et subtiles de fruits noirs, de poivre et d'olive noire, à la bouche ramassée et presque dense, mais avec fraîcheur et élan, aux tanins tissés certes serrés mais très fins, avec le même corps longiligne et svelte habituel. Servez-le à table sur des plats aux aliments complémentaires au poivre et à l'olive noire, ses saveurs dominantes, comme le sont les olives noires et le poivre bien sûr, mais aussi la carotte, les épices douces, le poivre du Sichuan, l'algue nori, la framboise, le thé noir et les herbes de Provence. **Cépage : syrah. Alc./12,5%. vinsdevienne.com**

☛ *Servir dans les six années suivant le millésime, à 17 °C et oxygéné en carafe 30 minutes*

Sushis_Mc² « pour amateur de vin rouge » (**) (voir recette sur **papillesetmolecules.com**), carré de porc glacé aux fraises, poivre du Sichuan, galanga et miel (**), pâté chinois (voir la recette « On a rendu le pâté chinois ») (**) ou steak de thon grillé à la pommade d'olives noires (***).

Val delle Rose 2008

MORELLINO DI SCANSANO, CASA VINICOLA LUIGI CECCHI & FIGLI, ITALIE

23,15 $	SAQ S (852137)	★★★?☆ $$	Corsé

Avis aux amateurs de sangiovese toscans, ce cru est d'une belle régularité bon an mal an, toujours au-dessus de sa valeur réelle. Il le prouve une fois de plus avec ce 2008 complexe et expressif comme je les aime (fruits noirs, menthe, poivre, cuir), à la bouche certes tannique, mais aux tanins raffinés, à l'acidité juste et fraîche, à la texture ample, aux contours soyeux et enveloppants, terminant sa course dans une finale tout aussi complexe que le nez, où s'ajoutent réglisse et café. Le « J'AIME ! » y était presque. **Cépages :** 90 % sangiovese, 10 % autres cépages toscans. **Alc./**13,5 %. **cecchi.net**

☛ *Servir dans les six années suivant le millésime, à 17 °C et oxygéné en carafe 15 minutes*

Sushis_Mc² « pour amateur de vin rouge » (voir sur **papillesetmolecules.com**), bœuf braisé au jus de carotte ou brochettes de bœuf à la pommade de menthe fraîche, poivre concassé et vinaigre balsamique.

Les Christins 2009

VACQUEYRAS, PERRIN & FILS, FRANCE *(DISP. AUTOMNE 2011)*

23,40 $	SAQ S* (872937)	★★★?☆ $$	Corsé+

Un Christins 2009 à la fois plein et ramassé, ample et charnu, compact et ferme, aux tanins tissés serrés et aux saveurs longues, mais actuellement prises dans un bloc. Belle matière généreuse, non sans fraîcheur, saveurs rappelant les fruits rouges, le poivre et le genièvre. Gagnera en volume et en expressivité à compter de 2013. Osez lui cuisiner une recette où dominera l'un des ingrédients complémentaires au poivre : le genièvre, l'olive noire, le nori ou le safran. Pour en savoir plus sur les pistes aromatiques empruntées lors de cet événement, consultez le chapitre « Expériences d'harmonies et de sommellerie moléculaires », dans le livre *Papilles et Molécules*. **Cépages :** grenache, syrah, mourvèdre. **Alc./**14,5 %. **perrin-et-fils.com**

☛ *Servir dans les douze années suivant le millésime, à 17 °C et fortement oxygéné en carafe 60 minutes*

Brochettes d'agneau aux olives noires « sur brochettes imbibées d'une eau parfumée au thym » (***) ou thon rouge frotté aux baies de genièvre, olives noires, quelques petits pois, algues nori torréfiées, dés de graisse de jambon fondue, huile de pépins de raisin aux pistils de safran (**).

Castello di Volpaia 2008

CHIANTI CLASSICO, CASTELLO DI VOLPAIA, ITALIE

23,50 $	SAQ S (10858262)	★★★ $$	Modéré+

Un 2008 débordant de fraîcheur, d'expressivité et de tonalité florales et fruitées engageantes au possible, sans aucune lourdeur, ni surmaturité inutile. Violette, fraise, framboise et cassis se donnent la réplique avec éclat. Les tanins sont fins, tout en étant tissés serrés. L'acidité fraîche. Le corps à la fois ample et élancé. Les saveurs persistantes. Plus que du bonbon! Il faut dire que cette maison nous a habitués à des vins modèles. Elle persiste et signe. **Cépage :** sangiovese. **Alc./**13,5%. **volpaia.com**

☛ *Servir dans les huit années suivant le millésime, à 17 °C*

Salade de framboises à l'eau de rose et julienne d'algue nori (***) ou tartare de bœuf, champignons shiitakes, vinaigrette de betteraves et copeaux de parmesan (***).

Château Lousteauneuf 2008
MÉDOC, VIGNOBLES SEGOND & FILS, FRANCE

23,80 $	SAQ S* (913368)	★★☆?☆ $$	Modéré+

Un 2008 au nez fermé, mais à la bouche très bavarde, qui éclate de saveurs, de fraîcheur et d'ampleur, mais avec élégance et droiture. Un cru plus frais que mûr, aux tanins qui ont du grain, mais bien gommé par un élevage soigné et non dominant. Moins engageant que le 2007, mais tout de même à signaler. **Cépages :** 55% cabernet sauvignon, 27% merlot, 10% cabernet franc, 8% petit verdot. **Alc./**13%. **chateau-lousteauneuf.com**

☛ *Servir dans les sept années suivant le millésime, à 17 °C*

Pétoncles poêlés, couscous de noix du Brésil à l'orange sanguine, lait de coco au gingembre (**) ou cailles sautées à la poêle et riz sauvage aux champignons (*).

Château Lousteauneuf 2009
MÉDOC, VIGNOBLES SEGOND & FILS, FRANCE *(DISP. AUTOMNE 2011)*

23,80 $	SAQ S* (913368)	★★★?☆ $$	Corsé

Un 2009 charmeur au possible, à la fois floral et cacaoté à souhait, sans trop, passablement riche, à la bouche veloutée, ample, charnue, pleine, mais aussi détendue et moelleuse, aux tanins souples et arrondis, d'une belle maturité, aux saveurs longues, sur les fruits rouges. Contrairement au 2008 (aussi commenté), qui est un cru plus frais que mûr, ce 2009 se montre gourmand et mature à point. Fera un malheur à son arrivée, prévue au cours de l'automne 2011. **Cépages :** 55% cabernet sauvignon, 27% merlot, 10% cabernet franc, 8% petit verdot. **Alc./**14%. **chateau-lousteauneuf.com**

☛ *Servir dans les sept années suivant le millésime, à 17 °C*

Filet de porc au café noir (voir Filets de bœuf au café noir) (*), «feuilles de vigne farcies_Mc²» (riz sauvage soufflé, bacon de sanglier, sirop de riz brun/café) (**), hachis Parmentier de canard au quatre-épices ou magret de canard rôti, graines de sésame et cinq-épices, navets confits au clou de girofle (**).

Château Puech-Haut
« Prestige » 2009   ✓ TOP 100 CHARTIER
COTEAUX-DU-LANGUEDOC SAINT-DRÉZÉRY, GÉRARD BRU, FRANCE *(DISP. NOV. 2011)*

23,90 $	SAQ S (10918894)	★★★☆ $$$	Corsé+

Très belle et raffinée concentration aromatique, sans excès, mais profonde et élégante, exhalant des notes de fruits noirs et de fleurs, sans aucun boisé apparent. Bouche presque pulpeuse, où le fruité gicle littéralement, enveloppant la trame tannique très serrée et l'acidité fraîche. Une prenante épaisseur veloutée, mais avec de la prise et de l'expressivité des saveurs, où s'entremêlent mûre, bleuet confit, cacao et réglisse. Sera d'une volupté sans égale à compter de 2013. Bonne nouvelle, un deuxième arrivage est attendu en mars 2012, en format 1,5 litre. Il faut savoir que ce cru est élaboré sous la houlette du célèbre œnologue Philippe Cambie, nommé par ses pairs l'œnologue-consultant de l'année en 2011. **Cépages :** 55 % grenache, 35 % syrah, 10 % carignan. **Alc./**14,5 %. **puech-haut.com**

☞ *Servir dans les dix années suivant le millésime, à 17 °C et oxygéné en carafe 30 minutes*

Brochettes d'agneau sur brochettes de bambou imbibées au clou de girofle (voir Brochettes de bambou imbibées au clou de girofle «pour grillades de viande rouge») (***), légumes d'automne rôtis au four pour syrah/shiraz (***) ou filet de bœuf de la Ferme Eumatimi, sauce *mole* mexicaine à la noix de coco et au cinq-épices (**).

Belgvardo Serrata 2008   ✓ TOP 100 CHARTIER
MAREMMA TOSCANA, MARCHESI MAZZEI, ITALIE

23,95 $	SAQ S (10843394)	★★★?☆ $$	Corsé

Vient compléter le duo avec le tout aussi bon Belgvardo Bronzone, d'appellation Morellino di Scansano, du même domaine qui élabore aussi, avec maestria, le fameux Castello di Fonterutoli. Il en résulte un Serrata d'une robe rouge grenat profonde et violacée. D'un nez très aromatique, passablement riche et presque puissant, qui déploie des tonalités de lys odorant, de thym, de menthe et de poivre. D'une bouche tannique, aux tanins fermes, sans trop, d'une belle acidité fraîche, à la texture ample et presque dense, mais avec velouté, aux longues saveurs gourmandes de fruits noirs et de torréfaction, dans le plus pur style toscan. **Cépages :** 80 % sangiovese, 20 % alicante. **Alc./**13,5 %. **mazzei.it**

☞ *Servir dans les sept années suivant le millésime, à 17 °C et oxygéné en carafe 30 minutes*

«Feuilles de vigne farcies_Mc^2» (riz sauvage soufflé, bacon de sanglier, sirop de riz brun/café) (**), hamburgers aux tomates séchées et cheddar extra-fort, risotto au jus de betterave parfumé au girofle ou pommade d'olives noires à l'eau de poivre (***) pour saumon fortement grillé.

Merlot Vistorta 2007
FRIULI, BRANDINO BRANDOLINI D'ADDA, ITALIE *(DISP. AUTOMNE 2011)*

23,95 $	SAQ S* (10272763)	★★★☆ $$$	Modéré+

Après des millésimes 2004, 2005 et 2006 superbement réussis, et commentés en primeur dans les précédentes *Sélection Chartier*, Vistorta poursuit sur sa lancée en présentant un 2007 tout aussi velouté et profond que ces derniers. Le nez, très ouvert, complexe et passablement riche, exhale des notes de réglisse, de mine de crayon, de framboise, de violette. La bouche se montre toujours aussi sensuelle, dotée d'un toucher velouté unique et de tanins mûrs à point, avec du grain, au corps ample et large, et aux saveurs très longues, où s'ajoutent des tonalités de café, de fumée et de cacao. Du plaisir à boire, tout en se sustentant d'une matière noblement extraite et vinifiée avec doigté, méritant maintenant les trois étoiles et demie auxquelles il était voué. **Cépages :** 93 % merlot, 5 % cabernet franc, 2 % syrah. **Alc./**13 %. **vistorta.it**

☞ *Servir dans les huit années suivant le millésime, à 17 °C*

Salade de riz sauvage aux champignons (***), marinade pour le bœuf au miso (***), «feuilles de vigne farcies_Mc^2» (riz sauvage soufflé, bacon de sanglier, sirop de riz brun/café) (**) ou pétoncles poêlés, couscous de noix du Brésil à l'orange sanguine, lait de coco au gingembre (**).

Pèppoli 2008

CHIANTI CLASSICO, MARCHESI ANTINORI, ITALIE

23,95 $	SAQ S* (10270928) ★★★ $$	Corsé

Cette désormais très prisée cuvée toscane, de la grande maison Antinori, se montre à nouveau aussi engageante que dans les derniers millésimes, et, comme à son habitude, tout aussi enveloppante que la cuvée Villa Antinori (aussi commentée), mais avec des tanins un brin plus carrés et un coffre légèrement plus substantiel. Nez aromatique et complexe, laissant dégager des notes de framboise, de violette et de café. Bouche à la fois ample et tannique, aux saveurs expressives et persistantes, passablement torréfiées et empyreumatiques. **Cépages :** 90 % sangiovese, 10 % merlot et syrah. **Alc./**13 %. **antinori.it**

☛ *Servir dans les cinq années suivant le millésime, à 17 °C*

Carré de porc aux tomates séchées ou filet de porc au café noir (voir Filets de bœuf au café noir) (*).

Villa Antinori 2007 ✓ TOP 100 CHARTIER

TOSCANA, MARCHESI ANTINORI, ITALIE

23,95 $	SAQ C (10251348) ★★★?☆ $$	Corsé

L'année 2008 signait le sceau du 60e anniversaire de production de cette cuvée toscane qui connaît un succès planétaire. L'introduction du millésime 2005 (commenté dans *La Sélection 2009*), à la fin de 2008, ne pouvait mieux tomber pour signaler la chose avec éclat. Et depuis, les deux millésimes qui ont suivi, incluant ce dernier, poursuivent sur cette note anniversaire, positionnant ce cru comme l'une des références mondiales en matière de chiantis modernes. Ce qui lui vaut d'avoir figuré l'année dernière dans le nouveau « Top 100 Chartier », tout comme de se mériter cette année un « J'AIME ! » bien senti. Vous y retrouverez un cru au nez aromatique, certes un brin retenu actuellement, ce qu'un gros coup de carafe transforme en plus de verbe et de profondeur, à la bouche pleine, ample et presque charnue, pour ne pas dire charnelle, aux tanins ronds et gras, et aux saveurs d'une grande allonge, laissant des traces de réglisse, de café, de framboise et de vanille. **Cépages :** sangiovese (dominant), cabernet sauvignon, merlot, syrah. **Alc./**13,5 %. **antinori.it**

☛ *Servir dans les huit années suivant le millésime, à 17 °C*

Pâté chinois revu et magnifié « pour vin rouge » (***), hamburgers aux champignons portobellos poêlés ou tartare de bœuf aux champignons shiitakes, vinaigrette de betteraves et copeaux de parmesan) (***).

Tilenus « Crianza » Mencia 2006

BIERZO, BODEGAS ESTEFANÍA, ESPAGNE *(DISP. NOV./DÉC. 2011)*

24,10 $	SAQ S (10856152) ★★★?☆ $$	Corsé

Ce 2006, dégusté en primeur en août 2011, et qui doit prendre la relève du 2005 (aussi commenté) au cours de l'automne 2011, se montre plus ferme et ramassé que la précédente vendange. Toujours aussi racé pour le rang, compact, profond et tout en fruit. Les tanins sont très serrés, sans dureté, le corps longiligne et les saveurs subtilement épicées. Sans atteindre le niveau des 2005 et 2004, il n'en demeure pas moins un excellent achat. À base de mencia de très vieilles vignes de 60 à 80 ans, il fait suite à l'éclatant et enveloppé 2005, au très expressif 2004, coup de cœur de l'édition 2011, et au 2003 d'un charme fou, aussi commenté dans *La Sélection 2009*. **Cépage :** mencia. **Alc./**14,5 %. **bodegasestefania.com**

☞ *Servir dans les dix années suivant le millésime, à 17 °C et oxygéné fortement en carafe 60 minutes*

Carré d'agneau et jus au café expresso (*) ou asperges vertes rôties, enrobées de chocolat noir (infusé au thé fumé Zheng Shan Xiao Zhong, fleur de sel au café) (**).

Château Pesquié « Quintessence » 2009

✓ TOP 100 CHARTIER

CÔTES-DU-VENTOUX, CHÂTEAU PESQUIÉ, FRANCE

24,60 $	SAQ S (969303)	★★★?☆ $$		Corsé

Superbe définition aromatique, du fruit à profusion, mais avec fraîcheur et retenue européenne, cacao, café et fruits noirs s'entremêlent en bouche, où la matière est généreuse, pleine, raffinée et expressive, doublée de tanins ultrafins pour le cru. Donc, une ixième réussite pour ce domaine de référence du Ventoux. **Alc./**14,5 %. **chateaupesquie.com**

☞ *Servir dans les huit années suivant le millésime, à 18 °C et oxygéné en carafe 30 minutes*

« Feuilles de vigne farcies_Mc^2 » (riz sauvage soufflé, bacon de sanglier, sirop de riz brun/café) (**), braisé de bœuf à l'anis étoilé, « purée_Mc^2 » pour amateur de vin au céleri-rave et clou de girofle (**), morceau de flanc de porc poché, vinaigrette de boudin à la noix de coco, *crumble* de boudin noir (**).

Les Bois Chevaux 2009

GIVRY 1er CRU, DIDIER ERKER, FRANCE

24,75 $	SAQ S (880492)	★★★ $$		Modéré

Un millésime de charme et de volupté pour ce cru devenu un habitué de *La Sélection*, tout comme l'une des références de l'appellation. Difficile d'être plus coulant et plus soyeux que ce 2009. Tout en fruit, en texture et en digestibilité. Violette, framboise et cerise donnent le ton. Contrairement au 2008 (aussi répertorié), qui mérite d'être attendu encore une année, ce 2009 se donne pleinement dès maintenant. Alors pourquoi attendre?! Le coup de cœur y était presque... **Cépage:** pinot noir. **Alc./**13 %. **domaine-erker.com**

☞ *Servir dans les cinq années suivant le millésime, à 16 °C*

Casserole de poulet à la pancetta et carottes ou pétoncles poêlés enrubannés d'algues nori et réduction de jus de veau et framboises.

Château Saint-Martin de la Garrigue 2009

✓ TOP 100 CHARTIER

COTEAUX-DU-LANGUEDOC GRÈS DE MONTPELLIER, CHÂTEAU SAINT-MARTIN DE LA GARRIGUE, FRANCE *(DISP. DÉC. 2011)*

24,85 $	SAQ S (10268828)	★★★☆ $$		Corsé	BIO

Jean-Claude Zabalia vinifie depuis longtemps avec justesse et instinct plusieurs cuvées de référence (voir les commentaires du rouge Bronzinelle et du blanc Château Saint-Martin de la Garrigue). Celle-ci, dont l'assise est centrée sur l'épicé mourvèdre, se montre actuellement dans une retenue juvénile au nez, mais d'un superbe toucher de bouche. Un cru passablement concentré, aux tanins à la fois enveloppés et fermes, avec du grain, au corps dense et aux saveurs d'une bonne allonge, laissant des traces d'olives, de poivre, de cassis et de fumée. La finale plus serrée propulse le vin dans le temps, même si déjà agréable maintenant. **Cépages:** 52 % mourvèdre (vieilles vignes), 27 % syrah, 21 % grenache. **Alc./**13,5 %. **stmartingarrigue.com**

☛ *Servir dans les douze années suivant le millésime, à 17 °C et oxygéné en carafe 60 minutes*

Jarret d'agneau confit et son jus de cuisson ou braisé de bœuf à l'anis étoilé ou brochettes d'agneau aux olives noires «sur brochettes imbibées d'une eau parfumée au thym» (***).

Château de Cruzeau 2006
PESSAC-LÉOGNAN, ANDRÉ LURTON, FRANCE

24,95 $	SAQ C (0113381)	★★★ $$	Modéré+

André Lurton présente à nouveau un Cruzeau de style européen, comme toujours, parfumé et passablement frais en bouche, au nez raffiné, marqué par des notes de fraise, de prune, de suie, de poivron et de chêne, à la bouche aux tanins fermes mais toujours aussi fins, même si un brin plus serrés que dans le 2005 (aussi commenté dans le Répertoire), et aux saveurs torréfiées d'une bonne allonge. Presque aussi engageant que le 2005, et déjà savoureux. Il faut dire que classicisme et constance vont de pair ici. **Cépages :** 55 % cabernet sauvignon, 43 % merlot, 2 % cabernet franc. **Alc./**13 %. **andrelurton.com**

☛ *Servir dans les huit années suivant le millésime, à 17 °C*

Pâte de poivrons verts (voir sur **papillesetmolecules.com**) en accompagnement de filet de bœuf grillé, purée de panais au basilic thaï (voir sur **papillesetmolecules.com**) pour foie de veau ou brochettes de bœuf et poivrons verts et rouges marinés à l'huile de sésame (***).

Emilio Moro 2007
RIBERA DEL DUERO, BODEGAS EMILIO MORO, ESPAGNE

25,55 $	SAQ S (11129993)	★★★☆ $$$	Corsé

Plus sérieux que jamais, et toujours à prix plus que doux pour son rang. Vous vous sustenterez d'un tempranillo aromatique, surtout après un bon coup de carafe d'une trentaine de minutes, riche et profond, sans surmaturité inutile, au boisé certes présent, mais presque subtil, exhalant des touches épicées et torréfiées, aux tanins tissés serrés, sans dureté, au corps passablement dense, mais avec fraîcheur, minéralité et digestibilité pour le style, à l'acidité juste et aux saveurs longues et précises, rappelant la prune, la noix de coco, le café et la vanille. Servez-le avec les aliments complémentaires à la prune, l'une de ses signatures aromatiques : cannelle, anis étoilé, poivre, basilic, thé, clou de girofle ou vieux fromage gruyère. **Cépage :** tempranillo. **Alc./**14,5 %. **emiliomoro.com**

☛ *Servir dans les dix années suivant le millésime, à 17 °C et oxygéné en carafe 15 minutes*

Foie de veau sauce au poivre vert et à la cannelle, hachis Parmentier de canard au quatre-épices, fromage Gruyère Réserve très vieux accompagné d'une confiture de prunes au girofle, magret de canard au caramel d'épices et de vanille ou foie gras poêlé recouvert d'une fine couche caramel solide de vanille.

El Castro de Valtuille 2007
BIERZO, BODEGA Y VINEDOS CASTRO VENTOSA, RAÚL PEREZ, ESPAGNE
(RETOUR SEPT./OCT. 2011)

25,90 $	SAQ S (11155569)	★★★☆ $$	Corsé

Cet excellent bierzo se positionne plus que jamais, comme le 2005 l'avait fait (voir *Sélection 2010*), parmi les meilleurs crus du Bierzo disponibles à la SAQ, plus particulièrement chez les mencia offerts sous la barre des quarante dollars. Il provient d'un vignoble sablon-neux, d'une superficie de dix-sept hectares, situé à Valtuille de Abajo, où les vieilles vignes de 40 à 80 ans sont franches de pied, c'est-à-dire non greffées. Seulement 3 000 caisses sont produites chaque année. La matière qui en est issue est noblement extraite, sans trop, mais d'une grande richesse aromatique, où se déploient des tonalités de girofle (la signature des crus du Bierzo), de muscade, de violette, de fraise et de bleuet, sans boisé dominant, aux tanins extrafins, mais avec du grain de jeunesse, au toucher dense, à l'aci-dité juste dosée et aux saveurs d'une grande allonge. Assurément un que «J'AIME!». **Cépage:** mencia. **Alc./**14 %. **castroventosa.com**

☛ *Servir dans les dix années suivant le millésime, à 17 °C et oxy-géné en carafe 30 minutes*

Hachis Parmentier de canard, steak de saumon au café noir et au cinq-épices chinois (*) ou ragoût d'agneau au quatre-épices (poivre, muscade, gingembre en poudre et clou de girofle).

Marcel Lapierre « Morgon » 2010 ✓ TOP 100 CHARTIER

MORGON, MARCEL LAPIERRE, FRANCE *(RETOUR SEPT./OCT. 2011)*

26 $	SAQ S (11305344)	★★★☆ $$$	Modéré+

Deuxième millésime (voir absolument le commentaire du 2009 dans le Répertoire additionnel) de ce cru mythique à nous parvenir à la SAQ en moins d'un an – après plusieurs années d'attente... Il en résulte à nouveau un rouge au nez d'un fruité mûr et profond pour le style, sachant aussi être engageant et charmeur, exhalant des notes de violette, de raisin frais et de framboise, à la bouche débor-dante de saveurs, pleine et détendue, aux tanins soyeux, à l'acidité juste et au corps ample, égrainant de longues saveurs de fruits rouges et noirs, avec une touche de gomme à mâcher aux raisins frais – du moins ce que je me souviens de l'époque où j'en mangeais... Bonne nouvelle, un deuxième arrivage était attendu en septembre/octobre 2011. **Cépage:** gamay. **Alc./**13 %. **marcel-lapierre.com**

☛ *Servir dans les huit années suivant le millésime, à 17 °C*

Salade de framboises à l'eau de rose et julienne de nori (***), sushis en bonbon de purée de framboises (***) ou pétoncles poêlés enrubannés d'algues nori et réduction de jus de veau.

Philippe Gilbert « Menetou-Salon » 2008

MENETOU-SALON, DOMAINE PHILIPPE GILBERT, FRANCE
(RETOUR SEPT. 2011)

26,25 $	SAQ S (11154988)	★★★ $$	Modéré+	BIO

Après un beau pinot noir 2007 tendu et minéral, sans esbroufe, d'une fraîcheur digeste, ce domaine récidive avec un 2008 allant dans la même direction, mais avec une certaine concentration plus soutenue, sans être puissante. Fruité pur et précis, sur les fruits rouges, tanins tissés serrés, mais avec finesse, acidité fraîche et corps aérien, pour un vin certes de soif, mais aussi intelligent dans sa locution aroma-tique! **Cépage:** pinot noir. **Alc./**13,5 %. **domainephilippegilbert.fr**

☛ *Servir dans les sept années suivant le millésime, à 16 °C*

Endives braisées aux cerises et au kirsch (***), pot-au-feu de L'Express (*), risotto à la tomate et au basilic avec aubergines grillées ou salade de bœuf grillé à l'orientale.

La Massa 2009

✓ TOP 100 CHARTIER

TOSCANA, FATTORIA LA MASSA, GIAMPAOLO MOTTA, ITALIE

26,55 $	SAQ S* (10517759)	★★★☆ $$	Corsé

J'ai l'impression de me répéter, mais La Massa est à nouveau l'une des aubaines toscanes à ranger les yeux fermés à cause de sa régularité sans faille depuis plusieurs millésimes. Comme tous les vins signés Motta, d'ailleurs. Contrairement au 2003 (commenté dans *La Sélection 2007*), où le merlot dominait l'assemblage, ce nouveau millésime suit le chemin établi avec les 2006 et 2005 (commenté dans *La Sélection 2009 et 2008*) en étant plus que jamais toscan, plus dominé encore par le sangiovese. Ce qui lui procure certes un profil plus élancé, sans avoir rien perdu de sa gourmandise d'avant, ayant même gagné cette année en velouté de texture. Il s'exprime par un fruité toujours aussi mûr et plus qu'aromatique, aux tonalités complexes de violette, de cassis, de framboise, de café et de cuir. La bouche suit avec des tanins mûrs, mais serrés, une acidité juste fraîche, un corps voluptueux, sans être puissant, et des saveurs d'une grande allonge. Giampaolo Motta poursuit donc sa quête de la qualité suprême, même avec ce cru qui est, en fait, le deuxième vin de cette remarquable *fattoria* toscane, contiguë au célèbre Castello di Rampolla et installée dans la Conca d'Oro, le meilleur secteur de la zone du Chianti Classico. **Cépages:** 70% sangiovese, 30% merlot. **Alc./**14%.

☛ *Servir dans les huit années suivant le millésime, à 17 °C et oxygéné en carafe 15 minutes*

 Magret de canard rôti à la nigelle ou lapin à la toscane (*).

Château de Pierreux
« La Réserve du Château » 2009

BROUILLY, DOMAINES BOISSET, FRANCE *(DISP. AUTOMNE 2011)*

27,30 $	SAQ S (10368001)	★★★☆ $$	Corsé

Un grand cru du Beaujolais au sommet du millésime, assurément l'un des meilleurs 2009 dégustés. Quel gamay! À l'aveugle, j'ai été complètement bluffé, j'étais convaincu d'être en Bourgogne, et même en Côte de Beaune. Je ne vous dirai pas en quelle appellation... Quoi qu'il en soit, voici une grande réussite, fortement colorée, richement aromatique, pleine, ample, texturée, au volume imposant pour le Beaujolais, aux saveurs sucrées (sans sucre bien sûr), expressives et prenantes, d'une grande persistance, et à la finale tannique, au grain très serré pour l'appellation. Le vin sur mesure pour vous démontrer vers quoi peut tendre le gamay, et pour tromper vos amis de dégustation! **Cépage:** gamay. **Alc./**14,5%. **boisset.com**

☛ *Servir dans les dix années suivant le millésime, à 17 °C et oxygéné en carafe 15 minutes*

Suprêmes de volaille à la crème d'estragon (***), poulet au soja et à l'anis étoilé ou lapin au vin rouge «sans vin rouge» (***).

Château Garraud 2007

LALANDE-DE-POMEROL, VIGNOBLES LÉON NONY, FRANCE

27,40 $	SAQ S* (978072)	★★★?☆ $$$	Corsé

Étonnantes richesse et maturité de fruits pour le millésime. Tout y est. Couleur soutenue. Nez très aromatique, riche et détaillé, exhalant des arômes de fruits noirs, de café, de cacao et de chêne neuf. Bouche presque juteuse, mais bien ramassée et tendue par des tanins qui ont du grain et par une acidité juste dosée. De l'éclat, de la précision, du corps, sans lourdeur ni surmaturité. Une autre réfé-rence, qui a été saluée dans plusieurs éditions de *La Sélection Chartier*, confirmant la régularité de ce cru. **Cépages :** 81 % merlot, 13 % cabernet franc, 6 % cabernet sauvignon. **Alc./**13 %. **vin.fr**

☛ *Servir dans les dix années suivant le millésime, à 17 °C et oxy-géné en carafe 5 minutes*

Filet de porc au café noir (voir Filets de bœuf au café noir) (*), hamburgers d'agneau aux poivrons rouges confits et au paprika ou «feuilles de vigne farcies_Mc²» (riz sauvage soufflé, bacon de sanglier, sirop de riz brun/café) (**).

Bosan Ripasso Cesari 2008

VALPOLICELLA SUPERIORE, GERARDO CESARI, ITALIE *(DISP. OCT. 2011)*

27,50 $	SAQ **S** (11355886)	★★★?☆ $$	Corsé

■ NOUVEAUTÉ! Cette excellente maison nous présente un nouveau *ripasso*, qui se montre richement engageant, débordant de fruits rouges et noirs, même éclatant, à la bouche ronde, généreuse et pénétrante, qui vous en met plein les papilles! Quel charme et quel velouté de texture pour un cru aussi concentré et soutenu. Mûre, bleuet, café, violette et cerise noire se donnent la réplique avec force et persistance. Assurément l'un des plus beaux vins de type *ripasso* débarqués cette année. **Cépages :** 80 % corvina, 20 % rondi-nella. **Alc./**14 %. **cesari-spa.it**

☛ *Servir dans les dix années suivant le millésime, à 17 °C*

Rôti de palette «comme un chili de Cincinnati» (***), foie de veau et confit de betteraves et d'oignons rouges au vinaigre balsamique, côtes levées sauce barbecue épicée, endives braisées au fromage bleu (***) ou médaillons de veau aux bleuets.

Farnito Cabernet Sauvignon 2006 ✓ TOP 100 CHARTIER

TOSCANA, CASA VINICOLA CARPINETO, ITALIE *(DISP. AUTOMNE 2011)*

27,95 $	SAQ **S*** (963389)	★★★☆ $$$$	Corsé+

Belle profondeur aromatique pour ce plutôt distingué 2006 du désor-mais célèbre cru Farnito de l'excellente maison Carpineto. La robe est très foncée, le nez aromatique, ayant besoin de l'oxygène de la carafe pour s'exprimer actuellement, d'une bonne richesse, sans trop, à la bouche dense, pleine et charnue, aux tanins fermes, sans trop, avec du grain, à l'acidité juste dosée et aux saveurs longues et mûres juste à point, sans torréfaction du bois inutile. Du beau cabernet, non sans fraîcheur. Il provient de cabernet cultivé dans des parcelles situées près de Florence, dans le Chianti Classico, ainsi que dans la zone d'appellation de Brunelo di Montalcino. Fait intéressant, le prix a de beaucoup été revu à la baisse au cours des derniers millésimes. À vous d'en profiter. **Cépage :** cabernet sauvignon. **Alc./**13,5 %. **carpineto.com**

☛ *Servir dans les douze années suivant le millésime, à 17 °C et oxygéné en carafe 45 minutes*

Carré d'agneau et jus au café expresso (*) accompagné d'asperges vertes rôties au four à l'huile d'olive et au poivre noir.

Monte Real Reserva 2004

RIOJA, BODEGAS RIOJANAS, ESPAGNE *(DISP. AUTOMNE 2011)*

| 28,05 $ | SAQ S (856005) | ★★★?☆ $$ | Corsé |

Ce 2004 marque un léger changement de style pour cette grande maison traditionnelle, offrant un rouge cette fois où l'harmonie règne avec maestria entre le fruité, intense et pur, et le boisé, moins torréfié que par le passé. Superbe richesse et complexité aromatiques. Bouche à la fois dense et pleine, ample et texturée, mais avec du coffre et de la grippe, sans être dure. Moins pinot noir californien d'approche que ne l'était par exemple le 2000. Du beau travail. **Cépages :** tempranillo (majoritaire), mazuelo et graciano. **Alc./**14%. **bodegasriojanas.com**

☛ *Servir dans les douze années suivant le millésime, à 17 °C et oxygéné en carafe 45 minutes*

Carré d'agneau et jus au café expresso (*) ou magret de canard rôti aux graines de sésame et cinq-épices, navets confits au clou de girofle (**).

Ca'del Bosco Curtefranca 2007   ✓ TOP 100 CHARTIER

CURTEFRANCA, CA'DEL BOSCO, ITALIE *(DISP. AUTOMNE 2011)*

| 28,40 $ | SAQ S (214189) | ★★★☆ $$ | Corsé |

Comme toujours pour ce cru de Maurizio Zanella, l'un des viticulteurs du nord de l'Italie les plus allumés, il se montre en 2007 meilleur que jamais, à la fois très riche et élégant, complexe et subtilement détaillé, dense et ultra-raffiné, plein et longiligne, mûr et très frais. Difficile d'être plus harmonieux! Réglisse, violette, fruits rouges, champignon de Paris, craie et chêne s'entremêlent dans un nez profond et racé. Les tanins, comme à son habitude, sont d'une exquise finesse, l'acidité juste dosée, la texture soyeuse et les saveurs d'une grande allonge. Du sérieux, comme l'étaient le 2000 et le 2005, commentés de façon détaillée dans les éditions 2004 et 2009 de *La Sélection*. **Cépages :** cabernet sauvignon, cabernet franc, merlot, nebbiolo, barbera. **Alc./**13,5%. **cadelbosco.com**

☛ *Servir dans les dix années suivant le millésime, à 17 °C et oxygéné en carafe 15 minutes*

Figues confites au thé Pu-Erh, chantilly de fromage Saint-Nectaire (**), pétoncles poêlés enrubannés d'algues nori et réduction de jus de veau et framboises ou côtes de veau et purée de pois à la menthe (*).

Château de La Dauphine 2007   ✓ TOP 100 CHARTIER

FRONSAC, DOMAINES JEAN HALLEY, FRANCE

| 28,40 $ | SAQ S (11475474) | ★★★☆ $$$ | Corsé |

Quel nez envoûtant et mûr à point. Comme je déguste à l'aveugle, les fruits compotés, la truffe et la profondeur m'ont dirigé vers un pomerol. On a donc affaire à un cru de Fronsac de haute couture. La bouche est à la fois fraîche et prenante, généreuse et longiligne, aux tanins tissés serrés, mais d'une exquise finesse. Prune, café, craie et shiitake poêlé se donnent la réplique de longues secondes. Harmonieux et complexe, voilà une grande réussite de 2007. J'aurais dû le classer dans «J'ADORE!». Évoluera en beauté, mais déjà tellement engageant... Il faut savoir que cette ancienne propriété des Établissements Jean-Pierre Moueix est depuis 2000 la propriété de Jean Halley. Ce nouveau propriétaire libournais élabore aussi l'excellent Château La Croix Canon 2001. **Cépages :** 80% merlot, 20% cabernet franc. **Alc./**13%. **chateau-dauphine.com**

☛ *Servir dans les dix années suivant le millésime, à 17 °C et oxygéné en carafe 15 minutes*

🍴 Figues confites au thé Pu-Erh, chantilly de fromage Saint-Nectaire (**), cailles sautées à la poêle et riz sauvage aux champignons (*) ou magret de canard rôti à la nigelle et asperges vertes rôties au four à l'huile d'olive.

Jean-Pierre Moueix 2007

POMEROL, ETS JEAN-PIERRE MOUEIX, FRANCE *(DISP. SEPT./OCT. 2011)*

28,95 $	SAQ S* (739623)	★★★☆ $$$	Corsé

Ce 2007 se montre plus engageant et plus texturé que le 2006 (aussi commenté dans le Répertoire additionnel). Un pomerol aromatique à souhait, passablement riche et distingué, aux effluves de violette, de champignon de Paris et de fruits rouges, à la bouche charnue, presque pleine, d'un bon volume, aux courbes sensuelles, au boisé certes présent, sans être dominant, et aux tanins presque gras. Du bel ouvrage et surtout un cru à prix doux pour l'appellation. En plus, ce 2007, une fois arrivé à l'automne 2011, sera disponible jusqu'à l'été 2012. **Cépages:** merlot, cabernet franc. **Alc.**/13%. moueix.com

☛ *Servir dans les huit années suivant le millésime, à 17 °C et oxygéné en carafe 15 minutes*

🍴 Magret de canard rôti à la nigelle et asperges vertes rôties au four à l'huile d'olive, figues confites au thé Pu-Erh, chantilly de fromage Saint-Nectaire (**) ou cailles sautées à la poêle et riz sauvage aux champignons (*).

Marchesi Antinori Riserva 2007

CHIANTI CLASSICO, MARCHESI ANTINORI, ITALIE

28,95 $	SAQ C (11421281)	★★★☆ $$$	Corsé+

Un vin d'une grande élégance, bien en chair et étoffé, offert à un prix plutôt affable pour le rang. Robe d'un rouge grenat profond aux reflets rubis. Nez très aromatique et racé, passablement puissant et même envoûtant, dégageant des notes complexes de violette, de sous-bois, de vanille, de vieux cuir, de cassis et de réglisse. D'une bouche aux tanins fins et fermes, tissés serrés, avec de la grippe, à l'acidité tout aussi vive, sans trop, s'enveloppant d'une texture qui remplit bien la bouche, d'une certaine sensualité, terminant sur de longues saveurs animales, confites et torréfiées. Plus italien que ça... **Cépage:** sangiovese. **Alc.**/13,5%. antinori.it

☛ *Servir dans les neuf années suivant le millésime, à 17 °C et oxygéné en carafe 30 minutes*

🍴 Carré d'agneau et jus au café expresso (*).

Coudoulet de Beaucastel 2009 ✓ TOP 100 CHARTIER

CÔTES-DU-RHÔNE, VIGNOBLES PIERRE PERRIN, FRANCE *(DISP. AUTOMNE 2011)*

29,80 $	SAQ S* (973222)	★★★☆ $$$	Corsé	BIO

Un coudoulet, dégusté en primeur en juin 2011, au nez explosif, dévoilant de puissants effluves de genièvre, de poivre noir, d'olive noire et de fruits noirs. La bouche suit avec autant d'ampleur, de texture et de présence. Les tanins sont ultra-soyeux, l'acidité discrète et l'épaisseur plus que veloutée. Grand classique des seize dernières années s'il en est un, le Coudoulet de la famille Perrin est devenu un modèle de régularité, ce qu'il confirme et signe avec éclat en présentant ce 2009 plus que réussi. Comme le basilic, le thym, le cacao, le safran, le café et le gingembre sont des aliments complémentaires au poivre, l'une des pistes aromatiques de ce

vin, n'hésitez pas à le marier à des plats dominés par ces ingrédients de liaisons harmoniques. **Cépages :** 30 % mourvèdre, 30 %
grenache, 20 % syrah, 20 % cinsault. **Alc./** 14 %. **perrin-et-fils.com**

☞ *Servir dans les dix années suivant le millésime, à 17 °C*

🍴 Tourtière de la Beauce et betteraves sautées à l'émulsion
« Mister Maillard » (voir recette de l'émulsion « Mister
Maillard » sur **papillesetmolecules.com**), tajine d'agneau au safran,
viande rouge rôtie à l'*outside cut* fortement torréfiée et purée de
topinambour parfumée de café et/ou d'anis étoilé ou magret de
canard rôti, graines de sésame et cinq-épices, navets confits au clou
de girofle (**).

Château Capet-Guillier 2006
SAINT-ÉMILION GRAND CRU, CAPET-GUILLIER, FRANCE *(DISP. SEPT. 2011)*

29,90 $	SAQ S (11095148)	★★★?☆ $$$	Modéré+

Un cru d'un grand charme aromatique évident, commenté en primeur
dans *La Sélection 2011*, et qui devait arriver au Québec en début
d'année, sera en fait disponible au moment de la parution de cette
édition, soit vers la mi-septembre 2011. Dégusté à nouveau en
juillet 2011, d'un deuxième échantillon du domaine, il se montrait
toujours aussi raffiné et élégant, avec les mêmes relents de violette
et de prune que l'an passé, ainsi que la tout aussi invitante souplesse, rarissime dans ce millésime, aux tanins arrondis, à l'acidité
tout aussi discrète. À boire dès maintenant, avec plaisir, d'autant
plus que les bons saint-émilions sous la barre des trente dollars ne
sont pas légion. **Cépages :** merlot, cabernet franc. **Alc./** 13,5 %.

☞ *Servir dans les cinq années suivant le millésime, à 17 °C*

🍴 Burger de bœuf au foie gras et champignons, hachis
Parmentier de canard au quatre-épices ou magret de
canard rôti aux graines de sésame et cinq-épices, navets confits au
clou de girofle (**).

Le Volte 2009
TOSCANA, TENUTA DELL'ORNELLAIA, ITALIE *(RETOUR SEPT./OCT. 2011)*

30 $	SAQ S (10938684)	★★★?☆ $$$	Corsé

Élaboré par l'équipe de la grande Tenuta dell'Ornellaia, dont le vin
éponyme (aussi commenté) fait partie de l'élite des grandes pointures italiennes. Un 2009 au nez subtil et frais, d'une richesse modérée, à la bouche presque juteuse, mais presque aérienne et élégante,
aux tanins fins et mûrs, au corps modéré pour le cru, et aux saveurs
longues et expressives de fraise, de cacao, de café. **Cépages :** sangiovese, merlot, cabernet. **Alc./** 13,5 %. **ornellaia.com**

☞ *Servir dans les six années suivant le millésime, à 17 °C*

🍴 Sandwich de canard confit et nigelle (voir sur **papilleset**
molecules.com) ou brochettes de bœuf et poivrons verts
et rouges marinés à l'huile de sésame (***).

Tancredi 2007
✓ TOP 100 CHARTIER

SICILIA, TENUTA DONNAFUGATA, ITALIE *(RETOUR SEPT./OCT. 2011)*

30 $	SAQ S (10542129)	★★★☆ $$$	Corsé+

Découverts lors d'un séjour sur la côte amalfitaine, en 1999, les vins
de Donnafugata, qui figuraient sur la carte de la grande majorité des
restaurants visités durant ces vacances, sont heureusement depuis
devenus des étoiles filantes sur le marché québécois. Et ce tout
Tancredi, coup de cœur millésime après millésime depuis son introduction avec le 2004, revient en force avec un 2007 au nez intri-

gant et à la bouche toujours aussi dense et ramassée. Couleur soutenue. Nez complexe et prenant, où s'entremêlent violette, rose, encens, fruits rouges et café. Bouche à la structure compacte et aux saveurs éclatantes, tannique et ferme, sans dureté, avec du coffre et de la profondeur, au boisé encore présent, mais qui se fondera dans l'ensemble à partir de 2013. Les amateurs de grands vins toscans, tout comme ceux qui ont une dévotion pour le cabernet sauvignon, seront à nouveau comblés avec cette référence sicilienne. **Cépages :** 70 % nero d'avola, 30 % cabernet sauvignon. **Alc./**13,5 %. **donnafugata.it**

☛ *Servir dans les dix années suivant le millésime, à 17 °C et oxygéné en carafe 45 minutes*

 Carré d'agneau et jus au café expresso (*).

Dominio de Atauta 2006
RIBERA DEL DUERO, BODEGAS DOMINO DE ATAUTA, ESPAGNE

| 33,50 $ | SAQ S (11466341) | ★★★☆?☆ $$$ | Corsé+ | BIO |

Offert à dix dollars de moins que le millésime 2004 (commenté dans *La Sélection 2008*), qui était déjà une bonne affaire, ce cru espagnol devient une véritable aubaine considérant son rang. À nouveau, un rouge gorgé de fruits, au boisé présent, mais juste dosé et subtilement torréfié et épicé, à la matière dense et ramassée, aux tanins nobles et tissés très serrés, tout en étant fermes, d'une bonne fraîcheur dans cette maturité de fruit optimale. Fruits noirs, girofle, muscade, café et cacao s'entremêlent dans une longue finale minéralisante. Une grande pointure, au profil un brin plus espagnol que le plus français 2004. Il faut savoir qu'il est élaboré à base de très vieilles vignes de soixante à cent cinquante ans d'âge, dont 80 % des ceps sont francs de pied, donc non greffés, cultivées sur plus de 300 micro-parcelles, à une altitude de 1 000 mètres, ce qui explique la fraîcheur et la minéralité de ce rouge. Il faut aussi ajouter que le vinificateur a fait ses classes chez la famille Foucault du Clos Rougeard, à Saumur-Champigny. Ceci explique cela... **Cépage :** tinto fino (tempranillo). **Alc./**14 %.

☛ *Servir dans les quinze années suivant le millésime, à 17 °C et oxygéné en carafe 15 minutes*

Magret de canard rôti, graines de sésame et cinq-épices, navets confits au clou de girofle (**).

Brancaia 2008
✓ TOP 100 CHARTIER
CHIANTI CLASSICO, PODERE LA BRANCAIA, ITALIE *(DISP. AUTOMNE 2011)*

| 35,25 $ | SAQ S (10431091) | ★★★☆ $$$ | Corsé |

Nez enchanteur et complexe, passablement riche et détaillé, rappelant la prune, la cerise noire, le girofle et la fumée. Bouche à la fois fraîche et ample, pleine et longiligne, aux tanins racés, tissés serrés, mais dans une matière presque détendue, aux saveurs très longues, où s'ajoutent la cannelle, le café et le poivre. De l'un des domaines les plus en vue actuellement en Toscane, ce chianti classico, dégusté en primeur en juillet 2011, a été souligné dans *La Sélection* dans plusieurs millésimes, comme tous les crus de cette maison d'ailleurs, mais avec ce 2008 il mérite un «J'AIME!» bien senti. **Cépages :** sangiovese (dominant), merlot. **Alc./**13,5 %. **brancaia.com**

☛ *Servir dans les cinq années suivant le millésime, à 17 °C et oxygéné en carafe 30 minutes*

 Filet de bœuf de la Ferme Eumatimi, sauce *mole* mexicaine à la noix de coco et au cinq-épices (**) ou longe de porc fumée sauce au boudin noir et vin rouge.

Les Pierres Blanches 2008
CÔTE-DE-BEAUNE, DOMAINE DE LA VOUGERAIE, FRANCE

| 35,50 $ | SAQ **S** (10221034) | ★★★?☆ $$$ | Modéré+ | BIO |

À nouveau une très belle réussite pour ce cru de Beaune. Donc, un rouge aromatique, fin et d'une certaine complexité (cannelle, muscade, grenadine, pivoine), à la bouche très fraîche, qui a de l'éclat, aux tanins extra-fins, à l'acidité à l'avant-plan, sans trop, au corps fluide et aux saveurs longues. Pureté et haute définition, dans un ensemble longiligne et raffiné. **Cépage :** pinot noir. **Alc./**12,5 %. **domainede-lavougeraie.com**

☛ *Servir dans les huit années suivant le millésime, à 17 °C et oxygéné en carafe 15 minutes*

Thon poêlé aux tomates confites et à l'huile d'olive épicée, filets de porc à la cannelle et aux canneberges ou pâtes à la sauce tomate au prosciutto et à la sauge.

Syrah Bramasole 2007
CORTONA, LA BRACCESCA, ANTINORI AGRICOLA, ITALIE *(DISP. ÉTÉ/AUTOMNE 2011)*

| 37,75 $ | SAQ **S** (10379771) | ★★★ $$ | Modéré+ |

Un autre cru provenant de l'un des nombreux domaines de la grande famille Antinori, reconnu pour son excellent vino nobile di montepulciano La Braccesca. En fait, c'est le grand frère de l'invitante Syrah Achelo (aussi commentée). Il en résulte un rouge ultra-coloré, riche, aromatique, extrait et profond, au fruité mûr et boisé, sans trop, mais au style Nouveau Monde évident. Bouche pleine, presque sphérique, d'un bon volume, aux tanins charnus et presque enveloppés par un moelleux épais, même si le grain des tanins est apparent. Fruits noirs, café et cacao donnent le ton à ce vin extraverti qui en met plein les papilles. **Cépage :** syrah. **Alc./**14,5 %. **antinori.it**

☛ *Servir dans les dix années suivant le millésime, à 17 °C*

Osso buco de cerf aux parfums de mûre et de réglisse (*).

Les Sinards Perrin & Fils 2007   ✓ TOP 100 CHARTIER
CHÂTEAUNEUF-DU-PAPE, PERRIN & FILS, FRANCE

| 38,50 $ | SAQ **S** (11208448) | ★★★☆?☆ $$$ | Corsé |

Un Châteauneuf d'une bonne coloration, au nez débordant de fruits, avec une tonalité fumée, presque animale, d'une richesse assez imposante, à la bouche généreuse, pleine, ronde et texturée à souhait, aux tanins mûrs et enveloppés d'une gangue veloutée, aux saveurs très longues, égrainant des notes de café, de cacao, de fruits rouges. Difficile d'être plus charmeur en matière de vin papal. Il y a de quoi virer sa soutane de bord! Il faut dire que la presque majorité des vins signés par la famille Perrin et Fils sont de véritables rapports qualité-prix, ce qui inclut les crus du Château de Beaucastel. **Cépages :** 50 % grenache, 20 % syrah, 20 % cinsault, 10 % mourvèdre. **Alc./**14,5 %. **perrin-et-fils.com**

☛ *Servir dans les douze années suivant le millésime, à 17 °C et oxygéné en carafe 30 minutes*

Morceau de flanc de porc poché, vinaigrette de boudin à la noix de coco, *crumble* de boudin noir (**) ou filet de bœuf de la Ferme Eumatimi, sauce *mole* mexicaine (à la noix de coco et au cinq-épices) (**).

La Comme 2009

SANTENAY 1er CRU, JEAN-CLAUDE BOISSET, FRANCE *(DISP. DÉC. 2011)*

39 $	SAQ **S** (11532977)	★★★☆?☆ $$$	Corsé+

Ce premier cru de Santenay se montre tout à fait typique de son appellation, c'est-à-dire compact, ferme et longiligne, comme ils le sont presque tous en jeunesse. La matière est noblement extraite, sans excès, mais avec conviction, aux tanins tissés serrés, au corps dense, à l'acidité fraîche et aux saveurs d'une grande allonge, rappelant les fruits rouges, la pivoine et la vanille. Quatre à sept ans seront nécessaires pour le voir s'épanouir, même s'il n'est pas aussi dur qu'il le laisse paraître, spécialement après deux heures de carafe. **Cépage :** pinot noir. **Alc./**13,5 %. **jcboisset.com**

☛ *Servir dans les quinze années suivant le millésime, à 17 °C et oxygéné en carafe 2 heures*

 Risotto au jus de betterave parfumé au girofle.

Mas Jullien 2008   ✓ TOP 100 CHARTIER

COTEAUX-DU-LANGUEDOC TERRASSES DU LARZAC, MAS JULLIEN, FRANCE *(DISP. SEPT./OCT. 2011)*

39 $	SAQ **S** (10874861)	★★★☆ $$$	Corsé+	BIO

Un 2008 au nez d'une grande fraîcheur, tout en étant marqué par l'esprit sauvage et ensoleillé des lieux, s'exprimant par des tonalités de garrigue et de musc. Pureté absolue et profondeur aromatique. La bouche suit et confirme la singularité du cru. Trame tannique très serrée, corps dense et longiligne, presque effilé, mais avec expressivité et matière. Les saveurs sont très longues et dévoilent des notes de romarin, de cèdre, de genévrier, de myrtille et de poivre. Au moment de mettre sous presse, il était attendu à la SAQ entre septembre et octobre 2011 – je vous aurai averti, les vins de ce domaine disparaissent comme l'éclair. **Cépages :** 1/3 carignan, 1/3 syrah, 1/3 mourvèdre. **Alc./**13,5 %.

☛ *Servir dans les douze années suivant le millésime, à 17 °C et oxygéné en carafe 45 minutes*

 Rognons de veau aux champignons et baies de genévrier ou carré d'agneau farci aux olives noires et au romarin.

Château Mont-Redon 2007

CHÂTEAUNEUF-DU-PAPE, ABEILLE-FABRE, FRANCE

39,25 $	SAQ **S*** (856666)	★★★☆ $$$	Corsé

À nouveau un châteauneuf d'une belle maturité aromatique pour ce cru en 2007, qui se donne plus que jamais pleinement, exhalant des effluves d'un raffinement évident, aux notes subtiles de torréfaction et de fruits rouges mûrs, à la bouche gorgée de saveurs, fraîche et pleine à la fois, aux tanins mûrs et enveloppés d'une gangue veloutée, sans excès, conservant un grain juvénile, aux saveurs d'une grande allonge. Une réussite qui ira loin, même si déjà très inspirante. **Cépages :** grenache, syrah, mourvèdre. **Alc./**14,5 %. **chateaumontredon.fr**

☛ *Servir dans les quinze années suivant le millésime, à 17 °C et oxygéné en carafe 30 minutes*

Pâté chinois revu et magnifié «pour vin rouge» (***), daube d'agneau au vin et à l'orange ou légumes-racines sautés et vinaigrette de betteraves rouges parfumée pour amateur de vin rouge (***).

Château La Nerthe 2006
CHÂTEAUNEUF-DU-PAPE, CHÂTEAU LA NERTHE, FRANCE

| 45,50 $ | SAQ **S** (917732) | ★★★☆?☆ $$$$ | Corsé+ |

Un La Nerthe 2006 au nez racé et profondément fruité, ainsi que marqué par un élevage en barriques certes luxueux, mais noblement intégré au cœur de la matière. Beau début d'évolution dans les arômes, où le fruit rouge commence à se montrer compoté. La bouche suit avec densité, ampleur, richesse et persistance des saveurs, où s'entremêlent café, cerise à l'eau-de-vie, mûre et chêne neuf. Une réussite, comme toujours chez les crus signés par ce domaine phare. **Cépages :** grenache, syrah, mourvèdre, cinsault, muscardin, counoise. **Alc./**14,5 %. **chateaulanerthe.fr**

☛ *Servir dans les quinze années suivant le millésime, à 17 °C et oxygéné en carafe 30 minutes*

Braisé de bœuf à l'anis étoilé ou bœuf grillé et réduction de « Soyable_Mc^2 » (**).

Clos Saint Jean 2009
✓ TOP 100 CHARTIER

CHÂTEAUNEUF-DU-PAPE, CLOS SAINT JEAN, FRANCE *(DISP. AUTOMNE 2011)*

| 46,25 $ | SAQ **S** (11104041) | ★★★☆?☆ $$$$ | Corsé+ |

Après une superbe série de millésimes plus réussis les uns que les autres, de 2005 à 2007, et commentés dans les précédentes *Sélection*, ce domaine nouvellement étoilé de Châteauneuf récidive avec un 2009 d'une grande plénitude, généreux, plein et sphérique, mais avec race et élégance, et ce, même avec 16,4 % d'alcool! Ce qui est tout un tour de force. Cacao, café, fruits rouges compotés et fumée se donnent la réplique pendant de longues secondes. **Cépages :** 75 % grenache, 15 % syrah, 10 % mourvèdre, cinsault, muscardin, vaccarèse. **Alc./**16,4 %.

☛ *Servir dans les quinze années suivant le millésime, à 17 °C et oxygéné en carafe 30 minutes*

Filet de bœuf grillé avec marinade pour le bœuf au miso (***) ou morceau de flanc de porc poché, vinaigrette de boudin à la noix de coco, *crumble* de boudin noir (**).

Carelle sous la Chapelle 2009
✓ TOP 100 CHARTIER

VOLNAY 1er CRU, JEAN-CLAUDE BOISSET, FRANCE *(DISP. DÉC. 2011)*

| 51,50 $ | SAQ **S** (11533101) | ★★★★ $$$$ | Corsé |

■ NOUVEAUTÉ! Dégusté en primeur, en juin 2011, comme tous les 2009 signés Jean-Claude Boisset, ce premier cru de Volnay se montre passablement concentré et retenu, exhalant de très frais et subtils parfums de grenadine et de pivoine, un brin épicés (cannelle, muscade), à la bouche débordante, aérienne et presque sphérique, mais dans l'élégance et l'allégresse, sans prise tannique ni générosité. Que d'harmonie et de poésie dans l'expressivité, pour ne pas dire dans la gestuelle... Quel fruit et quelle présence! Une ixième réussite de la famille Boisset, à saisir à son arrivée à la SAQ prévue en décembre 2011. **Cépage :** pinot noir. **Alc./**13 %. **jcboisset.com**

☛ *Servir dans les douze années suivant le millésime, à 17 °C*

Pétoncles poêlés, couscous de noix du Brésil à l'orange sanguine, lait de coco au gingembre (**).

Gevrey-Chambertin Boisset 2009

GEVREY-CHAMBERTIN, JEAN-CLAUDE BOISSET, FRANCE *(DISP. DÉC. 2011)*

51,50 $	SAQ **S** (11532993)	★★★★ **$$$$**	Corsé+

Complètement fermé au nez, ce gevrey, dans une phase adolescente, devrait parvenir à l'âge adulte d'ici 2015, plus ou moins. Il n'en demeure pas moins profondément fruité, pur et concentré, aux saveurs retenues de fruits rouges et de fleurs. La trame tannique est à la fois tricotée serrée et dense, marquée par des tanins compacts et enveloppés. Du coffre, de la matière et de la prestance, pour un pinot à attendre impérativement afin qu'il dévoile pleinement son potentiel. **Cépage :** pinot noir. **Alc./**12,5 %. **jcboisset.com**

☛ *Servir dans les dix-sept années suivant le millésime, à 17 °C et oxygéné en carafe 2 heures*

 Magret de canard rôti, graines de sésame et cinq-épices, navets confits au clou de girofle (**).

Sotanum 2009 ✓ TOP 100 CHARTIER

VIN DE PAYS DES COLLINES RHODANIENNES, LES VINS DE VIENNE, FRANCE *(RETOUR OCT. 2011)*

54,75 $	SAQ **S** (894113)	★★★★ **$$$$**	Corsé

Offert à NEUF dollars de moins que le 2007, cette référence des dix dernières années en matière de nouveaux crus « anciens » rhodaniens se montre tout aussi réussie. Amateurs de côte-rôtie, ne laissez pas passer ce cru. Une syrah d'une haute définition aromatique, fraîche et sans boisé ni surmaturité inutiles, exhalant des notes classiques de poivre blanc, d'olive noire, de violette et de cassis. La bouche suit avec une grande ampleur, marquée par un toucher de taffetas, aux tanins polis avec maestria, à l'acidité discrète, mais tenant tout de même le vin dans le temps et l'espace, aux saveurs longues, sans être lourdes. Harmonie quasi parfaite, donc aux portes de la perfection. Bonne nouvelle, un second arrivage de 50 caisses était attendu en octobre 2011. **Cépage :** syrah. **Alc./**13 %. **vinsdevienne.com**

☛ *Servir dans les douze années suivant le millésime, à 17°C et oxygéné en carafe 30 minutes*

 Magret de canard rôti aux graines de sésame et cinq-épices, navets confits au clou de girofle (**) et légumes d'automne rôtis au four pour syrah/shiraz (***).

Les Chardannes 2009

CHAMBOLLE-MUSIGNY, JEAN-CLAUDE BOISSET, FRANCE *(DISP. DÉC. 2011)*

63,25 $	SAQ **S** (11016868)	★★★☆ **$$$$**	Modéré+

Difficile d'être plus « chambolle » que ce pinot de la Côte d'Or. Charme, volupté, fraîcheur, ampleur, rondeur et saveurs, pour un 2009 plus que réussi chez les crus d'appellation villages. Violette, cerise noire et mûre s'entremêlent longuement avec éclat et fraîcheur. Il faut savoir que cette gamme Jean-Claude Boisset est des plus homogènes, donc tous à considérer avec attention, si vous êtes allumé par le pinot façon Bourgogne. **Cépage :** pinot noir. **Alc./**12,5 %. **jcboisset.com**

☛ *Servir dans les dix années suivant le millésime, à 17 °C et oxygéné en carafe 30 minutes*

Pétoncles poêlés enrubannés d'algues nori et réduction de jus de veau.

Poggio Antico 2006
✓ TOP 100 CHARTIER

BRUNELLO DI MONTALCINO, POGGIO ANTICO, ITALIE *(DISP. NOV./DÉC. 2011)*

71,75 $	SAQ **S** (11300375)	★★★★ $$$$	Corsé

Nez envoûtant, comme seuls les brunellos en connaissent le secret, exhalant des tonalités d'encens, d'épices douces, de chanvre, de café et de prune, avec une aura empyreumatique, à la bouche éclatante, expressive au possible, tout en demeurant fraîche, distinguée et racée, sans lourdeur ni surmaturité de fruit inutile. Un modèle. Réglisse et café espresso s'entrelacent intensément en fin de bouche, où la cerise explose. Amateur de brunello, vous serez conquis par l'éclat de ce 2006. Il faut dire qu'il provient de l'une des propriétés de pointe de Montalcino. Dégusté en primeur en juillet 2011, il était attendu en fin d'année 2011. **Cépage :** sangiovese. **Alc./**13,5 %.

☛ *Servir dans les douze années suivant le millésime, à 17 °C et oxygéné en carafe 15 minutes*

Côtes de veau grillées et champignons portobellos ou lapin à la toscane (*).

Bussia Prunotto 2006

BAROLO, PRUNOTTO, ITALIE *(DISP. ÉTÉ/AUTOMNE 2011)*

72,50 $	SAQ **S** (326991)	★★★★ $$$$	Corsé

Belle couleur soutenue pour l'appellation. Noble nez, d'une grande race et élégance suprême, aux tonalités florales, rappelant la pivoine, ainsi qu'aux notes torréfiées fines (café expresso et chocolat 100 % cacao). Bouche à la fois terrienne et aérienne, c'est-à-dire marquée par une bonne assise tannique, au grain serré, ainsi que par des arômes éthérés qui portent à la verticale plus qu'à l'horizontale. Sous-bois, réglisse noire et fruits rouges s'entremêlent pendant de longues secondes dans une fin de bouche aux tanins gommés et réglisses. Un modèle. **Cépage :** nebbiolo. **Alc./**13,5 %. **prunotto.it**

☛ *Servir dans les quinze années suivant le millésime, à 17 °C*

Magret de canard sauce au thé noir fumé Lapsang Souchong.

Paleo 2007
✓ TOP 100 CHARTIER

BOLGHERI, LE MACCHIOLE, ITALIE *(DISP. AUTOMNE 2011)*

80 $	SAQ **S** (739441)	★★★★ $$$$$	Corsé

Exceptionnellement composé à 100 % de cabernet franc, ce Paleo 2007 touche une fois de plus au sublime, se positionnant avec les grands vins à dominante de cabernet franc de la planète vinicole, ce qui inclut les saumur-champigny des frères Foucault et le saint-émilion grand cru Château Cheval Blanc. Le nez est d'une grande race et d'une élégance suprême, exhalant des tonalités de violette, de framboise et de craie. La bouche suit avec une générosité solaire plus importante que les millésimes précédents, tout comme une prise tannique plus ferme, avec un grain très serré. Le fruit est pur et d'une grande allonge. Ira loin. Une fois de plus l'occasion de constater l'énorme potentiel de ce noble cépage, le cabernet franc, trop souvent dans l'ombre du cabernet sauvignon. **Cépage :** 100 % cabernet franc. **Alc./**13,5 %. **lemacchiole.it**

☛ *Servir dans les seize années suivant le millésime, à 17 °C et oxygéné en carafe 60 minutes*

Filet de bœuf de la Ferme Eumatimi, sauce mole mexicaine à la noix de coco et au cinq-épices (**) ou asperges vertes rôties, enrobées de chocolat noir (infusé au thé fumé Zheng Shan Xiao Zhong, fleur de sel au café) (**).

Château de Beaucastel 2008

CHÂTEAUNEUF-DU-PAPE, VIGNOBLES PIERRE PERRIN, FRANCE
(DISP. AUTOMNE 2011)

89,25 $ | SAQ **S** (520189) | ★★★★ $$$$$ | Corsé+ | BIO

Beaucastel présente un 2008, dégusté en primeur, en juin 2011, plutôt compact, dense et très frais, d'une grande richesse, mais aussi d'une race certaine et d'une harmonie d'ensemble unique. Un millésime plus détendu que le 2006 (commenté dans le Répertoire additionnel), et plus sphérique que ce dernier, sans être généreux ni puissant. Juste est le mot qui me reste en bouche... Pureté, précision, saveurs longues (mûre, café, chêne, cèdre, poivre, genévrier) et profondeur sont au rendez-vous. **Cépages :** grenache, mourvèdre, syrah, cinsault, vaccarèse, counoise, terret noir, muscardin, clairette, picpoul, picardan, bourboulenc, roussanne. **Alc./**14,5 %. **perrin-et-fils.com**

 Servir dans les vingt années suivant le millésime, à 17 °C et oxygéné en carafe 90 minutes

 Pot-au-feu froid d'agneau cuit rosé, cubes de bouillon à la sauge (condiment au curcuma, sel de romarin) (**).

Les Charmes 2009

CHAMBOLLE-MUSIGNY 1er CRU, JEAN-CLAUDE BOISSET, FRANCE *(DISP. DÉC. 2011)*

95,50 $ | SAQ **S** (11099229) | ★★★★ $$$$$ | Corsé

Un premier cru de Chambolle actuellement fermé au nez – dégusté en primeur en juin 2011 –, se montrant passablement riche, profond et concentré, laissant échapper des notes de fruits rouges et de noisette, à la bouche à la fois dense, compacte et ramassée, mais en volupté digne de cette appellation, et aussi avec le grain serré des meilleurs crus, sans dureté aucune, aux saveurs très longues, mais sans l'éclat de la maturité. Soyez au rendez-vous, dans trois à cinq ans, lorsqu'il s'ouvrira pleinement, vous serez conquis, je vous le promets – et ce n'est pas une promesse d'ivrogne. **Cépage :** pinot noir. **Alc./**13,5 %. **jcboisset.com**

 Servir dans les quinze années suivant le millésime, à 17 °C et oxygéné en carafe 90 minutes

 Cailles sautées à la poêle et riz sauvage aux champignons (*).

RÉPERTOIRE ADDITIONNEL

Les vins des *Répertoires additionnels*, qui font l'objet d'une description plus concise, mais presque tous offerts avec un choix de mets, sont ou seront généralement disponibles dans les mois suivant la parution de cette seizième édition. De multiples futurs arrivages y sont aussi commentés cette année. En revanche, certains de ces vins peuvent ne plus être disponibles au moment où vous lirez ces lignes, ce qui explique le commentaire moins détaillé pour certains crus.

Soyez tout de même vigilants, car la majorité de ces vins fera l'objet d'un nouvel arrivage au cours de l'automne 2011 et des premiers mois de 2012, et ce, dans le même millésime proposé dans ce guide. Autre fait important cette année, plusieurs vins des *Répertoires additionnels* sont de futurs arrivages, commentés ici en primeur, avec leur date de mise en marché. Le retour ou l'arrivée de ces vins, comme de tous les vins commentés dans *La Sélection Chartier 2012*, vous sera annoncé par le biais du service de **Mises à jour Internet de *La Sélection Chartier 2012***, via le site Internet **www.francoischartier.ca**.

Tempranillo Campobarro 2010 ✓ TOP 30 BAS PRIX
RIBERA DEL GUARDIANA, COOP. SAN MARCOS, ESPAGNE
9,45 $ SAQ C (10357994) ★★ $ **Modéré+**
D'une belle régularité, bon an mal an ce tempranillo représente plus que jamais un bon coup chez les crus offerts sous la barre des dix dollars. Je dirais même que c'est le plus beau millésime présenté à ce jour. Du fruit à profusion, dégageant un profil jus de raisin frais, donc à croquer à pleines dents! Un rouge ample, dodu et très frais, à boire jusqu'à plus soif. **Alc./**14%. **campobarro.com** ■ *«Feuilles de vigne farcies_Mc²»* *(riz sauvage soufflé, bacon de sanglier, sirop de riz brun/café)* (**) *ou saucisses épicées grillées.*

Meia Encosta 2008
DÃO, SOCIEDADE DOS VINHOS BORGES, PORTUGAL
10,85 $ SAQ C (250548) ★★ $ **Léger+**
Du nez, aux parfums soutenus et des plus agréables, rappelant la cerise et le thym. De la bouche, se montrant passablement souple et coulante, au corps modéré mais bien présent, à l'acidité juste dosée et aux saveurs d'une allonge plus que correcte pour son rang, où s'ajoute une pointe poivrée de girofle. Servez-le sur des plats où dominent les aliments complémentaires au thym, l'une de ses clés aromatiques pour réaliser l'harmonie: agneau, ajowan, origan, cardamome, genièvre ou laurier sont à privilégier. **Alc./**13%. **borgeswines.com** ■ *Pâtes aux olives noires/genièvre/thym/shiitake* (***).

Animus 2007
DOURO, VINCENTE LEITE DE FARIA, PORTUGAL
12,90 $ SAQ C (11133239) ★★☆ $ **Modéré**
Tout y est. De la couleur, du nez, de la fraîcheur, de la complexité, de l'ampleur, de la tendresse et de la persistance. Sans oublier du plaisir à boire! Pivoine, cerise et coriandre fraîche donnent la signature aromatique de ce très joli vin. **Alc./**13%. **vlfvinhos.com** ■ *Pâtes à la sauce tomate au prosciutto et à la sauge.*

Chatons du Cèdre 2008
CAHORS, LE CÈDRE DIFFUSION, FRANCE
12,90 $ SAQ C (560722) ★★☆ $ **Corsé**
Un 2008 ramassé, compact et sur les fruits rouges, on ne peut plus typique de l'appellation Cahors, sans esbroufe, avec de la prise, mais sans dureté, aux tanins réglissés. Bonne tenue, à prix plus que doux, pour

les vrais aficionados de la noble rusticité cadurcienne. **Alc./**13 %.
chateauducedre.com ■ *Foie de veau en sauce à l'estragon ou côtelettes de porc aux poivrons rouges confits épicés.*

Château des Tourelles Cuvée Classique 2009
COSTIÈRES-DE-NÎMES, GFA DE FORTON, FRANCE
13,10 $ SAQ C (387035)   ★ $ Modéré
Depuis quelques vendanges déjà, cette cuvée n'a plus l'éclat et l'expressivité qu'elle offrait il y a quelques millésimes. Le fruit est là, mais sans être prenant, ni complexe. Dommage. **Alc./**14 %. **tourelles.com**

Pinot noir Baron Philippe de Rothschild 2010
PAYS D'OC, BARON PHILIPPE DE ROTHSCHILD, FRANCE
13,40 $ SAQ C (10915247)   ★★ $ Modéré
Un pinot au nez certes simple, mais à la bouche presque gourmande, cacaotée et torréfiée, aux tanins présents, sans trop, au corps modéré et plutôt agréable. Comme les pinots en dessous de quinze dollars sont plutôt rares, il mérite le détour pour un ballon de rouge quotidien. **Alc./**13 %. **bpdr.com** ■ *Pâté chinois revu et magnifié «pour vin rouge» (***).*

Il Brecciarolo 2007
ROSSO PICENO SUPERIORE, VELENOSI, ITALIE
13,55 $ SAQ S (10542647)   ★★☆ $ Modéré+
Très beau et plus qu'abordable rouge de montepulciano et de sangiovese, s'exprimant par un caractère fruité, d'une grande fraîcheur et digestibilité, aux tanins fins et soyeux, à l'acidité fraîche, au corps modéré et aux saveurs longues. **Alc./**13,5 %. **velenosivini.com**

Calathus 2008
CASTELLI ROMANI, FONTANA DI PAPA, ITALIE
13,85 $ SAQ S (10782051)   ★☆ $$ Modéré
Le 2008 de ce rouge moderne et sympathique se montre plus étoffé et plus gourmand que les millésimes passés, sans toutefois casser la baraque pour le prix demandé. Du fruit, du café et des épices, de la rondeur, des tanins présents, mais pas très fermes et une longueur correcte. **Alc./**13 %. **fontanafredda.it** ■ *Foie de veau à la vénitienne.*

Ètim Negre 2007
MONTSANT, AGRICOLA FALSET-MARÇÀ, ESPAGNE
13,85 $ SAQ S (10898601)   ★★☆ $ Modéré+
Difficile de dénicher un rouge de qualité à un prix aussi doux provenant du Montsant, appellation ceinturant celle de Priorat, située au sud de Barcelone. Une belle affaire, débordante de fruits et d'épices anisées, comme celles qu'engendre le topinambour une fois fortement poêlé (après l'avoir préalablement cuit à la vapeur), au boisé juste dosé, généreuse, ample, dodue, aux courbes sensuelles et aux tanins gras. Le plus beau millésime à ce jour pour ce cru. **Cépages :** 60 % grenache, 30 % samsó, 10 % syrah. **Alc./**13,5 %. **etim.cat** ■ *Brochettes de porc et purée de topinambour à l'anis étoilé.*

Juan Gil « Monastrell » 2009
JUMILLA, BODEGAS JUAN GIL, ESPAGNE
13,85 $ SAQ S (10858086)   ★★☆?☆ $$ Modéré+
Débordant de fruits, très épicé (poivre et girofle), au corps voluptueux, d'une certaine complexité, aux tanins gras et enveloppés, mais avec de la prise, à l'acidité discrète et aux saveurs étonnamment longues pour son rang. À boire jusqu'à l'automne 2013. **Alc./**14,5 %. **bodegasjuangil.com** ■ *Brochettes de bœuf sauce teriyaki.*

Magellan « Ponant » 2007   ✓ TOP 30 BAS PRIX
VIN DE PAYS DES CÔTES-DE-THONGUE, DOMAINE MAGELLAN, FRANCE
14,10 $ SAQ S* (914218)   ★★☆?☆ $ Modéré+
Superbe raffinement aromatique, fruité pur et précis, engageant, sans esbroufe, exhalant des notes de prune, de cerise noire et de café, bouche ample, moelleuse et enrobée, avec fraîcheur et persistance, aux tanins fins et presque dodus. Un très beau rouge du Midi, élaboré par Bruno Lafon, frère de Dominique Lafon du grandissime domaine des Comtes Lafon à Meursault. **Cépages :** 30 % merlot, 25 % grenache, 25 % syrah,

20 % cabernet sauvignon. **Alc./**14 %. **domainemagellan.com** ■ *Carré d'agneau et jus au café espresso (*).*

Garnacha Finca Antigua 2009
LA MANCHA, FINCA ANTIGUA, ESPAGNE

14,25 \$ SAQ C (11254225)   ★★☆ \$ Modéré+

Un nouveau millésime tout en fruit, en chair et en fraîcheur pour ce grenache espagnol, d'une bonne plénitude, aux tanins fins, qui ont du grain, au corps voluptueux, sans trop, et aux saveurs longues, rappelant la fraise, la cerise et le girofle. Moins Nouveau Monde de profil que ne l'était le 2007. Harmonieux et européen à souhait. **Alc./**14 %. **familiamartinezbujanda.com** ■ *« Feuilles de vigne farcies_Mc² »* (riz sauvage soufflé, bacon de sanglier, sirop de riz brun/café) *(**)* ou bœuf grillé et réduction de *« Soyable_Mc² »* (**) et *« purée_Mc² »* pour amateur de vin au céleri-rave et clou de girofle *(**).*

Clos La Coutale 2008
CAHORS, V. BERNÈDE ET FILS, FRANCE

14,35 \$ SAQ C (857177)   ★★☆?☆ \$\$ Modéré+

Nez très aromatique et étonnamment raffiné, alternant entre la fraise, la violette et le cassis, à la bouche débordante de saveurs et très fraîche, mais aux beaux tanins juste assez fermes et réglissés pour lui procurer le tonus qui sied bien aux vins de l'appellation, tout en étant presque soyeux et aimable au possible. **Alc./**13,1 %. **closlacoutale.com** ■ *Brochettes de bœuf au café noir (voir Filets de bœuf au café noir) (*).*

Borsao Crianza 2007
CAMPO DE BORJA, BODEGAS BORSAO, ESPAGNE

14,65 \$ SAQ C (10463631)   ★★☆ \$\$ Modéré+

Il se montre toujours aussi tonique et réussi, grâce à son profil solaire débordant de fruits noirs et d'épices douces, aux tanins gras, au corps dodu et aux saveurs longues et éclatantes. **Alc./**13,5 %. **bodegasborsao.com** ■ *Hamburgers d'agneau à la pommade d'olives noires.*

Blés Crianza 2007
VALENCIA, DOMINO DE ARANLEÓN, ESPAGNE

14,75 \$ SAQ C (10856427)   ★★★ \$\$ Modéré+   BIO

Coup de cœur des deux précédentes éditions de ce guide, ce cru, issu de raisin d'agriculture biologique certifié, se montre plus que jamais étonnamment étoffé et gourmand pour son rang, à la texture veloutée et passablement large, aux tanins fins, avec du grain, aux saveurs longues, jouant dans la sphère aromatique des fruits rouges, des épices et de la torréfaction. **Alc./**14 %. **aranleon.com** ■ *Pâtes aux saucisses épicées.*

Château de Gaudou « Tradition » 2007
CAHORS, DUROU & FILS, FRANCE

14,85 \$ SAQ S* (919324)   ★★★ \$\$ Modéré+

Coup de cœur de la dernière édition de *La Sélection*, ce 2007 se montre tout à fait enchanteur et enveloppant, d'une souplesse engageante pour l'appellation. **Alc./**13 %. **chateaudegaudou.com** ■ *Foie de veau sauce au poivre vert et à la cannelle.*

Château de Gaudou « Tradition » 2009
CAHORS, DUROU & FILS, FRANCE *(DISP. FIN 2011/DÉBUT 2012)*

14,85 \$ SAQ S* (919324)   ★★☆ \$\$ Corsé

Fraîcheur, pureté, ampleur, mais avec du grain et de la prestance, le tout dans un ensemble civilisé, loin de la rusticité tannique de certains crus de cette appellation. Prune, cassis et suie participent au cocktail. **Alc./**13 %. **chateaudegaudou.com**

Lou Maset 2009
COTEAUX-DU-LANGUEDOC MONTPEYROUX, DOMAINE SYLVAIN FADAT, FRANCE

14,95 \$ SAQ S (11096116)   ★★★ \$\$ Modéré   BIO

Un autre millésime au profil vin de plaisir et de soif pour cette plus qu'abordable cuvée vinifiée avec brio par l'un des viticulteurs les plus attentionnés du Languedoc. Du fruit à profusion, mais qu'il faut délier par un passage agité en carafe, tout en fraîcheur, sans aucun boisé. Bouche fraîche et aérienne, longiligne et digeste, dotée de tanins plus

fins qu'en 2008, tout en ayant un certain grain. Un rouge au corps modéré et aux saveurs plus subtiles que jamais, laissant des traces de cacao, d'épices douces et de fruits rouges. **Alc./**13 %. **aupilhac.com**
■ *Pâté chinois revu et magnifié «pour vin rouge» (***).*

Masciarelli 2008

MONTEPULCIANO D'ABRUZZO, MASCIARELLI, ITALIE
15,25 $ SAQ **S** (10863774) ★★★ **$$** Modéré+
Un beau montepulciano, distingué et ample, au corps modéré, mais au fruité pur et long, aux tanins fins, avec un grain serré. Pas la grande prestance, mais tout de même épuré et sur le fruit, sans maquillage. Et comme je le dégustais à l'aveugle, lorsque j'ai vu l'origine, et surtout le prix, je me suis dit: «Voilà donc une belle aubaine italienne!» **Alc./**13 %. **masciarelli.it** ■ *Hamburger d'agneau au pesto de tomates séchées.*

L'Esprit du Château Capendu 2009

CORBIÈRES, CHÂTEAU CAPENDU, FRANCE
15,90 $ SAQ **C** (706218) ★★☆?☆ **$$** Corsé
Certes actuellement discret au nez, mais explosif en bouche, débordant de saveurs fraîches, au profil fruits rouges, thym et réglisse. Un rouge dodu, charmeur et presque pénétrant, ce qui est rarissime à ce prix. Donc, à nouveau un très beau Capendu. **Cépages:** carignan (vieilles vignes), syrah, grenache. **Alc./**13 %. **chateau-capendu.com** ■ *Rôti de porc aux épices à steak ou poulet grillé sur une canette de bière (frotté aux épices barbecue et cuit sur un feu de copeaux d'hickory).*

Vitiano 2008

ROSSO UMBRIA, FALESCO MONTEFIASCONE, ITALIE
15,95 $ SAQ **C** (466029) ★★★ **$$** Corsé
Le nez est à la fois très aromatique, complexe et riche, spécialement pour son rang, exhalant des tonalités de fruits noirs, de poivre, de torréfaction et de chêne. La bouche se montre, comme toujours, passablement dense et enveloppante, compacte et généreuse, sans trop, non sans relief et coffre, ce qui est rarissime chez les rouges offerts sous la barre des quinze dollars. **Alc./**13,5 %. **falesco.it** ■ *Hamburgers d'agneau aux poivrons rouges confits et au pimentón fumé.*

Château Tour Boisée «Marielle et Frédérique» 2009

MINERVOIS, DOMAINE LA TOUR BOISÉE, FRANCE
16,15 $** SAQ **S*** (896381) ★★☆?☆ **$$ Modéré+
Jean-Louis Poudou présente un rouge à la fois gourmand, tout en fraîcheur et d'un élan qui le propulse et lui procure une digestibilité bienvenue. Fruits rouges et cacao ajoutent au plaisir, surtout après un court passage en carafe. **Alc./**13,8 %. **domainelatourboisee.com** ■ *Wraps au poulet et au pesto de tomates séchées.*

Domaine La Montagnette 2009

✓ TOP 100 CHARTIER
CÔTES-DU-RHÔNE-VILLAGES, LES VIGNERONS D'ESTÉZARGUES, FRANCE
16,15 $ SAQ **S** (11095949) ★★★ **$$** Corsé
■ NOUVEAUTÉ! D'une excellente cave, cette nouveauté se montre étonnamment engageante, expressive et enveloppante pour son prix. Tout y est. Couleur soutenue. Nez aromatique, au fruité mûr, sans trop. Bouche gourmande, aux tanins ronds, mais avec un grain fin, à l'acidité discrète et aux saveurs longues, rappelant les fruits noirs, le cacao et le poivre. **Alc./**14,5 %. **vins-estezargues.com** ■ *Côtelettes d'agneau grillées à la pommade d'olives noires (olives noires dénoyautées et huile d'olive passées au robot).*

Château Cailleteau Bergeron «Tradition» 2008

PREMIÈRES-CÔTES-DE-BLAYE, DARTIER ET FILS, FRANCE
16,25 $** SAQ **S*** (10388601) ★★☆?☆ **$$ Modéré+
Un merlot toujours aussi subtilement parfumé, aux tonalités à la fois boisées et fruitées, à la bouche à la fois compacte et ample, d'un bon volume, sans excès, tout en chair, sans être pénétrante, aux longues saveurs torréfiées. Le style est par contre maintenant plus Nouveau Monde, à l'image de la cuvée «Élevé en fûts de chêne» du même domaine. **Cépages:** 90 % merlot, 10 % cabernet sauvignon. **Alc./**13,5 %. **cailleteau-bergeron.com** ■ *Brochettes de bœuf et de foie de veau aux poivrons rouges confits.*

Château Mourgues du Grès « Les Galets Rouges » 2008

COSTIÈRES-DE-NÎMES, FRANÇOIS COLLARD, FRANCE

16,40 $ SAQ S* (10259753) ★★★ $$ Modéré+

Un rouge aromatique à souhait, passablement riche et raffiné, aux parfums de poivre noir, de fruits noirs et de café, à la bouche ample, veloutée et prenante, tout en étant fraîche et digeste, aux tanins mûrs à point et aux saveurs d'une bonne allonge pour son rang. Du sérieux à prix plus que doux. **Alc./**14,5 %. **mourguesdugres.fr** ■ *Sandwich au rôti de bœuf parfumé au thym frais.*

Jorio 2008

MONTEPULCIANO D'ABRUZZO, UMANI RONCHI, ITALIE

16,70 $ SAQ S* (862078)   ★★★ $$ Modéré+

Couleur soutenue, effluves assez profonds, aux notes de cerise noire, de fumée et de réglisse, à la bouche pleine, ample et sensuelle, débordant de saveurs de fruits noirs et de torréfaction. Une bouche pulpeuse, ronde et caressante, aux saveurs extraverties, à la manière des vins du Nouveau Monde. Du sérieux qui sait se dégourdir le nœud de cravate à l'heure de la pizza! **Alc./**14 %. **umanironchi.com** ■ *Pizza relevée (saucisses italiennes épicées, olives noires séchées au soleil, sauce tomate de longue cuisson et/ou tomates séchées à l'huile épicée).*

La Segreta 2009

SICILIA, PLANETA, ITALIE

16,70 $ SAQ S* (898296)   ★★☆?★ $$ Modéré+

Nez fin et poivré. Bouche juteuse et très fraîche, au corps modéré, aux tanins tissés serrés, avec finesse, à l'acidité juste dosée et aux saveurs longues et rafraîchissantes, malgré la presque générosité solaire de cette cuvée plus qu'abordable. **Alc./**13 %. **planeta.it** ■ *Focaccia à la sauce tomate de longue cuisson et aux olives noires et thym séché.*

Les abeilles de Colombo 2009

CÔTES-DU-RHÔNE, JEAN-LUC COLOMBO, FRANCE

16,75 $ SAQ **Dépôt** (11460088)   ★★☆?☆ $$ Modéré+

■ NOUVEAUTÉ! Très belle exclusivité des SAQ Dépôt, élaborée avec brio par Jean-Luc Colombo, célèbre œnologue rhodanien. Cette cuvée d'assemblage grenache/syrah/mourvèdre se montre certes discrète au nez actuellement, mais généreuse et gourmande en bouche, ample et texturée, aux tanins fins et aux saveurs sur les fruits rouges. Rien de complexe, mais drôlement jouissif! **Alc./**13,5 %. **vinscolombo.fr**

Le Vin Noir 2006

CÔTES-DU-BRULHOIS, LES VIGNERONS DU BRULHOIS, FRANCE

16,95 $ SAQ S (11154822)   ★★☆?☆ $$ Corsé+

■ NOUVEAUTÉ! Contrairement à la cuvée Château Grand Chêne, de la même cave, ce Vin Noir provient de plus vieilles vignes, et l'élevage en barriques se montre par contre plus dominant. Quoi qu'il en soit, il y a à boire et à manger dans ce vin, sans toutefois retrouver la race et l'harmonie d'ensemble de l'autre cuvée. **Alc./**13 %. **cave-de-donzac.com** ■ *Brochettes de bœuf grillées sur brochettes de bambou imbibées au clou de girofle (voir Brochettes de bambou imbibées au clou de girofle « pour grillades de viande rouge ») (***).*

Santa Cristina « Chianti Superiore » 2008

CHIANTI « SUPERIORE », MARCHESI ANTINORI, ITALIE

16,95 $ SAQ C (11315411)   ★★★ $$ Modéré+

Enchanteur, passablement riche, pour son rang, engageant et extraverti. Les tanins ont le grain précis pour lui procurer une certaine fermeté bienvenue, et le fruité déborde juste assez pour vous chatouiller les papilles pendant de longues secondes. Plaisir garanti. **Alc./**13 %. **antinori.it** ■ *Lapin à la toscane (*).*

Les Griottes 2009

BEAUJOLAIS, PIERRE-MARIE CHERMETTE, FRANCE

17 $ SAQ S (11259940)   ★★☆?☆ $$ Modéré

■ NOUVEAUTÉ! Difficile d'être aussi pur et sans artifice, rafraîchissant et engageant. Un vin de soif certes, mais à la texture ultra-soyeuse, aux tanins raffinés et coulants, à l'acidité juste et au corps ample, mais tout

en finesse et en fraîcheur. Framboise et fleurs rouges donnent le ton à cette très belle expression du gamay beaujolais. **Alc./**13%. **chermette.fr**
■ *Côtelettes de porc à la niçoise.*

Probus 2009
JULIÉNAS, DOMAINE PASCAL AUFRANC, FRANCE
17 $**   SAQ S (11299351)   ★★☆?☆ **$$ Corsé
■ **NOUVEAUTÉ!** Après un coup de carafe agité, ce cru du Beaujolais se montre plus aromatique, passablement riche, presque sauvage, généreux, un brin tannique et ferme, sans trop, avec un certain coffre et une rusticité de jeune premier. Il fera taire ceux qui pensent encore, à tort, que le gamay n'est bon que pour des vins fluets et sans esprit! Retrouvez-le en 2013/14, vous serez surpris comment il «pinotera» tel un pinot noir! **Alc./**13%. ■ *Boudin noir aux oignons et aux lardons.*

Penta Pago del Vicario 2006
VINO DE LA TIERRA DE CASTILLA, PAGO DEL VICARIO, ESPAGNE
17,10 $**   SAQ S (11155500)   ★★★ **$$ Corsé
À nouveau un millésime juteux et sauvage pour ce rouge espagnol, marqué par les arômes de cuir, d'épices, de framboise et de poivre, à la bouche sensuelle, pleine et joufflue, aux tanins présents, mais enveloppés d'une gangue moelleuse, au corps généreux et aux saveurs très longues, on ne peut plus épicées et torréfiées. **Alc./**14,5%. **pagodelvicario.com**
■ *Brochettes d'agneau à l'ajowan ou rognons de veau aux baies de genévrier.*

Claraval 2008
CALATAYUD, BODEGAS Y VINEDOS DEL JALÓN, ESPAGNE *(DISP. SEPT. 2011)*
17,20 $ SAQ S* (11412844)   ★★☆?☆ **$**   Corsé
Charmeur au possible, ce rouge catalan s'exprime par de passablement riches parfums de fruits rouges et d'épices douces, ainsi que par une bouche ronde et texturée, généreuse, mais non sans fraîcheur, aux longues saveurs vanillées. Les nouveaux aficionados de crus modernes hispaniques en raffoleront. **Cépages :** 50% grenache, 20% tempranillo, 10% syrah, 20% cabernet sauvignon. **Alc./**14%. **castillodemaluenda.com**
■ *Émulsion_Mc² «Mister Maillard» (voir sur papillesetmolecules.com) pour grillades de bœuf.*

Brentino Maculan 2008
BREGANZE ROSSO, FAUSTO MACULAN, ITALIE
17,25 $**   SAQ S (10705021)   ★★★ **$$ Modéré+
Un 2008 gorgé de fruits, mais en mode plus élégant et raffiné, et plus frais que le 2007, aux tanins extrafins, au corps longiligne et aux saveurs rappelant la fraise, la pivoine et le poivron. Aucun boisé à l'horizon. **Alc./**13,5%. **maculan.net** ■ *Veau marengo (de longue cuisson).*

Scabi 2009
SANGIOVESE DI ROMAGNA, SAN VALENTINO, ITALIE
17,40 $**   SAQ S (11019831)   ★★★ **$$ Corsé
■ **NOUVEAUTÉ!** Un cru de l'Émilie-Romagne, d'une excellente coloration, au nez aromatique à souhait, passablement mûr et de richesse modérée, exhalant des notes subtiles de fruits noirs et de vanille, à la bouche gourmande pour son rang, presque pleine et joufflue, aux tanins enveloppés dans une gangue moelleuse, mais conservant un certain grain juvénile, aux saveurs longues et torréfiées, sans trop. L'Italie offre plus que jamais d'excellents sangiovese sous la barre des vingt-cinq dollars, et celui-ci en est une preuve vivante à ne pas laisser filer. **Alc./**14,5%. **vinisanvalentino.com**
■ *Brochettes de bœuf grillées sur brochettes de bambou imbibées à l'anis étoilé (voir Brochettes de bambou imbibées à l'anis étoilé «pour grillades de viande rouge») (***).*

Bronzinelle 2008
COTEAUX-DU-LANGUEDOC, CHÂTEAU SAINT-MARTIN DE LA GARRIGUE, FRANCE
17,50 $ SAQ S* (10268588)   ★★★ **$$**   Modéré+
Difficile d'être plus syrah que ça. Olive noire, poivre et fruits noirs se manifestent toujours avec éclat et élégance. Ampleur, fraîcheur et épaisseur veloutée signent une bouche à la fois substantielle et digeste. Les tanins sont toujours aussi fins et mûrs. Les saveurs plus pulpeuses que

jamais, sans trop, laissant des traces de fruits noirs, de violette, de poivre et d'olive noire. **Alc./**13,5 %. **stmartingarrigue.com** ■ *Brochettes d'agneau au café noir (voir Filets de bœuf au café noir) (*).*

Mas Haut-Buis « Les Carlines » 2008
COTEAUX-DU-LANGUEDOC, OLIVIER JEANTET, FRANCE
17,50 $ SAQ S (10507278) ★★★ $$ Corsé
Un cru toujours aussi profond, dense, ramassé et tonique, mais aussi plus enveloppé et texturé que jamais dans ce millésime. Fruits rouges, prune, camphre et sauge s'entremêlent avec éclat. Parfait pour saisir la vraie nature rebelle de cette appellation trop souvent camouflée par un maquillage moderne. **Alc./**13,5 %. **mashautbuis.com** ■ *Gigot d'agneau au romarin (**).*

Sasyr « Sangiovese & Syrah » 2007
TOSCANA, ROCCA DELLE MACÌE, ITALIE
17,50 $ SAQ C (11072907) ★★☆?☆ $$ Modéré+
Il se montre plus qu'aromatique, débordant de fruits, presque pulpeux et sensuel, sans boisé dominant, aux tanins enrobés et veloutés, à l'acidité discrète et aux saveurs plus que longues pour son rang, égrainant des notes de cerise noire et d'épices douces. **Alc./**13,5 %. **roccadellemacie.com** ■ *Hamburgers aux tomates séchées et cheddar extra-fort.*

La Madura Classic 2006
SAINT-CHINIAN, NADIA ET CYRIL BOURGNE, FRANCE
17,65 $ SAQ S* (10682615) ★★★ $$ Modéré+
Raffinement aromatique d'une haute définition comme jamais pour ce cru. Épices douces, violette et fruits rouges se donnent la réplique au nez, avec un relent subtil de poivron, dans un ensemble d'une précision et d'une élégance singulières, comme toujours. La bouche suit avec des tanins soyeux au possible, une acidité discrète, mais juste fraîche, une texture presque veloutée, un corps ample, mais aussi aérien, et des saveurs longues et d'une fraîcheur toujours aussi unique à La Madura. **Alc./**13,5 %. **lamadura.com** ■ *Hamburgers d'agneau aux poivrons rouges confits et au paprika.*

Raisins Gaulois 2010
VIN DE FRANCE, MARCEL LAPIERRE, FRANCE
17,70 $ SAQ S (11459976) ★★★ $$ Modéré BIO
■ NOUVEAUTÉ! « LE » vin de soif par excellence de l'été 2011 – pour en avoir sifflé quelques flacons...! Du fruit à revendre, mais en toute fraîcheur, sans surmaturité inutile, de la texture et de l'ampleur dans les saveurs, mais aussi en toute digestibilité. Framboise, cerise et pivoine signent le bouquet. Tanins soyeux, acidité juste et précise et saveurs longues. Que demander de plus ? « Ben » l'étiquette est un régal pour les yeux! Élaboré par Mathieu Lapierre, fils de feu Marcel Lapierre, qui « était » LA figure légendaire des vins dits « nature » – nous avons malheureusement appris son décès en début d'année. **Alc./**12,5 %. **marcel-lapierre.com** ■ *Endives braisées aux cerises et kirsch (***).*

Domaine de Boissan « Cuvée Clémence » 2009
CÔTES-DU-RHÔNE-VILLAGES SABLET, CHRISTIAN BONFILS, FRANCE
17,80 $ SAQ S (712521) ★★★?☆ $$ Corsé BIO
Un 2009 remarquablement réussi, comme à chaque millésime pour la cuvée de ce viticulteur attentionné. Tout y est. De la couleur. De l'expressivité, du détail, de la fraîcheur, de l'éclat, de la complexité (cacao, poivre, fruits noirs), des tanins fermes, qui ont de la prise, mais aux grains fins. **Alc./**14,5 %.

Syrah Baglio di Pianetto 2007
SICILIA, BAGLIO DI PIANETTO, ITALIE
17,90 $ SAQ S (10960734) ★★★ $$ Corsé
Quel nez! Du fruit à profusion (grenadine, cerise au marasquin et fraise), de la fraîcheur, non dénuée de générosité solaire, de l'ampleur, des tanins fins mais bien présents, et du plaisir à boire. **Alc./**14 %. **bagliodipianetto.com** ■ *Sushis_Mc² « pour amateur de vin rouge » (voir recette sur papillesetmolecules.com).*

Syrah Baglio di Pianetto 2009

SICILIA, BAGLIO DI PIANETTO, ITALIE

17,90 $ SAQ S (10960734)   ★★★ $$ Corsé

Cette syrah, au style Nouveau Monde et d'un domaine de référence, se montre plus que jamais à la fois explosive et mûre, éclatante et fraîche, fait rarissime sous le climat caniculaire de la Sicile. Fruité débordant, tanins gras, acidité juste dosée, corps voluptueux. Il faut savoir que cette véritable aubaine sicilienne est élaborée avec les conseils de Fausta Maculan, célèbre viticulteur de Vénétie. **Alc./**14%. **bagliodipianetto.com** ■ *Pâtes aux olives noires/genièvre/thym/shiitake (***).*

Expression 2007

CHINON, A. & P. LORIEUX, FRANCE

17,95 $ SAQ S (873257)   ★☆ $$ Modéré

Ce 2007, que j'avais apprécié au printemps 2010, semble avoir déjà perdu son expressivité élégante qui m'avait alors séduit. Le nouvel arrivage, dégusté en avril 2011, m'a laissé sur ma faim, comme si le vin s'était éteint... Mauvaise bouteille ou fatigue prématurée? **Alc./**12,5%. **lorieux.fr**

Les Terrages 2009

SAUMUR CHAMPIGNY, RENÉ-NOËL LEGRAND, FRANCE

17,95 $ SAQ S (852442)   ★★☆?☆ $$ Modéré+

D'un rouge clair grenat. D'un nez aromatique, élégant et distingué, aux effluves de puissance modérée, qui déploie des notes complexes de fraise, de framboise, de violette, de poivron vert et de sous-bois. D'une bouche aux tanins soyeux et tissés serrés, à l'acidité fraîche, d'une texture ample, aux longues saveurs de fruits rouges et de craie. Très beau vin, d'une étoffe unique. Le coup de cœur y était presque. **Alc./**13%. ■ *Tarte de pommes de terre cuites au thé Pu-erh et fromage Saint-Nectaire (***).*

Sedàra 2008

SICILIA, TENUTA DONNAFUGATA, ITALIE

17,95 $ SAQ S* (10276457)   ★★☆?☆ $$ Modéré+

Ce millésime se montre plus complexe et plus nourri que dans les précédentes vendanges, tout en conservant son charme et son velouté qui ont fait son succès jusqu'ici. Les tanins ont du grain, tout en étant mûrs et presque enveloppés, les saveurs d'une belle maturité, sans trop, laissent deviner des notes de fruits noirs, d'épices douces et de cacao, avec une pointe d'olive, l'acidité est juste, et l'ensemble harmonieux et expressif. **Alc./**13,5%. **donnafugata.it** ■ *Gigot d'agneau à l'ail et au romarin.*

Coquard 2009

JULIÉNAS, MAISON COQUARD, FRANCE

18,10 $ SAQ S (10838552)   ★★?☆ $$ Modéré+

Tout comme pour le Saint-Amour 2009 de la même maison, je m'attendais à plus d'expressivité aromatique et plus d'ampleur en bouche dans ce grand millésime. Bonne chose, les saveurs ont plus de présence que dans l'autre cuvée citée. **Alc./**13%. **maison-coquard.com**

Gran Sangre de Toro Reserva 2005

CATALUNYA, MIGUEL TORRES, ESPAGNE

18,15 $ SAQ S (928184)   ★★☆ $$ Modéré+

Ce cru se montre dans ce millésime plus festif que jamais, ample, dodu et presque juteux, mais avec une certaine prise tannique et une fraîcheur qui le rend digeste au possible pour le style, même s'il se montre généreux. Fruité confit et épicé, au boisé juste et aromatique à souhait, au profil on ne peut plus marqué par les lactones (noix de coco, érable), aux tanins gras et ronds, ainsi qu'aux saveurs longues. Que demander de plus? **Alc./**14%. **torres.es** ■ *Rôti de porc farci aux abricots et sauce au porto tawny et lait de coco (***).*

Château Peyros « Vieilles Vignes » 2005

MADIRAN, CHÂTEAU PEYROS, FRANCE

18,35 $ SAQ S* (488742)   ★★★ $$ Corsé

Coup de cœur à quelques reprises, ce madiran récidive avec un nouveau millésime plus en fruit que jamais, à la fois dense et détendu, plein et sphérique pour l'appellation, aux saveurs expressives et fraîches, laissant deviner des notes de violette, de prune et de graphite. **Alc./**13,5 %. **vignobles-lesgourgues.com** ■ *Filets de bœuf et lanières de poivrons verts et rouges légèrement confits.*

Shymer 2007
SICILIA, BAGLIO DI PIANETTO, ITALIE
18,45 $ SAQ **S** (10859804)   ★★★ **$$**   Corsé
Après un texturé et vanillé 2004, et un 2006 torréfié et généreux à souhait, Baglio di Pianetto revient avec un Shymer 2007 des plus engageants, sur la même ligne aromatique que le 2006, et dans la même veine de texture pleine, pulpeuse et enveloppante, malgré les tanins imposants, mais mûrs. Les conseils prodigués par Fausto Maculan, célèbre vigneron de Vénétie, apportent beaucoup à cette propriété qui semble avoir plus que jamais le vent dans les voiles. **Alc./**14 %. **bagliodipianetto.com** ■ *Brochettes de bœuf à la pommade de menthe fraîche, poivre concassé et vinaigre balsamique.*

Château Ventenac Grande Réserve 2007
CABARDÈS, VIGNOBLES ALAIN MAUREL, FRANCE
18,55 $ SAQ **S** (11367537)   ★★★ **$$**   Corsé
■ NOUVEAUTÉ! Un assemblage syrah, cabernet sauvignon, merlot et grenache, se montrant passablement boisé er ramassé, à la bouche tannique, mais aux tanins fins, à l'acidité fraîche, au corps presque dense, et aux saveurs qui ont de l'éclat, rappelant les fruits rouges, les fleurs et le chêne neuf. **Alc./**13,5 %. **vignoblesalainmaurel.net** ■ *Filets de bœuf et sauté de poivrons rouges au curcuma.*

Château Gaillard Vieilles Vignes 2006
TOURAINE-MESLAND, VINCENT GIRAULT, FRANCE
18,75 $ SAQ **S** (10325984)   ★★★ **$$**   Modéré+   BIO
Le paprika, épice vedette du pays dominant dans la classique recette du goulache au bœuf, nous dirige vers un vin marqué par des arômes de la famille des pyrazines (poivron), comme le sont généralement les vins rouges, de régions fraîches, à base de cabernet franc, de cot (ou malbec) et de gamay, comme cette cuvée vieilles vignes. De plus, il faut tenir compte que ce plat national est aussi composé de légumes et d'herbes de la famille des anisés, tels la carotte, le navet, le céleri, le cumin et le persil. Ce à quoi répondent, en rouge, les vins où entre la syrah ou le malbec. Donc, faites-vous plaisir avec ce rouge aromatique, fin et aérien, pur et précis, sans esbroufe, qui s'unira à perfection au paprika et aux légumes du goulache. **Alc./**12,5 %. ■ *Goulache.*

Coquard 2009
SAINT-AMOUR, MAISON COQUARD, FRANCE
18,95 $ SAQ **S** (10838561)   ★★?☆ **$$**   Modéré
Un beau 2009, sans toutefois avoir le tonus et l'éclat de fruit des meilleures cuvées de ce grand millésime Beaujolais – et Dieu sait que les réussites sont légion... Demeure un bon rapport qualité-prix, mais il y a plus complexe et complet pour le prix. **Alc./**13 %. **maison-coquard.com** ■ *Panini aux poivrons rouges grillés et au fromage de chèvre.*

Cabernet Fazio 2005
SICILIA, CASA VINICOLA FAZIO WINES, ITALIE
19,05 $ SAQ **S** (741561)   ★★★ **$$**   Corsé
Si vous appréciez les cabernets australiens, richement aromatiques, pleins, enveloppants et juteux, vous serez en terrain connu avec ce 2005 sicilien qui est presque une copie conforme des «cabs» australs. Ces tanins sont plus gras que jamais. Fruits noirs, girofle et cacao participent au cocktail. **Alc./**14,5 %. **faziowines.it** ■ *« Purée_Mc²» pour amateur de vin au céleri-rave et clou de girofle (**).*

Pittacum 2006
BIERZO, BODEGAS PITTACUM, ESPAGNE
19,10 $ SAQ **S** (10860881)   ★★★?☆ **$$**   Corsé+
Nez toujours aussi généreux et mûr pour l'appellation, plus ouvert et percutant que ne l'était le 2005, exhalant des notes de girofle et de fruits noirs, avec une aura boisée, presque dans l'esprit et le profil Nouveau

Monde, mais avec une retenue bien européenne. La bouche suit avec le même profil solaire, se montrant pleine et tonique, ramassée et compacte, dense comme jamais. Le boisé est juste dosé, même si présent, et les saveurs expressives et volumineuses à souhait. **Alc./**14,5 %. **pittacum.com** ■ *« Feuilles de vigne farcies_Mc² » (riz sauvage soufflé, bacon de sanglier, sirop de riz brun/café) (**).*

Ramione « Merlot-Nero d'Avola » 2005
SICILIA, BAGLIO DI PIANETTO, ITALIE
19,20 $ SAQ S* (10675693) ★★★?☆ **$$**   Corsé+
Avec son superbe nez, passablement riche, de violette, de framboise et de gomme à mâcher à la saveur de bleuet, ce 2005, tout aussi profond, racé, dense et plein que ne l'étaient les 2004 et 2003 (commentés dans *La Sélection 2009*), se positionne plus que jamais comme un incontournable chez les crus siciliens. **Alc./**15 %. **bagliodipianetto.com** ■ *Bœuf braisé au jus de carotte.*

Château Thébot 2003
BORDEAUX, HÉRITIERS BRISSON, FRANCE
19,25 $**   SAQ S (10389005) ★★☆ **$$ Corsé
Un bordeaux au profil solaire, généreux, ample et texturé, à la manière Nouveau Monde, tout en demeurant les deux pieds ancrés dans le terroir bordelais, avec ce grain serré classique. Bonne présence, tanins serrés, corps charnu et saveurs de fruits rouges mûrs et de café. **Alc./**13,5 %.

Eternum Viti 2008
TORO, BODEGAS ABANICO, ESPAGNE
19,45 $**   SAQ S (11464370) ★★★ **$$ Corsé+
Sélectionnée par l'allumé Aurelio Cabestrero, sommelier espagnol installé aux États-Unis depuis une dizaine d'années, devenu, grâce à son agence *Grapes of Spain*, la référence des importateurs de vins espagnols de ce côté de la frontière, cette cuvée est l'un des rares vins de Toro offert à prix aussi doux. Nez éclatant, riche, mûr, sans trop, et détaillé. Bouche pleine et texturée, d'un bon volume, aux tanins gras, à l'acidité juste dosée et aux saveurs d'une grande allonge, rappelant le bleuet, la mûre, le cacao, le café et les épices douces. Une véritable aubaine! **Cépage:** tinta de toro (tempranillo). **Alc./**14 %. **bodegasabanico.com** ■ *Asperges vertes rôties, enrobées de chocolat noir (infusé au thé fumé Zheng Shan Xiao Zhong, fleur de sel au café) (**).*

Épineuil J. Moreau & Fils La Croix Saint-Joseph 2009
BOURGOGNE, J. MOREAU & FILS, FRANCE
19,65 $ SAQ S* (917336) ★☆ **$$**   Léger+
Un bourgogne tout en souplesse, peu loquace aromatiquement parlant, fin, agréable, sans plus. **Alc./**12,5 %. **jmoreau-fils.com**

Domaine de la Côte des Charmes 2009
MORGON, THÉRÈSE ET JACQUES TRICHARD, FRANCE
19,75 $**   SAQ S (10838499) ★★☆ **$$ Modéré
Un grand cru du Beaujolais peu aromatique, actuellement replié sur lui-même, mais qui se montre plus bavard en bouche, où éclate un fruité pur et gourmand, doublé d'une fraîcheur digeste et de saveurs expressives, laissant de longues traces de cassis, de cerise et de pivoine. **Alc./**13 %. ■ *Salade d'endives braisées et cerises (avec noix et fromage parmesan émietté).*

Volver 2007
LA MANCHA, BODEGAS VOLVER, JORGE ORDOÑEZ, ESPAGNE
19,80 $**   SAQ S (11387327) ★★★ **$$ Corsé+
■ NOUVEAUTÉ! Une nouveauté, qui est disponible maintenant, provenant d'une sélection de tempranillo effectuée par le puissant Jorge Ordoñez, l'homme derrière les fameux crus des *bodegas* Il Nido. Il en résulte un rouge hyper aromatique et musclé, étonnamment concentré pour son rang, mais non sans fraîcheur ni distinction. Fruits noirs, prune, fumée et cuir participent au charme brut. **Alc./**14,5 %. ■ *Côtes levées à la cannelle et au curry de vin rouge.*

Château Bujan 2008
CÔTES-DE-BOURG, PASCAL MELI, FRANCE
19,90 $ SAQ S* (862086)   ★★★ $$ Modéré+
Très beau nez aromatique à souhait, épuré et raffiné, exhalant des tonalités de champignons de Paris, de fraise et de violette, à la bouche débordante de saveurs, au charme immédiat, aux tanins polis et souples, au corps juste assez texturé et ample, tout en demeurant frais et digeste. **Alc./**13 %. **chateau-bujan.com** ■ *Figues confites au thé Pu-Erh, chantilly de fromage Saint-Nectaire (**).*

Gran Coronas Reserva Cabernet Sauvignon 2006
PENEDÈS, MIGUEL TORRES, ESPAGNE
19,95 $ SAQ C (036483)   ★★★ $$ Corsé
Ce 2006 se montre toujours aussi passablement concentré et profond, pour son rang, laissant aller des tonalités de fruits noirs, de réglisse et de café, à la bouche d'une bonne densité, aux tanins ramassés, sans être fermes, au corps plein, sans être multidimensionnel, et aux saveurs plus que persistantes, laissant des traces boisées et torréfiées. **Alc./**13,5 %. **torreswines.com** ■ *Filets de bœuf au café noir (*).*

Prazo de Roriz 2007
DOURO, QUINTA DE RORIZ VINHOS, PORTUGAL
20,15 $ SAQ S (10688208)   ★★★ $$ Modéré+
Un 2007 ultracoloré, au nez expressif, passablement concentré, à la bouche pleine, ample et veloutée, étonnamment détendue, aux tanins enrobés et souples, pour le style, et aux saveurs longues, jouant dans l'univers aromatique du poivre, du camphre, de la prune, de la mûre et du café. Excellent achat, à dominante de touriga nacional, complété par les tout aussi portugais tinta roriz, tinta barroca, touriga franca et tinto cão. **Alc./**14 %. **quintaderoriz.com** ■ *Brochettes de boulettes de viande d'agneau haché parfumé d'épices (mélange de graines de cardamome, de feuilles de laurier et de poivre de Guinée).*

Prazo de Roriz 2008
DOURO, QUINTA DE RORIZ VINHOS, PORTUGAL
20,15 $ SAQ S (10688208)   ★★★ $$ Modéré+
Un 2008 concentré, comme à l'habitude pour ce cru, à la fois plein, dense, texturé, non sans prise tannique, et très long, égrainant des tonalités épicées, torréfiées et fruitées. **Alc./**14 %. **quintaderoriz.com** ■ *Hamburgers d'agneau aux poivrons rouges confits et au curcuma.*

Domaine d'Aupilhac 2007
COTEAUX-DU-LANGUEDOC MONTPEYROUX, DOMAINE SYLVAIN FADAT, FRANCE
20,30 $ SAQ S (856070)   ★★★☆ $$ Corsé   BIO
Avoir le bonheur de pouvoir acquérir un tel cru, tout au long de l'année, étant disponible chez les produits de spécialité en achat continu, c'est vraiment un phénomène que seul un marché comme celui de la SAQ peut offrir. À nous d'en profiter! Cette cuvée de Sylvain Fadat demeure depuis une dizaine d'années dans le peloton de tête des meilleurs rouges languedociens offerts au Québec sous la barre des trente dollars. Elle se montre, après un bon gros coup de carafe, à la fois ramassée et d'une certaine tendreté, pleine et très fraîche, expressive, mais sans trop. Olive noire, cacao et fruits noirs donnent le ton à cet ensemble, dominé par le trio mourvèdre/carignan/syrah, quasi longiligne, qui gagnera en largeur au cours de son évolution en bouteille. **Cépages:** mourvèdre, carignan, syrah. **Alc./**13 %. **aupilhac.com** ■ *Carré d'agneau déglacé au café noir serré et rehaussé de poivre noir.*

Domaine des Vignes du Tremblay 2009
MOULIN-À-VENT, PAUL JANIN, FRANCE
20,35 $ SAQ S (11305141)   ★★★ $$ Corsé
Grand millésime beaujolais oblige, ce domaine récidive avec un 2009 des plus réussis. Vous y trouverez un gamay coloré, aromatique, riche et profond, ayant besoin d'un bon coup de carafe pour se libérer, à la bouche presque dense, pour le style, très fraîche, tannique, aux tanins fins, mais tissés serrés, au corps longiligne et aux saveurs persistantes, laissant

des traces de cerise, de pivoine et de girofle. Évoluera en beauté jusqu'en 2019. **Alc./**14 %. ■ *Pâtes aux tomates séchées ou veau marengo (de longue cuisson) et pâtes aux œufs.*

Atalaya 2007
ALMANSA, JORGE ORDOÑEZ, ESPAGNE
20,40 $** SAQ S (11387335) ★★★ **$$ Corsé
■ NOUVEAUTÉ! Vers le sud, où l'assemblage de monastrell et de garnacha offre des rouges d'une grande plénitude, mais à prix doux, optez pour cet Atalaya. Une ixième réussite pour cet homme dont les crus espagnols ont tous une signature moderne, pour ne pas dire Nouveau Monde. Un rouge qui a du coffre, à la fois ferme et généreux, plein et ramassé, aux saveurs longues et inspirantes, laissant des traces de cerise noire, de réglisse et de cacao, avec un arrière-plan minéral. **Alc./**14 %. ■ *Filet de boeuf de la Ferme Eumatimi, sauce* mole *mexicaine à la noix de coco et au cinq-épices (**)*

Pinot Noir Réserve Vieilles Vignes Pierre André 2009
BOURGOGNE, PIERRE ANDRÉ, FRANCE
20,50 $** SAQ S (721373) ★★☆ **$$ Modéré+
Un pinot d'une bonne coloration, actuellement discret au nez, mais passablement riche et soutenu en bouche, aux tanins marqués, sans trop, au corps plein et aux saveurs longues, égrainant des tonalités de girofle, de poivre et de cerise noire. Assurément le plus beau millésime pour ce vin qui m'a toujours laissé sur ma faim par le passé. **Alc./**12,5 %. **pierre-andre.com**

Blaufränkisch Heinrich 2008
BURGENLAND, WEINGUT HEINRICH, AUTRICHE
20,80 $** SAQ S (10768478) ★★☆ **$$ Modéré
Enivrez-vous d'un rouge qui n'est pas sans rappeler certains pinots noirs bourguignons, tout en conservant son identité bien autrichienne. Donc, un blaufränkisch, qui est un cépage, soit dit en passant, subtilement parfumé, exhalant des notes de jus de raisin frais et de pivoine, à la bouche satinée, fraîche et coulante. Aérien et digeste au possible, sans oublier qu'il est obturé par un très efficace bouchon de verre Vino Lock. **Alc./**13 %. **heinrich.at** ■ *Salade de foie de volaille et de cerises noires.*

Luna Beberide 2008
BIERZO, FINCA LA CUESTA, ESPAGNE
21,10 $** SAQ S (11412650) ★★★ **$$ Modéré
■ NOUVEAUTÉ! Véritable aubaine que représente ce bierzo, à base du cépage mencia. Certes actuellement sur une retenue juvénile, mais riche de promesses, de race et d'élégance, au boisé juste dosé, aux tanins tissés serrés et aux saveurs plus que longues (bleuet, cassis, violette, poivre). **Alc./**14 %. **lunabeberide.com**

Prima 2008
TORO, BODEGAS Y VINEDOS MAURODOS, ESPAGNE
21,10 $** SAQ S (11412861) ★★★?☆ **$$ Corsé
■ NOUVEAUTÉ! Pour les amoureux du tempranillo, ne laissez pas filer la véritable aubaine qu'est ce Prima, au fruité mûr et passablement riche, au boisé racé et déjà au cœur de la matière, aux tanins enveloppés, mais tissés assez serrés, avec du grain, à l'acidité juste fraîche et digeste, et aux saveurs percutantes (café, girofle, cerise noire). Étonne par tant de race et de densité pour un cru de jeunes vignes et de climat aussi ensoleillé. Grande synergie aromatique avec une viande déglacée de café noir. **Alc./**14 %. **bodegasanroman.com** ■ *Carré d'agneau et jus au café expresso (*).*

Le Chapitre 2009
BOUZERON, RENÉ BOUVIER, FRANCE
21,30 $** SAQ S (11153264) ★★★ **$$ Modéré+
De l'un des domaines de pointe de Gevrey-Chambertin, ce pinot noir d'appellation régionale se montre d'une belle maturité de fruits, au charme aromatique immédiat, à la bouche gorgée de fruits rouges et de fleurs, aux tanins presque ronds, à l'acidité discrète, laissant place à un toucher de bouche velouté, sans trop, aux saveurs longues, égrainant des

tonalités de prune, de cerise et de rose. **Alc./**12,5 %. ■ *Salade de betteraves rouges parfumées au quatre-épices (poivre, muscade, gingembre en poudre et clou de girofle).*

Pétalos 2008
BIERZO, DESCENDIENTES DE J. PALACIOS, ESPAGNE
21,60 $ SAQ S* (10551471) ★★★☆ **$$**   Corsé   BIO
Ce Pétalos 2008 se montre meilleur que jamais. Richement aromatique, mais avec une retenue européenne, lui donnant un profil subtil et distingué, avec profondeur, à la bouche d'une harmonie jusqu'ici jamais atteinte pour cette cuvée, aux tanins d'une maturité parfaite, quasi gras, mais avec un grain noble, un brin serré, une acidité fraîche mais discrète, un corps voluptueux, sans être lourd ni opulent, des saveurs complexes et longues, sans être inutilement pulpeuses ni boisées. **Alc./**14 %.
■ *Pétoncles poêlés enrubannés d'algues nori et réduction de jus de veau aux framboises.*

Notre Terre 2007
CÔTES-DU-ROUSSILLON-VILLAGES, DOMAINE DU MAS AMIEL, FRANCE
21,75 $**   SAQ S (10779804)   ★★★☆ **$$ Corsé+
Ce rouge se révèle fort coloré, richement aromatique, profond, pur et défini, sans esbroufe, à la bouche à la fois dense, pleine, joufflue, généreuse, gourmande et même fraîche! Tanins ronds et gras. Saveurs complexes et d'une grande allonge, jouant dans la sphère des fruits rouges, du café et de la violette. Le boisé est admirablement intégré au cœur du vin, donc d'une grande discrétion. **Alc./**14,5 %. **masamiel.fr** ■ *Viande rouge rôtie à l'outside cut fortement torréfiée et purée de topinambour parfumée de café et/ou d'anis étoilé.*

Tres Picos 2008
CAMPO DE BORJA, BODEGAS BORSAO, ESPAGNE
21,75 $ SAQ S* (10362380) ★★★?☆ **$$**   Corsé
Il se montre débordant de parfums, d'une étonnante richesse, au style très mûr rappelant celui des grenaches australiens, exhalant des notes de fruits noirs, de vanille, de fumée et de cuir. Comme à son habitude, une trame tannique passablement ferme et bien ciselée, mais avec maturité et velouté. **Alc./**14,5 %. **bodegasborsao.com** ■ *Braisé de bœuf à l'anis étoilé.*

Vallformosa Gran Reserva 2003
PENEDÈS, MASIA VALLFORMOSA, ESPAGNE
21,85 $**   SAQ S (744003)   ★★★ **$$ Corsé
Un catalan au nez très enchanteur, passablement riche et très mûr, au fruité presque confit et au boisé présent, sans être lourd, à la bouche pleine, d'une bonne ampleur, sans être large, aux tanins présents, mais enveloppés, et aux saveurs longues, laissant des traces de café, de goudron, de fumée, de griotte à l'eau-de-vie et d'épices douces. **Alc./**13 %.
vallformosa.es ■ *Filets de bœuf grillé à l'émulsion de « Mister Maillard » (voir recette « Mister Maillard » dans La Sélection 2011).*

Château Roquetaillade La Grange « Vieilles Vignes » 2005
GRAVES, B. D. & P. GUIGNARD, FRANCE
22,10 $**   SAQ S (11095050)   ★★★ **$$ Modéré+
Un rouge d'un nez très aromatique, au fruité débordant (prune, cerise noire, violette, café), mûr à point, sans boisé dominant, d'une belle profondeur, d'une bouche presque pulpeuse, tout en conservant une certaine trame serrée bordelaise, aux tanins enveloppés par une gangue moelleuse, à l'acidité discrète et à la texture veloutée. **Alc./**13,5 %.
chateauroquetailladelagrange-vignoblesguignard.blogs.sudouest.fr
■ *Brochettes de bœuf au café noir (voir Filets de bœuf au café noir) (*).*

Château Roquetaillade La Grange « Vieilles Vignes » 2006
GRAVES, B. D. & P. GUIGNARD, FRANCE
22,10 $**   SAQ S (11095050)   ★★☆?☆ **$$ Modéré+
Bonne coloration, nez aromatique, sans être riche ni puissant, bouche pleine, ample et texturée, au toucher velouté et aux tanins ronds, enveloppés dans une gangue vanillée par l'élevage en barriques de chêne.

Cerise noire, pivoine et café donnent le ton. Un brin moins profond et moins soutenu que ne l'est le très réussi 2005. **Alc.**/13,5 %. chateauroquetailladelagrange-vignoblesguignard.blogs.sudouest.fr

Dolcetto Visadì 2008
LANGHE, DOMENICO CLERICO, ITALIE
22,15 $ SAQ S (10861120) ★★★ $$ Modéré+
Une ixième réussite du producteur émérite qu'est Clerico. Vous vous sustenterez d'un dolcetto assez riche et éclatant, au nez qui embaume presque toute la pièce (!), laissant dégager des notes de prune, de violette et de framboise, au corps presque plein et d'une densité qui étonne pour ce cépage, sans être puissant bien sûr, aux tanins toujours aussi fins, mais avec du grain, à l'acidité plus fraîche qu'en 2007, aux saveurs expressives et persistantes, laissant des traces de café, de noisette, de cerise noire et de violette. Gagnera en définition et en texture d'ici 2013, mais un bon gros coup de carafe lui délie les tanins dès maintenant. **Alc.**/13,5 %. ■ *Bœuf braisé au jus de carotte.*

Domaine de l'Espigouette 2008
VACQUEYRAS, BERNARD LATOUR, FRANCE
23 $ SAQ S (11195632) ★★★?☆ $$ Corsé
■ NOUVEAUTÉ! Voilà une excellente affaire que cette nouveauté du Midi, dominée par le grenache, à la couleur soutenue, au nez passablement concentré, riche et profond, à la bouche débordante de fruits, de poivre et de notes de garrigue (thym et résine), auxquels s'ajoutent des pointes de café et de cacao, aux tanins certes présents, mais formidablement enveloppés d'une gangue veloutée, à l'acidité discrète et au corps plein et voluptueux. Grande persistance et belle harmonie d'ensemble pour cette aubaine méridionale, qui pourrait aisément surpasser certains vins de Châteauneuf vendus beaucoup plus cher. Osez lui cuisiner une recette où dominera l'un des ingrédients complémentaires au poivre : le genièvre, l'olive noire, le nori ou le safran. **Alc.**/14,5 %. espigouette.com ■ *Thon rouge frotté aux baies de genièvre, olives noires, quelques petits pois, algues nori torréfiées, dés de graisse de jambon fondue, huile de pépins de raisin aux pistils de safran (**).*

Domaine Les Genêts 2009
VACQUEYRAS, DELAS FRÈRES, FRANCE
23 $ SAQ S (11194066) ★★★?☆ $$ Corsé+
Après une bonne secousse aromatique en carafe, cet abordable cru, du niveau de certains châteauneufs vendus plus cher, se montre très engageant, complexe, prenant, avec du coffre et de la prise, sans trop, aux saveurs très longues, alternant entre les fruits rouges et les tonalités boisées. Une belle pointure. **Cépages :** 70 % grenache, 20 % syrah, 10 % mourvèdre. **Alc.**/14,5 %. ■ *Ragoût de bœuf au vin rouge et polenta crémeuse au parmesan et champignons sautés.*

La Fage 2008
CAHORS, COSSE MAISONNEUVE, FRANCE
23,15 $ SAQ S (10783491) ★★☆?☆ $$ Corsé+
Pour apprécier ce 2008, il vous faudra le transvaser en carafe fortement, puis l'agiter fortement et l'y laisser reposer 45 minutes avant d'y mettre le nez. Une fois fait, vous y dénicherez un rouge d'une bonne concentration, sur les fruits rouges, un brin fauve, à la bouche à la fois débordante de fruits et carrée, ample, et ferme. Idéalement, il serait mieux de l'attendre afin qu'il fasse ses classes…, et ce, même s'il n'égale pas le précédent 2007 (commenté dans *La Sélection 2011*). **Alc.**/13,5 %. ■ *Foie de veau en sauce à l'estragon.*

Castello di Volpaia 2007
CHIANTI CLASSICO, CASTELLO DI VOLPAIA, ITALIE
23,50 $ SAQ S (10858262) ★★☆ $$ Modéré
Un 2007 tout en souplesse et en élégance, plutôt discret et peu détaillé. Le charme opère, mais sans nourrir le dégustateur comme cette maison l'a habitué… **Alc.**/13 %. volpaia.com ■ *Carré d'agneau en croûte de menthe fraîche.*

Château Croix-Mouton 2008
BORDEAUX-SUPÉRIEUR, JEAN-PHILIPPE JANOUEIX, FRANCE
23,60 $ SAQ S (10520481) ★★?☆ $$ Modéré
Cette cuvée se montre à la fois très souple et boisée, ronde et cacaotée, au coffre plutôt mou, aux tanins enrobés par un moelleux apporté par l'élevage en barriques, qui, au niveau aromatique, domine l'ensemble avec une longue finale de noix de coco et de pâtisserie. Habituellement plus dense. J'attendrais les deux prochains millésimes... **Alc./**13,5 %.
j-janoueix-bordeaux.com

Les Calcinaires 2009
CÔTES-DU-ROUSSILLON-VILLAGES, DOMAINE GAUBY, FRANCE
23,80 $ SAQ S (11222186) ★★★☆ $$ Modéré+ BIO
Ce domaine se passe de présentation tant ses crus sont à ranger au sommet de l'appellation. Celui-ci est d'une race et d'une digestibilité uniques, s'exprimant par un profil ultra-raffiné et d'une fraîcheur inouïe pour la région, tout en étant plein et charnu, aux tanins mûrs à point et aux saveurs d'une grande allonge, laissant des traces de cassis, de framboise et de café. **Alc./**13,5 %. **domainegauby.fr** ■ *Carré de porc glacé aux fraises, poivre du Sichuan, galanga et miel (**).*

Merlot Vistorta 2006
FRIULI, BRANDINO BRANDOLINI D'ADDA, ITALIE
23,95 $ SAQ S (10272763) ★★★☆ $$$ Modéré+
Le nez, très ouvert, exhale des notes de pivoine, de violette, de cerise noire et de framboise, ayant évolué sur les notes subtiles de café, de noisette et de cacao. La bouche se montre tout aussi sensuelle qu'à l'été 2009, toujours aussi marquée par un velouté unique et des tanins tout aussi enrobés. Du plaisir à boire, tout en se sustentant d'une matière noblement extraite et vinifiée avec doigté, méritant maintenant les trois étoiles et demie auxquelles il était voué. **Alc./**13 %. **vistorta.it**
■ *Pétoncles poêlés, couscous de noix du Brésil à l'orange sanguine, lait de coco au gingembre (**).*

Pèppoli 2007
CHIANTI CLASSICO, MARCHESI ANTINORI, ITALIE
23,95 $ SAQ S* (10270928) ★★★ $$ Corsé
Se montre aussi engageante que dans les derniers millésimes, et, chose intéressante, tout aussi enveloppante que ne l'est la cuvée Villa Antinori (aussi commentée), mais avec un coffre légèrement plus substantiel. Nez festif et complet. Bouche débordante de fruits et pleine, aux tanins fins et présents, à l'acidité fraîche et aux saveurs longues et expressives, laissant apparaître, comme toujours, des notes de torréfaction, de fruits rouges et de graphite. **Alc./**13 %. **antinori.it** ■ *Carré de porc aux tomates séchées.*

Villa Antinori 2006
TOSCANA, MARCHESI ANTINORI, ITALIE
23,95 $ SAQ C (10251348) ★★★ $$ Modéré+
Couleur soutenue. Nez aromatique, fin et charmeur, presque riche et expressif à souhait, exhalant des notes de prune et de café. Bouche quasi veloutée, d'un charme fou, aux tanins extra-enveloppés et aux saveurs longues et gourmandes. **Alc./**13,5 %. **antinori.it** ■ *Fettucine all'amatriciana « à ma façon » (*).*

Tilenus « Crianza » Mencia 2004
BIERZO, BODEGAS ESTEFANÍA, ESPAGNE
24,10 $ SAQ S (10856152) ★★★☆ $$$ Modéré+
Ce 2004, à base de mencia et de très vieilles vignes de 60 à 80 ans, fait suite au 2003 d'un charme fou (commenté dans *La Sélection 2009*). Donc, un 2004 qui abonde dans le même sens aromatique, exhalant des notes élégantes et pures de violette et de cerise noire, sans boisé inutile, se montrant tout aussi franc, élancé et expressif en bouche que ne l'était son prédécesseur, avec un corps certes moins dense, mais avec des tanins plus raffinés, tout en ayant du grain, et une texture soyeuse. **Alc./**14 %.
bodegasestefania.com ■ *Salade d'endives braisées et de cerises (avec noix et fromage parmesan émietté).*

Tilenus « Crianza » Mencia 2005
BIERZO, BODEGAS ESTEFANÍA, ESPAGNE
24,10 $ SAQ S (10856152) ★★★☆ $$ Corsé

Un 2005 coloré, au nez aromatique et complexe, jouant dans l'univers aromatique du café, de la figue séchée et des dattes. Bouche pleine et sphérique, enveloppante et très persistante, aux saveurs qui ont de l'éclat et aux tanins mûrs et presque complètement enveloppés dans une gangue veloutée, mais conservant un certain grain et une minéralité affirmée. À base de mencia de très vieilles vignes de 60 à 80 ans, il fait suite au très expressif 2004, coup de cœur de l'édition 2010, et au 2003 d'un charme fou, aussi commenté dans *La Sélection 2009*. Plus que jamais du beau jus au profil singulier, sortant complètement des sentiers battus. **Cépage :** mencia. **Alc.**/14,5 %. **bodegasestefania.com** ■ *Carré d'agneau et jus au café expresso (*), côte de veau rôtie aux morilles ou asperges vertes rôties, enrobées de chocolat noir (infusé au thé fumé Zheng Shan Xiao Zhong, fleur de sel au café) (**).*

LAN Reserva 2005
RIOJA, BODEGAS LAN, ESPAGNE
24,15 $ SAQ S (11414145) ★★★ $$ Corsé

Nez très aromatique et envoûtant, fin et distingué, aux riches effluves de cerise, de cassis, de cuir et de sous-bois. Bouche aux tanins fins et tissés serrés, à la texture ample et dense, aux longues et pénétrantes saveurs presque confites et richement torréfiées par la barrique, ayant été élevé 12 mois dans le chêne français et américain. **Alc.**/13,5 %. **bodegaslan.com** ■ *Carré d'agneau et jus au café expresso (*).*

Altos de Luzon 2006
JUMILLA, BODEGAS LUZÓN, ESPAGNE
24,20 $ SAQ S (10858131) ★★★☆ $$ Corsé+

Si vous êtes amateur des vins espagnols à l'accent australien, au boisé marqué, aux saveurs percutantes et mûres à souhait, s'exprimant par des touches de vanille, de fumée, de noix de coco grillée et de cacao, au corps à la fois plein et enveloppant, généreux et prenant, vous serez charmé à nouveau par ce 2006 à base de 50 % de monastrell, complété par le tempranillo et le cabernet. Du très beau vin moderne, aux saveurs complexes et tout à fait originales. Son profil sied parfaitement aux *ribs* vieillis et marinés avec notre « potion » de marinade soya/cacao/miso/sésame/bière noire (recette dans *Papilles pour tous ! – Cuisine aromatique d'automne*), le tout servi avec une sauce au fromage bleu pour faire trempette comme bon vous semble! **Alc.**/14,5 %. **bodegasluzon.com**

Pinot noir Les Ursulines 2006
BOURGOGNE, JEAN-CLAUDE BOISSET, FRANCE
24,20 $ SAQ S (11008121) ★★★ $$ Modéré+

Pour une recette de tomates confites aux épices et à l'eau de rose, il faut ici partir sur la piste harmonique donnée par la cannelle et l'eau de rose, dont les composés volatils s'entrecroisent avec ceux de certains crus de pinot noir. Ce qui est le cas de ce très beau pinot, richement aromatique, sans esbroufe, sur les fruits rouges, la cannelle et la muscade, qui a une tonalité de zeste d'orange et une touche rappelant la feuille de tomate fraîche. Bouche élancée et sapide, digeste et aérienne, aux saveurs expressives et longues, rappelant la rose séchée, aux tanins ultrafins et au corps presque éthéré! Du plaisir, rien que du plaisir. **Alc.**/12,5 %. **jcboisset.com** ■ *Tomates confites aux épices et à l'eau de rose.*

Copa Santa 2007
COTEAUX-DU-LANGUEDOC « TERROIR DE LA MÉJANELLE », DOMAINE CLAVEL, FRANCE
24,40 $ SAQ S (10282857) ★★★?☆ $$ Corsé

Souligné dans *La Sélection 2010*, ce 2007 était de retour en avril 2011, à deux dollars de moins, et se montrait toujours aussi aromatique, passablement riche, marqué par une forte tonalité d'olive noire, de garrigue et de cacao. La bouche est aussi pleine et raffinée, généreuse et fraîche, tannique et enveloppante qu'à l'été 2010. Pour la table, préférez-lui des plats dominés par les aliments complémentaires au cacao, comme le sont, entre autres, la réglisse, l'anis, l'érable, le fenugrec, la bière noire et le café. **Alc./**14 %. **vins-clavel.fr** ■ *Saumon laqué à l'érable, sauce soya et bière noire.*

Château Pesquié « Quintessence » 2008
CÔTES-DU-VENTOUX, CHÂTEAU PESQUIÉ, FRANCE
24,60 $ SAQ S (969303)   ★★★?☆ $$ **Corsé+**
Comme à son habitude, cette cuvée se montre généreuse, très mûre, au boisé ambitieux, sans être excessif, exhalant des notes de confiture de fruits noirs, de torréfaction et de bacon fumé. Il y a à boire et à manger, sans tomber dans la caricature et non sans fraîcheur. Bien joué. **Alc./**14,5 %. **chateaupesquie.com** ■ *Filet de bœuf de la Ferme Eumatimi, sauce mole mexicaine à la noix de coco et au cinq-épices (**).*

Clos de l'Olive 2008
CHINON, COULY-DUTHEIL, FRANCE
24,70 $ SAQ S (10264923)   ★★★ $$ **Modéré+**   BIO
Assurément l'une des valeurs sûres de l'appellation, ce terroir magnifie le cabernet franc dans sa plus pure expression. Toujours d'un aussi grand classicisme, offrant parfums, raffinement, richesse modérée, élan et finesse des tanins. Cuir neuf, champignon de Paris, cacao et craie ajoutent au plaisir immédiat, même s'il peut tenir aisément plus de dix ans. **Alc./**12,5 %. **coulydutheil-chinon.com** ■ *Hamburgers d'agneau aux poivrons rouges confits et au curcuma.*

Les Bois Chevaux 2008
GIVRY 1er CRU, DIDIER ERKER, FRANCE
24,75 $ SAQ S (880492)   ★★★?☆ $$ **Modéré+**
Un pinot bourguignon, vinifié avec brio par un Savoyard d'origine, se montrant aromatique, fin et épuré, d'une certaine richesse, à la texture presque veloutée, mais avec fraîcheur grâce à la juste tension opérée par une acidité naturellement fraîche qui propulse dans le temps ses saveurs de fruits rouges, d'épices et de fleurs. Sera encore plus texturé à compter de 2012. **Alc./**13 %. **domaine-erker.com** ■ *Pot-au-feu de L'Express (*).*

Château de Cruzeau 2005
PESSAC-LÉOGNAN, ANDRÉ LURTON, FRANCE
24,95 $ SAQ C (113381)   ★★★ $$ **Modéré+**
Parfumé et passablement riche en bouche, au nez élégant, marqué par des notes de graphite, de cassis et de framboise, à la bouche aux tanins fermes mais fins, à la texture presque dense et aux saveurs torréfiées d'une bonne allonge. Équilibre de saveurs et d'expression de jeunesse sont au rendez-vous de ce cru à redécouvrir absolument. **Alc./**13 %. **andrelurton.com** ■ *Brochettes de bœuf et de foie de veau aux poivrons.*

Les Grézeaux 2005
CHINON, BERNARD BAUDRY, FRANCE
25,20 $ SAQ S (10257555)   ★★★☆ $$$ **Modéré**
Un 2005, d'un domaine de pointe, régulièrement salué dans *La Sélection*, qui se montre très aromatique et passablement riche, exhalant des notes de craie blanche, de violette et de poivron vert, à la bouche presque ample, mais aux tanins serrés et un brin fermes, à l'acidité fraîche, aux saveurs persistantes et minérales à souhait. Très beau vin équilibré, tout en jeunesse. **Alc./**13,5 %. ■ *Brochettes de foie de veau et de poivrons rouges.*

Les Grézeaux 2008
CHINON, BERNARD BAUDRY, FRANCE
25,20 $ SAQ S (10257555)   ★★★?☆ $$$ **Modéré+**
Après une forte oxygénation en carafe, nécessaire, car ce 2008 est actuellement replié sur lui-même, le nez se montre élégant et complexe, aux effluves de rose séchée, de violette et framboise, supportés par une pointe minérale de craie blanche. La bouche suit avec des tanins fins, mais tissés serrés, une acidité très fraîche et une texture ample et presque dense. **Alc./**12,5 %. ■ *Bœuf braisé au jus de carotte.*

Marqués de Cáceres Reserva 2004
RIOJA, UNIÓN VITI-VINICOLA, ESPAGNE

25,25 $ SAQ S (897983)   ★★★ $$ Corsé

Nez torréfié et épicé, sur les fruits rouges compotés. Bouche à la fois pleine et élancée, fraîche et boisée, aux saveurs longues et expressives, laissant des traces de fumée, de café, d'olive séchée au soleil, de girofle et de cacao. Son profil torréfié, très café, sera en lien étroit avec le chocolat noir à 85 % cacao, tout comme avec les desserts pas ou très peu sucrés, à base de chocolat noir et de café. Aussi, il s'unit avec maestria à notre recette de riz sauvage soufflé au café (**) pour accompagner soit le fromage cheddar, soit une viande grillée. N'hésitez pas à légèrement augmenter la dose de café, tant avec le chocolat qu'avec cette idée de recette, ainsi l'accord résonnera encore plus fort avec les tonalités torréfiées de ce rouge de la Rioja. **Alc./**14 %. **marquesdecaceres.com** ■ *« Feuilles de vigne farcies_Mc² » (riz sauvage soufflé, bacon de sanglier, sirop de riz brun/café) (**).*

Château de Viella 2007
MADIRAN, ALAIN BORTOLUSSI, FRANCE

25,35 $ SAQ S (881912)   ★★★☆ $$$ Corsé

D'une robe profonde et intensément colorée. D'un nez très aromatique, à la fois rustique et élégant, aux parfums puissants et complexes, rappelant le cuir chevalin, la garrigue et la prune. D'une bouche aux tanins tissés serrés, d'une texture ample et presque ronde, d'une acidité fraîche, regorgeant de longues saveurs de fruits noirs, de torréfaction et de réglisse. Ceux qui aiment être en présence de rouges qui ont à la fois de la poigne et du volume, tout en étant texturés à souhait, seront à nouveau servis avec ce millésime. **Alc./**14 %. **chateauviella.com** ■ *Carré d'agneau et jus de cuisson réduit.*

Les Challeys 2009
SAINT-JOSEPH, DELAS FRÈRES, FRANCE *(DISP. SEPT./OCT. 2011)*

25,40 $ SAQ S (10912417)   ★★☆?☆ $$$ Corsé

Une syrah rhodanienne ultra-colorée, passablement riche et profonde, même si actuellement sur une retenue juvénile, ce qu'un bon gros coup de carafe agitée transforme. La bouche est sur le fruit, mais aussi tannique et compacte, ramassée, sans être puissante ni dense, aux tanins serrés, à l'acidité fraîche et aux saveurs longues, sans être très éclatante. Une année de bouteille est nécessaire pour dégourdir l'ensemble aromatique. Trois étoiles assurées à ce moment-là. **Alc./**13 %. **delas.com** ■ *Tranches d'épaule d'agneau grillées recouvertes de pommade d'olives noires (olives noires dénoyautées et huile d'olive passées au robot).*

Pinot Noir Patrice Rion 2008
BOURGOGNE, PATRICE RION, FRANCE

25,45 $ SAQ S (10220736)   ★★★ $$ Modéré+

Vous découvrirez, sous cette capsule à vis, un très engageant et aromatique au possible pinot bourguignon, exhalant de riches et fraîches tonalités de muscade, de cannelle, de cerise au maraquin, de grenadine et de rose séchée. La bouche suit avec la droiture fidèle aux bourgognes de cet excellent viticulteur de Nuits-Saint-Georges. Sapide, ferme, élancé et plus que savoureux pour quiconque, comme moi, se laisse prendre totalement par de telles versions sans esbroufe de ce grand cépage. **Alc./**12,5 %. **patricerion.com** ■ *Poulet au soja et à l'anis étoilé.*

Domaine la Soumade Rasteau « Cuvée Prestige » 2007
CÔTES-DU-RHÔNE-VILLAGES, ROMÉRO ANDRÉ, FRANCE

26,45 $ SAQ S (850206)   ★★☆?★ $$ Corsé+

Un rasteau un brin sauvage, tannique et carré, aux arômes fauves, ayant probablement besoin de temps pour s'harmoniser, car l'expressivité aromatique est belle et profonde (réglisse, fruits noirs, cacao), la matière riche et presque dense. À suivre avec attention, étant donné la réputation de ce domaine de pointe. **Alc./**15 %. ■ *Magret de canard rôti aux graines de sésame et cinq-épices, navets confits au clou de girofle) (**).*

La Massa 2008

TOSCANA, FATTORIA LA MASSA, GIAMPAOLO MOTTA, ITALIE

26,55 $ SAQ S* (10517759) ★★★☆ **$$** **Corsé**

Ce 2008 suit le chemin établi avec les 2006 et 2005 (commentés dans *La Sélection 2009 et 2008*) en étant plus que jamais toscan, faisant la part belle au sangiovese. Ce qui lui procure un profil plus élancé que jamais, sans avoir rien perdu de sa gourmandise d'avant. Le plaisir s'exprime par un fruité mûr et aromatique, par des tanins à la fois enveloppés et avec du grain, par un corps plein, sans être puissant, et par des saveurs d'une grande allonge, aux relents de fruits noirs, de violette et de garrigue, non voilées par un boisé qui serait ici inutilement mis à l'avant-scène. **Alc./**14 %. ■ *Osso buco au fenouil et gremolata.*

Cuvée Louis Belle 2007

CROZES-HERMITAGE, BELLE PÈRE & FILS, FRANCE

26,65 $** SAQ S (917484) ★★☆?☆ **$$ **Corsé**

Provenant de la partie argilo-calcaire de la zone d'appellation Crozes-Hermitage, cette cuvée est élaborée avec de très vieilles vignes de syrah, de plus de 50 ans d'âge. Elle se montre actuellement un tantinet rigide et retenue, exactement comme l'était en 2010 le millésime 2006, mais sans avoir l'ampleur ni la chair que ce millésime possédait, ni l'expressivité de bouche. À revoir ou à oublier? **Alc./**13 %.

Marcel Lapierre « Morgon » 2009

MORGON, MARCEL LAPIERRE, FRANCE

26,90 $** SAQ S (11305344) ★★★☆ **$$$ **Modéré**

Enfin, Il était grand temps que l'un des morgons de Marcel et Mathieu Lapierre, père et fils, dont Marcel « était » LA figure légendaire des vins dits « nature » – nous avons malheureusement appris son décès en début d'année –, fasse son entrée à la SAQ! Si vous n'êtes pas déjà un fan fini des Lapierre – leurs vins ornant les cartes des restaurants richement garnis en importations privées, grâce à l'agence réZin –, vous avez été de ceux qui ont rapidement consommés les 1 800 bouteilles mises en vente en début d'année. Vous serez à même d'enfin saisir toute la subtilité et le charme d'un grand gamay, où s'entremêlent la pivoine et la giroflée, la cerise et le zeste d'orange. La texture soyeuse au possible, ainsi que de longues et expressives saveurs de framboise feront craquer l'amateur de pinot noir en vous. Notez que cette cuvée a été très légèrement sulfitée pour le voyage (et pour respecter les règles de la SAQ), contrairement à l'autre cuvée « nature », offerte en importation privée qui, elle, ne l'est pas. **Alc./**12,5 %. **marcel-lapierre.com** ■ *Boudin noir aux oignons et aux lardons, brochettes de poulet teriyaki ou côtelettes de porc à la niçoise.*

Marina Cvetic « Montepulciano » 2006

MONTEPULCIANO D'ABRUZZO, MASCIARELLI, ITALIE

26,95 $** SAQ S (10863766) ★★★☆?☆ **$$$$ **Corsé**

Du même domaine qui élabore un superbe trebbiano du même nom, ainsi qu'un étonnant montepulciano Masciarelli 2008 (aussi commenté), voici un rouge ultra-coloré, richement aromatique, sur la violette et la mûre, à la bouche pleine, joufflue et presque juteuse, mais avec de la prise et de la fraîcheur. Difficile d'être plus montepulciano dans le propos aromatique, tout comme dans l'approche physique. Du sérieux, à bon prix. **Alc./**14,5 %. **masciarelli.it** ■ *Carré de porc aux tomates séchées.*

Isole e Olena 2007

TOSCANA, ISOLE E OLENA, ITALIE

27,05 $** SAQ S (515296) ★★★☆ **$$ **Corsé**

Vous dénicherez, comme à son habitude, un chianti ultraraffiné, fortement coloré, sans excès, richement aromatique, élégant et détaillé, s'exprimant par des notes de framboise, de violette et de prune, aux tanins soyeux, extrafins, à l'acidité juste dosée, au corps presque vaporeux et aux saveurs d'une grande allonge, sans aucune note boisée inutile. Prune, framboise et violette signent le profil aromatique sur lequel vous devez vous appuyer pour mettre en valeur ce cru à table. **Alc./**14 %. **isoleolena.it**

Isole e Olena 2008

TOSCANA, ISOLE E OLENA, ITALIE

27,05 $ SAQ S (515296)   ★★☆?☆ $$ Modéré+

Plus retenu et moins volumineux que ne l'était le 2007, tout en demeurant un cru élégant et détaillé, s'exprimant par des notes de fraise verte et de champignon de Paris, aux tanins fermes, sans être durs, à l'acidité très fraiche, au corps longiligne et élancé. Presque un vin de soif tant il se montre digeste. À boire rapidement. **Alc.**/14 %. **isoleolena.it**

Villa Donoratico 2007

BOLGHERI, TENUTA ARGENTIERA, ITALIE

27,05 $ SAQ S (10845074)   ★★★☆ $$$ Corsé

Il fut un temps où la bouteille à gros prix ou l'étiquette prestigieuse était nécessaire lors de vos lunchs d'affaires, tant au bureau qu'au restaurant. Mais, avec l'évolution des goûts et, surtout, grâce à la curiosité grandissante des Québécois pour les vins de qualité et d'origines diverses, l'habit ne fait pratiquement plus le moine! Quoi de plus gratifiant que de servir à vos futurs clients des crus de qualité qui seront les vedettes de demain. L'une de ces futures étoiles filantes est le Villa Donoratico, né d'un assemblage à la bordelaise d'un domaine appartenant en partie à Piero Antinori. Un rouge pulpeux, d'un bon volume, au charme immédiat, grâce à des tanins gras, à l'acidité discrète et aux saveurs très longues (mûre, prune, girofle, café). **Alc.**/14,5 %. **argentiera.eu** ■ *Hachis Parmentier de canard au quatre-épices.*

Domaine du Seigneur 2005

CÔTES-DU-RHÔNE-VILLLAGES LAUDUN, PHILIPPE FAURE-BRAC, FRANCE

27,15 $ SAQ S (11343560)   ★★★ $$$ Corsé+

■ NOUVEAUTÉ! Vin hors norme que ce cru, né de la culture biodynamique, sous l'œil attentif, mais surtout sous les cils olfactifs aiguisés de Philippe Faure-Brac, sommelier parisien, ayant remporté haut la main le concours du meilleur sommelier du monde, en 1992, à Rio de Janeiro. Le nez est d'une grande élégance, épuré, sans esbroufe, allant droit au fruit (prune, cerise noire, kirsch), ainsi qu'à la minéralité du terroir qui sous-tend le grenache et la syrah qui le composent. La bouche, quant à elle, se montre à la fois expressive et ferme, ample et serrée, étant dominée par des tanins un brin carrés, pour ne pas dire presque secs. Mais les saveurs sont longues, jouant dans la sphère du cuir, du cacao et de la racine de gentiane, avec une finale animale. Pour amateur averti, recherchant des crus à personnalité singulière. Enfin, comme la cannelle, l'anis étoilé, le poivre, la lavande, le basilic, l'eau de rose, la canneberge, le thé, le scotch, les vieux fromages de type gruyère et le clou de girofle sont à ranger parmi les aliments complémentaires à la prune, sa signature aromatique, sélectionnez des recettes où ces aliments dominent. **Alc.**/15 %. **domaineduseigneur.com** ■ *Canard rôti badigeonné au scotch single malt.*

Château Haut-Chaigneau 2006

LALANDE-DE-POMEROL, ANDRÉ CHATONNET, FRANCE

27,35 $ SAQ S (866467)   ★★★☆ $$$ Corsé

Un engageant 2006, dégusté en primeur à deux reprises depuis août 2009, se montrant toujours aussi aromatique et passablement riche, même si sa certaine retenue juvénile demeure. Il est encore marqué en bouche par une bonne prise tannique, aux tanins fins, qui ont du grain, à l'acidité juste dosée, au corps dense et au fruité présent à souhait, mais ayant besoin d'un bon gros coup de carafe pour se libérer. Violette, prune, poivre et café donnent le ton plus que jamais au nez et perdurent longuement en fin de bouche. **Alc.**/13,5 %. **vignobleschatonnet.com** ■ *Burger de bœuf au foie gras et champignons.*

Igneus « FA 206 » 2005

PRIORAT, MAS IGNEUS, ESPAGNE

27,60 $ SAQ S (10358671)   ★★★☆?☆ $$$ Corsé+   BIO

Ce 2005 se montre dans un style semblable au 2003, c'est-à-dire aromatique, mûr, joufflu, enrobant et texturé. Violette, chêne neuf, fraise et zestes d'agrumes sont au rendez-vous. Les tanins sont très réglissés et fermes, le corps plein et dense, et l'acidité présente, tout comme le boisé. Amusez-vous à table avec les ingrédients complémentaires à la violette (framboise, carotte, algue nori) et à la réglisse (anis, fève tonka, vanille, poivre). **Alc./**15%. **masigneus.com** ■ *Braisé de bœuf à l'anis étoilé.*

Igneus « FA 206 » 2006
PRIORAT, MAS IGNEUS, ESPAGNE

27,60$ SAQ S (10358671) ★★★☆?☆ $$$ **Puissant** BIO

Un 2006 puissamment aromatique et confit, riche, plein, dense, frais et intense, aux tanins enveloppés d'une gangue d'une grande épaisseur veloutée, mais conservant un grain de jeunesse, aux saveurs percutantes de fruits noirs confiturés, rappelant le bleuet au chocolat noir. Je dois vous avouer qu'à l'aveugle je l'ai pris pour un amarone... Si vous aimez le style amarone, alors vous serez servi! **Alc./**15%. **masigneus.com** ■ *Côtes levées à la bière noire, bouillon de bœuf et sirop d'érable (***).*

Argile Rouge 2004
MADIRAN, MONTUS-BOUSCASSÉ, FRANCE

27,85$ SAQ S (11179472) ★★★☆?☆ $$$ **Corsé+**

Nez à la fois profond et frais, intense et minéral, sans aucun boisé apparent et sans surextraction inutile. Bouche à la fois pulpeuse et dense, pleine et ample, aux tanins mûrs à souhait et enveloppés. Du fruit à profusion, aux notes de mûre et de bleuet, de l'expansion et un boisé intégré avec maestria. Un cru à 100% tannat, qui se mérite presque quatre étoiles, et qui ne fait qu'un avec les plats dominés par la réglisse ou l'anis étoilé – qui ont toutes deux le pouvoir d'assouplir les tanins du tannat et de propulser les saveurs des madirans dans le temps. **Alc./**14%. **brumont.fr** ■ *Jarret d'agneau confit et lentilles du Puy au jus d'agneau parfumé à l'anis étoilé.*

Volpolo 2008
BOLGHERI, PODERE SAPAIO, ITALIE

28,05$ SAQ S (11002941) ★★★?☆ $$$ **Corsé+**

Fortement coloré et extrait, au nez tout aussi concentré et profond, marqué par un fruité très mûr, quasi surmûri, au boisé présent, à la bouche gorgée de saveurs (cassis, mûre, violette, chêne neuf, noix de coco), joufflue, gourmande et très *trendy*, pour ne pas dire très Nouveau Monde. Il faut dire que ce cru à 70% cabernet sauvignon, complété par le merlot et le petit verdot, origine du domaine toscan de l'œnologue Carlo Ferrini, l'homme derrière le succès d'innombrables crus de Toscane, dont ceux de Fonterutolli. **Alc./**14,5%. **sapaio.it** ■ *Rôti de porc farci aux abricots et sauce au scotch et lait de coco (***).*

Domaine des Grands Chemins 2009
CROZES-HERMITAGE, DELAS, FRANCE

28,55$ SAQ SS (11099587) ★★★☆ $$$ **Corsé**

Difficile d'être plus *benchmark* syrah et crozes que ce 2009 de Delas! Poivre, thym séché, olive noire et fumée se donnent allègrement la réplique dans un ensemble passablement nourri, ample et texturé, aux tanins mûrs et enveloppés à souhait, à l'acidité discrète et aux saveurs très longues. Un modèle. **Alc./**13%. **delas.com** ■ *Brochettes d'agneau aux olives noires «sur brochettes imbibées d'une eau parfumée au thym» (***).*

Château Lamarche Canon « Candelaire » 2005
CANON-FRONSAC, ÉRIC JULIEN, FRANCE

28,90$ SAQ S (912204) ★★★☆ $$$ **Corsé**

Un merlot à la fois très floral et boisé, aromatique au possible, sans être puissant ni trop extraverti, à la bouche pulpeuse, charnue et presque charnelle, marquée par une belle trame tannique serrée, aux tanins mûrs à point, non sans fermeté juvénile, à l'acidité discrète et aux saveurs longues. **Alc./**13,5%. ■ *Ragoût d'agneau au quatre-épices.*

Château Lamarche Canon « Candelaire » 2006
CANON-FRONSAC, ÉRIC JULIEN, FRANCE
28,90 $ SAQ S (912204)   ★★★?☆ $$$ Corsé+

Un canon-fronsac se montrant plus ferme et viril dans ce millésime, comparativement au précédent charnel et pulpeux 2005. Un vin tricoté serré mais avec grâce, élancé mais avec raffinement, aux saveurs intenses et persistantes. Devrait gagner en texture à compter de 2012. **Alc./**13 %.

Château Lamarche Canon « Candelaire » 2008
CANON-FRONSAC, ÉRIC JULIEN, FRANCE *(DISP. OCT. 2011)*
28,90 $ SAQ S (912204)   ★★★?☆ $$$ Corsé

Ce merlot, qui se montre l'un des bons achats sur la rive droite, vendange après vendange, s'exprime avec profondeur et fraîcheur en 2008. Fruits noirs, mine de crayon, champignon de Paris, humus et boisé juste et précis font de ce merlot un rouge à ne pas laisser filer. La bouche suit avec ampleur et fermeté, droiture et prise tannique. Profil ramassé, qui demandera deux ou trois ans encore pour se fondre totalement. **Alc./**13 %.
■ *Pâte de poivrons verts (voir sur papillesetmolecules.com) en accompagnement de filet de bœuf grillé.*

Jean-Pierre Moueix 2006
POMEROL, ETS JEAN-PIERRE MOUEIX, FRANCE
28,95 $ SAQ S* (739623)   ★★★?☆ $$$ Modéré+

Un 2006 plutôt discret au nez, mais élégant en bouche, aux tanins fins, un brin fermes, au corps d'ampleur modérée et aux saveurs assez longues, sans être éclatantes ni riches. Rien à voir avec le plus nourri et plus dense 2005 (commenté dans *La Sélection 2009*). **Alc./**13 %.
moueix.com ■ *Filets de bœuf grillés et sauté de poivrons rouges au curcuma.*

Chorey-lès-Beaune François Gay 2008
CHOREY-LÈS-BEAUNE, FRANÇOIS GAY ET FILS, FRANCE
29,10 $ SAQ S (917138)   ★★★☆ $$$ Modéré+

Comme toujours avec le chorey de ce domaine, une ixième réussite à ne pas laisser filer. Un cru très aromatique, délicat et racé, aux riches et profonds parfums de rose, de cerise et d'épices douces (cannelle et girofle), à la bouche presque tannique, mais aux tanins marqués par un grain fin, à l'acidité fraîche juste dosée, au corps ample et aux longues saveurs (framboise, poivre, eau de rose). **Alc./**13 %. ■ *Sushis en bonbon de purée de framboises (***).*

La Gille 2008
GIGONDAS, PERRIN & FILS, FRANCE *(DISP. AUTOMNE 2011)*
29,80 $ SAQ S (10267905)   ★★★ $$$ Corsé

Un gingondas au profil très Midi, c'est-à-dire marqué par la garrigue et par des notes sauvages, presque musquées, à la bouche à la fois pleine et svelte, ample et soyeuse, généreuse et fraîche, sans être très riche ni profonde. **Alc./**14,5 %. **perrin-et-fils.com** ■ *Magret de canard grillé parfumé de baies roses accompagné d'une purée de patates douces aux olives noires et au romarin frais.*

Le Volte 2008
TOSCANA, TENUTA DELL'ORNELLAIA, ITALIE
30 $ SAQ S (10938684)   ★★★☆ $$$ Corsé

Un assemblage étonnamment mûr pour ce cru, à la fois plein et ramassé, ample et d'une certaine densité, aux saveurs boisées, torréfiées, ainsi que de fruits noirs. Style Nouveau Monde très engageant pour un toscan plus qu'abordable. Cuisinez-lui un juteux carré de porc, servi avec une sauce simplissime, où s'unissent le boudin noir, l'eau et le lait de coco. Vous pourriez même ajouter un doigt de chocolat noir à plus de 70 % cacao dans cette sauce, pour la lier, et l'accord des ingrédients de ce plat n'en résonnerait que plus fort, tout comme l'harmonie avec le vin. **Alc./**14 %. **ornellaia.com** ■ *Carré de porc sauce boudin noir et lait de coco liée au chocolat noir.*

Tancredi 2006
CONTESSA ENTELLINA, TENUTA DONNAFUGATA, ITALIE
30 $ SAQ S (10542129)   ★★★☆ $$$ Corsé
Un 2006 se montrant toujours aussi expressif, passablement riche, concentré et complet, sans toutefois posséder la chair, la maturité et la densité des deux derniers millésimes. **Alc./**14 %. **donnafugata.it** ■ *Carré d'agneau et jus au café expresso (*).*

Buil & Giné 2006
TORO, BUIL & GINÉ, ESPAGNE
30,50 $ SAQ S (10860936)   ★★★?☆ $$$ Puissant
Un 2006 puissant, capiteux et très boisé, pour amateur de gros vins presque décadents… comme les vignerons de cette appellation en sont capables. Cacao, café, noix de coco et fruits noirs à profusion, dans un ensemble tannique, intense, ferme et un brin carré. Je préférais le style des millésimes précédents, moins concentré et boisé. **Alc./**14 %. **builgine.com** ■ *Carré d'agneau et jus au café expresso (*).*

Les Menhirs 2004
VIN DE PAYS DES CÔTES-DE-GASCOGNE, MONTUS-BOUSCASSÉ, FRANCE
32,50 $ SAQ S (11222021)   ★★★☆ $$$ Corsé+
Toujours à l'affût de nouveaux défis, le verbomoteur de Madiran qu'est Alain Brumont a créé au fil des ans quelques nouvelles cuvées, dont l'Argile (aussi commentée) ainsi que Les Menhirs. Cette dernière, à parts égales de merlot et de tannat, surprend en 2004 par sa chair sensuelle, sa plénitude de saveur et sa texture d'une grande épaisseur veloutée. Réglisse, café et fruits noirs signent avec panache le nez plus qu'expressif. Son profil merlot est doublé d'un grain serré typique du tannat. Le meilleur des deux mondes? Une question de goût, mais quoi qu'il en soit le charme et la volupté opèrent. **Alc./**15 %. **brumont.fr**

Les Champs Fulliot 2009
MONTHÉLIE 1ᵉʳ CRU, NICOLAS POTEL, FRANCE
34,25 $ SAQ S (11154321)   ★★★☆ $$$ Modéré
Superbe élégance pour ce premier cru épuré de tout artifice, aromatique à souhait, mais dans l'élégance la plus pure, à la bouche certes coulante, mais expressive et longue, aux saveurs de rose, de fraise et de framboise. Les tanins, sous-jacents, sont d'un grain d'une extrême finesse. Du travail d'orfèvre pour l'appellation. Un cru pour initié, sachant apprécier la race longitudinale des pinots de la Côte-de-Beaune. **Alc./**12,5 %. **nicolas-potel.fr** ■ *Pétoncles poêlés, couscous de noix du Brésil à l'orange sanguine, lait de coco au gingembre (**).*

Château Prieur de Meyney 2006
SAINT-ESTÈPHE, CHÂTEAU MEYNEY, FRANCE
34,75 $ SAQ S (10210415)   ★★★?☆ $$$ Corsé
Ce second cru de Meyney se montre très coloré, richement aromatique et passablement plein en 2006. Belle matière assez dense, mais déjà un brin détendue, aux tanins tissés serrés, mais presque enveloppés d'une gangue qui se veut veloutée. Le boisé est assez présent et très torréfié. Il devrait se fondre d'ici 2014, pour laisser place à la complexité aromatique de ce beau vin. **Alc./**13,5 %. **meyney.fr** ■ *Magret de canard rôti aux graines de sésame et cinq-épices, navets confits au clou de girofle) (**).*

Clos de Cuminaille Pierre Gaillard 2008
SAINT-JOSEPH, DOMAINE PIERRE GAILLARD, FRANCE
35,25 $ SAQ S (11231963)   ★★★☆ $$$ Corsé
De la couleur, du fruit, de l'élégance, du détail, de la syrah en pleine expression, laissant dégager des notes de lavande fraîche, de violette, de fruits rouges et d'olive, à la bouche éclatante, fraîche, pleine et d'une grande allonge, comme rares le sont les vins de cette appellation, tout en étant passablement ramassée et ferme. À ranger parmi les belles réussites de ce cru au sommet, bon an mal an. Son profil floral, élégant, raffiné épouse avec précision à la fois l'algue nori et l'olive noire, toutes deux de même famille aromatique. **Alc./**12,5 %. **domainespierregaillard.com** ■ *Sushis_Mc² «pour amateur de vin rouge» (**)* (voir recette sur *papillesetmolecules.com*).

Bouscassé Vieilles Vignes 2004

MADIRAN, ALAIN BRUMONT, FRANCE

36,50 $ SAQ S (904979)   ★★★☆ $$$ Corsé+

Les Montus de Brumont sont certes parmi l'élite de l'appellation. Idem pour le juteux et plein, réglissé et torréfié splendide 2004 de Bouscassé Vieilles Vignes. Et ce, bon an mal an pour ce cru. **Alc./**13 %. **brumont.fr**

Muga Seleccion Especial « Reserva » 2005

RIOJA, BODEGAS MUGA, ESPAGNE

36,50 $ SAQ S (11155593)   ★★★?★ $$$ Corsé

Belles définition et concentration aromatiques, et boisé intégré au cœur du vin. Saveurs qui ont de l'éclat et de la fraîcheur. Tanins tissés serrés, mais très fins. Corps ramassé et élancé. Fruits noirs, épices douces et café. Attendre 2014 avant qu'il offre toute sa plénitude, qu'il se délie les tanins et gagne en texture. **Alc./**14 %. **bodegasmuga.com** ■ *Carré d'agneau et jus au café expresso (*).*

Tilenus « Pagos de Posada » Reserva 2003

BIERZO, BODEGAS ESTEFANÍA, ESPAGNE

36,75 $ SAQ S (10855889)   ★★★☆?☆ $$$ Corsé

Ce cru espagnol à base de vieilles vignes de mencia, de 80 à 100 ans d'âge, se montre à nouveau l'une des belles références de l'appellation, méritant pratiquement quatre étoiles. Il possède une race évidente, liée à une étonnante profondeur et une invitante intensité minérale. Après un gros coup de carafe, le nez se complexifie, laissant apparaître des notes fines et subtiles de café, de fruits rouges mûrs, d'épices douces et de fleurs séchées. La bouche suit avec une texture quasi veloutée, sans lourdeur, plutôt fraîche et élancée, aux tanins extrafins et aux saveurs d'une très grande allonge. Le boisé est admirablement intégré au cœur de la matière. Le quatre-épices, le clou de girofle et les légumes-racines sont à ranger dans les ingrédients qui le placent dans une zone de confort harmonique. **Alc./**14,5 %. **tilenus.es** ■ *Magret de canard rôti, graines de sésame et cinq-épices (**) accompagné de navets confits au clou de girofle (voir recette de navets sur **papillesetmolecules.com**).*

Ghiaie della Furba 2004

ROSSO DI TOSCANA, CONTINI BONACOSSI, TENUTE DI CAPEZZANA, ITALIE

38,75 $ SAQ S (745232)   ★★★☆ $$$$ Puissant

Après un plus rigide 2003, commenté dans *La Sélection 2009*, ainsi qu'un arrondi et envoûtant 2001, commenté dans l'édition *2008*, Capezzana récidive avec un 2004 à mi-chemin entre ces deux précédents millésimes. C'est-à-dire avec un cru passablement concentré et retenu au nez, au boisé français et profond, à la bouche presque pleine et juteuse, mais avec de la prise et de l'élan, du coffre et de la fraîcheur. **Alc./**14 %. **capezzana.it** ■ *Carré d'agneau et jus au café expresso (*).*

Mas Jullien 2006

COTEAUX-DU-LANGUEDOC, MAS JULLIEN, FRANCE

39 $ SAQ S (10874861)   ★★★?☆ $$$$ Corsé   BIO

Nez retenu, pur et racé, sans esbroufe et sans boisé inutile. Bouche ramassée, verticale, au fruité d'une grande définition, aux tanins ultra-fins, avec de la prise, à l'acidité fraîche, juste dosée, et aux saveurs d'une grande allonge. Distinction et raffinement, pour un cru qui se donnera complètement à compter de 2012, et ce, pour une bonne décennie. **Alc./**13,5 %. ■ *Filets de bœuf à la fourme d'Ambert et au romarin (*).*

Château de Fonbel 2005

SAINT-ÉMILION GRAND CRU, FAMILLE VAUTHIER, FRANCE

40,50 $ SAQ SS (10680716)   ★★★?☆ $$$$ Corsé

Coloré, très aromatique, riche et presque crémeux au nez, tant la matière est mûre et le boisé juste et sucré à souhait (sans sucre !). Bouche presque virile, dense et ramassée, ayant besoin d'un bon trois à cinq ans pour se délier les tanins et laisser apparaître le velouté texturé auquel elle est vouée. Car déjà une certaine épaisseur veloutée se pointe à l'horizon, spécialement après plus de trois heures de carafe. Devrait atteindre quatre étoiles. Il faut dire que ce cru, dominé par le merlot, est signé par la famille Vauthier, la même à l'origine des grandissimes vins du

Château Ausone. **Alc./**13,5%. **chateau-ausone-saint-emilion.com**
■ *Pétoncles poêlés, couscous de noix du Brésil à l'orange sanguine, lait de coco au gingembre (**).*

Villa de Corullón 2006
BIERZO, DESCENDIENTES DE J. PALACIOS, ESPAGNE

41,75$ SAQ S (10823140) ★★★☆?☆ $$$$ Corsé BIO

Ce bierzo, de haut niveau, comme pour tous les vins signés par ce domaine, est un cru qui touche presque quatre étoiles. Un mencia au nez très aromatique et mûr, rappelant le lard fumé et le cuir neuf, à la bouche pleine et sphérique, mais avec du grain, passablement serrée, aux saveurs complexes et expressives à souhait, laissant échapper une touche de noix de coco grillée. Savoureux, intense, sans excès, plein et très long. Sera encore plus voluptueux et raffiné dans 3 à 5 ans lorsqu'il aura digéré son bois. **Alc./**14,5%. ■ *Magret de canard rôti aux graines de sésame et au cinq-épices, navets confits au clou de girofle.*

Château La Sergue 2006
LALANDE-DE-POMEROL, PASCAL CHATONNET, FRANCE

44$ SAQ S (11150400) ★★★☆?☆ $$$ Corsé+

Un 2006 d'une race étonnante, profond, dense et ramassé, au nez d'une haute définition, sans boisé, au fruité pur et retenu. Une grande pointure, à la fois longiligne et svelte, mais avec une matière passablement riche et concentrée, qui devrait prendre beaucoup d'expansion et de texture au fil des prochaines années. Violette, cassis et café signent une grande allonge en fin de bouche. Les tanins sont d'un superbe grain. Beau travail. Une réussite, comme l'était le précédent 2005. **Alc./**14,5%. **vignobleschatonnet.com** ■ *«Feuilles de vigne farcies_Mc² » (riz sauvage soufflé, bacon de sanglier, sirop de riz brun/café) (**) ou pétoncles poêlés, couscous de noix du Brésil à l'orange sanguine, lait de coco au gingembre (**).*

La Parde de Haut-Bailly 2006
PESSAC-LÉOGNAN, CHÂTEAU HAUT-BAILLY, FRANCE

45,50$ SAQ S (11094647) ★★★☆?☆ $$$$ Modéré+

Un 2006 très coloré, au nez d'une race certaine et ultra-raffiné, tout en étant passablement concentré pour son rang. Que du fruit et des fleurs, pas de boisé à l'horizon. Tanins extra-fins, bien ciselés, corps ramassé et longueur étonnante pour une grande réussite en matière de second vin de château. **Cépages :** 35% cabernet sauvignon, 49% merlot, 16% cabernet franc. **Alc./**13,5%. **chateau-haut-bailly.com** ■ *Sauté de bœuf au gingembre accompagné d'un sauté de betteraves rouges à l'émulsion «Mister Maillard», une vinaigrette sans vinaigre pour amateur de vin rouge (voir recette de l'émulsion «Mister Maillard» sur **papillesetmolecules.com**).*

La Parde de Haut-Bailly 2008
PESSAC-LÉOGNAN, CHÂTEAU HAUT-BAILLY, FRANCE *(DISP. FIN 2011/DÉBUT 2012)*

45,50$ SAQ S (Code non disp.) ★★★☆?☆ $$$$ Corsé

Tout aussi coloré que le 2006 du même cru, mais au nez actuellement refermé sur lui-même (dégusté en mars 2011). Par contre, il se montre éclatant en bouche, plein, charnu, généreux et presque volumineux, aux saveurs de fruits noirs et de réglisse. Sa chair est plus détendue que celle plus élancée du 2006. De l'éclat et du plaisir charnel immédiat. **Cépages :** 41% cabernet sauvignon, 51% merlot, 8% cabernet franc. **Alc./**13%. **chateau-haut-bailly.com** ■ *Osso buco de cerf aux parfums de mûres et de réglisse (*).*

Riserva Ducale Oro 2006
CHIANTI CLASSICO, RUFFINO, ITALIE

45,75$ SAQ S (11517380) ★★★☆ $$$$ Corsé

Bonne coloration, profondeur aromatique imposante, sans trop, pureté, sans boisé dominant, fruité mûr (prune, cerise noire, café, cacao, vanille), bouche presque détendue, ce qui étonne pour ce cru habituellement ramassé – sauf pour le 2003, millésime caniculaire oblige, qui était dans cette veine moelleuse –, aux tanins très fins, au corps voluptueux et enveloppant, aux saveurs très longues. Du bel ouvrage, à boire plus rapidement que les précédents millésimes. **Alc./**13,5%. **ruffino.com** ■ *Osso buco de jarret de veau à la vanille de Tahiti sauce liée au chocolat noir.*

Clos Saint Jean 2007

CHÂTEAUNEUF-DU-PAPE, CLOS SAINT JEAN, FRANCE

46,25 $**　　　SAQ S (11104041)　★★★★ **$$$$　　　Corsé+

Un 2007 plus coloré que les précédents 2006 et 2005, au nez aussi plus riche, plus mûr et plus concentré, à la bouche plus dense, pleine et ramassée, aux tanins qui ont une bonne grippe, mais aussi bien enveloppés. Du fruit à profusion, des notes torréfiées et de la persistance, pour une grande pointure, supérieur au 2006. Ira très loin dans le temps. **Alc./**16,5%. ■ *Carré de porc glacé aux fraises, poivre du Sichuan, galanga et miel (**).*

Arnione « Superiore » 2005

BOLGHERI, CAMPO ALLA SUGHERA, ITALIE

47,50 $**　　　SAQ S (11338015)　★★★★ **$$$$　　　Corsé+

■ NOUVEAUTÉ! Superbe nouveauté toscane, de haut niveau, aromatique à souhait, complexe et enivrante, d'une race évidente, aux tanins raffinés, tissés serrés, au corps plein, mais très frais et aérien, aux saveurs d'une grande allonge, jouant dans la sphère des épices orientales, de la torréfaction, des fleurs séchées et des fruits macérés à l'eau de vie. Du sérieux. **Alc./**14%. campoallasughera.com ■ *Hachis Parmentier de canard au quatre-épices.*

San Roman 2006

TORO, BODEGAS Y VINEDOS MAURODOS, ESPAGNE

48 $**　　　SAQ S (11412852)　★★★★ **$$$$　　　Corsé+

■ NOUVEAUTÉ! Bouche pulpeuse, généreuse et enveloppante, mais avec du grain et de la présence, et même fortement minérale et non dénuée d'une certaine fraîcheur. Une grande pointure. Gorgée de fruits noirs, de rose, de poivre du Sichuan, au boisé neuf, mais noblement appuyé, aux tanins fermes, sans trop, et aux saveurs d'une grande allonge, laissant des traces de vanille et de fumée. **Alc./**14,5%. bodegasanroman.com ■ *Grillades de viandes rouges badigeonnées d'émulsion Mister Maillard (voir recette sur papillesetmolecules.com).*

Les Barcillants 2007

CORNAS, LES VINS DE VIENNE, FRANCE

49 $**　　　SAQ S (708438)　★★★☆?☆ **$$$$　　　Corsé

Un cornas 2007, provenant d'un domaine de pointe, d'une étonnante élégance aromatique. Finesse et race, retenue et profondeur, fraîcheur et richesse se côtoient dans ce parfum d'une haute définition (poivre rose, olive, violette, cassis). En bouche, il se montre tout aussi élégant, pour l'appellation, compact et tissé serré, mais sans aucune dureté. **Alc./**13%. vinsdevienne.com ■ *Magret de canard grillé parfumé de baies roses accompagné d'une purée de patates douces aux olives noires et au romarin frais.*

Les Barcillants 2008

CORNAS, LES VINS DE VIENNE, FRANCE

49 $**　　　SAQ S (708438)　★★☆ **$$$$　　　Modéré

Cette cuvée, habituellement top niveau, se montre en 2008, millésime oblige, plutôt fraîche, peu loquace et peu convaincante. La complexité aromatique habituelle, tout comme la maturité de fruit et la densité de matière ne sont pas au rendez-vous. Agréable, mais on en voudrait plus, spécialement au prix demandé. Un conseil: attendre le 2009. **Alc./**13%. vinsdevienne.com

Montesodi Riserva 2006

CHIANTI RUFINA, MARCHESI DE FRESCOBALDI, ITALIE

49,75 $**　　　SAQ S (204107)　★★★★ **$$$$　　　Puissant

Un sangiovese à la robe opaque, au nez à la fois puissant, complexe et distingué, dégageant des notes de framboise, de cassis, de violette, de cacao et de sous-bois, à la bouche pleine, sphérique et d'une grande épaisseur veloutée, mais avec de la prise tannique, à l'acidité discrète et aux saveurs percutantes, boisées et épicées. Ira loin. **Alc./**14,5%. frescobaldi.it ■ *Osso buco au fenouil et gremolata.*

Montus Prestige 2002
MADIRAN, MONTUS-BOUSCASSÉ, FRANCE
52,50 $ SAQ **S** (705475)   ★★★★ $$$$$ Corsé
Véritable coup de cœur pour ce très racé et profondément fruité 2002
quatre étoiles, dégusté en avril 2011, signé Brumont, parvenu à un
niveau d'évolution en bouteilles plus que parfaite. Profitez-en! **Alc./**13%.
brumont.fr

Pì Vigne 2005
BAROLO, SILVIO GRASSO, ITALIE
53,25 $ SAQ **S** (11195801)   ★★★☆?☆ $$$$ Corsé+
Excellente cuvée que ce 2005 au nez exacerbé, riche et détaillé, jouant
dans l'univers aromatique de la prune et de la rose, à la bouche à la fois
ferme et charnue, dense et enveloppante, aux tanins qui ont certes de
la prise, mais sans dureté, au corps ample et aux saveurs d'une grande
allonge. Du tonus et du relief, pour un vin qui se donne déjà, mais qui
évoluera en beauté sur plus de dix ans. **Alc./**13,5%. **silviograsso.com**
■ *Magret de canard fumé aux feuilles de thé.*

Château L'Archange 2003   ✓ TOP 100 CHARTIER
SAINT-ÉMILION, PASCAL CHATONNET, FRANCE
55 $ SAQ **SS** (11198809) ★★★★ $$$$ Corsé
Coloré, aromatique à souhait, à la fois riche et détaillé, d'une belle matu-
rité, mais sans les excès typiques à ce millésime caniculaire. Prune, cerise
noire, bleuet, réglisse et violette donnent le ton. Toucher de bouche sen-
suel, mais non dénué de grain et de race, aux longues et éclatantes
saveurs et au boisé intégré au cœur de la matière avec succès. **Alc./**13,5%.
vignobleschatonnet.com ■ *Cailles sautées à la poêle et riz sauvage aux cham-
pignons (*).*

Granato 2007
VIGNETI DELLE DOLOMITI ROSSO, FORADORI, ITALIE
58,25 $ SAQ **S** (898130)   ★★★☆?☆ $$$$ Modéré+   BIO
Un 2007, à 100% vieilles vignes de teroldego, plutôt discret au nez, sans
la grande complexité habituelle, mais avec la race et l'élégance qui
signent millésime après millésime l'identité de ce cru singulier. La bouche
se montre aussi moins généreuse que par le passé, mais toujours aussi
raffinée et épurée, aux tanins ultra-polis par un élevage soigné et retenu.
Du bel ouvrage, mais sans la profondeur et l'allonge des grandes années.
Alc./13%. **elisabettaforadori.com** ■ *Magret de canard rôti à la nigelle.*

Domaine Gourt de Mautens 2007
RASTEAU, JÉRÔME BRESSY, FRANCE
62,75 $ SAQ **S** (11217774)   ★★★★ $$$$ Puissant
Fortement coloré. Complètement fermé au nez, ce qu'un «gros» coup de
carafe arrange (mais que le temps en bouteille fera encore mieux!).
Bouche débordante de fruits et de saveurs, presque sucrée sans sucre (!),
généreuse, et imposante, d'une bonne épaisseur veloutée, tout en
démontrant un grain de tanins assez marqué et noblement extrait. De la
mâche, du bagou, de la profondeur et de la densité, pour un vin qui en
donne et qui projette dans le temps. Ayant dégusté le 1999 à quelques
reprises cette année, j'en conclus que ce 2007 devrait évoluer avec grâce,
car il se montre actuellement sous une jeunesse inouïe et une harmonie
unique. **Cépages:** 70% grenache, 15% carignan, 15% mourvèdre.
Alc./15,5%. **gourtdemautens.com** ■ *Filet de bœuf de la Ferme Eumatimi,
sauce mole mexicaine à la noix de coco et au cinq-épices (**).*

Domaine de la Vieille Julienne 2008
CHÂTEAUNEUF-DU-PAPE, DAUMEN PÈRE ET FILS, FRANCE
66 $ SAQ **S** (11171235)   ★★★★ $$$$ Corsé+   BIO
Nez riche et détaillé, d'une assez imposante profondeur, exhalant des
tonalités torréfiées et fruitées rappelant le café, le cacao et la framboise
compotée. Attaque en bouche presque crémeuse et cacaotée, au fruité
immense, suivi d'une prise tannique imposante, sans être dure, au corps
enveloppant, presque généreux, mais à l'alcool parfaitement intégré au
cœur de la matière. Prenant, invitant et charnel, mais aussi sérieux et

profond, les deux pieds ancrés dans le terroir. Ira assez loin dans le temps, même si déjà agréable à côtoyer à table, spécialement avec les plats où domine le café, tout comme avec la viande fortement grillée ou rôtie, donc marquée par la réaction de Maillard. **Alc./**15,5 %. ■ *Carré d'agneau et jus au café expresso (*) accompagné d'asperges vertes rôties au four à l'huile d'olive et au poivre noir.*

Les Grèves 2006

BEAUNE, DOMAINE DE LA VOUGERAIE, FRANCE

67,25 $ SAQ **SS** (11310792) ★★★☆?☆ **$$$**   Corsé   BIO

Bonne coloration. Nez très aromatique, riche, séveux et fumé, exhalant des tonalités de griotte et de café. Bouche pleine, sphérique et ample, mais aussi marquée par une belle prise tannique sous-jacente, aux saveurs généreuses et à la texture d'un toucher velouté d'une bonne épaisseur pour le cru. Ira loin, même si déjà très engageant. La quatrième étoile y était presque. **Alc./**13 %. **domainedelavougeraie.com**
■ *Joues de veau braisées aux tomates confites.*

Bel Air Premier Cru 2006

GEVREY-CHAMBERTIN 1er CRU, DOMAINE DE LA VOUGERAIE, FRANCE

70,25 $ SAQ **SS** (11310805) ★★★☆?☆ **$$$**   Corsé+   BIO

Un 2006 ayant besoin d'un gros et long coup de carafe pour se dévoiler, étant actuellement complètement replié sur lui-même. Belle matière en bouche, ramassée et compacte, aux tanins tissés serrés, au corps élancé et aux saveurs longues. Mais seul le temps pourra délier cet ensemble pris dans un bloc, qui n'est heureusement pas de béton ! Car le fruité est mûr et profond, la prise de bois intégrée au cœur de la matière. **Alc./**13 %. **domainedelavougeraie.com** ■ *Canard du lac Brome rôti et jus de cuisson parfumé à l'anis étoilé.*

Shiraz Blue Eyed Boy 2009

SOUTH AUSTRALIA, SARAH & SPARKY MARQUIS, MOLLY DOOKER WINES, AUSTRALIE

73,50 $ SAQ **SS** (11293049) ★★★★ **$$$$$**   Corsé+

■ NOUVEAUTÉ ! Très coloré. Nez de porto LBV très jeune, ainsi que de zinfandel de Turley (!), ce qui est peu dire... Du fruit rouge et noir à profusion, et des notes de violette et de rose. Bouche généreuse, sans trop, ample, charnue, pleine et sphérique, mais étonnamment ramassée et bien cousue pour un cru à ce niveau si élevé d'alcool. **Alc./**16 %. **buymollydooker.com** ■ *Fougasse parfumée au clou de girofle et fromage bleu fondant caramélisé (**).*

Château Haut-Bailly 2007

PESSAC-LÉOGNAN, CHÂTEAU HAUT-BAILLY, FRANCE

84,25 $ SAQ **S** (11024534) ★★★★ **$$$$**   Corsé

Un 2007 qui étonne par sa concentration, pour le millésime, et par sa définition. Le nez est certes fermé à l'heure actuelle (mars 2011), mais la bouche se montre d'un bon volume, ample, texturée et passablement longue. Les tanins sont mûrs, sans fermeté juvénile ni végétale. Belle prise tannique en finale, qui vient donner du relief et du temps de garde à ce cru. L'ensemble est harmonieux, à la manière Haut-Bailly. Cerise noire, framboise et café donnent le ton. Du bel ouvrage d'orfèvre. **Cépages :** cabernet sauvignon, merlot, cabernet franc. **Alc./**12,5 %. **chateau-haut-bailly.com** ■ *Carré d'agneau et jus au café expresso (*) accompagné d'asperges vertes rôties au four à l'huile d'olive et au poivre noir.*

Château de Beaucastel 2006

CHÂTEAUNEUF-DU-PAPE, VIGNOBLES PIERRE PERRIN, FRANCE

89,25 $ SAQ **S** (520189) ★★★★?☆ **$$$$$**   Corsé+   BIO

Un 2006 au nez discret, d'un grand raffinement et d'une belle fraîcheur, requérant temps et oxygène pour se dévoiler et se complexifier. Bouche droite et ramassée, tout aussi fraîche, aux tanins stylisés et tricotés serrés, avec finesse et grain. Un vin racé, sans compromis ni surmaturité inutile, au boisé complètement intégré au cœur, finement cacaoté et qui ira très loin dans le temps. Un modèle de retenue et d'équilibre. **Alc./**14 %. **perrin-et-fils.com** ■ *Côtes de cerf sauce aux griottes et au chocolat noir Valrhona Guanaja (*).*

Giorgio Primo 2008
TOSCANA, FATTORIA LA MASSA, GIAMPAOLO MOTTA, ITALIE
90,25 $ SAQ S (11290226)   ★★★?☆ $$$$ **Puissant**
Comme à son habitude, cette grande cuvée de La Massa se montre ultra-concentrée, richissime et très mûre, sans trop, au boisé luxueux et appuyé, aux tanins gras, au corps dense et d'une grande plénitude de saveurs à l'allonge interminable. Cassis, mûre, violette, café, fumée et vanille se donnent la réplique. Derrière cette puissance se faufile l'élégance d'un grand vin, la minéralité d'un terroir et le savoir-faire d'un viticulteur allumé. Il faut savoir que tout est mis en œuvre chez La Massa, sous l'œil vigilant de Giampaolo Motta, le propriétaire, pour extraire le meilleur de la Conca d'Oro, zone historique de l'appellation, située à Panzano, que se partagent les grandes maisons Fontodi, Rampolla et Villa Cafagio. Donc, petits rendements, vendanges tardives, sélection draconienne des plus beaux raisins, fin de fermentation en barriques neuves françaises, bâtonnages des lies et micro-oxygénation. **Alc./**14,5 %.

Château Haut-Bailly 1998
PESSAC-LÉOGNAN, CHÂTEAU HAUT-BAILLY, FRANCE *(RETOUR 2011)*
Prix non disp.   SAQ S (Code non disp.) ★★★☆   **Modéré+**
Un 98 à la robe étonnamment colorée, au nez très expressif et complexe, exhalant des tonalités de truffe, d'humus, de havane et de fruits rouges, non sans fraîcheur et élégance, à la bouche rafraîchissante, élégante et digeste, au profil aérien, aux tanins très fins, avec un certain grain, et au corps modéré pour le cru. À boire à table, pendant qu'il s'exprime dans l'univers aromatique de la truffe. **Alc./**12,5 %. **chateau-haut-bailly.com**
■ *Figues confites au thé Pu-Erh, chantilly de fromage Saint-Nectaire (**) ou salade d'asperges vertes rôties rehaussée de flocons de bonite séchée (ou de copeaux de truffe).*

Château Haut-Bailly 2005
PESSAC-LÉOGNAN, CHÂTEAU HAUT-BAILLY, FRANCE *(RETOUR 2011)*
Prix non disp.   SAQ S (Code non disp.) ★★★★ $$$$$ **Corsé+**
Ce 2005 est actuellement (mars 2011) sur une certaine retenue aromatique, replié sur lui-même pour mieux s'épanouir au fil des prochaines années. La couleur est profonde, presque opaque. Le nez passablement concentré. La bouche presque juteuse, mais bien ramassée et longiligne, dotée d'une belle fraîcheur engageante, de tanins fermes, qui ont de la prise, mais avec retenue, aux saveurs presque éclatantes, laissant des traces de prune, de framboise, de café et de chêne neuf. Le temps le révélera assurément. **Alc./**13 %. **chateau-haut-bailly.com** ■ *Filet de bœuf de la Ferme Eumatimi, sauce mole mexicaine (à la noix de coco et au cinq-épices) (**).*

Château Haut-Bailly 2006
PESSAC-LÉOGNAN, CHÂTEAU HAUT-BAILLY, FRANCE
96 $ SAQ S (10850295)   ★★★★ $$$$$ **Corsé+**
Ce 2006 se montre très coloré et violacé, très aromatique et boisé, mais avec retenue et doigté, passablement riche et détaillé, débordant de saveurs en bouche, aux tanins certes tissés serrés, mais aux grains polis et mûrs, laissant place aux saveurs et à la texture charnue. Une finale aux tanins réglissés et aux saveurs fraîches signe ce millésime qui ira loin. **Alc./**12,5 %. **chateau-haut-bailly.com** ■ *Braisé de bœuf à l'anis étoilé.*

Château Haut-Bailly 2008
PESSAC-LÉOGNAN, CHÂTEAU HAUT-BAILLY, FRANCE *(DISP. FIN 2011/DÉBUT 2012)*
96 $ SAQ S (Code non disp.) ★★★☆?☆ $$$$$ **Corsé**
Un 2008 tout en chair et en texture, au fruité passablement mûr, sans excès, aux tanins enveloppés dans une gangue veloutée, à l'acidité discrète et aux saveurs longues, qui ont de l'éclat, laissant des traces de mûre, de cerise noire, de café et de fumée. Charme et volupté, pour un cru ultra-raffiné. **Alc./**13 %. **chateau-haut-bailly.com** ■ *Asperges vertes rôties, enrobées de chocolat noir (infusé au thé fumé Zheng Shan Xiao Zhong, fleur de sel au café) (**).*

Château Saint-Pierre 1996

SAINT-JULIEN, DOMAINE HENRI MARTIN, FRANCE

109 $ SAQ **SS** (11000461) ★★★★ $$$$$ Corsé

Un 96 exhalant des tonalités on ne peut plus truffées et végétales, sur des touches de betterave, de champignon de Paris, de craie, de sous-bois et de terre humide. Attaque en bouche joufflue et texturée, suivie de tanins tissés serrés, au grain fin. Saveurs longues et expressives. Plaisir de table garanti pour ce cru au sommet du plaisir qu'il a à offrir. Donc à boire d'ici 2015. **Alc./**12,5%. ■ *Tarte de pommes de terre cuites au thé Pu-erh et fromage Saint-Nectaire (***).*

Hiru 3 Racimos 2005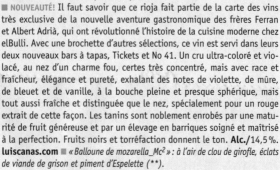

RIOJA, BODEGAS LUIS CAÑAS, ESPAGNE

120,50 $ SAQ **SS** (11434630) ★★★★?☆ $$$$$ Corsé+

■ NOUVEAUTÉ! Il faut savoir que ce rioja fait partie de la carte des vins très exclusive de la nouvelle aventure gastronomique des frères Ferran et Albert Adrià, qui ont révolutionné l'histoire de la cuisine moderne chez elBulli. Avec une brochette d'autres sélections, ce vin est servi dans leurs deux nouveaux bars à tapas, Tickets et No 41. Un cru ultra-coloré et violacé, au nez d'un charme fou, certes très concentré, mais avec race et fraîcheur, élégance et pureté, exhalant des notes de violette, de mûre, de bleuet et de vanille, à la bouche pleine et presque sphérique, mais tout aussi fraîche et distinguée que le nez, spécialement pour un rouge extrait de cette façon. Les tanins sont noblement enrobés par une maturité de fruit généreuse et par un élevage en barriques soigné et maîtrisé à la perfection. Fruits noirs et torréfaction donnent le ton. **Alc./**14,5%. **luiscanas.com** ■ *« Balloune de mozarella_Mc^2 » : à l'air de clou de girofle, éclats de viande de grison et piment d'Espelette (**).*

APÉRITIFS, CHAMPA GNES, MOUSSEUX, PORTOS, ROSÉS ET VINS DE DESSERTS DE LA VIEILLE EUROPE

Nivole 2010

MOSCATO D'ASTI, MICHELE CHIARLO, ITALIE

11,40 $ 375 ml	SAQ S* (979062)	★★☆ $	Léger+

Comme je vous le recommande depuis quelques années déjà, tant dans *La Sélection* que dans mes chroniques hebdomadaires dans *La Presse*, pour bien entamer vos brunchs dominicaux ou lors de vos débuts de soirée sur la terrasse, rien de mieux qu'un pétillant vin italien à base de muscat, que très légèrement sucré, question de bien titiller les papilles situées à la pointe de la langue! Pour ce faire, optez pour ce toujours aussi festif Nivole, aux parfums agui-cheurs de fruit de la passion, de jacinthe, de fleur d'oranger et de sirop de rose, à la bouche à la fois caressante et aérienne, parsemée de fines bulles qui montent tout droit au palais. Il accompagnera magnifiquement tant les mets sucrés que salés, quoiqu'il se suffise à lui-même. **Cépage:** moscato (muscat). **Alc./**5%. **michelechiarlo.it**

☛ *Servir dans les deux années suivant le millésime, à 10 °C*

Apéritif : dahl aux lentilles oranges, cumin et coriandre fraîche en trempette (***) ou feuilletés au gruyère et au gingembre (***). Desserts : tartare de litchis aux épices (*), bonbons d'abricots secs, de pistaches parfumées à l'eau de fleur d'oranger et de crème Chantilly à la badiane (*), salade de fruits exotiques à la menthe fraîche ou panettone.

Borsao Rosé 2010
✓ TOP 10 ROSÉS

CAMPO DE BORJA, BODEGAS BORSAO, ESPAGNE

11,95 $	SAQ C (10754201)	★★?☆ $	Modéré+

Millésime après millésime, ce rosé se positionne coup sur coup dans les meilleurs achats chez les crus de cette couleur offerts sous la barre des quinze dollars. Ce qui est à nouveau le cas avec ce gourmand, juteux et festif 2010. Un vin rosé rond, texturé et long, à l'acidité discrète, laissant place à une belle générosité solaire, sans lourdeur. Et de grâce, ne le servez pas trop froid, ainsi vous serez à même d'apprécier cette fabuleuse texture en bouche. **Cépage :** garnacha. **Alc./**13,5 %. **bodegasborsao.com**

☛ *Servir dans les deux années suivant le millésime, à 14 °C*

Feuilletés aux olives noires et à l'orange (***), salade de farfalle aux crevettes, tomates fraîches et melon d'eau grillé, vinaigrette de pamplemousse rose (***) ou sandwich au thon prise II (***).

Sangre de Toro « Rosé » 2010

CATALUNYA, MIGUEL TORRES, ESPAGNE

13,15 $	SAQ C (11278112)	★☆ $$	Modéré

■ NOUVEAUTÉ ! Un espagnol rosé passablement coloré, aromatique, fin et mûr, sans trop, aux saveurs qui ont presque de l'éclat pour son rang, à l'acidité discrète, au corps rond, presque généreux, mais demeurant frais et digeste, marqué par une finale presque sucrée (sans sucre), un brin fluide. **Cépages :** garnacha, cariñena. **Alc./**13,5 %. **torreswines.com**

☛ *Servir dans les deux années suivant le millésime, à 14 °C*

Tarte à la mozza, tomates et basilic thaï (***) ou feuilletés aux olives noires et à l'orange (***).

Moscatel Dona Dolça
✓ TOP 30 BAS PRIX

VALENCIA, BCLB DE TURÍS, ESPAGNE

13,55 $	SAQ S (11096618)	★★★ $	Modéré+

Coup de cœur des deux précédentes éditions, vous y dénicherez plus que jamais du soleil en bouteille ! Il y a longtemps qu'un muscat à ce prix ne m'avait autant charmé. Et il récidive à nouveau. Le nez est à la fois très aromatique, frais, pur, détaillé et festif comme pas un, exhalant des notes de marmelade d'agrumes, de cantaloup, de pêche et de lavande. La bouche, d'une belle liqueur, suit avec une fraîcheur et une ampleur qui étonnent, sans compter que l'alcool est intégré avec maestria, tout en participant au profil aromatique. Du sérieux à prix plus que doux. **Cépage :** moscatel. **Alc./**15 %.

☛ *Servir dès sa mise en marché, à 12 °C*

Figues au miel de lavande (***), baklavas de bœuf en bonbons (miel de menthe à la lavande et eau de géranium, viande de grison) (**), « pâte de fruits_Mc^2 » (litchi/gingembre, sucre à la rose) (**), minibrochettes de cantaloup et prosciutto, melon cantaloup arrosé d'eau de fleur d'oranger, jardinière de fruits à la crème pâtissière, panna cotta au fromage bleu, air de rose et craquelins de clou de girofle (**), meringue pour Pavlova (***) ou pommade de pommes au curry et à la guimauve (***) pour accompagner des fromages bleus.

Moma « Rosé » 2010

RUBICONE, UMBERTO CESARI, ITALIE

13,60 $	SAQ C (11445208)	★★ $$	Modéré

■ NOUVEAUTÉ! Un rosé bonbon, au charme invitant, sur les fruits rouges, simple mais direct, à la bouche ronde, à l'acidité discrète, camouflée par une légère présence de sucre résiduel, qui n'alourdit pas l'ensemble et qui, ma foi, ne dérange en rien! **Cépages :** 70 % sangiovese, 30 % merlot. **Alc./**12,5 %. **umbertocesari.it**

☛ *Servir dans les deux années suivant le millésime, à 14 °C*

Brochette de melon d'eau et de tomates cerises à l'huile de paprika (***) ou salade de farfalle aux crevettes et tomates fraîches, melon d'eau, paprika, fèves de soya germées et vinaigrette de pamplemousse rose (***).

Canasta Cream

XÉRÈS OLOROSO, WILLIAMS & HUMBERT, ESPAGNE

13,80 $	SAQ S (416966)	★★★ $	Modéré+

Comme je vous l'ai déjà dit dans le passé, cet *oloroso* est l'une des belles portes d'entrée pour ceux et celles qui ne connaissent pas l'univers des xérès. À l'heure du digestif, ou pour accompagner vos fromages, tout comme vos desserts, spécialement ceux à base de caramel ou de noix, découvrez cet onctueux xérès, certes d'approche commerciale, mais qui représente toute une aubaine à ce prix. Ses enivrantes saveurs de cumin, de café, de noix et de caramel, ainsi que sa texture suave et caressante, presque onctueuse, ne font qu'un avec un plateau de fromages accompagnés de noix caramélisées, tout comme avec les multiples desserts dominés par le caramel, à commencer par une tartine de caramel à étendre jusqu'à n'en plus finir! **Cépages :** palomino, pedro ximénez. **Alc./**19,5 %. **bodegas-williams-humbert.com**

☛ *Servir dès sa mise en marché, à 14 °C*

Plateau de fromages à pâte ferme accompagnés de noix caramélisées, tartine de caramel à l'érable ou noix de macadamia sablées au sirop d'érable et curry (**).

Tariquet Rosé de Pressée 2010

VIN DE PAYS DES CÔTES-DE-GASCOGNE, CHÂTEAU DU TARIQUET, FRANCE

14,40 $	SAQ S* (11445961)	★★ $	Léger+

Simplement des plus rafraîchissants, ce rosé de la famille Grassa se montre presque comme du Kool-Aid, dans le bon sens fruité et aguichant du terme. On dirait presque une boisson à la framboise tant la fraîcheur de ce fruit rouge est omniprésente. Frais et coulant, à boire jusqu'à plus soif lors des chaudes journées estivales. **Cépages :** merlot, cabernet franc, syrah, tannat. **Alc./**12 %. **tariquet.com**

☛ *Servir dans les deux années suivant le millésime, à 14 °C*

Salade de tomates et melon d'eau, salade de farfalle aux crevettes et tomates, melon d'eau, paprika, fèves de soya germées et vinaigrette de pamplemousse rose (***) ou brochettes

de crevettes et melon d'eau sur brochettes imbibées au pamplemousse rose et au paprika (***).

Dry Oloroso Don Nuño Lustau
XÉRÈS, EMILIO LUSTAU, ESPAGNE

14,55 $ 375 ml	SAQ S (10896525)	★★★☆ $$$	Corsé

Cuisiner une éclectique recette de crème glacée au tabac et au chocolat brûlé, dominée par les saveurs de fumée et de torréfaction de
la vanille, du tabac et du café, sans oublier celles de même famille
apportées par le chocolat, nous commande soit un vin doux naturel
mature, soit un xérès *oloroso*. Ça tombe bien, cette cuvée de la
grande maison Lustau a justement retrouvé son lustre d'antan.
Expressivité et complexité aromatiques sont au rendez-vous, tout
comme la présence imposante en bouche qui caractérisait ce cru.
Vous serez conquis par les puissants parfums et les pénétrantes
saveurs de ce vin plus sec que sucré, jouant dans la sphère du raisin de Corinthe, de la fumée, de l'amande amère, de la noisette, du
cacao et de la boîte à cigares. Il faut dire qu'il a séjourné douze
années en fûts de chêne américain, selon la méthode *solera*, ce qui
explique son profil cacaoté/fumé/épicé, empreintes aromatiques du
chêne d'origine américaine. **Cépages :** palomino, pedro ximénez.
Alc./20 %. emilio-lustau.com

☛ *Servir dès sa mise en marché, à 14 °C*

Crème glacée au tabac et au chocolat brûlé, très vieux fromage cheddar accompagné de noix de macadamia sablées
au sirop d'érable et curry (**), fougasse parfumée au clou de girofle
et fromage bleu fondant caramélisé (**) ou digestif.

Marqués de Cáceres Rosado 2010   ✓ TOP 10 ROSÉS
RIOJA, BODEGAS DE MARQUÉS DE CÁCERES, ESPAGNE

14,55 $	SAQ S (10263242)	★★☆ $$	Modéré

Rafraîchissant et ravissant rosé, à base des nobles cépages rouges
tempranillo et garnacha, aux subtiles notes d'épices douces, bien
équilibré et à un prix plus que doux. D'une robe rose cerise au reflet
saumoné. D'un nez aromatique, fin et élégant, aux effluves assez
profonds pour le rang, avec des notes de bonbons anglais, de cannelle, de girofle, de grenadine, de banane et de cerise. La bouche
suit avec une acidité très fraîche, une texture ample et dense à la
fois, ainsi que des saveurs expressives de fruits rouges et d'épices
douces. Tout à fait réussi et passablement soutenu. **Cépages :** tempranillo et garnacha. **Alc./13,5 %. marquesdecaceres.com**

☛ *Servir dans les deux années suivant le millésime, à 14 °C*

Salade de farfalle aux crevettes, tomates fraîches et melon
d'eau grillé, vinaigrette de pamplemousse rose (***),
sandwich au thon prise II (***) ou burgers d'agneau (gingembre,
curry, menthe, coriandre) (***).

Fonseca Blanc
PORTO BLANC, FONSECA GUIMARAENS VINHOS, PORTUGAL

14,65 $	SAQ C (276816)	★★☆ $	Modéré+

Mettez-vous-en plein les papilles avec ce porto blanc opulent, à la
robe jaune or, délicieusement fruité et très parfumé, laissant deviner des notes rappelant la pêche, l'amande, le miel, l'érable, la noisette et l'eau-de-vie de mirabelle. La bouche est toujours aussi
généreuse que par le passé, marquée par une imposante liqueur,
ample et moelleuse à souhait, et passablement sucrée. De par sa

richesse en sucre et sa complexité, ce gourmand porto blanc est à proscrire à l'apéritif en *long drink*; il mérite plutôt d'être apprécié nature, à l'heure du fromage ou du dessert. **Alc./**20%. **fonseca.pt**

☞ *Servir dès sa mise en marché, à 14 °C*

Fondues au fromage bleu (***), camembert chaud au sirop d'érable (***), croustade d'abricot à la lavande et au muscat (***), pain d'épices (***), pommade de pommes au curry et à l'érable (***) ou cannelés_Mc^2 (***).

Lea de Vallformosa, Brut

CAVA, VALLFORMOSA, ESPAGNE *(DISP. SEPT./OCT. 2011)*

14,95 $	SAQ **S** (11574501) ★★★ $$	Modéré+

■ NOUVEAUTÉ! Wow! Quelle fraîcheur en bouche ce cava, qui claque littéralement sur les papilles comme une pomme McIntosh juteuse et presque mordante. Difficile d'être plus sec. Bulles très fines, nez élégant, pur et détaillé, suivi d'une bouche d'une droiture et d'un élan rarement vus chez les mousseux catalans d'entrée de gamme. Longues saveurs anisées, ainsi que tonalités d'agrumes et de pomme, pour une réussite incontestable, que «J'AIME!». Devient du coup l'un des meilleurs rapports qualité-prix chez les mousseux offerts à la SAQ – une première commande était attendue au moment de mettre sous presse, alors souhaitons une seconde commande avant les fêtes de fin d'année... **Cépages:** parellada, maccabeu, xarel-lo. **Alc./**11,5%. **vallformosa.es**

☞ *Servir dès sa mise en marché, à 10 °C*

Apéritif, tapas de fromage en crottes_Mc^2: à l'huile de basilic et morceaux de pommes rouges fraîches (***) ou huîtres frites à la coriandre et wasabi (**).

Fonseca Tawny

PORTO TAWNY, FONSECA GUIMARAENS VINHOS, PORTUGAL

15,10 $	SAQ **C** (499145) ★★☆ $$	Modéré

D'un joli brun caramel orangé, au nez qui charme plus que jamais par ses délicats parfums d'épices, de fruits confits et de havane, et d'une texture plutôt onctueuse, suave et caressante, en toute subtilité, sans lourdeur. En finale, on y découvre d'invitantes notes de figue séchées, de café, de vanille et d'épices. La souplesse et le velouté de ce tawny, qui provient d'un assemblage de vins de différentes années ayant séjourné trois ans en fûts avant leur mise en bouteilles, en font l'un des très bons portos de tous les jours à avoir sous la main. **Alc./**20%. **fonseca.pt**

☞ *Servir dès sa mise en marché, à 14 °C*

Fromages: cheddar (très vieux) ou gouda (très vieux). Desserts: crème brûlée à l'érable et curry et caramel à l'amaretto (***), *dulce de leche* (***), pain aux bananes (***) ou pain d'épices poêlé, sabayon à la bière scotch ale. Cigares: petit corona Montecristo N° 4 ou très petit corona Hoyo de Monterrey Le Hoyo du Député.

Château Bellevue La Forêt Rosé 2010 ✓ TOP 10 ROSÉS

FRONTON, CHÂTEAU BELLEVUE LA FORÊT, FRANCE

15,30 $	SAQ **C** (219840) ★★☆ $$	Modéré

D'une robe rose framboise pâle aux reflets grenadine. D'un nez très aromatique, élégant et charmeur, aux effluves assez profonds, de notes florales de rose et de pivoine, ainsi que de sucre d'orge et de barbe à papa. D'une bouche à l'acidité fraîche, à la texture ample, presque tannique, aux longues saveurs de cerise, de cassis, de cannelle et girofle. À la fois désaltérant et plus savoureux. **Cépages :** négrette, syrah, gamay. **Alc./**13,5 %. **chateaubellevuelaforet.com**

☛ *Servir dans les deux années suivant le millésime, à 14 °C*

Feuilletés aux olives noires et à l'orange (***), pâtes aux anchois et au pesto de tomates séchées, petits pois verts et shiitakes (***) ou salade de crevettes froide, fèves de soja germées, huile de sésame, tomates, vinaigrette à l'huile d'olive et jus de pamplemousse (***).

Fine White Taylor Fladgate
PORTO BLANC, TAYLOR FLADGATE & YEATMAN, PORTUGAL

16,15 $	SAQ S* (575969)	★★☆ $$	Modéré+

Malgré le charme qu'offre la sucrosité moelleuse de ce porto blanc, je lui préfère sa version Chip Dry, c'est-à-dire le style plus sec. Mais il n'en demeure pas moins un engageant porto blanc sucré, d'une liqueur modérée, à la couleur jaune doré intense, au nez discret, à la bouche onctueuse, mais aussi unidimensionnelle. Parfait pour dompter les fromages à croûte lavée. **Alc./**20 %.

☛ *Servir dès sa mise en marché, à 10 °C*

Assiette de fromages à croûtes lavées (Époisses, Langres, Sir Laurier), crêpes fines à la vanille et rhum brun (***) ou pain d'épices poêlé, sabayon à la bière scotch ale (***).

Parés Baltà Brut
CAVA, CAVAS PARÉS BALTÀ, ESPAGNE

16,65 $	SAQ S (10896365)	★★☆ $$	Modéré	BIO

Craquant comme une pomme fraîche, et expressif comme des amandes et des fleurs séchées! Sec, vif, aérien et digeste, à un prix défiant toute concurrence. Voilà ce que ce cava catalan a à offrir pour vous permettre de faire sauter le bouchon à prix plus que doux pendant les fêtes de fin d'année. Comme il n'est offert qu'en spécialité, dépêchez-vous à stocker quelques flacons! **Cépages :** parellada, maccabeu, xarel-lo. **Alc./**11,5 %. **paresbalta.com**

☛ *Servir dès sa mise en marché, à 10 °C*

Apéritif, olives vertes marinées (***), crème froide de chou-fleur (***) ou salade de chou-fleur et vinaigrette à la papaye, aux câpres et au wasabi (***).

Moscatel Finca Antigua 2008
LA MANCHA, FINCA ANTIGUA, ESPAGNE

16,80 $ 375 ml	SAQ S (11414604)	★★★ $	Modéré+

■ NOUVEAUTÉ! Belle robe jaune doré soutenue. Nez à la fois très mûr et très frais, engageant au possible, mais avec une belle retenue européenne pour le cépage. Fleurs séchées, abricot sec et miel s'expriment. Bouche à la fois onctueuse et fraîche, ronde et tendue, d'une richesse en sucre modérée, aux saveurs très longues, égrainant des notes de zestes d'agrumes, de miel, de crème pâtissière et de fleurs jaunes. Du soleil en bouteille. **Cépage :** moscatel. **Alc./**12,5 %. **familiamartinezbujanda.com**

☛ *Servir dans les six années suivant le millésime, à 10 °C*

Croustade de pommes jaunes au safran (***), mangues confites pour Pavlova (***), millefeuille de pain d'épices aux pêches et à l'eau de fleur d'oranger (*) ou bonbons d'abricots secs et pistaches parfumées à l'eau de fleur d'oranger et crème Chantilly à la badiane (*).

Domaine du Tariquet « Les Premières Grives » 2010

VIN DE PAYS DES CÔTES-DE-GASCOGNE, FAMILLE GRASSA, FRANCE

17,30 $	SAQ S* (561274)	★★★ $$		Modéré

Toujours exubérant, millésime après millésime, sauf après un très léger repli en 2006 et 2007, cet explosif, vivace et charmeur blanc demi-sec se montre meilleur que jamais. Quelle prestance! Nez très détaillé et complexe, où alternent des notes de fruits de la passion, de pêche, de miel, d'aubépine et de mélisse. Bouche harmonieuse, fraîche et coulante, dont l'acidité presque tendue vient « manger » le sucre en finale, façon riesling germanique. Larges sont les possibilités harmoniques à table avec ce style de vin. **Cépage :** gros-manseng. **Alc./**11,5%. **tariquet.com**

☛ *Servir dans les trois années suivant le millésime, à 12 °C*

Tapas de fromage en crottes_Mc^2 : à l'huile de gingembre et litchis (***), carré de porc glacé aux fraises, poivre du Sichuan, galanga et miel (**), chutney d'ananas au curcuma, gingembre et vinaigre de xérès (**) ou crème brûlée au thé *Earl Grey* (***).

Tio Pepe Fino

XÉRÈS, GONZALEZ BYASS, ESPAGNE

17,40 $	SAQ S (242669)	★★☆ $$		Modéré

Puisque le xérès de type *fino* est l'un des vins qui sait s'unir avec maestria à la salinité de certains aliments, comme c'est le cas des huîtres, du caviar, des viandes séchées et du fromage à raclette fondu, osez servir à vos invités un verre ou deux de *fino*. Ne serait-ce que pour ouvrir la raclette, avant de poursuivre avec un blanc aromatique de malvasia ou un rosé soutenu. Quoi qu'il en soit, le mondialement réputé *fino* Tio Pepe se montre toujours aussi charmeur et d'une fraîcheur invitante, exhalant des notes de pomme verte et d'amande fraîche, se montrant en bouche à la fois croquant, vivifiant, désaltérant et expressif. Vraiment du beau *fino*, certes commercial mais tout à fait agréable pour son prix et représentant la porte d'entrée idéale pour faire ses gammes aromatiques avec l'univers du xérès. **Cépage :** palomino. **Alc./**16%. **gonzalezbyass.com**

☛ *Servir dans les quatre années suivant le millésime, à 17 °C*

Apéritif, tapas variées, raclette, huîtres crues, caviar ou salade d'asperges vertes.

Grain de Folie 2010

GAILLAC DOUX, DOMAINE CAUSSE MARINES, FRANCE
(DISP. SEPT./OCT. 2011)

18,15 $ 500 ml	SAQ S (866236)	★★★?☆ $$		Modéré+

Ce 2010, dégusté en primeur en juillet 2011, semble marqué par le botrytis exhalant des arômes de miel, de cire d'abeille, de pain brioché et de fruits confits, à la bouche d'une assez imposante liqueur pour le cru, tout en demeurant assez frais. Mirabelle, érable, zeste d'orange, marmelade et fleur d'oranger se donnent longuement la réplique. Donc, une folle douceur encore plus mûre et confite que dans le dernier millésime, avec un important accent botrytisien. **Cépages :** muscadelle, loin de l'œil, mauzac. **Alc./**13,5%. **causse-marines.com**

☞ *Servir dans les sept années suivant le millésime, à 12 °C*

«Guimauve érable_Mc²»: sirop d'érable, vanille et amandes amères (**) ou pommade de pommes au curry et à la guimauve (***) pour accompagner des fromages bleus.

Nino Franco Brut

PROSECCO DI VALDOBBIADENE, NINO FRANCO SPUMANTI, ITALIE

18,90 $	SAQ C (349662)	★★☆ $$	Modéré

Ce mousseux italien a été l'un des plus réguliers au fil des seize ans de *La Sélection Chartier*. Et il se montre une fois de plus réussi avec brio, certes à ranger parmi les meilleurs achats chez les bulles tous azimuts offertes sous la barre des vingt-cinq dollars. Il faut admettre que le sympathique Primo Franco, de la troisième génération à la direction de cette maison vénitienne, met tout en œuvre pour élaborer des prosecco de qualité. À nous d'en profiter! Vous y dénicherez des arômes et des saveurs juteuses, rappelant la pomme, ainsi qu'une texture vaporeuse en bouche, grâce à une mousse presque crémeuse, supportée par une fraîche acidité sous-jacente et par des saveurs toujours aussi expressives et digestes. Pur et aérien. **Cépage:** prosecco. **Alc./**11%. **ninofranco.it**

☞ *Servir dès sa mise en marché, à 10 °C*

Apéritif, tapas de fromage en crottes_Mc² : à l'huile de basilic et morceaux de pommes rouges fraîches (***), huîtres frites à la coriandre et wasabi (**), canapés de poisson fumé au fromage à la crème ou «vraie crème de champignons_Mc²» (lait de champignons de Paris et mousse de lavande) (**).

Les Églantiers Rosé 2010   ✓ TOP 10 ROSÉS

TAVEL, BROTTE, FRANCE

19,05 $	SAQ S (11445380)	★★★ $$	Modéré+

Les tavels se positionnent habituellement au sommet de la hiérarchie des rosés français, ce que celui-ci parvient à faire, mais par sa finesse et sa fraîcheur, contrairement aux habituels crus plus généreux de cette appellation du Midi. D'une robe rose pivoine pâle au nez modérément aromatique et fin, à la bouche à la fois vive, ample et ronde, aux longues saveurs de cerise au marasquin, de zeste d'orange et de pamplemousse rose, avec une arrière-scène subtilement épicée. Du charme. **Cépages:** grenache noir (majoritaire), syrah. **Alc./**14%. **brotte.com**

☞ *Servir dans les trois années suivant le millésime, à 15 °C*

Feuilletés aux olives noires et à l'orange (***), pâtes aux anchois au pesto de tomates séchées et petits pois verts et shiitakes (***) ou salade de crevettes froide, fèves de soja germées, huile de sésame, tomates, vinaigrette à l'huile d'olive et jus de pamplemousse (***).

Raventós i Blanc Reserva Brut 2008

CAVA, JOSEP MARÍA RAVENTÓS I BLANC, ESPAGNE

19,50 $	SAQ S (11140615)	★★★ $$	Modéré+

Un cava ultra-aromatique et gourmand en bouche, d'une invitante fraîcheur, non sans corps et persistance, aux saveurs croquantes de pomme, d'agrumes et de fleurs séchées. Quelle bouche digeste et saisissante! Il faut dire que les vins mousseux catalans d'appellation Cava ont le vent dans les voiles actuellement. Ils se positionnent parmi les meilleurs rapports qualité-prix chez les mousseux hors Champagne, et ils sont légion à offrir des vins de qualité. Ils sont actuellement le secret le mieux gardé en matière de bulles, mais dépêchez-vous, car ça ne saurait durer bien longtemps... **Cépages :** 85 % chardonnay, 10 % xarello, 5 % maccabeo. **Alc./**12 %. raventos.com

☛ *Servir dès sa mise en marché, à 10 °C*

Apéritif, huîtres gratinées et fondue d'endives (***) ou sablés au parmesan, graines de coriandre et curcuma (***).

Croft Pink
VIN DE PORTO, CROFT PORT VINHOS, PORTUGAL

20,15 $	SAQ C (11305029)	★★★ $$	Modéré+

Dans la vague « rosée » des portos, débarqués en 2010 et 2011, celui-ci se montre fort engageant, fruité à souhait, très mûr, exhalant des notes de bonbon en forme de poisson rouge à la cerise et girofle. La bouche exprime bel et bien l'eau-de-vie servant au mutage des portos, la sucrosité habituelle aussi, tout comme la richesse et l'ampleur typique des portos de type ruby, corps en moins. On se rapproche du vin rosé disons, étant détendu, mais on demeure dans la générosité portugaise. Un parfait ajout à la gamme des portos, qui fait de superbes belles harmonies au dessert, ce que les vins rosés secs ne parviennent pas à réaliser, tout comme un bel apéritif si allongé de soda pour calmer le sucre et rafraîchir l'ensemble. Sans oublier qu'il va à merveille sur les fromages à croûte fleurie, comme le brie et le camembert. **Alc./**19,5 %. croftport.com

☛ *Servir dans les deux années suivant sa mise en marché, à 14 °C*

Shortcake aux fraises, tarte aux cerises, fondue au chocolat brun et aux fruits rouges, fougasse parfumée au clou de girofle et fromage bleu fondant caramélisé (**) ou assiette de fromages à croûte fleurie (style camembert) accompagnés de confiture de cerises.

Offley LBV 2005
PORTO LATE BOTTLED VINTAGE, SOGRAPE VINHOS, PORTUGAL

20,95 $	SAQ C (483024)	★★★ $$	Modéré+

Offley présente un LBV plus élégant que jamais, me rappelant le style des vins doux naturels du Roussillon, dont celui du Mas Amiel Vintage. La robe est toujours aussi foncée que l'année dernière, lors de ma première dégustation du 2005. Le nez aromatique est complexe et passablement riche, aux profonds effluves de chocolat, de bleuet, de rose séchée, de réglisse et de violette, ayant évolué vers des notes plus confites depuis l'automne 2010. La bouche, toujours aussi ronde et pulpeuse, aux tanins fins certes tissés serrés, mais enveloppés, aux longues saveurs chocolatées et fruitées, presque confites, mais sans lourdeur. **Cépages :** tinta roriz, touriga francesa, touriga nacional, tinta amarela. **Alc./**20,5 %. sogrape.pt

☛ *Servir dans les dix années suivant le millésime, à 16 °C*

Fougasse parfumée au clou de girofle et fromage bleu fondant caramélisé (**) ou fromage fourme d'Ambert accompagné de confiture de cerises noires. Desserts : ananas caramélisé (cassonade, sauce soya, saké et réglisse noire, copeaux de chocolat noir) (**) ou panna cotta au fromage bleu, air de rose et craquelins de clou de girofle (**).

Chip Dry Taylor Fladgate

PORTO BLANC, TAYLOR FLADGATE & YEATMAN, PORTUGAL

21,65 $	SAQ S* (164111)	★★★ $$	Modéré

Comme à son habitude, ce plus que régulier porto blanc sec, dont j'ai refait une relecture en juillet 2011 – c'est-à-dire re-dégusté –, est une véritable bombe de plaisir. Comme son nom l'indique, il est pratiquement sec même s'il contient un peu de sucres résiduels. La couleur est d'un jaune vieil or soutenue. Le nez aromatique, assez riche et mûr, même marqué par de belles notes légèrement oxydatives qui lui procurent du relief. La bouche suit avec ampleur, présence, fraîcheur et générosité, sans lourdeur. Eau-de-vie de mirabelle, abricot séché et noix signent le profil de saveurs. On propose toujours de servir les portos blancs en long drink, allongé de soda, mais je trouve qu'il mérite d'être servi seul tant la matière est belle – même si l'un n'empêche pas l'autre. Servez-le un brin moins froid que les portos blancs sucrés, vous serez conquis. **Alc./**20%.

☛ *Servir dès sa mise en marché, à 14 °C*

Curry de crevettes (***), salade de champignons (***) ou mozzarella gratinée «comme une pizza» et sel au clou de girofle (***).

Carlo Pellegrino

PASSITO DI PANTELLERIA, CARLO PELLEGRINO, ITALIE

22,35 $	SAQ S (742254)	★★★ $$	Modéré+

Difficile d'être plus muscaté que ça! Zeste d'orange, miel, épices douces et abricot séché se donnent la réplique au nez, pendant que la bouche vous caresse les papilles de sa belle liqueur et de sa texture patinée. Liquoreux certes, mais sans lourdeur. Le soleil de la Sicile en bouteille, question d'illuminer le gâteau aux fruits de fin de repas, tout comme les biscottis aux fruits confits. **Cépage :** zibibbo (muscat d'Alexandrie). **Alc./**15%. **carlopellegrino.it**

☛ *Servir dès sa mise en marché, à 12 °C*

Gâteau aux fruits, biscottis aux fruits confits, panettone aux fruits confits, millefeuille de pain d'épices aux pêches (*) ou mousse au chocolat noir et au parfum de Grand Marnier (*).

Domaine La Tour Vieille « Blanc Doux »

BANYULS, VINCENT CANTIE ET CHRISTINE CAMPADIEU, FRANCE
(DISP. SEPT./OCT. 2011)

22,60 $	SAQ S (11544222)	★★★☆ $$$	Modéré+

■ NOUVEAUTÉ! D'un domaine phare en matière de vins doux naturels, tout comme de vins rouges, ce nouveau banyuls blanc doux se montre tout à fait inspirant et éclectique. Vous y dénicherez un vin au nez jouant dans la sphère aromatique raffinée et fraîche de la racine de gentiane, du fenouil et de la racine confite d'angélique. La bouche, quant à elle, se montre expressive et longiligne, ample et fraîche, aux saveurs subtiles de praline, de noix et de miel, ainsi que de crème fraîche. Hors norme et fort complexe. **Cépages :** grenache gris, grenache blanc. **Alc./**16%. **latourvieille.com**

☛ *Servir dans les quatre années suivant l'achat, à 14 °C*

Brioches à la cannelle (***), *crumble* de base à la noix de coco (***) ou pain aux bananes (***).

Raventós i Blanc « de Nit » 2008

CAVA, JOSEP MARÍA RAVENTÓS I BLANC, ESPAGNE

23,60 $	SAQ **S** (11457196)	★★★ $$	Modéré+

■ **NOUVEAUTÉ!** Superbe mousseux rosé catalan, expressif à souhait, au nez raffiné, où s'entremêlent fleurs rouges, fruits rouges et notes presque boisées. La bouche se montre tout aussi engageante et croquante, avec fraîcheur et ampleur, dotée d'une texture satinée, ce qui est rare chez les mousseux. Framboise, cerise et pivoine signent une longue fin de bouche. Je vous le redis, les vins de Cava sont actuellement les meilleurs rapports qualité-prix disponibles chez les mousseux hors Champagne. **Cépages :** xarel-lo, maccabeo, parellada, monastrell. **Alc./**12%. **raventos.com**

☞ *Servir dès sa mise en marché, à 10 °C*

Apéritif, salade de framboises à l'eau de rose et julienne d'algue nori (***) ou sushis en bonbon de purée de framboises (***).

Lustau East India Solera Sherry   ✓ TOP 100 CHARTIER

XÉRÈS, EMILIO LUSTAU, ESPAGNE

29,60 $	SAQ **S** (11414655)	★★★☆ $$$	Corsé

Un xérès plus que singulier, d'une couleur brun ambré évolué, au nez empyreumatique et résineux, passablement riche, mais avec subtilité, détaillant à l'oxygénation, donc avec le temps, des tonalités de café, de cacao, de raisins de Corinthe macérés, de cassonade, de figue séchée et de datte. La bouche confirme la grandeur et la présence de ce cru unique, dévoilant une attaque onctueuse, rapidement bridée par de doux amers et par des saveurs de noix de Grenoble, ainsi que de mélasse et de raisin sec. Allonge considérable en fin de bouche, laissant des traces de noisette, de café et de grain de fenugrec grillé. Je me suis retenu pour ne pas lui décerner quatre étoiles. Un grand vin qui se suffit à lui-même certes, mais qui peut rivaliser à table avec de multiples plats dans l'univers des aliments complémentaires à l'érable et au sotolon. **Cépages :** palomino, pedro ximénez. **Alc./**20%. **emilio-lustau.com**

☞ *Servir dès sa mise en marché, à 14 °C, mais se conserve de nombreuses années*

Amandes pralinées cacao/cannelle (***), ailes de poulet à la sauce Soyable (***) ou crème brûlée à l'érable et curry et caramel à l'amaretto (***).

Ben Ryé 2008   ✓ TOP 100 CHARTIER

PASSITO DI PANTELLERIA, TENUTA DONNAFUGATA, ITALIE *(RETOUR NOV. 2011)*

30 $ 375 ml	SAQ **S** (11301482)	★★★☆?☆ $$$	Corsé+

Ce 2008 présente une imposante et pénétrante liqueur, d'une amplitude rarement atteinte par le passé. Un délirant muscat, aux notes complexes de bois de santal, d'épices orientales, de zeste d'agrumes, de fleur d'oranger, de miel de châtaigne et de cacao. Un vin certes liquoreux, mais non dénué de fraîcheur et d'élan. Modèle d'harmonie depuis plusieurs années, ce muscat atteint un niveau inégalé dans ce millésime. **Cépage :** moscato. **Alc./**14,5%. **donnafugata.it**

☞ *Servir dans les dix années suivant le millésime, à 12 °C*

Mangue pour Pavlova (***), mousse au chocolat noir et au parfum de Grand Marnier (*), ananas caramélisé (cassonade, sauce soya, saké et réglisse noire, copeaux de chocolat noir) (**), pain d'épices (***) ou mousse au chocolat et caramel au sirop d'érable et beurre salé (***).

Cálem 10 ans

PORTO TAWNY 10 ANS, A.A. CÁLEM & FILHO, PORTUGAL

32,25 $	SAQ S (943811)	★★★☆ $$$	Modéré+

Ce 10 ans d'âge rejoint une fois de plus les meilleurs de sa catégorie. Couleur acajou soutenue et orangée, nez riche et très engageant, aux complexes parfums de sucre d'érable, de café, de caramel, de figue séchée et d'épices douces, bouche toujours aussi étonnamment pleine et sphérique pour un 10 ans, sucrée à souhait, gourmande et harmonieuse. Une longue finale, à la texture moelleuse, pour ne pas dire grasse, laisse des notes de café, de réglisse et de boîte à cigares. **Alc./**20%. **calem.pt**

☛ *Servir dès sa mise en marché, à 15 °C*

Fromages portugais : são jorge au lait cru (120 jours et plus d'affinage) accompagné de *marmelada* (confiture de coings) ou terrincho velho (plus ou moins 90 jours d'affinage). Desserts : crêpes fines à la vanille et rhum brun (★★★), pudding au chocolat comme un chômeur (★★★), crème brûlée au café et Frangelico (★★★) ou millefeuille de pain d'épices aux figues et aux noix de Grenoble (★). Cigare : corona gorda La Flor de Cano Gran Corona.

Ca'del Bosco « Cuvée Prestige » Brut

FRANCIACORTA, AZIENDA AGRICOLA CA'DEL BOSCO, ITALIE

33 $	SAQ S (11008024)	★★★☆ $$$	Modéré+

Avec une réduction de cinq dollars sur le prix demandé à l'automne 2010, cet excellent mousseux italien devient plus que jamais l'une des références mondiales en matière de méthode champenoise hors Champagne. Alors, pour vos moments festifs, sélectionnez comme je le fais depuis quelques années déjà ce superbe franciacorta, ayant été conservé 30 mois sur lies, en bouteille, avant sa mise en marché, ce qui explique, en partie, sa grande complexité aromatique. Il faut dire qu'il provient de l'un des grands viticulteurs lombards, Maurizio Zanella, qui élabore aussi de superbes vins tranquilles blancs et rouges (aussi commentés). Donc, un mousseux de haut niveau à la robe dorée, aux bulles fines et abondantes, au nez brioché, passablement riche, à la bouche presque crémeuse et enveloppante, à l'acidité fraîche, juste dosée, au corps plein, sans trop et aux saveurs très longues, égrainant des notes de noisette, de miel et de fleurs séchées. Du niveau de certaines cuvées de la Champagne, vendues à une vingtaine de dollars de plus. **Cépages :** 40% chardonnay, 40% pinot bianco, 20% pinot nero. **Alc./**12,5%. **cadelbosco.com**

☛ *Servir dans les trois années suivant son achat, à 12 °C*

Apéritif, salade de champignons (★★★), salade de riz sauvage aux champignons (★★★), mousse de foie de volaille aux poires, *toast* de foie gras de canard au torchon (★), figues confites au thé Pu-erh, chantilly de fromage Saint Nectaire (★★) ou crabe des neiges, ketchup aux pois verts, épinards fanés à l'huile d'olive, caviar de mulet et mousse de bière noire (★★).

Martinez 10 Ans

PORTO TAWNY, MARTINEZ GASSIOT & CO., PORTUGAL

36 $	SAQ S (297127)	★★★★ $$$$	Corsé

Bon, je vous l'ai déjà écrit, il y a plusieurs années que je succombe au style brûlé de ce tawny, le *douro bake* comme disent les *Britishs*, ce qui lui permet d'être classé parmi les meilleurs achats des seize dernières années. Voilà donc un solide coup de cœur, littéralement enivré par ses parfums de noix brûlée, de cassonade, d'érable, d'épices, de cigare et de fruits confits, qui composent son profil aromatique d'une richesse profonde, et pénétré par sa suavité et son amplitude en bouche qui donnent ainsi le coup de grâce. Du sérieux, pour de belles envolées aromatiques à table, tant avec le foie gras de canard poêlé qu'avec le fromage cheddar (très vieux), ainsi qu'avec les desserts à l'érable, au café ou aux fruits confits, comme dans notre recette de tourte à la courge. **Alc./**20%. **martinez.pt**

☛ *Servir dès sa mise en marché, à 15 °C*

Jambon aux parfums d'Orient (*), foie gras de canard poêlé déglacé à l'hydromel, figues macérées au porto tawny à la vanille, millefeuille de pain d'épices aux figues (*) ou fromages à pâte ferme (são jorge ou vieux cheddars accompagnés de confiture de coings portugaise et de noix de Grenoble).

Cru Barréjats 2001
SAUTERNES, BARRÉJATS, FRANCE *(DISP. OCT./NOV. 2011)*

43 $ 500 ml	SAQ **S** (11543238)	★★★★ **$$$$**	Corsé+

Beurre d'érable, cire d'abeille, café vert, miel et vanille signent un nez complexe et une bouche pénétrante à souhait, à la hauteur de l'appellation. Superbe évolution en bouteilles pour ce 2001, attendu en octobre 2011, et dont les 125 caisses de 6 bouteilles risquent de trouver preneur en un temps deux mouvements... Plein, ample, texturé, d'une belle liqueur et aux saveurs d'une grande allonge, botrytisiennes à souhait. Finale aux relents de sucre à la crème et de crème brûlée. Rares sont les millésimes assagis de sauternes, à ce prix, donc autant en profiter... **Cépages :** 85% sémillon blanc, 10% sauvignon, 5% muscadelle. **Alc./**14%. **cru-barréjats.com**

☛ *Servir dans les dix-huit années suivant le millésime, à 12 °C*

Sucre à la crème à l'érable et au curry (***), crème brûlée au safran (***), poires asiatiques cuites au safran et belle de Brillet, éclats de vieux cheddar, mangue glacée/râpée (**) ou millefeuille de pain d'épices aux figues (*).

P.X. Michel Couvreur
VIN DE LIQUEUR, MICHEL COUVREUR, FRANCE

44,25 $	SAQ **SS** (10975661)	★★★☆ **$$$**	Puissant

Un pedro ximénez, de xérès, mais élevé en Bourgogne, dans le village de Bouze-les-Beaune, par un passionné de scotch, qui importe des barriques de xérès d'Espagne, afin d'y faire vieillir ses whiskies importés d'Écosse. Et tant qu'à faire, autant faire venir les chênes pleins de xérès pour élaborer aussi du sherry... Vous me suivez ? Quoi qu'il en soit, ce P.X. (diminutif de pedro ximénez, pour les intimes de la chose) se montre tout aussi percutant que le P.L. (aussi commenté), qui, lui, est un xérès *fino* de 19 ans d'âge. Ici, couleur marron soutenue, nez à la fois résineux, rappelant les raisins de Corinthe macérés dans l'eau-de-vie, et à la fois fumé à la façon scotch. La bouche est quant à elle d'une liqueur imposante, comme le sont toujours les vins de pedro ximénez, mais bridée par l'alcool et la présence d'arômes relatifs au scotch plus qu'au P.X. Longue finale moins douce, marquée par la datte, la figue séchée et la mélasse. **Cépage :** pedro ximénez. **Alc./**22%. **bellavitagrandscrus.com**

☛ *Servir dès sa mise en marché et pendant de longues années, à 14 °C*

Dessert : mousseux au chocolat noir et thé Lapsang Souchong (**). Fromage : camembert aux noix mélangées, éclats de chocolat noir et scotch (préalablement macérés quelques jours au centre du fromage). Cigare : figurados Arturo Fuente Don Carlos Nº 2.

Moulin Touchais 1997

COTEAUX DU LAYON, VIGNOBLES TOUCHAIS, FRANCE

| 45,25 $ | SAQ **S** (11177418) ★★★★ $$$$ | Corsé |

Surpasse un brin le très bon 1999 (aussi commenté). Coing, amande, noisette, miel et poire chaude au beurre s'expriment avec éclat et richesse, tandis que la bouche se montre d'une liqueur imposante, sans lourdeur, pleine et pénétrante, d'une grande allonge, terminant sur une note fraîche grâce à sa superbe acidité sous-jacente. Confiture d'abricot et praline ajoutent au plaisir. **Alc./**13,5%.

☛ *Servir dans les vingt années suivant le millésime, à 14 °C*

Petit poussin laqué (**) ou tatin de pommes au curry, noix de macadamia salées au sirop d'érable, tranche de foie gras de canard poêlé (**).

P.L. Michel Couvreur

VIN DE LIQUEUR, MICHEL COUVREUR, FRANCE

| 50,75 $ | SAQ **SS** (10975653) ★★★★ $$$$ | Corsé+ |

Éclectique vous dites? Voyez par vous-mêmes. Couleur orangée soutenue à reflets ambrés. Nez très aromatique de scotch pur malt, ainsi que touches résineuses subtiles rappelant certains xérès amontillado, et même *oloroso*. Figue séchée, boîte à cigares, foin coupé, vanille et fumée s'entremêlent. Bouche aussi paradoxale, à mi-chemin entre l'attaque fumée/tourbée d'un whisky écossais et celle plus enveloppante et texturée d'un *oloroso* sec, façon Emilio Lustau. Grande allonge, présence unique, certes hors norme, mais grand et déstabilisant. Il faut savoir qu'il est élaboré par un éleveur allumé, passionné de scotch et de xérès, vivant en... Bourgogne à Bouzele-Beaune! Et l'idée derrière ce vin de liqueur est que c'est un fait un xérès *fino* élevé pendant dix-neuf ans dans des barriques de scotch, en pleine Côte-de-Beaune. Je vous l'ai dit, éclectique... **Cépage :** palomino. **Alc./**24%. **michelcouvreur.com**

☛ *Servir dès sa mise en marché et pendant de longues années, à 14 °C*

Salade de tomates et vinaigrette balsamique à la réglisse fantaisie (***), queue de langouste grillée, cubes de gelées de xérès, de café ou de livèche, trait d'amlou et côtes de céleri à la vapeur (**), tarte de pommes de terre cuites au thé Pu-erh et fromage Saint-Nectaire (***), sucre à la crème aux noisettes grillées et Frangelico (***).

Forget-Brimont Brut Rosé Premier Cru

CHAMPAGNE, FORGET-BRIMONT, FRANCE

| 51,50 $ | SAQ C (10845883) ★★★★ $$$$ | Modéré |

Un champagne rosé, offert à prix plus que doux pour un mousseux de cette couleur, au charme tout aussi invitant qu'au cours des deux dernières années, à la bouche à la fois ronde et fraîche, ample et caressante, gourmande au possible pour le rang, aux saveurs longues et généreuses, gorgées de fruits rouges, de fleurs séchées et de fruits secs. **Cépages :** 40% pinot noir, 40% pinot meunier, 20% chardonnay. **Alc./**12%. **champagne-forget-brimont.fr**

☛ *Servir dans les deux années suivant son achat, à 12 °C*

Mozzarella gratinée « comme une pizza », viande des Grisons et piment d'Espelette (***), focaccia au pesto de tomates séchées, tapas de fromage en crottes_Mc² : à l'huile de basilic et morceaux de pommes rouges fraîches (***) ou crevettes caramélisées, écume de carotte, pomme McIntosh et graines de cumin, purée de carottes à l'huile de crustacés et *pimentón* fumée (**).

Pierre Gimonnet & Fils « Cuis 1er Cru » Blanc de Blancs Brut

CHAMPAGNE, PIERRE GIMONNET & FILS, FRANCE *(DISP. OCT./NOV. 2011)*

| 58 $ | SAQ S (11553209) | ★★★★ $$$$ | Modéré+ |

■ NOUVEAUTÉ! Ne manquez pas ce remarquable chardonnay, issu du village de Cuis, 1er cru de la Côte des Blancs, et vinifié avec maestria par la famille Gimonnet, se montrant très aromatique, à la fois riche et élégant, complexe et très frais, pour ne pas dire saisissant de fraîcheur, à la bouche presque dense pour un champagne, intense, longiligne et prenante, aux saveurs plus que persistantes, laissant des traces d'anis, de pomme et de fleurs. Il fait bon de voir arriver une cuvée de cette grande maison. Mais notez que seulement 100 caisses étaient attendues entre octobre et novembre 2011. **Cépage :** chardonnay. **Alc./**12,5%. **champagne-gimonnet.com**

☞ *Servir dans les trois années qui suivent l'achat, à 12 °C*

Huîtres frites à la coriandre et wasabi (**), saumon infusé au saké et champignons shiitakes ou figues confites au thé Pu-erh, chantilly de fromage Saint-Nectaire (**).

Besserat de Bellefon Cuvée des Moines Brut Rosé   ✓ TOP 100 CHARTIER

CHAMPAGNE, BESSERAT DE BELLEFON, FRANCE *(DISP. SEPT./OCT. 2011)*

| 59 $ | SAQ S (11154515) | ★★★★ $$$$ | Corsé |

■ NOUVEAUTÉ! Un champagne rosé, dominé par le très fruité pinot meunier, qui se montre nourri et complexe, surtout si vous avez la bonne idée de ne pas le servir glacé, mais plutôt juste frais, à plus ou moins 12 °C. Couleur rose pêche. Nez très aromatique, d'une bonne intensité, où alternent des notes de fruits rouges, de fleurs séchées et de noisette grillée, à la bouche pleine, enveloppante et d'un bon volume, aux saveurs très longues et grillées. Assurément une cuvée rosée pour s'amuser à table, donc pas seulement en guise d'apéritif. **Cépages :** 40 % pinot meunier, 30 % pinot noir, 30 % chardonnay. **Alc./**12,5%. **besseratdebellefon.com**

☞ *Servir dans les trois années suivant sa mise en marché, à 12 °C*

Tartare de bœuf, champignons shiitakes, vinaigrette de betteraves et copeaux de parmesan (***) ou mozzarella gratinée « comme une pizza », viande des Grisons et piment d'Espelette (***).

Pol Roger Extra Cuvée de Réserve Brut

CHAMPAGNE, POL ROGER, FRANCE

| 61,25 $ | SAQ C (051953) | ★★★☆?☆ $$$$ | Modéré+ |

La cuvée qui était disponible en août, et que j'ai dégustée à deux reprises, se montre plus ramassée et plus fraîche que par le passé, donc moins expressive aromatiquement parlant, et moins ample et texturée en bouche. Ce qu'elle devrait acquérir d'ici le printemps 2012, car, comme je l'ai écrit dans *La Sélection* de 2008 à 2011, ce champagne atteint une richesse de sève unique pour son rang. La haute définition, l'expression et la texture seront assurément au rendez-vous, comme elles l'ont été dans les années passées, ce qui le positionnera à nouveau parmi le *Top 5* des bruts non millésimés offerts au Québec. Alors, ça vaut la peine de mettre quelques flacons en cave jusqu'au printemps, ou encore mieux, à l'automne 2012. **Cépages:** 1/3 chardonnay, 1/3 pinot noir, 1/3 pinot meunier. **Alc./**12%. polroger.com

☞ *Servir dans les trois années qui suivent l'achat, à 12 °C*

Apéritif, canapés de mousse de foie de volaille sur pain brioché, canapés de mousse de saumon fumé sur pain de campagne grillé ou figues confites au thé Pu-Erh, chantilly de fromage Saint Nectaire (**).

D de Devaux Brut   ✓ TOP 100 CHARTIER
CHAMPAGNE, VEUVE A. DEVAUX, FRANCE *(DISP. SEPT./OCT. 2011)*

62,75 $	SAQ S (11551852)	★★★★ $$$$	Corsé

■ NOUVEAUTÉ! Cette cuvée D est d'un charme invitant, tout en étant racée et complète. Le nez est très aromatique et élégant, exhalant des arômes classiques de biscuit sec, de brioche, de café et de pomme golden. La bouche suit avec une prise de mousse passablement ample, une acidité discrète et des saveurs très longues. Un champagne de corps, tout en étant digeste et minéral en fin de bouche. Une belle référence qui s'ajoute au répertoire déjà inspirant des champagnes disponibles à la SAQ, dont aux deux autres cuvées signées Devaux. **Cépages:** 65% pinot noir, 35% chardonnay. **Alc./**12%. champagne-devaux.fr

☞ *Servir dans les trois années suivant sa mise en marché, à 12 °C*

Sablés au parmesan et au café (***), tapas de fromage en crottes_Mc^2: à l'huile de safran et morceaux de pommes jaunes fraîches (***) ou brochettes de pétoncles grillés et couscous de noix du Brésil (***).

Pierre Gimonnet & Fils « Cuis 1er Cru » Brut 2004
CHAMPAGNE, PIERRE GIMONNET & FILS, FRANCE *(DISP. SEPT. 2011)*

74,75 $	SAQ S (10230694)	★★★★?☆ $$$$	Corsé

Étonnante fraîcheur et remarquable pureté aromatique pour ce 2004 de la famille Gimonnet, qui, comme la cuvée brut non millésimée (aussi commentée en primeur), se montre d'une race et d'une distinction singulières. Nez complexe, alternant entre la pomme, les agrumes et les fleurs. Bouche droite et vivifiante, sans compromis, élancée et longiligne, pour ne pas dire effilée, mais avec densité et intensité. Difficile d'être plus sec en matière de champagne. Longue finale d'amande et de fleurs séchées, pour ce premier cru de haut niveau et de garde. **Cépage:** chardonnay. **Alc./**12,5%. champagne-gimonnet.com

☞ *Servir dans les douze années qui suivent l'achat, à 12 °C*

Tartelettes chaudes de fromage de chèvre frais et de noix de pin grillées, saumon mariné à l'aneth (*) ou rouleaux de printemps au thon et sauce citron-soya.

Taylor Fladgate Vintage 2003
PORTO VINTAGE, TAYLOR FLADGATE & YEATMAN, PORTUGAL

135 $	SAQ S (10455383)	★★★★?☆ $$$$$	Corsé+

J'avais été impressionné par ce 2003 lors de la précédente dégustation, en 2006, mais il se montre actuellement moins ouvert, moins complexe et surtout moins dense, pulpeux et profond qu'il ne l'était à cette époque. Ceci dit, le nez est tout de même pur et minéral, comme rarement le sont les portos vintages, et doté d'un fruité mûr, sans trop (cerise à l'eau-de-vie). La bouche suit avec une superbe trame tannique, au grain serré, qui le propulsera dans le temps, au corps compact, assez dense, mais autant qu'en 2006, au fruité passablement riche, mais sans l'allonge d'avant. Quoi penser? Une phase adolescente pour mieux se révéler dans le temps? Probablement – ou était-ce une bouteille mal entreposée depuis 2006 à la SAQ... **Alc./20,5%. taylorfladgate.com**

☞ *Servir dans les trente années suivant le millésime, à 16 °C et oxygéné en carafe 90 minutes*

Osso buco de cerf aux parfums de mûres et de réglisse (*). Fromages : gorgonzola ou stilton. Cigares : double corona Punch ou corona San Luis Rey.

Taylor Fladgate Vintage 2009

PORTO VINTAGE, TAYLOR FLADGATE & YEATMAN, PORTUGAL *(DISP. HIVER 2012)*

135 $ 375 ml	SAQ **S** (Code non disp.)	★★★★ **$$$$$**		**Puissant**

Dégusté en primeur en juin 2011, d'un échantillon du domaine, ce 2009 se montre fortement coloré et violacé, richement aromatique, mais d'un grand raffinement, élégant comme rarement le sont les aussi jeunes vintages, dense, très frais, pur, droit et ramassé, sans dureté, aux saveurs concentrées de fruits noirs (mûre, cassis) et de lys aromatique, généreux, plein et d'une très grande allonge, terminant sur des notes de crème de cassis, de vanille et de violette. Ira loin, sans être au sommet des plus grandes années de Taylor. **Alc./20%. taylorfladgate.com**

☞ *Servir dans les trente années suivant le millésime, à 16 °C et oxygéné en carafe 2 heures*

Fougasse parfumée au clou de girofle et fromage bleu fondant caramélisé (**).

RÉPERTOIRE ADDITIONNEL

Les vins des **Répertoires additionnels**, qui font l'objet d'une description plus concise, mais presque tous offerts avec un choix de mets, sont ou seront généralement disponibles dans les mois suivant la parution de cette seizième édition. De multiples futurs arrivages y sont aussi commentés cette année. En revanche, certains de ces vins peuvent ne plus être disponibles au moment où vous lirez ces lignes, ce qui explique le commentaire moins détaillé pour certains crus.

Soyez tout de même vigilants, car la majorité de ces vins fera l'objet d'un nouvel arrivage au cours de l'automne 2011 et des premiers mois de 2012, et ce, dans le même millésime proposé dans ce guide. Autre fait important cette année, plusieurs vins des *Répertoires additionnels* sont de futurs arrivages, commentés ici en primeur, avec leur date de mise en marché. Le retour ou l'arrivée de ces vins, comme de tous les vins commentés dans *La Sélection Chartier 2012*, vous sera annoncé par le biais du service de **Mises à jour Internet de *La Sélection Chartier 2012***, via le site Internet **www.francoischartier.ca**.

Bacalhôa 2004

MOSCATEL DE SETÚBAL, BACALHÔA VINHOS, PORTUGAL

11,20 $ SAQ S (10809882)   **★★★ $**   Modéré+

Assurément un ixième remarquable rapport qualité-prix chez les muscats du monde. Nez enchanteur et éclatant, laissant deviner des effluves de zeste d'orange, de fleur d'oranger, de bois de santal et de fruits confits, avec une arrière-scène anisée. Bouche à la fois pleine, débordante de saveurs, caressante, souple et patinée, déroulant de subtiles saveurs de chêne, de vanille, d'épices douces et d'abricot sec. Du muscat mûr et évolué à son meilleur et à un prix défiant toute concurrence. Vous en serez averti ☺). **Alc./**17 %. **bacalhoa.com** ■ *Noix de macadamia sablées au sirop d'érable et curry (**)*.

Domaine Le Pive « Gris » 2009

VIN DE PAYS DES SABLES DU GOLFE DU LION, VIGNOBLES JEANJEAN, FRANCE

14,15 $ SAQ S (11372766)   **★★ $$**   Modéré

■ NOUVEAUTÉ! Un vin rosé, qui entre dans la catégorie des vins « gris », se montrant peu coloré, mais très aromatique, éclatant et très fin, exhalant des notes de fruits rouges, de fleurs séchées et de miel, à la bouche très fraîche, aérienne et élancée, à l'acidité étonnamment discrète pour un vin aussi rafraîchissant. **Alc./**11,5 %. **jeanjean.fr** ■ *Dahl aux lentilles orange, cumin et coriandre fraîche en trempette (***)*.

Pinot Noir Villa Wolf Rosé 2010

PFALZ, DR. LOOSEN, ALLEMAGNE

14,70 $ SAQ C (11446008)   **★★ $$**   Modéré

■ NOUVEAUTÉ! Robe très pâle. Nez très aromatique, charmeur et fruité à souhait, laissant échapper des pointes de fraise et de cerise. Bouche festive, marquée par une légère présence de CO_2, qui vient donner de la fraîcheur, de l'élan et du pétillant, sans trop, à cet ensemble aérien et longiligne. Les saveurs sont d'une étonnante maturité de fruits (d'où le CO_2). Un régal, si vous appréciez ce léger *frizzante* sur les papilles, façon vinho verde. À servir sur les plats où dominent la cannelle, les zestes d'orange, le *pimentón* fumé ou les piments chipotle fumés. **Alc./**12,5 %. **drloosen.com** ■ *Cacahouètes apéritives à l'américaine (**)*.

Château de Lancyre Rosé 2010

COTEAUX-DU-LANGUEDOC PIC SAINT-LOUP, DURAND ET VALENTIN, FRANCE

15,05 $**   SAQ S (10263841)   ★☆?☆ **$$ Modéré+

Nez certes très aromatique, mais aussi technologique (macération pelliculaire pré-fermentaire) de bonbon anglais, de banane et de vernis à ongle. Bouche tout aussi marquée par ces arômes de vinification, mais aussi ample, texturée, pleine, généreuse et longue. Dommage que ce côté aromatique/technique soit omniprésent, car la patine de bouche est très belle comme en 2009, mais là, en 2009, le nez était exempt de ces notes amyliques qui m'agacent... **Alc./**13,5 %. **chateaudelancyre.com**

Pinot Noir Codorníu Brut

CAVA, CODORNIU, ESPAGNE

16,20 $**   SAQ S (10499167)   ★ **$$ Modéré

Un pinot noir mousseux rosé, de l'appellation Cava, qui se montre plutôt discret au nez et peu loquace en bouche. Il y a certes des fruits rouges et un certain corps, mais ça manque de détails et d'expression. Agréable, sans plus. **Alc./**12 %. **codorniu.com**

Symphonie de Novembre 2006

JURANÇON, DOMAINE CAUHAPÉ, HENRI RAMONTEU, FRANCE

16,80 $** 375 ml   SAQ S (10257483)   ★★★☆ **$$ Corsé

Nez aromatique, complexe et passablement riche, exhalant des nuances de noisette, de papaye, de fruit de la passion, d'abricot et de miel. Bouche onctueuse, mais sans lourdeur, d'une saisissante acidité fraîche, d'une texture pleine et séveuse, qui remplit bien la bouche, s'exprimant par de longues et intenses saveurs d'abricot confit, de pâte d'amande et de miel. Ce vivifiant et invitant liquoreux provient de la première trie du cépage petit manseng passerillé – la deuxième trie servant habituellement à l'élaboration de l'excellente cuvée Noblesse du Temps. **Alc./**14 %. **jurancon-cauhape.com** ■ *Poires asiatiques cuite au safran et belle de Brillet, éclats de vieux cheddar, mangue glacée/râpée (**).*

Mas Amiel Vintage 2008

✓ TOP 100 CHARTIER

MAURY, DOMAINE DU MAS AMIEL, FRANCE

18,55 $** 375 ml   SAQ S (733808)   ★★★ **$$ Modéré+

Débordant de cerise noire et de bleuet, ce vin doux naturel rouge explose en bouche tant le fruité gicle et nourrit les papilles de ses saveurs mûres et gourmandes. Les tanins sont souples et enrobés, le corps plein et sphérique, et les saveurs percutantes, laissant des traces de bleuet trempé dans le chocolat noir. Magique! **Alc./**16 %. **lesvinsdumasamiel.com** ■ *Fougasse parfumée au clou de girofle et fromage bleu fondant caramélisé (**) ou bleuets trempés dans le chocolat noir ou gâteau Forêt-Noire.*

Lagrein Rosé 2010

✓ TOP 10 ROSÉS

SÜDTIROLER-ALTO ADIGE, ALOIS LAGEDER, ITALIE

19,25 $**   SAQ S (11419608)   ★★★ **$$ Modéré+   BIO

■ NOUVEAUTÉ! Un rosé très coloré, aromatique, passablement riche et détaillé, au fruité mûr, à la bouche gourmande, pleine, ronde et moelleuse, à l'acidité complètement effacée, laissant toute la place à ce fruité généreux. Fraise, cerise et fleurs rouges débordent d'expressivité. Un rosé pour la table, à tenir loin de la piscine ☺. **Alc./**13 %. **aloislageder.eu** ■ *Pâtes aux anchois au pesto de tomates séchées et petits pois verts et shiitakes (***).*

Taylor Fladgate LBV 2004

PORTO LATE BOTTLED VINTAGE, TAYLOR FLADGATE & YEATMAN, PORTUGAL

20,15 $**   SAQ C (046946)   ★☆ **$$ Modéré+

Un 2004 (mis en bouteilles en 2010) très coloré, au nez fermé manquant d'éclat et de complexité, à la bouche chaude, tout aussi dépourvue de relief, d'expressivité et de fraîcheur. Probablement une bouteille fatiguée? Ce qui étonne pour ce LBV qui nous a habitués à une régularité sans faille. **Alc./**20 %. **taylorfladgate.com**

Poças Pink
VIN DE PORTO, MANOEL D. POÇAS JUNIOR VINHOS, PORTUGAL
20,20 $**   SAQ S (11305299)   ★ **$$ Modéré+

Ce porto « rosé » est malheureusement trop marqué par l'eau-de-vie ayant servi au mutage lors de son élaboration, ce qui « éteint » son fruité et le rend trop chaud. **Alc.**/19,5 %. **pocas.pt**

RosaMara Chiaretto Classico 2009
GARDA, COSTARIPA, ITALIE
20,35 $**   SAQ S (11415121)   ★★?☆ **$$ Léger

D'une robe rose saumon pâle, aromatique, fin et délicat, aux effluves discrets, marqués par des notes de framboise, de fraise et de pivoine, ainsi qu'une touche fine de fleur d'oranger. La bouche, à l'acidité vive, est d'une texture aérienne, aux saveurs complexes de cerise et d'épices douces. Rafraîchissant et tout en finesse. **Cépages :** groppello, marzemino, sangiovese, barbera. **Alc.**/12,5 %. **costaripa.it** ■ *Salade de tomates et melon d'eau vinaigrette au jus de pamplemousse rose et paprika.*

Whispered Angel Rosé 2009
CÔTES-DE-PROVENCE, CHÂTEAU D'ESCLANS, FRANCE
22,15 $**   SAQ S (11416984)   ★★★☆ **$$ Modéré+

■ NOUVEAUTÉ! Robe très pâle aux reflets pêche. Nez ultra-raffiné et détaillé, exhalant des notes anisées ainsi que florales. Bouche étonnamment texturée, saisissante, pleine et patinée, tout en étant digeste et très longue, où résonne une longue tonalité de réglisse noire. Du sérieux. **Cépages :** 73 % grenache, 9 % cinsault, 8,5 % syrah, 4 % rolle, 5,5 % mourvèdre – et une souris verte ☺. **Alc.**/13,5 %. **chateaudesclans.com** ■ *Tagliatelles à la réglisse noire, queues de langoustines rôties, tomates séchées et petits pois (**) ou carré de porcelet de la Ferme Gaspor au safran (carottes, pommes Golden et melon d'eau) (**).*

Mas Jullien 2010   ✓ TOP 10 ROSÉS
COTEAUX-DU-LANGUEDOC, MAS JULLIEN, FRANCE
22,95 $**   SAQ S (11419595)   ★★★ **$$ Corsé   BIO

Un rosé à la robe très soutenue, au nez expressif, passablement riche et sur les fruits rouges, à la bouche à la fois ample, généreuse et un brin tannique, mais aux tanins extra-fins et mûrs, à l'acidité juste dosée et aux saveurs très longues, égrainant des notes de fraise, de cassis, de rose et de poivre blanc. Sérieux et parfait pour de multiples harmonies à table – mais de grâce, ne le servez pas glacé! **Alc.**/14 %. **mas-julien.com** ■ *Homard rôti et carottes glacées à l'huile de crustacés (***) ou saumon grillé et salsa de tomates, pamplemousse, thé et poivre de Sechuan (***).*

Domaine du Gros'Noré Rosé 2009
BANDOL, ALAIN PASCAL, FRANCE
26,85 $**   SAQ S (11416837)   ☆ **$$ Modéré

Situé à La Cadière d'Azur, donc dans le cœur de l'appellation Bandol, ce domaine présente ici un 2009, ayant une année de bouteilles de plus dans le nez, contrairement aux actuels arrivages de 2010. Est-ce cela qui joue contre lui – ça m'étonnerait, les bandols rosés étant généralement bâtis pour évoluer en bouteilles? Car le nez est des plus discrets, et la bouche des plus retenues, certes d'une belle patine, mais sans plus, manquant d'éclat et d'ampleur. À regoûter, car peut-être un vice de liège fatigué? **Alc.**/13,5 %. **gros-nore.com**

Quinta do Infantado LBV 2007   ✓ TOP 100 CHARTIER
PORTO LATE BOTTLED VINTAGE, FAMILLE ROSEIRA, POLOGNE
27,85 $ SAQ S* (884361)   ★★★☆ **$$$**   Corsé   BIO

Ce porto LBV 2007, qui a été mis en bouteilles en 2011, d'une régularité sans faille, mérite une fois de plus d'être acquis les yeux fermés tant la matière est belle, l'extraction juste, sans trop, et le profil aromatique racé et engageant. Violette, fruits noirs et graphite s'en dégagent avec éclat et précision. La bouche est dense et fraîche, aux tanins réglissés et serrés, au corps longiligne et svelte, terminant sur une prenante minéralité. Du sérieux, qui évoluera en beauté jusqu'en 2017. **Alc.**/19,5 %. **quintadoinfantado.com** ■ *Fougasse parfumée au clou de girofle et fromage bleu fondant caramélisé (**) ou panna cotta au fromage bleu, air de rose et craquelins de clou de girofle (**).*

Parés Baltà Selectio Brut
CAVA, CAVAS PARÉS BALTÀ, ESPAGNE

30,25 $ SAQ S (10896390)   ★★★ $$$ Modéré+   BIO

Nez passablement riche, rappelant les fleurs séchées, comme c'est souvent le cas dans les mousseux d'appellation Cava. La prise de mousse en bouche est duveteuse et ample, donnant de l'ampleur à ses saveurs de noix et de fleurs. L'acidité est fraîche, sans être dominante. La longue finale se montre plus mordante et sapide. Le prix est un brin élevé, même si la qualité est au rendez-vous. **Alc./**12 %. **paresbalta.com**

Moulin Touchais 1999
COTEAUX DU LAYON, VIGNOBLES TOUCHAIS, FRANCE

44,50 $ SAQ S (739318)   ★★★☆?☆ $$$$ Modéré+

Dans la lignée de l'excellent 1997 (45,25 $; 11177418), sans toutefois se montrer aussi complexe. Il n'en demeure pas moins une réussite, exhalant de passablement puissants effluves d'acacia, de tilleul, de poire et de coing, à la bouche ample, au satiné plus fin que le 1997, mais moins onctueux que ce dernier, aux saveurs de pâte d'amande et de miel, d'une belle allonge. Question de style. **Alc./**13,5 %. ■ *Fondue à Johanne_Mc²* *(cubes de fromage à croûte lavée, frits et parfumés à l'ajowan) (**).*

Devaux Blanc de Noirs Brut
CHAMPAGNE, UNION AUBOISE DES PRODUCTEURS DE VIN DE CHAMPAGNE (VEUVE A. DEVAUX), FRANCE

46,50 $ SAQ S (871954)   ★★★ $$$$ Modéré

Ce champagne, composé uniquement de pinot noir, m'a semblé une fois de plus, donc comme l'an passé, moins riche et détaillé que la cuvée dégustée il y a plus de deux ans. La bouche était à nouveau moins vineuse, plutôt légère, et même un brin trop dosée, lui procurant une certaine sucrosité inutile. Du moins à mon goût. Il n'en demeure pas moins très agréable, mais il est possible de trouver même niveau à plus ou moins trente dollars hors Champagne. **Alc./**12 %. **champagne-devaux.fr**

Varnier-Fannière Grand Cru Brut
✓ TOP 100 CHARTIER

CHAMPAGNE, VARNIER-FANNIÈRE, FRANCE *(DISP. DÉC. 2011)*

53,50 $ SAQ S (11528089)   ★★★☆?☆ $$$$ Modéré+

■ NOUVEAUTÉ! Issus des grands crus de Avize, Oger, Cramant et Oiry, ce blanc de blancs se montre sur le fruit et anisé à souhait. Certes, un chardonnay pur, parfait pour l'apéritif, mais son corps dense et ramassé, sa complexité de saveurs (pomme, anis, fleurs) et sa persistance font aussi de lui un excellent champagne de table. Mérite probablement quatre étoiles. **Alc./**12 %. **varnier-fanniere.com** ■ *Huîtres crues en version anisée* *(**) ou saumon infusé au saké et aux champignons shiitakes.*

Canard-Duchêne « Cuvée Léonie » Brut
CHAMPAGNE, CANARD-DUCHÊNE, FRANCE

53,75 $ SAQ S (11154700)   ★★★★ $$$$ Corsé

La bouteille dégustée en septembre 2010 était probablement un brin fatiguée, car celle goûtée en juillet 2011 s'est montrée beaucoup plus aromatique, avec plus d'éclat et d'ampleur. Brioche et biscuit sec donnaient le ton au nez, tandis que la bouche était passablement vineuse, dans le style dense et plein des bruts signés Bollinger et Pol Roger. Donc, un champagne de repas, à la mousse volumineuse en bouche, à l'acidité discrète et à la texture moelleuse. Une deuxième bouteille sifflée quelques jours plus tard me confirma ses qualités. **Alc./**12 %. **canard-duchene.fr** ■ *Crabe des neiges à la vapeur servi nature.*

BIÈRES ET SPIRITUEUX
DE LA VIEILLE EUROPE

Aecht Schlenkerla Rauchbier Märzen
BIÈRE FUMÉE TYPE ALE, BRAUEREI HELLER, ALLEMAGNE

3,65 $	SAQ **S** (11276395)	★★★	Corsé

Vous cherchez un passe-partout autre que le vin élevé en barriques pour vos grillades? Optez pour cette nouvelle venue à la SAQ, une lager germanique qui a été élaborée avec une période de séchage du malt au-dessus d'un feu de bois de hêtre, afin de lui transférer des tonalités boisées/grillées/fumées. Et ça marche! Parfumée à souhait, élégante malgré la présence dominante de la fumée, à la fois fraîche et pleine, sans trop, aux longues et prenantes saveurs, sans être lourde. Plutôt digeste même. Un modèle d'équilibre pour le style, à prix plus que doux pour un 500 ml. Notez que cette brasserie élabore aussi une autre bière fumée, qui, cette fois-ci, passe par le feu du bois de chêne, la **Aecht Schlenkerla Eiche** (qui n'est pas disponible à la SAQ). **Alc./**5,1%. **schlenkerla.de**

☞ *Servir dès sa mise en marché, à 14 °C et dans un verre à vin évasé*

Grillades variées, « saumon fumé sans fumée_Mc² » : au thé noir fumé Lapsang Souchong (**), bœuf grillé et réduction de « Soyable_Mc² » (**) ou « feuilles de vigne farcies_Mc² » (riz sauvage soufflé, bacon de sanglier, sirop de riz brun/café) (**).

Ardbeg 10 ans

SCOTCH HIGHLAND SINGLE MALT, ARDBERG DISTILLERY, ÉCOSSE

90,25 $	SAQ **S** (560474)	★★★★	**Puissant**

Provenant de l'île d'Islay, ce scotch est on ne peut plus marqué par les notes caractéristiques d'iode et de tourbe que l'on retrouve dans tous les whiskies des îles. Il se démarque des autres par sa grande distinction et son élégance, ainsi que par ses notes très « smooky » provenant de son élevage unique à 100 % dans des fûts ayant servi au préalable au vieillissement de bourbon. Bois brûlé, fumée et iode, non sans rappeler l'odeur du saumon fumé (!) participent au cocktail aromatique. Une bouche aérienne et élancée tapisse longuement le palais. Chaque fois que je le sirote avec des canapés de saumon fumé « sans fumée »_Mc², tout comme avec un très vieux cheddar, le paradis n'est pas loin. Idem lors des moments de détente avec un churchill San Luis Rey. **Alc./46 %. ardbeg.com**

☞ *Servir nature ou avec un léger « splash » d'eau distillée*

« Saumon fumé sans fumée_Mc² » : au thé noir fumé Lapsang Souchong (**), très vieux cheddar ou cigare churchill San Luis Rey.

Aventinus « Wheat-Doppelbock »

BIÈRE FORTE ROUSSE, SCHNEIDER WEISSE, ALLEMAGNE

3,25 $ 500 ml	SAQ **S** (366088)	★★★	**Corsé**

Si vous avez la main forte sur les épices pour vos grillades, alors optez plutôt pour cette double rousse allemande, de type *wheat doppelbock*, presque sucrée, voluptueuse et caressante, dominée par d'intenses saveurs épicées de clou de girofle. Vous serez conquis aussi par ses arômes fruités de banane et de prune, tout comme par ses tonalités épicées, rappelant le quatre-épices. Sa bouche à l'acidité discrète et sans aucune amertume séduira les amateurs de vin. Une grande charmeuse à se mettre sous la dent aussi avec des plats dominés par des aliments complémentaires au clou de girofle (basilic, betterave rouge, romarin, vanille, viandes rouges fortement grillées), soit par les ingrédients partageant les mêmes composés volatils que la banane (clou de girofle, fromage, pomme, poire, datte, figue séchée). **Alc./8 %. schneider-weisse.de**

☞ *Servir dès sa mise en marché, à 14 °C et dans un verre à vin évasé*

Grillades épicées, flanc de porc « façon bacon » fumé au bois de pommier, mélasse, sauce soya, rhum et clou de girofle (**), salade de betteraves rouges vinaigrette à la vanille, fromages à croûte fleurie accompagnés d'une salade de pomme, poire et figue, vinaigrette au quatre-épices ou panna cotta au fromage bleu, air de rose et craquelins de clou de girofle (**).

Campari

LIQUEUR AMER, DAVIDE CAMPARI, ITALIE

24,45 $	SAQ **S** (277954)	★★★	Modéré+

Eh oui! Un Campari! C'est par mon italienne de femme que j'ai appris à aimer la douce amertume italienne de ce bitter apéritif, qui s'adoucit lorsque allongé de soda ou de jus d'orange, laissant ainsi place à ses subtils parfums d'orange et d'herbes aromatiques, dont les graines de coriandre. Ce qui explique la grande synergie aromatique avec notre recette d'olives vertes marinées orange/coriandre, tirée du nouveau livre *Papilles pour tous!*. Et pourquoi ne pas s'en servir pour faire comme nous un cocktail Campari «solide»? Une recette de cocktail «solide» qui m'a été inspirée du classique Campari et jus d'orange. Nous l'avons mis à l'épreuve avec succès en servant ce cocktail «solide» à 400 personnes lors du repas dégustation de la Fondation des maladies mentales, le 13 avril 2011. L'eau de fleur d'oranger que l'on y ajoute donne le ton, tandis que les graines de coriandre, de même famille que l'orange, apportent du relief à l'ensemble. **Alc./25%. campari.com**

☛ *Servir nature, avec glaçons, ou allongé de jus d'orange ou de soda*

🍴 Olives vertes marinées orange/coriandre (***) ou cocktail Campari «solide» (***).

Citadelle ✓ TOP 10 SPIRITUEUX

GIN, FERRAND, FRANCE *(DISP. SEPT. 2011)*

28,80 $	SAQ **S** (10235567)	★★★☆	Modéré+

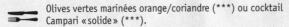 NOUVEAUTÉ! Très aromatiques et complexes, les parfums de ce gin français, à base de blé, explosent littéralement du verre, exhalant des notes de cardamome verte, de cèdre, de baies de genévrier, de zeste de lime, de coriandre fraîche. D'une aussi grande présence en bouche, mais avec élégance et fraîcheur. Difficile d'être plus précis et plus aromatique. Finale très fraîche, sans chaleur de l'alcool. Notez qu'il est parfumé par une vingtaine d'épices des quatre coins du monde. Conservez la bouteille au frais, afin de le servir nature, sans glaçon, et de ne pas le diluer. La quatrième étoile n'était pas loin. Au moment de mettre presse, cette nouveauté était attendue au cours du mois de septembre. Et souhaitons qu'il y ait plusieurs reconductions, car, à ce prix, elle représente toute une aubaine. **Alc./44%. cognacferrand.com**

☛ *Servir nature (garder la bouteille au réfrigérateur)*

Floreffe Triple

BIÈRE ALE D'ABBAYE «TRIPLE», BRASSERIE LEFEBVRE, BELGIQUE

6,40 $ 750 ml	SAQ **S** (10400892)	★★★	Corsé

Une triple passablement riche et vaporeuse, aux saveurs prenantes et dominées par de subtiles notes torréfiées et fumées, ainsi que de cassonade, de miel de sarrasin et de fleurs séchées. À la fois ample et amère, elle tient tête avec maestria à la truffe, tout comme aux plats nippons où dominent les algues, kombu et nori, sans oublier qu'elle fait merveille avec les vieux jambons séchés espagnols et italiens, ainsi que les fromages suisses à pâte ferme passablement âgés. **Alc./7,5%. brasserielefebvre.be**

☛ *Servir dans les trois années suivant sa mise en marché, à 14 °C et dans un verre évasé*

🍴 Brochettes de figues séchées enroulées de prosciutto, bœuf grillé et mariné avec marinade pour grillades de bœuf (voir recette marinade pour grillades de bœuf) (***), bœuf grillé et réduction de «Soyable_Mc^2» (**) ou fromage gruyère âgé.

Magellan

GIN, CRILLON IMPORTERS, FRANCE *(RETOUR SEPT./OCT. 2011)*

38,25 $	SAQ SS (11216712) ★★★		Corsé

■ NOUVEAUTÉ! Ce gin est aromatisé avec de l'iris, qui est, soit dit en passant, l'arôme dominant sur lequel est échafaudé le célèbre parfum Chanel N° 5, qui fête ses 90 ans en 2011. Cette fleur a aussi donné la couleur bleutée naturelle à ce produit des plus originaux. Le nez est passablement puissant, à la fois floral et très marqué par les arômes classiques du gin. La bouche est tout aussi prenante, mais se montrant enveloppante et ronde, contrairement à la plupart des gins qui sont plus en mode fraîcheur. Moins complexe que le superbe et abordable gin Citadelle (aussi commenté), mais très engageant. **Alc./**44%. **magellangin.com**

 Servir nature (garder la bouteille au réfrigérateur)

Malt Whisky Michel Couvreur

✓ TOP 10 SPIRITUEUX

WHISKY, MICHEL COUVREUR, FRANCE

69 $	SAQ SS (10698721) ★★★★ $$$$	Corsé+

Superbe équilibre entre les notes maltées et les tonalités fumées dans ce scotch français. N'ayez crainte, ce n'est pas une erreur de ma part, ce whisky de malt est bel et bien de France, ayant été importé puis élevé en Bourgogne. La bouche est marquée par une attaque presque fruitée (figue séchée) suivie d'une imposante présence de fumée, de tourbe et de fève tonka. Plus il s'oxygène, plus il livre ses secrets, dont les épices douces, la boîte à cigares et le safran. Certes généreux, mais avec un certain velouté dans la texture qui lui procure un charme indéniable. Du sérieux. Il faut savoir qu'il est, comme les deux vins de liqueur P.X. et P.L. (aussi commentés), élaboré par un éleveur allumé, passionné de scotch et de xérès, vivant en Bourgogne à Bouze-les-Beaune. Il a été distillé et élevé douze ans en Écosse, puis élevé à nouveau en France dans des barriques de xérès, une tradition qui a malheureusement pratiquement disparu des Highlands... **Alc./**44%. **michelcouvreur.com**

 Servir dès sa mise en marché et pendant de longues années, nature ou allongé d'un trait d'eau de source

Tarte de pommes de terre cuites au thé Pu-erh et fromage Saint-Nectaire (***).

Samischlaus, Bière Extra Forte

BIÈRE EXTRA FORTE, SCHLOSSBRAUEREI EGGENBERG, AUTRICHE

4,80 $ 330 ml	SAQ S (582098) ★★★☆?☆	Corsé+

Si vous cuisinez avec notre sauce «Soyable_Mc^2», telle que décrite dans *Les recettes de Papilles et Molécules*, servez, à température élevée, soit vers 14 °C, dans un verre à vin évasé, la grande bière de dégustation pour amateur de vin qu'est cette Samischlaus, signalée à plusieurs reprises par votre serviteur. Une bière extraforte à 14% d'alcool, au nez puissamment aromatique, rappelant la sauce soya, le fumé et le caramel, et à la bouche volumineuse, pleine et sphérique, non sans rappeler un porto tawny 10 ans d'âge! Et ne vous laissez pas impressionné par ses 14% d'alcool. Je ne comprends toujours pas pourquoi nous trouvons ce pourcentage élevé pour une bière quand c'est la norme pour le vin? Allez, à vos grillades et à vos verres! **Alc./**14%. **schloss-eggenberg.at/en**

☛ *Servir dans les cinq années suivant sa mise en marché, à 14 °C et dans un verre évasé*

Bœuf grillé et réduction de Soyable_Mc² (**) ou «ganache chocolat / Soyable_Mc²» (**) servie avec «craquant Jacques_Mc²» (maïs soufflé, curry et sirop d'érable) (**).

Samsom Dark Original Czech Lager

BIÈRE FONCÉE LAGER, BUDEJOVICKY MESTANKY PIVOVAR, RÉPUBLIQUE TCHÈQUE

2,95 $ 330 ml	SAQ S (11276408)	★★☆	Modéré

Si vous êtes amateur de saumon fumé, et, de surcroît, de notre recette de *Saumon fumé_Mc² «au BBQ éteint»* (!), telle que proposée dans le livre *Papilles pour tous! – Cuisine aromatique d'automne*, optez pour une bière au profil «vin élevé en barrique». Ce à quoi répond cette petite nouvelle émanant de la République tchèque, qui se montre plus subtile et plus douce que la majorité des bières foncées sur le marché. Aromatique, élégante, caramélisée, ample, vaporeuse, texturée et caressante. Certes pas la grande complexité, mais drôlement charmeuse et efficace. Pour preuve, c'est l'une des bières préférées des étudiants en physique des particules de l'UdeM, tout comme des physiciens tchèques qui collaborent au CERN en Suisse! **Alc./4,7 %.**

☛ *Servir dès sa mise en marché, à 10 °C et dans un verre à vin évasé*

Saumon fumé_Mc² «au BBQ éteint» (***) ou «craquant Jacques_Mc²» (maïs soufflé, curry et sirop d'érable) (**).

Talisker Single Malt 10 ans

SCOTCH, TALISKER DISTILLERY, ÉCOSSE

69,75 $	SAQ S (249680)	★★★★	Corsé+

Vous devriez être charmé, comme je le suis depuis longtemps, par ce scotch *single malt* provenant de l'île de Skye. Ses puissants arômes d'iode, rappelant la tourbe, le poivre et le vieux cuir, ainsi que son gras et sa rondeur en bouche, vous feront littéralement craquer! Tout comme la simplissime et décoiffante harmonie avec un pain pumpernickel à la moutarde de Meaux et au saumon fumé. Chez les cigares, optez pour un robusto de Hoyo de Monterey Epicure N° 2, qui lui donne écho par ses volutes aromatiques. **Alc./45,8 %.**

☛ *Servir nature ou avec un léger «splash» d'eau distillée*

Pain pumpernickel à la moutarde de Meaux et saumon fumé, sushi d'esturgeon fumé ou cigare robusto de Hoyo de Monterey Epicure n° 2.

The Benriach
«Arumaticus Fumosus» 12 ans ✓ TOP 10 SPIRITUEUX

SCOTCH SINGLE PEATED MALT, THE BENRIACH DISTILLERY, ÉCOSSE
(RETOUR SEPT. 2011)

69,25 $	SAQ S (11092473)	★★★★☆	Puissant

Un 10 ans d'âge vieilli dans des barriques ayant autrefois servi à l'élevage de rhum. Il se montre puissamment aromatique, fumé à souhait, avec des tonalités végétales, rappelant la tourbe ayant servi à nourrir le feu pour sécher le malt. La bouche est tout aussi décapante et pénétrante, certes fumée, mais aussi caramélisée et veloutée, façon vieux rhum, pleine et d'une très grande allonge. J'adore! **Alc./46 %. benriachdistillery.co.uk**

☛ *Servir nature ou avec un doigt d'eau de source*

🍴 Crème brûlée à l'érable et curry et caramel à l'amaretto (***).

The Benriach
« Curiositas Peated Malt » 10 ans ✓ TOP 10 SPIRITUEUX
SCOTCH SPEYSIDE SINGLE MALT, THE BENRIACH DISTILLERY, ÉCOSSE
(RETOUR OCT./NOV. 2011)

63 $	SAQ S (10652547)	★★★★	Corsé

Un 10 ans d'âge tourbé au possible, comme le sont les meilleurs crus du Speyside. Superbe nez enchanteur de fumée, de bois brûlé et de tourbe séchée, suivi d'une attaque en bouche veloutée à souhait, pleine et texturée comme rarement le sont les *single malt* de ce niveau de prix. Cette maison est de mes récentes découvertes chez les eaux-de-vie écossaises. **Alc./46%. benriachdistillery.co.uk**

☛ *Servir nature ou avec un doigt d'eau de source*

🍴 Caviar d'aubergines rôties au miso (***) ou crème brûlée au cacao et au thé noir fumé (***).

The BenRiach 15 ans
« Tawny Port Wood Finish »
SCOTCH SPEYSIDE SINGLE MALT, THE BENRIACH DISTILLERY, ÉCOSSE
(RETOUR SEPT. 2011)

87,75 $	SAQ S (11092457)	★★★★	Corsé

Une édition spéciale, tirée à seulement 2 040 bouteilles, élevée en fûts ayant préalablement contenu du porto tawny. Le nez sucré est d'un charme invitant, laissant apparaître des notes de figue séchée, de noix de coco, d'épices douces, de pêche et de sucre brûlé. La bouche suit avec texture et ampleur, se montrant presque grasse, égrainant de très longues saveurs de havane, d'épices orientales, d'abricot, de noix et de porto tawny. Pénétrant. Ne fait qu'un avec un camembert aux noix mélangées, éclats de chocolat noir et scotch (préalablement macérés quelques jours au centre du fromage), tout comme avec un dessert à base de pêches caramélisées et épicées et/ou de noix de coco grillée. **Alc./46%. benriachdistillery.co.uk**

☛ *Servir nature ou avec un léger « splash » d'eau distillée*

🍴 Camembert aux noix mélangées, éclats de chocolat noir et scotch (préalablement macérés quelques jours au centre du fromage) ou pêche tiède sur son craquant aux noix de pacane, baignée d'un caramel de jus de pêche parfumé à l'anis étoilé, au girofle et à la cannelle (*).

The Macallan 12 ans
SCOTCH HIGHLAND SINGLE MALT, THE MACALLAN DISTILLERS, ÉCOSSE

86 $	SAQ S (186429)	★★★★	Corsé

Référence absolue en matière de *single malt* 12 ans d'âge, le The Macallan offre puissance et subtilité, richesse et détails, dans une harmonie de saveurs tout simplement unique. Tourbe, foin coupé, épices douces et notes boisées s'y entremêlent avec éclat et justesse. Parfait pour se faire plaisir, ne serait-ce qu'une fois l'an... Il entre en symbiose parfaite avec soit notre recette Mc^2 de pouding poché au thé *Earl Grey*, beurre de cannelle et scotch highland *single malt*, soit avec un cigare comme le churchill Sancho Panza Corona Gigante. **Alc./40%. themacallan.com**

☞ *Servir nature ou avec un léger «splash» d'eau distillée*

Pouding poché au thé *Earl Grey*, beurre de cannelle et scotch highland *single malt* (**) ou cigare churchill Sancho Panza Corona Gigante.

Vodka Zubrowka
« Herbe de Bison »
✓ TOP 10 SPIRITUEUX

VODKA, AGROS SARL, POLOGNE

24,65 $	SAQ S (035840)	★★★☆	Corsé+

Avec les cornes de gazelle, dessert emblématique marocain s'il en est un, à base d'amandes et de fleur d'oranger, vous pouvez classiquement sélectionner un vin doux naturel de muscat, comme l'enchanteur **Dom Brial, Muscat de Rivesaltes, France** (18,80 $; 892455). Mais vous pouvez aussi innover en servant, très froid (conservez la bouteille au réfrigérateur), un verre de cette vodka aromatisée à l'herbe de bison, qui exprime de puissants arômes de fève tonka, d'amande, de cannelle et de vanille. Il faut savoir que l'herbe de bison polonaise est riche en coumarine, une molécule aromatique qui signe la fève tonka, à l'odeur d'amande, de vanille et de cannelle. Elle est donc parfaite pour créer des cocktails à base de liqueur d'amande, de vanille ou de cannelle. Ceci explique cela. **Alc./40%. bisonbrandvodka.net**

☞ *Servir nature et très froide, directement du réfrigérateur*

Amandes pralinées cacao/cannelle/érable (***) ou cornes de gazelle.

VINS DU NOUVEAU MONDE

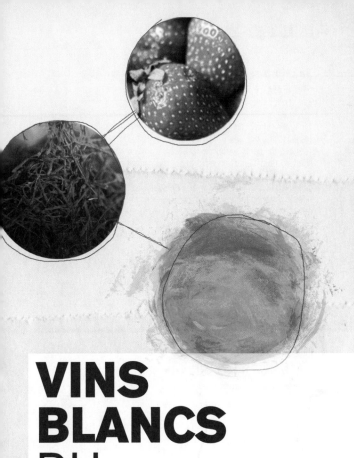

VINS BLANCS DU NOUVEAU MONDE

Sauvignon Blanc Astica 2010

CUYO, BODEGAS TRAPICHE, ARGENTINE

10,90 $	SAQ C (11232624)	★☆ $	Léger+

Tout comme le sont les deux rouges Shiraz Superior et Merlot/Malbec de la même gamme Astica (tous deux aussi commentés), ce blanc sec représente un très bon rapport qualité-prix parmi les blancs de ce cépage offert chez les produits courants à la SAQ. Le nez est fin et très frais, aux notes anisées expressives. La bouche suit avec vivacité et persistance, à la texture satinée, ce qui est rare à ce prix, et aux saveurs nettes et précises de fenouil, de menthe et d'agrumes. **Cépage :** sauvignon blanc. **Alc./**13 %. **trapiche.com.ar**

☞ *Servir dans les deux années suivant le millésime, à 12 °C*

🍴 Avocats farcis aux crevettes et aux asperges, huîtres frites à la coriandre et wasabi (**), moules marinière « à ma façon » (*), salade de crevettes froides (vinaigrette au jus de pamplemousse rose) (***) ou sandwich pita au thon (***).

Sauvignon Blanc Santa Rita « 120 » 2011

VALLE DE LONTUÉ, VIÑA SANTA RITA, CHILI

11,95 $	SAQ C (301093)	★★ $	Léger+

Plus que jamais un vin de plaisirs harmoniques. Rafraîchissez-vous les papilles par les notes anisées (anis vert, menthe) et par les touches de pamplemousse rose et de pomme de ce blanc sec vivifiant au possible, aérien, fin et toujours aussi satiné. Une étonnamment longue finale, pour son rang, permet de croquer dans les saveurs d'agrumes dominantes. Presque une référence depuis seize ans de *Sélection* chez les blancs offerts sous la barre des treize dollars. Réservez-lui les aliments de liaison à ses arômes que sont le basilic, le cerfeuil, le fenouil frais, la tomate fraîche, l'asperge, la pomme verte ou le pamplemousse. **Cépage :** sauvignon blanc. **Alc./**12 %. **santarita.com**

☛ *Servir dans les deux années suivant le millésime, à 12 °C*

Tapas de fromage en crottes_Mc^2 : à l'huile de basilic et morceaux de pommes rouges fraîches (***), sandwich vietnamien Banh-mi au porc en mode anisé (***), tomates farcies au thon avec céleri et persil, fusillis au saumon et au basilic, salade d'asperges et de mozzarella à l'émulsion de jus de pamplemousse rose ou salade de chou et vinaigrette à la papaye (***).

Sauvignon Blanc Caliterra Reserva 2011

CASABLANCA, VIÑA CALITERRA, CHILI

12,45 $	SAQ C (275909)	★★?☆ $	Modéré

Caliterra présente un nouveau millésime tout aussi réussi que le précédent, qui avait été salué par un coup de cœur dans *La Sélection 2011*. Une fois de plus un sauvignon *crispy*, comme le disent si bien les chroniqueurs anglo-saxons, ce blanc sec se montre aromatique à souhait et rafraîchissant, exhalant des parfums de pomme verte, d'agrumes et de menthe fraîche. La bouche suit avec une texture toujours aussi satinée, une acidité vivifiante, sans trop, et de longues saveurs anisées, dont le cerfeuil. Difficile d'être plus *benchmark* et plus abordable. **Cépage :** sauvignon blanc. **Alc./**13,5 %. **caliterra.com**

☛ *Servir dans les deux années suivant le millésime, à 12 °C*

Sandwich pita au thon (***), salade de farfalle aux crevettes, tomates fraîches et melon d'eau grillé, vinaigrette de pamplemousse rose (***), « émulsion d'asperges vertes aux crevettes_Mc^2 » (**), fusillis au saumon et basilic, huîtres frites à la coriandre et wasabi (**) ou quiche au fromage de chèvre et aux poireaux.

Sémillon/Sauvignon Blanc
Red Label Wolf Blass 2010

SOUTH EASTERN AUSTRALIA, WOLF BLASS WINES, AUSTRALIE

13,95 $	SAQ C (10340931)	★★ $	Modéré

L'un des repas improvisés le plus cuisiné en période de sports d'hiver est bien la fondue au fromage. Qui dit fromage fondu, dit saveurs grasses et salines, que seuls les vins blancs tout aussi gras, non sans fraîcheur, réussissent à soutenir et à envelopper. Ce à quoi répondent les blancs secs du Midi, à base de grenache blanc, de roussanne et/ou de marsanne. Et pourquoi pas un original sémillon blanc australien, tout aussi patiné ? Essayez le très constant **Red Label Wolf Blass**, à la bouche à la fois expressive et très fraîche, ample et revitalisante, aux saveurs qui claquent sur les papilles comme une pomme verte. Juste assez relevé et vivifiant pour soutenir le gras et le salé de la fondue au fromage. Servir plus frais que froid, surtout avec la fondue, donc à 12/14 °C. **Cépages :** sémillon, sauvignon blanc. **Alc./**13 %. **wolfblass.com.au**

☞ *Servir dans les trois années suivant le millésime, à 12/14 °C*

Fondue au fromage.

Symphony Obsession 2010
CALIFORNIA, IRONSTONE VINEYARDS, ÉTATS-UNIS

14,05 $	SAQ C (11074021)	★★☆ $$	Modéré

Dans vos recettes où l'orange est à l'honneur, comme un poulet ou une salade, l'orange étant évidemment la piste à suivre pour atteindre l'accord, il faut avant tout opter pour un blanc de cépage terpénique, comme le sont les vins de riesling et de muscat, contenant idéalement quelques grammes de sucre résiduel. Avec ses parfums de fleur d'oranger et de litchi, et avec sa texture satinée et sa très légère présence sucrée, le symphony blanc, cépage né d'un croisement de muscat et de grenache gris, y répond avec aplomb. Sa présence légère de sucre permet aussi une multitude d'harmonies à table, spécialement avec les cuisines épicées et aigres-douces, tout comme à l'heure de l'apéritif. **Cépage :** symphony. **Alc./**12,5 %. **ironstonevineyards.com**

☞ *Servir dans les trois années suivant le millésime, à 12 °C*

Apéritif, crème de carotte aux graines de coriandre et à l'orange (***), ailes de poulet BBQ (***), salade de poulet au sésame et vinaigrette à l'orange, poulet rôti à l'orange, poulet aux litchis et piments forts, feuilletés au gruyère et au gingembre (***), cuisine cantonaise épicée, cuisine sichuanaise ou cuisine thaï.

Vignoble du marathonien
QUÉBEC, VIGNOBLE DU MARATHONIEN, HAVELOCK, QUÉBEC, CANADA

14,15 $	SAQ S (11398325)	★☆ $	Léger+

■ NOUVEAUTÉ! Un blanc sec non millésimé, tout en fraîcheur, à la texture satinée (causée par une très légère présence de sucres résiduels), au charme invitant. Acidité discrète, corps fluide et saveurs un brin exotiques, sans trop. Bien fait et juste. Il faut savoir que Line et Jean Joly nous proposent aussi et surtout deux superbes blancs liquoreux, dont une vendange tardive et un vin de glace (aussi commentés), tous deux au sommet de leur catégorie respective au Québec, et même au Canada. **Cépage :** vidal. **Alc./**9,6 %. **marathonien.qc.ca**

☞ *Servir dès la première année de sa mise en marché, à 10 °C*

Apéritif.

William Blanc 2010
QUÉBEC, VIGNOBLE RIVIÈRE DU CHÊNE, SAINT-EUSTACHE, QUÉBEC, CANADA

14,50 $	SAQ S (744169)	★★ $	Léger+

Nez très aromatique, un brin musqué et végétal – ce qui est l'écho de son cépage singulier, le vandal-cliche –, frais et saisissant, pour le style, à la bouche tout aussi expressive, d'une certaine ampleur, à l'acidité croquante, sans trop, à la texture presque satinée, et aux saveurs étonnamment longues, égrainant des notes de litchi, de pêche et de pomme. Un original blanc québécois, pratiquement sec, même s'il conserve quelques grammes de sucre résiduel. **Cépages :** 90 % vandal cliche, 10 % vidal. **Alc./**12 %. **vignobleriviereduchene.ca**

☛ *Servir dans les deux années suivant le millésime, à 12 °C*

🍴 Apéritif, trempette crémeuse et légumes, fricassée de poulet au gingembre ou fondue au fromage suisse.

Sauvignon Prospect Winery Council's Punch Bowl 2009

OKANAGAN VALLEY VQA, GANTON & LARSEN PROSPECT WINERY, CANADA

14,95 $	SAQ C (11140412)	★★ $$	Léger+

■ NOUVEAUTÉ! Nez charmeur, très aromatique, fin et floral, avec une touche de fruits exotiques, sans trop, à la bouche presque bonbon, mais sans sucre, fraîche, coulante et agréable. Un brin atypique du cépage, mais tout ce qu'il y a de plus rafraîchissant. **Cépage :** sauvignon blanc. **Alc./**13,5%. **prospectwinery.com**

☛ *Servir dans les deux années suivant le millésime, à 12 °C*

🍴 Apéritif, *fish and chips* sauce tartare ou moules marinière « à ma façon » (*).

Chardonnay Alamos 2009

MENDOZA, BODEGAS ESMERALDA, ARGENTINE

15,15 $	SAQ S (467969)	★★☆ $$	Modéré+

Pour une recette comme le braisé de flanc de porc glacé à l'orange, la piste harmonique est donnée par la saveur pénétrante de la viande cuite plus ou moins 5 heures, ainsi que par les parfums de l'orange et du laurier – d'ailleurs, je vous propose une alternative au laurier, en le remplaçant par des graines de coriandre, qui sont de la même famille aromatique que l'orange. Il vous faut donc un vin, blanc ou rouge, marqué par les parfums de la barrique, qui sont de la même famille que la viande de porc, ainsi que par les composés cousins à l'orange. Un chardonnay argentin est tout indiqué. Aromatique et éclatant, aux tonalités de pêche, de beurre, de noisette, d'amande grillée, de vanille et de noix de coco grillé, l'Alamos se montre ample et très frais à la fois, texturé et élancé, harmonieux et zesté, avec une longue finale de fleur d'oranger! Parfait pour ce plat de viande mijotée, à condition de ne pas servir le vin froid. **Cépage :** chardonnay. **Alc./**13,5%. **bodegasesmeralda.com.ar**

☛ *Servir dans les quatre années suivant le millésime, à 17 °C*

🍴 Flanc de porc glacé à l'orange.

Chardonnay Prospect Winery Townsend Jack « Unoaked » 2009

OKANAGAN VALLEY VQA, GANTON & LARSEN PROSPECT WINERY, CANADA

15,45 $	SAQ C (11140463)	★★?☆ $$	Modéré

■ NOUVEAUTÉ! Plusieurs nouveaux vins de la gamme Prospect Winery se sont ajoutés chez les produits courants de la SAQ, dont ce très engageant et réussi chardonnay non boisé (unoaked). Nez fruité au possible, sur les fruits (pomme, poire, mangue), à la bouche fraîche et satinée, ample et élancée, désaltérante et presque nourrissante, aux longues saveurs de pomme-poire. Pur, net, sans esbroufe. Pour boire juste et à prix doux, du chardonnay canadien réalisé avec brio. **Alc./**13,5%. **prospectwinery.com**

☛ *Servir dans les trois années suivant le millésime, à 12 °C*

🍴 Saumon mariné à l'aneth (*), coulibiac de saumon ou fricassée de poulet aux champignons.

Chardonnay Yellow Label 2010

SOUTH AUSTRALIA, WOLF BLASS WINES, AUSTRALIE

16,15 $	SAQ C (226860)	★★ $$	Modéré+

Bien sûr que le style est on ne peut plus australien, toutefois moins beurré que par le passé. Je dirais même sur le fruit et non dénué de fraîcheur et de plaisir à boire, si vous êtes fana des chardonnays du Nouveau Monde. Banane, ananas, beurre frais et noisette donnent le ton, tandis que la bouche se montre d'une acidité d'une belle fraîcheur, d'une texture ample et dense pour le style, comblant vos papilles de débordantes saveurs vanillées. Rien de neuf, mais drôlement efficace. **Cépage :** chardonnay. **Alc./**13 %. **wolfblass.com.au**

☞ *Servir dans les deux années suivant le millésime, à 14 °C*

🍴 Tapas de fromage en crottes_Mc^2 : à l'huile de safran et morceaux de pommes jaunes fraîches (***), curry de crevettes (***), polenta au gorgonzola (***) ou camembert chaud au sirop d'érable (***).

Pinot Blanc Mission Hill 2009

OKANAGAN VALLEY VQA, MISSION HILL WINERY, CANADA

16,15 $	SAQ C (300301)	★★ $$	Modéré

Cette excellente maison de la côte ouest nous a habitués à un pinot blanc juteux et gourmand, presque sucré sans sucre, à la texture dodue et aux saveurs mûres, dont l'acidité discrète, mais croquante, laisse place à un certain moelleux pour le style. Ce qu'elle réussit avec brio dans ce millésime festif et désaltérant à souhait. Pomme, amande et fleurs blanches ajoutent au plaisir. **Cépage :** pinot blanc. **Alc./**13,5 %. **missionhillwinery.com**

☞ *Servir dans les trois années suivant le millésime, à 12 °C*

🍴 Trempette crémeuse servie avec des légumes frais et croquants, salade chinoise aux crevettes à l'ananas, pâtes aux fruits de mer sauce crémeuse ou pizza aux fruits de mer sauce béchamel.

Chardonnay-Viognier Don Pascual « Roble » 2010

JUANICO, ESTABLECIMENTO JUANICO, URUGUAY

16,55 $	SAQ S (11456484)	★★☆?☆ $	Corsé

Une autre belle gourmandise chez les vins d'Uruguay, cette fois-ci en blanc. Vous y dénicherez un assemblage coloré, jaune doré, au nez très aromatique et passablement riche, certes boisé, mais aussi riche en parfums (abricot, miel, crème pâtissière), à la bouche débordante de saveurs, pleine et généreuse, sans trop, fraîche et persistante, égrainant des saveurs de noix de coco, d'amande grillée, de noisette et d'érable. Ce qui confirme la régularité des crus sud-américains signés Don Pascual (voir les trois rouges de cette maison commentés dans ce guide). **Du sur mesure pour les recettes dominées par la noix de coco, le curry, l'érable, l'abricot, la viande de porc ou le scotch. Cépages :** chardonnay, viognier. **Alc./**13,5 %. **juanico.com**

☞ *Servir dans les trois années suivant le millésime, à 14 °C*

🍴 Pommade de pommes au curry et à l'érable (***) pour morue en papillote (***) ou filet de porc grillé, polenta au gorgonzola version « umami » (***), poulet au curry (***) ou rôti de porc farci aux abricots et sauce au scotch et lait de coco (***).

Viognier Yalumba 2010

SOUTH AUSTRALIA, YALUMBA, AUSTRALIE

16,95 $	SAQ S (11133811)	★★★ $$	Corsé

Parfumé à souhait, voilà un blanc australien qui laissera bouche bée plus d'un amateur de «rouge», tant il y a à boire et à manger! Il faut savoir que le viognier est le plus «rouge» des cépages blancs, donnant des vins blancs pour amateur de rouge... Vous serez conquis par sa texture ample et moelleuse, son corps plein, sans excès, et ses arômes de fleurs jaunes, de mangue et de bonbon à la saveur de banane. Difficile de trouver meilleur viognier à ce prix. J'ai servi ce vin sur une cocotte de poulet et lentilles aux piments forts, curcuma, cardamome et coriandre. De la dynamite! Et ce, après avoir servi un rouge sur le plat qui précédait. L'harmonie, vibrante avec la capsaïcine des piments (molécule feu de ces derniers), a aussi démontré qu'il était possible de servir un blanc après un rouge, à condition de le servir à température plus élevée, soit à 14/15 °C. À moins d'opter pour un plus classique mais tout aussi savoureux rôti de porc farci aux abricots, ces derniers étant dans la même famille aromatique que le viognier, tout comme la pêche, la noix de coco, la pacane, la viande de porc et le scotch. **Cépage:** viognier. **Alc./**13,5 %. **yalumba.com**

☛ *Servir dans les quatre années suivant le millésime, à 14 °C*

Cocotte de poulet et lentilles aux piments forts, curcuma, cardamome et coriandre ou rôti de porc farci aux abricots (***).

The Stump Jump « d'Arenberg » 2009

MCLAREN VALE, D'ARENBERG, AUSTRALIE

17,50 $	SAQ S (10748400)	★★☆ $$	Modéré

Plus que jamais un Stump blanc éclectique, singulier et réussi, comme ce fut le cas dans les précédents millésimes. La beauté de l'affaire est qu'il sera disponible, en approvisionnement continu, dans ce millésime, et ce, jusqu'à la mi-2012. Citron, romarin et thé Earl Grey se donnent la réplique dans un nez plus qu'aromatique. La bouche suit avec vitalité et minéralité, au profil aérien et satiné, passablement marqué par la présence aromatique du riesling, avec ses notes camphrées (romarin, épinette, pamplemousse). **Cépages:** riesling, sauvignon blanc, marsanne, roussanne. **Alc./**12,5 %. **darenberg.com.au**

☛ *Servir dans les quatre années suivant le millésime, à 14 °C*

Gravlax de saumon au romarin et au citron (***), crème de carotte au safran et moules, minibrochettes de crevettes au romarin, guacamole au citron vert, coriandre fraîche et piment fort (***) ou pattes de pieuvre rôties, compote de tomates au thé noir, pamplemousse rose, lavande et safran du Maroc (**).

Chardonnay Glen Carlou 2009

PAARL, DAVID FINLAYSON, AFRIQUE DU SUD

17,75 $	SAQ S (11155219)	★★★ $$	Corsé

Un déroutant et inspirant chardonnay, qui prend presque des allures de cépage aromatique, genre gewurztraminer! D'un parfum exubérant et excentrique exhalant de puissants effluves, aux notes de noisette, de pêche, de brioche grillée, d'acacia et de cannelle. D'une bouche d'une belle acidité fraîche et vive, sans trop, d'une texture ample et sensuelle, s'exprimant par des saveurs de litchi et de rose blanche, ainsi que de pêche et de miel. **Cépage :** chardonnay. **Alc./**14 %.

☞ *Servir dans les quatre années suivant le millésime, à 14 °C*

Polenta au gorgonzola et pommes jaunes (***), dos de morue poché au lait de coco à la rose (gingembre mariné et pois craquants) (**) ou terrine de foie gras et cailles, parfums de pétales de rose, gingembre, litchi et piment d'Espelette (**).

Domaine Les Brome « Vidal » 2009

QUÉBEC, DOMAINE LES BROME, LÉON COURVILLE, VILLE DE LAC-BROME, QUÉBEC, CANADA

| **18,05 \$** | SAQ **C** (10522540) | ★★?☆ **\$\$** | **Modéré+** |

Pas aussi aromatique et aguicheur que le très réussi 2008, mais ce blanc sec est tout à fait gourmand en bouche, presque sucré (sans sucre), rond et texturé, d'une certaine ampleur et longueur. Litchi et agrumes signent cette invitante fin de bouche. Rares sont les vins secs de vidal, par surcroît québécois, à exprimer autant de volume et d'éclat en bouche. Réservez-lui des plats où dominent le litchi, le gingembre ou la rose, ainsi que leurs aliments complémentaires, comme prescrits dans le livre *Papilles et Molécules*. Original, ce vin d'un jeune domaine, propriété de Léon Courville, ex-PDG de la Banque Nationale, mérite amplement le détour. Et de grâce, ne le servez pas trop froid, vous passeriez à côté de cette bouche débordante de saveurs! **Cépage :** vidal. **Alc./**13 %. **domainelesbrome.com**

☞ *Servir dans les trois années suivant le millésime, à 14 °C*

Apéritif, feuilletés au gruyère et au gingembre (***), crème de carotte au gingembre (***), sablés au parmesan, graines de coriandre et curcuma (***) ou poulet au gingembre (***).

Birichino Malvasia Bianca 2010

MONTEREY, BIRICHINO AMICI, ÉTATS-UNIS

| **18,60 \$** | SAQ **S** (11073512) | ★★★ **\$\$** | **Modéré** |

Une ixième malvasia des plus exubérantes, qui se montre pratiquement sous le même profil que le précédent millésime. Donc, un vin presque sec, comme en 2009. Ce qui en fait à nouveau l'un des passe-partout idéaux pour la raclette version québécoise. Aromatique et charmeur au possible, dégageant des arômes plus exotiques que jamais, rappelant le litchi, la pêche et l'eau de fleur d'oranger. La bouche se montre d'une fraîcheur saisissante pour le style, d'un corps modéré. Afin de s'assurer que l'harmonie est réussie avec les aliments variés utilisés lors de vos raclettes d'hiver, spécialement ceux relevés de curcuma ou de gingembre, il faut servir ce vin plus frais que froid. **Cépage :** malvoisie. **Alc./**12,5 %. **birichino.com**

☞ *Servir dans les trois années suivant le millésime, à 12 °C*

Brochettes de poulet au gingembre (***), raclette accompagnée d'aliments cuisinés avec curcuma et/ou gingembre, pickle de concombre au curcuma (***), ketchup de betteraves jaunes au gingembre, curcuma et poivre noir (***) ou feuilletés au gruyère et au gingembre (***).

Chardonnay « Unoaked » Kim Crawford 2010

MARLBOROUGH, KIM CRAWFORD WINES, NOUVELLE-ZÉLANDE

18,95 $	SAQ C (10669470)	★★★ $$	Modéré+

Comme à son habitude, millésime après millésime, ce blanc sec exprime un nez étonnamment mûr et vanillé pour un vin non boisé (unoaked), ce qui s'explique par la maturité de la vendange, le type de vinification et l'apport de notes vanillées provenant de la lignine de la rafle qui, parfois, peut entrer en contact avec le moût lors du pressurage. Mais, en 2010, il étonne encore plus avec son profil aromatique épicé façon vin rouge! Plus que jamais déroutant au nez, mais aussi tout à fait ample, texturé et savoureux en bouche, et plus que jamais tendu par une électrisante acidité, lui donnant presque des allures de sauvignon blanc. Sibyllin ☺). **Alc./**13,5 %. **kimcrawfordwines.co.nz**

☞ *Servir dans les quatre années suivant le millésime, à 14 °C*

Saumon mariné à l'aneth (*), calmars en tempura d'amandes, fleur de sel au cèdre, mousse de riz en paella (**), huîtres frites à la coriandre et wasabi (**) ou risotto de crevettes au basilic.

Chardonnay Liberty School 2009

CENTRAL COAST, LIBERTY SCHOOL WINERY, ÉTATS-UNIS

19,70 $	SAQ S* (719443)	★★★ $$	Corsé

Ananas, mangue, pêche, noisette et beurre, voilà un ixième millésime de ce cru à s'exprimer avec éloquence. Donc, si vous cherchez à faire vos gammes aromatiques avec le style « chardonnay américain », ne cherchez plus et sustentez vos cils olfactifs et vos papilles de ce « benchmark » en la matière. Premièrement, la robe est comme toujours d'un jaune or 14 carats comme seuls les jeunes chardonnays américains en sont capables. Nez toujours aussi riche et marqué par un profil solaire et boisé (amande grillée, noix de coco, vanille). Bouche à la fois pleine et rafraîchissante, aux courbes toujours aussi sensuelles, gorgée de saveurs crémeuses. Les amateurs du genre seront ravis et conquis plus que jamais par ce nouveau millésime. **Cépage :** chardonnay. **Alc./**13,5 %. **treana.com**

☞ *Servir dans les quatre années suivant le millésime, à 14 °C*

Mozzarella gratinée « comme une pizza », viande des Grisons et piment d'Espelette (***), camembert chaud au sirop d'érable (***), casserole de poulet à la pancetta, curry de crevettes (***), polenta au gorgonzola (***) ou morceau de flanc de porc poché, vinaigrette de boudin à la noix de coco, *crumble* de boudin noir (**).

Riesling Willamette Valley Vineyards 2009

WILLAMETTE VALLEY, WILLAMETTE VALLEY VINEYARDS, ÉTATS-UNIS
(DISP. OCT./NOV. 2011)

19,70 $	SAQ S (11202821)	★★★ $$	Modéré+

Tout aussi marqué par des arômes de la famille des terpènes, comme le 2008 (aussi commenté dans le Répertoire). Donc, romarin, épinette et agrumes explosent littéralement du verre. Bouche encore plus gourmande, tout en étant aussi un brin sucrée, ce qui participe à l'équilibre et à la texture engageante de ce cru de l'Oregon réussi avec brio pour un deuxième millésime consécutif. **Alc./**10 %. **wvv.com**

☞ *Servir dans les quatre années suivant le millésime, à 12 °C*

Tapas de fromage en crottes_Mc² : à l'huile de coriandre fraîche et morceaux de pommes vertes fraîches (***), crevettes pochées au paprika et pamplemousse rose (***) ou poulet à la cardamome et à l'ail (***).

Chardonnay Château St-Jean 2009
SONOMA COUNTY, CHÂTEAU ST-JEAN, ÉTATS-UNIS

19,95 $	SAQ C (897215)	★★☆ $$	Corsé

Certes discret au nez, ce qu'un gros coup de carafe exhale en une quinzaine de minutes, ce chardonnay de Sonoma se montre par contre très bavard en bouche, déployant ampleur, saveurs, texture satinée et persistance plus que respectable. Poire, amande et crème fraîche s'y entremêlent, avec une finale de noix de coco. Plus que du bonbon pour le prix demandé, d'autant plus que ses saveurs amande/noix de coco sont sur la même piste aromatique que l'érable/cassonade utilisés dans la recette de saumon que je propose avec mon complice, le chef Stéphane Modat, dans les livres *Papilles pour tous!*. **Cépage :** chardonnay. **Alc./**13,4 %. **chateaustjean.com**

☞ *Servir dans les trois années suivant le millésime, à 14 °C*

Saumon fumé_Mc² « au BBQ éteint » (***), brochettes de poulet et de crevettes à la salsa d'ananas, casserole de poulet à la pancetta ou lapin à la crème moutardée (*).

Phenix Blanc 2009
QUÉBEC, VIGNOBLE RIVIÈRE DU CHÊNE, SAINT-EUSTACHE, QUÉBEC, CANADA

20 $	(Disponible au domaine)	★★★ $$	Corsé

Dégusté en primeur sur fûts en juin 2010, ce blanc a superbement digéré son bois depuis, se montrant, en juin 2011, tout en fruit et en chair, en texture et en harmonie d'ensemble. Poire et vanille donnent le ton. Un blanc sec, ample, plein et gourmand, aux courbes presque larges et aux saveurs très longues, sur une finale de noix de coco. Du bel ouvrage. Servez-lui des recettes dominées par des ingrédients de la même famille que ses arômes de noix de coco et de vanille (lactones), comme le sont la viande de porc, l'abricot, la pêche, la pacane et le scotch, sans oublier la noix de coco et la vanille bien sûr. **Cépages :** 45 % vandal cliche, 45 % vidal, 10 % st-pépin. **Alc./**13 %. **vignobleriviereduchene.ca**

☞ *Servir dans les cinq années suivant le millésime, à 14 °C et oxygéné en carafe 30 minutes*

Filets de porc à la salsa de pêche et abricot, pétoncles poêlés, couscous de noix du Brésil à l'orange sanguine, lait de coco au gingembre (**), fougasse parfumée au clou de girofle et fromage bleu fondant caramélisé (**) ou homard rôti à la salsa d'ananas au quatre-épices.

The Hermit Crab « d'Arenberg » 2008
 ✓ TOP 100 CHARTIER

MCLAREN VALE, D'ARENBERG, AUSTRALIE *(RETOUR SEPT. 2011)*

20 $	SAQ S (10829269)	★★★ $$	Modéré+

Comme dans le précédent millésime de ce cru, ce 2008 se montre moins sous la domination du viognier – même s'il a gagné en présence depuis l'automne 2010, lors de sa dégustation en primeur –, ce qui était le cas avant 2007. La marsanne, avec sa tonalité de noisette, donne le ton et lui procure un style plus *low profil*, donc moins extraverti à la viognier. L'ensemble est tout aussi nourri qu'en 2007,

sans être lourd ni chaud, avec un élan de fraîcheur et une minéralité digeste. Des notes florales de chèvrefeuille et de violette s'y sont
ajoutées depuis l'an passé, tout comme des pointes d'abricot et
d'ananas. Du bel ouvrage, comme toujours avec d'Arenberg.
Cépages: viognier, marsanne. **Alc./**13,5%. **darenberg.com.au**

☛ *Servir dans les cinq années suivant le millésime, à 14 °C*

Crevettes sautées aux noisettes concassées et réduction
de sauce soya et café noir, fricassée de porc au soya et
sésame ou morceau de flanc de porc poché, vinaigrette de boudin à
la noix de coco, *crumble* de boudin noir (**).

Chardonnay Reserva Especial Tabalí 2010

VALLE DEL LIMARI, VIÑA TABALÍ, CHILI

20,15 $	SAQ **S** (11333361)	★★★ **$$**	Modéré+

Nez très fin et d'une grande fraîcheur, sans aucune note boisée apparente. Que du fruit, dont la pomme. Bouche tout aussi saisissante
et vivifiante, mais avec ampleur et présence, sans lourdeur ni gras
inutile. On se croirait presque en Bourgogne tant la pureté et la vivacité sont européennes plus que chiliennes. Il faut dire que ce chardonnay émane d'une nouvelle *winery*, située dans la vallée de Limari,
au climat plus frais. Ceci explique cela. **Alc./**13,5%. **tabali.com**

☛ *Servir dans les quatre années suivant le millésime, à 14 °C*

Coulibiac de saumon, «émulsion d'asperges vertes aux cre-
vettes_Mc² » (**) ou crevettes caramélisées, écume de
carotte, pomme McIntosh et graines de cumin, purée de carottes à
l'huile de crustacés et *pimentón* fumée (**).

Chardonnay Mission Hill Reserve 2008

OKANAGAN VALLEY VQA, MISSION HILL WINERY, CANADA *(DISP. OCT. 2011)*

20,20 $	SAQ **S** (11092078)	★★★ **$$**	Modéré+

Chardonnay canadien très épuré et passablement riche, élaboré par
l'une des grandes maisons de la côte ouest, au boisé dosé avec retenue, laissant apparaître des notes de poire, de pomme golden et de
lait de coco, à la bouche ample, ronde et caressante, mais avec fraîcheur, tout en longueur, égrainant des saveurs de crème et d'amande
grillée. **Alc./**13,5%. **missionhillwinery.com**

☛ *Servir dans les cinq années suivant le millésime, à 14 °C*

Jambon glacé aux fraises et girofle (**), lapin à la crème
moutardée (*) ou dos de morue poché au lait de coco à la
rose (gingembre mariné et pois craquants) (**).

Riesling The Dry Dam « d'Arenberg » 2010

MCLAREN VALE, D'ARENBERG, AUSTRALIE

20,50 $	SAQ **S** (11155788)	★★★ **$$**	Léger+

Plus que jamais un invitant et éclatant riesling australien, coup de
cœur des deux précédentes éditions de ce guide, se montrant dans
ce millésime 2010 sous un profil aérien et cristallin comme de l'eau
de roche. Vous y retrouverez donc un blanc sec aux parfums très frais
et épurés, rappelant la lime, la pomme verte et l'épinette, à la bouche
certes toujours aussi vivifiante, mais aussi plus légère, plus évanes-
cente et plus sapide que jamais. Comme un brumisateur d'air frais
sur les papilles. **Cépage:** riesling. **Alc./**11,5%. **darenberg.com.au**

☛ *Servir dans les quatre années suivant le millésime, à 12 °C*

Apéritif, fromage de chèvre frais mariné à l'huile d'olive parfumée à la cardamome (***), dahl aux lentilles orange, cumin et coriandre fraîche en trempette (***) ou huîtres fraîches rehaussées d'huiles parfumées au basilic.

Chardonnay Swan Bay Scotchmans Hill 2009
VICTORIA, SCOTCHMANS HILL VINEYARDS, AUSTRALIE

| 21,65 $ | SAQ S (10748434) ★★★ $$ | Corsé |

Nez beurré et passablement riche, au fruité mûr, sans trop, suivi d'une bouche tout aussi prenante, ample, texturée et passablement grasse, sans être lourde, parfaitement équilibrée par une acidité qui joue les funambules à l'arrière-scène. Tout à fait au niveau de la qualité à laquelle nous a habitués cette excellente maison, qui élabore des vins, en blanc comme en rouge, à mi-chemin entre le style arrondi et généreux des crus californiens et le style plus frais et satiné de leurs collègues européens. **Cépage:** chardonnay. **Alc./**14%. **scotchmanshill.com.au**

☞ *Servir dans les quatre années suivant le millésime, à 14 °C*

Polenta au gorgonzola version «umami» (***), rôti de porc farci aux abricots (***) ou pétoncles poêlés, couscous de noix du Brésil à l'orange sanguine, lait de coco au gingembre (**).

Pinot Gris A to Z 2008
OREGON, A TO Z WINEWORKS, ÉTATS-UNIS *(DISP. SEPT. 2011)*

| 21,70 $ | SAQ S (11334057) ★★☆?☆ $$ | Modéré+ |

■ **NOUVEAUTÉ!** Tout comme les Chardonnay et Pinot Noir A to Z 2008 (aussi commentés), ce pinot gris de l'Oregon, dégusté en primeur, en juillet 2011, d'un échantillon du domaine, est très fin et frais au nez, à la bouche vivifiante et satinée, d'une certaine ampleur, mais sans la richesse ni l'épaisseur des pinots gris alsaciens, mais plus expressif et texturé que ceux de Californie et d'Italie. Pomme et agrumes se donnent la réplique dans une finale minérale où le pamplemousse s'exclame. **Cépage:** pinot noir. **Alc./**13%. **wineworks.com**

☞ *Servir dans les cinq années suivant le millésime, à 14 °C*

Gaspacho de concombre, de gingembre et de coriandre (***), pickle de concombre au curcuma (***) ou poulet épicé à la marocaine aux olives vertes et citrons confits (***).

Chardonnay A to Z 2008
OREGON, A TO Z WINEWORKS, ÉTATS-UNIS *(DISP. OCT./NOV. 2011)*

| 21,80 $ | SAQ S (11399678) ★★★ $$ | Modéré+ |

■ **NOUVEAUTÉ!** Excellent chardonnay de l'Oregon, dégusté en primeur en juin 2011, d'un échantillon du domaine, d'une fraîcheur et d'un élan bourguignons, épuré de tout artifice, au corps à la fois ample et satiné, expressif et longiligne. Agrumes et pomme éclatent littéralement, sans aucune note boisée. À croquer jusqu'à plus soif dès son arrivée à la SAQ, prévue quelque part entre octobre et novembre 2011. **Cépage:** chardonnay. **Alc./**13%. **wineworks.com**

☞ *Servir dans les cinq années suivant le millésime, à 12 °C*

Huîtres crues en version anisée (**), coulibiac de saumon, salade de fenouil grillé et fromage de chèvre chaud ou saumon mariné à l'aneth (*).

Sauvignon Blanc Dog Point 2010   ✓ TOP 100 CHARTIER

MARLBOROUGH, DOG POINT VINEYARDS, NOUVELLE-ZÉLANDE

22,95 $	SAQ S (11200681) ★★★?☆ $$	Modéré+

■ **NOUVEAUTÉ!** Excellent sauvignon néo-zélandais, tout en fraîcheur, zesté et anisé à souhait, vivifiant, éclatant, pur, satiné, d'une certaine texture et ampleur pour le style, aux saveurs expressives et qui ont de l'allonge, égrainant des notes de fraise, de groseille, de basilic et de pamplemousse. Réservez-lui les aliments de liaison à ses arômes que sont le basilic, le cerfeuil, le fenouil frais, la tomate fraîche, l'asperge, la pomme verte ou le pamplemousse. **Cépage:** sauvignon blanc. **Alc./**13,5%. **dogpoint.co.nz**

☛ *Servir dans les quatre années suivant le millésime, à 12 °C*

Huîtres frites à la coriandre et wasabi (**), fusillis au saumon et au basilic, salade d'asperges et de mozzarella à l'émulsion de jus de pamplemousse rose ou rouleaux de printemps aux crevettes, pommes et menthe fraîche.

The Money Spider « d'Arenberg » 2009   ✓ TOP 100 CHARTIER

MCLAREN VALE, D'ARENBERG, AUSTRALIE *(RETOUR NOV./DÉC. 2011)*

23,65 $	SAQ S (10748397) ★★★☆ $$	Corsé

Dégustée à trois reprises depuis juillet 2010, cette référence des derniers millésimes revient nous hanter avec un 2009 se montrant toujours aussi éclatant au nez, mais avec une belle élégance et une fraîcheur unique pour ce cru, exhalant des notes fines d'osmanthus (une fleur chinoise à l'odeur de pêche), d'abricot et de noix de coco, à la bouche ultra-satinée, d'une certaine ampleur, mais aussi très fraîche et d'une belle allonge, digeste au possible pour le style. Le profil aromatique a gagné en maturité depuis l'été 2010, voyant s'ajouter des notes de pomme golden et d'ananas. L'occasion plus que jamais de se sustenter à table avec ce grand cépage rhodanien qu'est la roussanne, encore trop rarement vinifié seul. Notez que le profil aromatique de ce cépage est taillé sur mesure pour s'unir à la viande de porc, tout comme à la noix de coco, à la pêche et à l'abricot. **Cépage:** roussanne. **Alc./**13,5%. **darenberg.com.au**

☛ *Servir dans les quatre années suivant le millésime, à 14 °C*

Curry de poulet à la noix de coco (*), dos de morue poché au lait de coco à la rose (gingembre mariné et pois craquants) (**), polenta au gorgonzola version «umami» (***), potage de courge Butternut au poivre de Guinée (***) ou rôti de porc farci aux abricots (***).

Domaine Les Brome « Vidal Réserve » 2008

QUÉBEC, DOMAINE LES BROME, LÉON COURVILLE, VILLE DE LAC-BROME, QUÉBEC, CANADA

24 $ (Disponible au domaine et sur le site Internet) ★★★ $$	Modéré+

Très beau nez, au boisé certes présent, mais plus discret que dans les précédents millésimes. La bouche quant à elle explose de saveurs, déployant une ampleur qui étonne pour un vidal sec, au corps plein et large, à l'acidité discrète et aux saveurs très longues, où le boisé est plus soutenu. Cire d'abeille, érable, curry et noix s'entremêlent avec générosité. Ce vin d'un jeune domaine, propriété de Léon Courville, ex-PDG de la Banque Nationale, mérite aussi votre attention, comme tous les crus de ce domaine. Dommage qu'il ne soit plus disponible à la SAQ, comme c'était le cas dans le précédent millésime... **Cépage:** vidal. **Alc./**13%. **domainelesbrome.com**

☛ *Servir dans les six années suivant le millésime, à 14 °C*

Camembert chaud au sirop d'érable/amandes/pâte de curry rouge (***), curry de crevette au lait de coco et à l'ananas (***) ou poulet au curry (***).

Chardonnay Bouchard Finlayson « Crocodile's Lair » 2009

OVERBERG, BOUCHARD FINLAYSON, AFRIQUE DU SUD *(DISP. NOV./DÉC. 2011)*

24,20 $	SAQ S (11416108)	★★★ $$		Corsé

■ NOUVEAUTÉ! Très beau et raffiné chardonnay sud-africain, émanant de la grande maison Bouchard Finlayson, dont le pinot noir (aussi commenté) est un cru top niveau. Ce blanc est d'une maturité de fruit, sans trop, aromatique et frais, ample et texturé, rafraîchissant et persistant, harmonieux au possible, sans lourdeur ni boisé dominant, égrainant de longues saveurs de pomme, d'amande et de lait de coco. À mi-chemin entre le style frais des blancs bourguignons et celui plus moelleux des crus du Nouveau Monde. **Cépage:** chardonnay. **Alc./**13,5 %. **bouchardfinlayson.co.za**

☛ *Servir dans les cinq années suivant le millésime, à 14 °C*

Brochettes de filet de porc et champignons portobellos sur brochettes imbibées au lait de coco (***) ou filet de porc nappé d'une pommade de pommes au curry et au sirop d'érable (***).

Chardonnay Calera « Mt. Harlan » 2009

✓ TOP 100 CHARTIER

MOUNT HARLAN, CALERA WINE COMPANY, ÉTATS-UNIS *(RETOUR SEPT./OCT. 2011)*

31 $	SAQ S (11089944)	★★★☆ $$$	Corsé

Quelle jouissance que ce chardonnay au profil aromatique on ne peut plus bourguignon et à la bouche débordante, comme en connaissent le secret les crus de la côte ouest! Un blanc riche et racé au nez, où s'expriment la noisette, le miel et la poire. Éclatant de saveurs en bouche, presque *juicy fruit*, sans trop, au corps ample et moelleux, frais et plein de vitalité, aux longues saveurs d'ananas, de pomme golden et de mangue. Le coup de cœur n'était vraiment pas loin avec le 2006 (commenté dans *La Sélection 2010*), mais cette fois-ci, avec ce 2009, J'AIME! Il faut dire que cette maison est à l'avant-scène en matière de chardonnay et de pinot noir d'allure bouguignonne et de classe mondiale. **Cépage:** chardonnay. **Alc./**13,9 %. **calerawine.com**

☛ *Servir dans les six années suivant le millésime, à 14 °C*

Foie gras de canard poêlé aux pommes et safran ou foie gras en terrine (*) accompagné de pain au safran (*).

Chardonnay Claystone Terrace 2008

✓ TOP 100 CHARTIER

NIAGARA PENINSULA VQA, LE CLOS JORDANNE, CANADA *(DISP. SEPT./OCT. 2011)*

40,75 $	SAQ S (10697331)	★★★☆?☆ $$$	Corsé	BIO

Que dire des blancs canadiens de chardonnay qui ont beaucoup gagné dans les derniers millésimes en définition et en minéralité? Il suffit de penser aux différents crus du Clos Jordanne. Difficile d'être plus bourguignon d'approche. Il y a le plein et chargé de saveurs Chardonnay Village Reserve 2008 (aussi commenté), qui fait merveille avec des pétoncles poêlés et lait de coco au gingembre. Puis, en plus complexe, racé, dense et minéralisant, à la manière d'un premier cru de Puligy-Montrachet, ce Chardonnay Claystone Terrace 2008, qui, au moment de mettre sous presse, était attendu à la SAQ quelque part entre septembre et octobre 2011. Une grande référence à mettre dans vos verres afin de saisir la complexité vers laquelle peuvent tendre certains crus de haut niveau. **Cépage :** chardonnay. **Alc./**13,5%. **leclosjordanne.com**

☛ *Servir dans les huit années suivant le millésime, à 14 °C et oxygéné en carafe 20 minutes*

Pétoncles rôtis fortement, shiitakes poêlés, copeaux de parmigiano reggiano et écume de bouillon de kombu (**) ou pot-au-feu d'agneau cuit rosé, au thé et aux épices (**).

RÉPERTOIRE ADDITIONNEL

Les vins des *Répertoires additionnels*, qui font l'objet d'une description plus concise, mais presque tous offerts avec un choix de mets, sont ou seront généralement disponibles dans les mois suivant la parution de cette seizième édition. De multiples futurs arrivages y sont aussi commentés cette année. En revanche, certains de ces vins peuvent ne plus être disponibles au moment où vous lirez ces lignes, ce qui explique le commentaire moins détaillé pour certains crus.

Soyez tout de même vigilants, car la majorité de ces vins fera l'objet d'un nouvel arrivage au cours de l'automne 2011 et des premiers mois de 2012, et ce, dans le même millésime proposé dans ce guide. Autre fait important cette année, plusieurs vins des *Répertoires additionnels* sont de futurs arrivages, commentés ici en primeur, avec leur date de mise en marché. Le retour ou l'arrivée de ces vins, comme de tous les vins commentés dans *La Sélection Chartier 2012*, vous sera annoncé par le biais du service de **Mises à jour Internet de** *La Sélection Chartier 2012*, via le site Internet **www.francoischartier.ca.**

Torrontés Colomé 2010
VALLE-CALCHAQUI, HESS FAMILY, ARGENTINE
14,45 $ SAQ S (11156879)   ★★☆ $$ Corsé
■ NOUVEAUTÉ! Aromatique, festif et enveloppant à souhait, ce torrontés est le vin sur mesure pour réussir l'accord avec une originale recette où le gingembre domine, un composé volatil de même famille que ce cépage aromatique. Ce blanc argentin, au corps texturé et ample, s'impose pour s'interpénétrer avec ses saveurs jumelles contenues dans le gingembre, sans oublier qu'il gagnera en fraîcheur par la présence subtile du wasabi. Ce dernier, étant un aliment au goût de froid, il faut servir le vin à une température légèrement plus élevée qu'à l'habitude. L'effet saisissant du wasabi abaissera votre perception de la température du vin tout comme de son acidité, qui paraîtra ainsi plus fraîche. **Alc./**13,5%. **hess-family.com** ■ *Sushis rehaussés de gingembre et wasabi.*

Domaine du Ridge Blanc « Vent d'Ouest » 2009
QUÉBEC, VIGNOBLE SAINT-ARMAND, QUÉBEC, CANADA
14,95 $ SAQ S (928523)   ★☆ $ Modéré
J'avais beaucoup apprécié la suavité de texture du millésime 2004 de ce cru, bien qu'un brin surpris par la rusticité et la nervosité aride du 2006. Ici, en 2009, point de bois à l'horizon, mais une attaque pratiquement aussi cinglante que le 2006, avec toutefois plus d'équilibre dans la matière. Le nez est très expressif et très citronné/pomme verte/menthe, presque trop. La bouche fouette les papilles par son acidité tranchante, comme une pomme verte pratiquement, mais avec de l'éclat et de la présence dans les saveurs et dans la texture. **Cépage :** seyval blanc. **Alc./**12%. **domaineduridge.com**

Riesling Late Autumn Varietal Series Inniskillin 2009
NIAGARA PENINSULA VQA, INNISKILLIN, CANADA
15,65 $ SAQ S (11140527)   ★★☆ $$ Léger+
Un riesling demi-sec toujours aussi entreprenant, au nez charmeur et floral, presque camphré, rappelant aussi la pêche et les agrumes, à la bouche à la fois caressante et vivifiante, ample et élancée, terminant sur des tonalités de miel et d'épices douces. Apéritif sur mesure, mais aussi très beau blanc pour des accords inspirés avec les cuisines asiatiques un brin épicées, sans trop, tout comme pour réussir l'union avec un plat rehaussé de salsa d'agrumes (orange sanguine

si possible) au curcuma, tout comme avec ceux relevés de piments forts, de cardamome ou de coriandre. Électrisantes harmonies! **Alc./**11 %. **inniskillin.com** ■ *Escalopes de porc à la salsa d'agrumes au curcuma.*

Chardonnay Prospect Winery The Census Count 2008
OKANAGAN VALLEY VQA, GANTON & LARSEN PROSPECT WINERY, CANADA
16,60 $ SAQ S (11098349) ★★☆?☆ $$ Modéré+
■ NOUVEAUTÉ! On ne peut plus chardonnay *benchmark* du Nouveau Monde. Un blanc sec au nez exotique, de mangue, d'ananas et de pomme golden, avec touches de noix de coco et de vanille, sans trop, à la bouche ample, grasse et prenante, sans être lourde. Fait plus que le travail lorsque l'on cherche un chardonnay boisé pour certaines harmonies, plus particulièrement avec les plats dominés par la noix de coco, les champignons, l'abricot, tout comme avec les viandes grillées et les poissons fumés à l'érable. **Alc./**13,5 %. **prospectwinery.com** ■ *Saumon fumé_Mc²* *« au BBQ éteint »* (***).

Domaine Les Brome « Cuvée Charlotte » 2008
QUÉBEC, DOMAINE LES BROME, LÉON COURVILLE, VILLE DE LAC-BROME, QUÉBEC, CANADA
16,90 $ SAQ C (11106661) ★☆ $$ Modéré
■ NOUVEAUTÉ! Un blanc sec québécois très aromatique, un brin exotique, fin et satiné, à l'acidité juste dosée (surtout si vous ne le servez pas trop froid), laissant place à une texture presque suave, sans trop, mais avec fraîcheur et vitalité. Goyave, groseille, buis, miel et fleurs jaunes donnent de l'éclat à ce blanc au profil presque alsacien, non sans rappeler le style du Gentil Hugel, sans la même ampleur, né d'un assemblage de cépages. **Cépages :** 80 % seyval, 15 % geisenheim, 5 % chardonnay. **Alc./**12,5 %. **domainelesbrome.com** ■ *Crème froide de chou-fleur* (***).

The Stump Jump « d'Arenberg » 2008
MCLAREN VALE, D'ARENBERG, AUSTRALIE
17,50 $ SAQ S (10748400) ★★★ $$ Modéré
Un blanc sec à la fois satiné et électrisant, passablement marqué par la présence aromatique du riesling, avec ses notes terpéniques d'épinette et de cèdre, à la bouche aussi aérienne et cristalline. Le nez est à la fois subtil et aromatique, s'exprimant par des notes plus mûres, rappelant l'abricot séché, le miel et l'aubépine. **Cépages :** riesling, sauvignon blanc, marsanne, roussanne. **Alc./**13 %. **darenberg.com.au** ■ *Chips de jambon serrano, pommade de nectar d'abricot, chapelure d'oreilles de crisse* (**).

Viognier Brampton 2007
RUSTENBERG, RUSTENBERG WINES, AFRIQUE DU SUD
17,70 $ SAQ S (11155147) ★★★ $$ Corsé
Difficile d'être plus classiquement viognier, voguant même vers des allures de condrieu, mais à prix plus que doux. Abricot, pâte d'amandes et fleurs jaunes donnent le ton à ce blanc pour amateur de rouge, au corps plein et dense, non sans fraîcheur, et aux saveurs percutantes. **Alc./**15 %. **rustenberg.co.za** ■ *Dos de morue poché au lait de coco à la rose* *(gingembre mariné et pois craquants)* (**).

Viognier Brampton 2008
RUSTENBERG, RUSTENBERG WINES, AFRIQUE DU SUD
17,70 $ SAQ S (11155147) ★★☆ $$ Modéré+
Le nez est certes moins détaillé et éclatant que ne l'était le 2007 (aussi commenté), mais la bouche se montre pure et jouissive, sans trop, ample et très fraîche, donc harmonieuse à souhait. Pomme, fleurs blanches et abricot donnent la note aromatique de ce viognier plus fin que généreux. **Alc./**14,5 %. **rustenberg.co.za** ■ *Apéritif.*

Domaine Les Brome « Vidal » 2008
QUÉBEC, DOMAINE LES BROME, LÉON COURVILLE, VILLE DE LAC-BROME, QUÉBEC, CANADA
18,05 $ SAQ C (10522540) ★★☆ $$ Modéré+
Un blanc sec au nez fin et modérément aromatique, laissant exprimer des tonalités florales de rose blanche et de litchi, à la bouche éclatante et franchement plus bavarde que le nez. Wow! Gorgé de saveurs et de

fraîcheur, où s'ajoute une pointe de gingembre sauvage et de mangue, au corps presque ample et aux saveurs d'une grande allonge pour son rang. **Alc./**13 %. **domainelesbrome.com**

Riesling Pacific Rim 2007
WASHINGTON STATE, PACIFIC RIM WINEMAKERS, ÉTATS-UNIS
18,10 $ SAQ S (10354419)   ★★★ $$ Modéré
Ce riesling possède un profil aromatique dominant quasi identique aux pamplemousses et à leurs aliments complémentaires. D'où la grande harmonie qu'il produit avec une salsa d'agrumes, et ce, qu'elle soit servie avec du poulet ou du poisson. Toujours aussi engageant, épuré et sec, cet éclectique riesling exhale des notes de pamplemousse rose, de coriandre fraîche, de romarin et d'épinette. La bouche suit comme à son habitude avec les mêmes ampleur, fraîcheur et plénitude qui ont fait sa réputation. **Alc./**12,5 %. **pacificrimwinemakers.com**
■ *Salsa d'agrumes pour poulet ou poisson.*

Pinot Gris Eola Hills 2009
OREGON, EOLA HILLS WINE CELLARS, ÉTATS-UNIS *(DISP. FÉVR./MARS 2012)*
18,95 $ SAQ S (11603501)   ★★★ $$ Corsé
■ NOUVEAUTÉ! De la même maison qui élabore l'excellent **Pinot Gris Eola Hills Reserve « La Creole » 2008** (aussi commenté), ce nouveau pinot gris, dégusté en primeur en août 2011, et attendu en début d'année 2012, se montre fort engageant, passablement riche et texturé, comme tout pinot gris se doit d'être, aux saveurs longues et précises, rappelant la banane, la goyave et le miel. **Alc./**12,6 %. **eolahillswinery.com**
■ *Polenta au gorgonzola (***).*

Riesling Willamette Valley Vineyards 2008
WILLAMETTE VALLEY, WILLAMETTE VALLEY VINEYARDS, ÉTATS-UNIS
19,70 $ SAQ S (11202821)   ★★★ $$ Modéré
Quel nez! Terpénique à fond, c'est-à-dire avec des tonalités puissantes de romarin, d'épinette, de pamplemousse rose. Attaque un brin sucrée en bouche, mais formidablement bridée par une acidité électrique qui permet d'oublier le sucre pour finir sa course comme si le vin était tout à fait sec! Les plats épicés, tout comme la cuisine rehaussée de romarin ou de pamplemousse rose sont de mise! Du sérieux, en direct de l'Oregon. **Alc./**10 %. **wvv.com** ■ *Poulet au romarin et au citron (***).*

Riesling Reserve Mission Hill 2008
OKANAGAN VALLEY VQA, MISSION HILL WINERY, CANADA
19,95 $ SAQ S (11092086)   ★★★ $$ Modéré+
Deuxième millésime consécutif réussi pour ce Riesling canadien à l'allure plus alsacienne que jamais et même un brin supérieur au 2007. Nez hyper aromatique, très fin et détaillé, jouant dans l'univers des arômes terpéniques (romarin, épinette, citron, orange), à la bouche droite, d'une bonne densité et tenue pour le style aux saveurs étonnamment longues et saisissantes. Sec et revitalisant. **Alc./**13 %. **missionhillwinery.com**
■ *Salade d'asperges et vinaigrette au jus de pamplemousse rose.*

Blanc de Mer 2010
WESTERN CAPE, BOUCHARD FINLAYSON, AFRIQUE DU SUD *(DISP. NOV./DÉC. 2011)*
20 $ SAQ S (11460029)   ★★ $$ Modéré
■ NOUVEAUTÉ! De l'un des domaines de référence du Cape, voici un nouveau blanc au charme évident, plus qu'aromatique, très estival d'approche (abricot, pêche, fleurs jaunes), à la texture satinée, au corps fluide et aérien, à l'acidité très discrète et aux saveurs d'une longueur correcte. Un vin de plaisirs printaniers, qui serait encore plus plaisant à plus ou moins 15 $. **Alc./**13 %. **bouchardfinlayson.co.za** ■ *Apéritif.*

Riesling Gun Metal Hewitson 2010
EDEN VALLEY, HEWITSON, AUSTRALIE
20,10 $ SAQ S (11034134)   ★★★ $$ Modéré+
Vous désirez un riesling au profil typé très « rhénan », tout en n'étant pas allemand? Alors, servez ce très sec, droit, incisif et minéralisant Gun Metal. Un australien aux saveurs classiques de citron, de fleurs, d'épinette et de romarin. Comme pour les précédents millésimes de ce cru, donnez-

lui une ou deux années de bouteille et il deviendra encore plus terpénique, c'est-à-dire marqué par la complexité aromatique qui compose le bouquet du romarin. Il ravira les cuisiniers qui lui concocteront des plats avec les ingrédients complémentaires au romarin et aux graines de coriandre, comme le sont l'orange et les olives vertes. **Alc./**12,5%. **hewitson.com.au** ■ *Olives vertes marinées aux zestes d'orange et graines de coriandre (***).*

Riesling The Dry Dam « d'Arenberg » 2008

MCLAREN VALE, D'ARENBERG, AUSTRALIE

20,50 $ SAQ S (11155788)   ★★★ $$ Modéré+

Un blanc sec aux parfums terpéniques (romarin, épinette et agrumes), à la bouche à la fois vivifiante, sapide, très fraîche, satinée et d'une étonnante allonge pour son rang. Croquant de vérité et de fraîcheur, laissant apparaître des saveurs de zeste de lime, de camphre, d'eucalyptus et de bergamote. **Alc./**11,5%. **darenberg.com.au** ■ *Salade de fromage de chèvre sec mariné dans l'huile d'olive parfumée au romarin.*

Pinot Gris A to Z 2010

OREGON, A TO Z WINEWORKS, ÉTATS-UNIS *(DISP. OCT./NOV. 2011)*

21,70 $ SAQ S (11334057)   ★★★ $$ Corsé

■ **NOUVEAUTÉ!** Tout comme les Chardonnay et Pinot Noir A to Z 2008 (aussi commentés), ce pinot gris 2010 de l'Oregon, dégusté en primeur, en août 2011, d'un échantillon du domaine, se montre tout aussi fin et frais au nez que le 2008 (aussi commenté), à la bouche tout aussi satinée, mais un brin plus texturée et à l'acidité moins dominante, laissant place à une ampleur plus marquée, donc se rapprochant cette fois de la richesse des pinots gris alsaciens. **Alc./**13%. **wineworks.com** ■ *Mon lapin exotique pour amateurs de vins blancs (*).*

Chardonnay Coppola « Diamond Collection Gold Label » 2009

MONTEREY COUNTY, FRANCIS COPPOLA, ÉTATS-UNIS

21,75 $ SAQ S* (10312382)   ★★★ $$ Corsé

Ce chardonnay californien est on ne peut plus typique des crus de la côte ouest, c'est-à-dire aromatique, mûr, ample, rond, gras et pénétrant, au boisé soutenu, au fruité extra-mûr, exhalant des notes de pomme golden, de poire chaude au beurre, de noix de coco et de vanille. Les inconditionnels de ce style en raffoleront. **Alc./**13,5%. **franciscoppolawinery.com** ■ *Polenta au gorgonzola (***) ou rôti de porc farci aux abricots (***).*

Chardonnay Rustenberg 2009

STELLENBOSCH, RUSTENBERG WINES, AFRIQUE DU SUD

24,15 $ SAQ S (11416124)   ★★★ $$ Modéré+

■ **NOUVEAUTÉ!** Pur, frais, d'une certaine ampleur, mais aussi vivifiant, au boisé intégré avec retenue, long et plus que savoureux (pomme golden, ananas, noisette). Du sérieux à bon prix. **Alc./**13,5%. **rustenberg.co.za** ■ *Houmous au miso et aux graines de lin (***).*

Wildass 2006

NIAGARA PENINSULA VQA, WILDASS WINES, CANADA

24,20 $ SAQ S (11098293)   ★★★ $$ Modéré+

Une juteuse et crémeuse cuvée canadienne, vinifiée avec doigté par l'équipe de Stratus, l'un des nouveaux domaines phare. Il en résulte un blanc sec, aromatique à souhait, à la texture onctueuse, caressante et gourmande, dont l'acidité discrète laisse place aux courbes sensuelles et aux saveurs de pêche, de crème fraîche, de vanille et de pomme golden. **Alc./**12,5%. **wildasswines.com** ■ *Carré de porcelet de la ferme Gaspor au safran (carottes, pommes golden et melon d'eau) (**).*

Wildass 2007

NIAGARA PENINSULA VQA, WILDASS WINES, CANADA

24,20 $ SAQ S (11098293)   ★★★ $$ Modéré+

Deuxième millésime à nous parvenir de cette enchanteresse et prenante cuvée canadienne, vinifiée avec doigté par l'équipe de Stratus, l'un des nouveaux domaines phare (voir commentaires du Stratus Red). Il en résulte à nouveau un blanc sec, plus qu'aromatique, marqué par une belle maturité de fruit et par le boisé, mais non sans fraîcheur, à la texture toujours aussi satinée et caressante, dont l'acidité discrète laisse place aux courbes rondes et aux saveurs, tout en revenant en force en fin de bouche afin de revitaliser les papilles. Fruits exotiques, pêche, vanille et agrumes donnent le ton. **Cépages :** chardonnay, sauvignon blanc, sémillon, gewurztraminer, riesling. **Alc./**12,5 %. **wildasswines.com** ■ *Curry de crevette au lait de coco et à l'ananas (***) ou poulet au gingembre (***).*

Chardonnay Rodney Strong Chalk Hill 2008

SONOMA COUNTY, RODNEY STRONG VINEYARDS, ÉTATS-UNIS
25,20 $ SAQ S (11368847)   ★★★ $$ Corsé
Difficile d'être plus californien que ce chardonnay expressif, mûr et boisé, au corps plein et joufflu, à la texture moelleuse, presque grasse, et aux saveurs longues et percutantes (noisette, amande grillée, beurre, fumée, poire chaude). À boire pas trop froid, vers 14 °C, pour se laisser prendre par son épaisseur veloutée, et ainsi permettre une plus grande synergie aromatique entre ses arômes et celles de notre recette de saumon fumé au parfum d'érable. **Alc./**14,2 %. **rodneystrong.com** ■ *Saumon fumé_Mc² «au BBQ éteint» (***).*

Chardonnay Village Reserve 2008

NIAGARA PENINSULA VQA, LE CLOS JORDANNE, CANADA *(DISP. AUTOMNE 2011)*
26,45 $ SAQ S (11254031)   ★★★ $$ Corsé   BIO
Très Nouveau Monde d'approche, mais aussi très prenant, plein et chargé en saveurs et en texture, pour le plus grand bonheur de l'amateur de chardonnay de climat austral. Noix de coco, vanille, crème fraîche et poire au beurre donnent le ton, le tout soutenu et sans aucune lourdeur. **Alc./**13 %. **leclosjordanne.com** ■ *Pétoncles poêlés, couscous de noix du Brésil à l'orange sanguine, lait de coco au gingembre (**).*

Chardonnay Mission Hill S.L.C. 2007

OKANAGAN VALLEY VQA, MISSION HILL WINERY, CANADA
27,25 $ SAQ S (11140421)   ★★★?☆ $$$ Corsé
Cette cuvée S.L.C., pour *Select Lot Collections*, se montre fermée au nez, ayant besoin de temps, ou d'un bon gros coup de carafe pour en libérer les richissimes parfums. La bouche suit avec expression, ampleur, texture, fraîcheur et persistance, tout en étant aussi un brin compacte et retenue. Gagnera en définition d'ici 2013. **Alc./**13,5 %. **missionhillwinery.com** ■ *Pot-au-feu d'agneau cuit rosé, au thé et aux épices (**).*

Sauvignon Blanc Cloudy Bay 2010

MARLBOROUGH, CLOUDY BAY VINEYARDS, NOUVELLE-ZÉLANDE
29,15 $ SAQ S (10954078)   ★★★☆ $$$ Corsé
Une fois de plus, ce sauvignon néo-zélandais, provenant d'une maison de référence en la matière, se montre à la hauteur de sa réputation. Très expressif et détaillé au nez, il exhale des notes de lime, de groseille blanche et de kiwi. La bouche suit avec ampleur et fraîcheur, tout en déployant une texture satinée et de longues saveurs anisées. Une réussite jouant dans la sphère des meilleurs sauvignons européens. **Alc./**13,5 %. **cloudybay.co.nz** ■ *Brochettes de saumon au beurre de pamplemousse (*).*

Chardonnay Quails' Gate Stewart Family Reserve 2008

OKANAGAN VALLEY VQA, QUAILS'GATE ESTATE WINERY, CANADA
32,50 $ SAQ S (11262946)   ★★★☆ $$$ Corsé
■ NOUVEAUTÉ! Difficile d'être plus chardonnay que ça! Mais quel nez, quelle présence, quelle texture et quelle persistance! Noisette, amande grillée, noix de coco grillée et pomme golden se donnent la réplique dans un ensemble passablement nourri et profond. Du sérieux. **Alc./**14 %. **quailsgate.com** ■ *Pétoncles rôtis fortement, shiitakes poêlés, copeaux de parmigiano reggiano et écume de bouillon de kombu (**) ou potage de courge Butternut au poivre de Guinée (***).*

Chardonnay Perpetua 2008

OKANAGAN VALLEY VQA, MISSION HILL WINERY, CANADA

40,25 $ SAQ **S** (11396881)   ★★★☆ **$$$**   Corsé

■ NOUVEAUTÉ! Cette grande cuvée de chardonnay étonne par sa richesse et sa densité, sans tomber dans la caricature trop habituelle à laquelle est voué ce cépage. Un chardonnay pur, ramassé, très frais et même minéral, tout en étant bien nourri et très long, égrainant des tonalités de poire, de pomme golden et de fleurs jaunes. Du beau travail. **Alc.**/13,5 %. **missionhillwinery.com** ■ *Saumon fumé à l'érable.*

Chardonnay Claystone Terrace 2007

NIAGARA PENINSULA VQA, LE CLOS JORDANNE, CANADA

40,75 $ SAQ **SS** (10697331)   ★★★★ **$$$$**   Corsé

Quelle matière et quelle complexité aromatique! Une grande pointure, où s'entremêlent, dans un riche bouquet, ananas, poire, noisette, amande et noix de coco, soutenu par une bouche à la fois pleine et vivifiante, ample et prenante, aux saveurs qui ont de l'éclat et de l'allonge, laissant des traces de noisette et de noix de coco grillée, terminant dans une finale à la fois minéralisante et électrisante de fraîcheur, malgré la richesse de texture de l'ensemble. À l'aveugle, j'étais à Meursault, et en plus en Meursault-Charmes premier cru! **Alc.**/14 %. **leclosjordanne.com** ■ *Homard rôti à la salsa d'ananas au quatre-épices.*

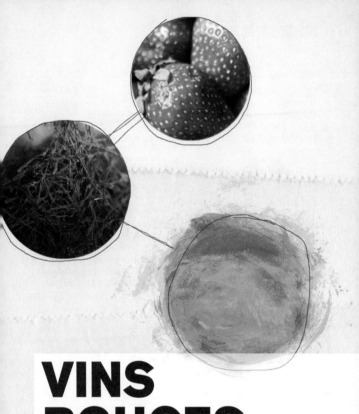

VINS ROUGES DU NOUVEAU MONDE

Merlot/Malbec Astica 2010

CUYO, BODEGAS TRAPICHE, ARGENTINE

8,10 $	SAQ C (637876)	★☆ $	Modéré

Je vous l'écris – pour ne pas dire «vous le crie!» – depuis quelques millésimes de *La Sélection* déjà, ce sympathique et plus qu'abordable rouge argentin est un incontournable quand vient le temps du ballon de rouge quotidien. Et il le prouve une fois de plus avec ce débordant de saveurs, ample et texturé 2010. Que demander de plus à plus ou moins huit dollars... En outre, il se montre aromatique, charmeur et cacaoté, aux tanins souples, aux courbes rondes et à l'acidité discrète. Il se paye même le luxe d'avoir des airs boisés! Confirme une fois encore que l'achat de vin en format «vinier», à prix assurément trop élevé pour la qualité que l'on y trouve, est vraiment dépassé... tout comme les bouteilles trop chères et manquant d'éclat vendues au dépanneur. **Cépages :** merlot, malbec. **Alc./**12,5 %.
trapiche.com.ar

☛ *Servir dans les trois années suivant le millésime, à 16 °C*

🍴 Mozzarella gratinée «comme une pizza» et sel au clou de girofle (***), quiche de pain perdu aux asperges grillées «pour vins rouges» (***), «purée_Mc^2» pour amateur de vin au céleri-rave et clou de girofle (**), sauce BBQ pour côtes levées (***), lasagne aux saucisses italiennes ou spaghetti bolognaise.

Tannat-Merlot Don Pascual 2010 ✓ TOP 30 BAS PRIX
VIN DE TABLE D'URUGUAY, ESTABLECIMENTO JUANICO, URUGUAY

9,70 $	SAQ S (10746501) ★★☆ $	Modéré+

Une belle gourmandise chez les rouges tous azimuts offerts sous la barre des dix dollars. Un vin rond, texturé et débordant de saveurs (fraise, prune, café, cacao), d'une étonnante tenue dans ce millésime 2010. Ce qui confirme la régularité des crus sud-américains signés Don Pascual (voir les deux autres rouges de cette maison commentés dans ce guide). **Cépage:** tannat. **Alc./**12,5%. **juanico.com**

☛ *Servir dans les trois années suivant le millésime, à 17 °C*

🍴 Brochettes de poulet aux champignons portobellos, côtelettes de porc aux poivrons rouges confits épicés ou filet de saumon grillé sauce au vin rouge (voir Filet de saumon au pinot noir) (*).

Cabernet Sauvignon/Carmenère Mapu 2010 ✓ TOP 30 BAS PRIX
VALLE CENTRAL, BARON PHILIPPE DE ROTHSCHILD, CHILI

9,95 $	SAQ C (10530283) ★★☆ $	Corsé

À ce prix ridiculement bas (il était 12,55 $ dans le millésime 2007), ce rouge chilien devient l'une des belles aubaines du pays en matière de carmenère offerts sous la barre des quinze dollars. Tout y est. Couleur foncée. Nez puissamment aromatique pour le rang, aux arômes de poivre, de menthe, de poivron rouge confit et de cassis, on ne peut plus dominé par le carmenère. Bouche à la fois juteuse et ferme, ample et charnue, aux saveurs tout aussi explosives qu'au nez, laissant de longues traces poivrées. Il serait vraiment dommage de passer outre à cause du prix... **Cépages:** cabernet sauvignon, carmenère. **Alc./**13%. **bpdr.com**

☛ *Servir dans les trois années suivant le millésime, à 17 °C*

🍴 Rôti de palette «comme un chili de Cincinnati» (***), brochettes de bœuf et poivrons verts et rouges marinés à l'huile de sésame (***) ou côtes levées à la bière noire, bouillon de bœuf et sirop d'érable (***).

Marcus James Tempranillo 2010
MENDOZA, FECOVITA, ARGENTINE

9,95 $	SAQ C (10398374) ★★ $	Modéré+

Cet argentin, à base de tempranillo, le cépage noble de l'Espagne, qui était moins gourmand et réussi dans les précédents millésimes, se montre en 2010 plutôt convaincant et engageant pour le prix demandé. Un vin aromatique, aux parfums de fruits rouges et d'épices douces, à la bouche ronde, caressante, texturée et étonnamment longue. Pas de bois à l'horizon, donc permet d'apprécier une version pur fruit de ce cépage espagnol, sans la torréfaction du boisé trop souvent omniprésente chez les tempranillos d'Espagne. **Cépage:** tempranillo. **Alc./**13%. **fecovita.com**

☞ *Servir dans les trois années suivant le millésime, à 17 °C*

🍴 Burrito au bœuf haché, quesadillas (*wraps*) au poulet et au chorizo, filet de porc au café noir (voir Filets de bœuf au café noir) (*) ou spaghetti gratiné aux saucisses italiennes.

Shiraz Astica Superior 2010 ✓ TOP 30 BAS PRIX
SAN JUAN, BODEGAS TRAPICHE, ARGENTINE

9,95 $	SAQ C (10394584) ★★ $	Modéré

Plus que jamais gorgée de saveurs pour son rang, colorée, enveloppante, presque pleine, juteuse et persistante. Saluée dans les quatre précédentes éditions de ce guide, pour ses savoureux 2005, 2007, 2008 et 2009, cette shiraz récidive avec un 2010 fidèle à ses récentes habitudes qualitatives, et je dirais même un brin plus soutenue. Le fruit est engageant et mûr, sans trop, la fraîcheur juste et les tanins souples et dodus comme toujours. Assurément l'un des meilleurs achats chez les vins rouges du Nouveau Monde à être offerts sous la barre des 10 $. Oubliez le dépanneur et l'épicerie et faites-en bonne provision ! **Cépage :** shiraz. **Alc./**13,5 %. **trapiche.com.ar**

☞ *Servir dans les trois années suivant le millésime, à 16 °C*

🍴 *Pop-corn* « au goût de bacon et cacao » (***), sushis_Mc² « pour amateur de vin rouge » (voir sur **papillesetmolecules.com**), quiche de pain perdu aux asperges grillées « pour vins rouges » (***), légumes d'automne rôtis au four pour syrah/shiraz (***) ou pâté chinois revu et magnifié « pour vin rouge » (***).

Cabernet/Shiraz Cliff 79 ✓ TOP 30 BAS PRIX
SOUTH EASTERN AUSTRALIA, BERRI ESTATES WINERY, AUSTRALIE

10,25 $	SAQ C (11133036) ★★ $$	Modéré

Un très solaire assemblage australien, non millésimé, qui fera le bonheur des amateurs de crus austral juteux et gourmands, à mille lieues du profil européen plus ramassé. Bonne couleur, nez très aromatique, exhalant des notes évidentes de fumée, de poivre, de poivron et de vanille. Bouche débordante de saveurs, presque sucrée sans sucre, aux tanins souples et gras, à l'acidité discrète et aux saveurs débordantes de fruits rouges. Simple, sans détour et drôlement efficace. **Cépages :** shiraz, cabernet sauvignon. **Alc./**13,5 %.

☞ *Servir dans les quatre années suivant le millésime, à 16 °C*

🍴 Sushis_Mc² « pour amateur de vin rouge » (voir sur **papillesetmolecules.com**), *pop-corn* « au goût de bacon et cacao » (***), quiche de pain perdu aux asperges grillées « pour vins rouges » (***), bœuf braisé au jus de carotte ou pâté chinois revu et magnifié « pour vin rouge » (***).

Malbec Trapiche 2010
MENDOZA, BODEGAS TRAPICHE, ARGENTINE

10,50 $	SAQ C (501551) ★☆ $	Modéré+

Ce cru a toujours été l'un de mes préférés, dans cette gamme de prix, chez les rouges argentins offerts sous la barre des treize dollars. En 2010, il est toujours dans la course, même s'il n'est pas aussi expressif et gourmand que par le passé. Belle matière en bouche, étonnamment soutenue pour son prix, presque dense et ramassée, aux tanins qui ont du grain, aux saveurs juste assez marquées, rappelant la prune. Demeure un bon achat pour les amateurs de malbec argentin. **Cépage :** malbec. **Alc./**13 %. **trapiche.com.ar**

☛ *Servir dans les trois années suivant le millésime, à 17 °C*

Chili de Cincinnati (***), fromage à croûte fleurie grillé dans une feuille de brick parfumée au thym ou brochettes de bœuf et poivrons verts et rouges marinés à l'huile de sésame (***).

Shiraz Kumala 2010

WESTERN CAPE, CONSTELLATION EUROPE LTD, AFRIQUE DU SUD

11,15 $	SAQ C (10754236)	★☆ $		Corsé

Je préfère cette Shiraz au Merlot Kumala 2010, qui, lui, manque d'éclat et de substance. Donc, optez plutôt pour la Shiraz, coloré, modérément aromatique, mais gourmande, ronde et généreuse en bouche, aux saveurs de fruits confits. Rien de compliqué, mais, comme on dit, «fait la job» pour quiconque recherche un rouge pulpeux du Nouveau Monde, offert à prix doux. Parfait pour arroser les plats servis pendant *La Soirée du hockey*, tout comme à l'heure du *Super Bowl*! **Alc./**14%. **kumala.com**

☛ *Servir dans les deux années suivant le millésime, à 17 °C*

Ailes de poulet épicées ou côtes levées sauce barbecue.

Fuzion Alta Malbec-Tempranillo 2009

MENDOZA, FAMILIA ZUCCARDI, ARGENTINE

11,60 $	SAQ C (10967611)	★☆ $		Modéré

Suite à l'immense popularité du premier Fuzion introduit il y a quelques années, la gamme s'est élargie avec plus de onze entrées dans le répertoire de la SAQ – comme si la série de films Rocky en était au onzième... Quoi qu'il en soit, cet assemblage de l'argentin malbec et de l'espagnol tempranillo se montre charmeur, coulant, dodu, fin et agréable, sans rien casser, égrainant de discrètes saveurs de prune et d'épices douces. Mais à plus ou moins 11 $, il y a du plaisir simple sous le bouchon. **Comme la cannelle, l'anis étoilé, le poivre, le basilic, le thé et le clou de girofle sont à ranger parmi les aliments complémentaires à la prune, sa signature aromatique, sélectionnez des recettes où ces aliments dominent. Cépages:** 50% malbec, 50% tempranillo. **Alc./**13,5%. **familiazuccardi.com**

☛ *Servir dans les trois années suivant le millésime, à 17 °C*

Hachis Parmentier de canard au quatre-épices, pâtes aux tomates séchées et au basilic, foie de veau sauce au poivre vert et à la cannelle ou côtes levées à la cannelle et au curry de vin rouge.

Petite Sirah L.A. Cetto 2009

VALLE DE GUADALUPE, BAJA CALIFORNIA, L.A. CETTO, MEXIQUE

11,85 $	SAQ S (429761)	★★ $		Corsé+

Si vous vous cuisinez des fajitas de bœuf, c'est le genre de rouge qu'il vous faut. Toujours aussi expressive, cette petite sirah de la Baja California, faisant partie du vignoble mexicain, se montre toujours aussi aromatique et épicée, aux relents de cassis et de girofle, joufflue et capiteuse, aux tanins certes présents mais enrobés. Difficile de trouver mieux en matière de petite sirah offerte à ce prix. Il faut savoir que la petite sirah, qui n'a rien à voir avec la syrah, est née en 1880, en Californie, sous le nom de durif, du docteur du même nom, qui avait mis au point un cépage pouvant résister à l'invasion du mildiou. Puis, en 1890, elle fut rebaptisée petite sirah. **Cépage:** petite sirah. **Alc./**13,5%. **lacetto.com**

☞ *Servir dans les quatre années suivant le millésime, à 17 °C*

Fajitas de bœuf, chili de Cincinnati (***), rôti de palette «comme un chili de Cincinnati» (***) ou sauté de bœuf au gingembre et betteraves rouges sautées à la poêle à l'émulsion «Mister Maillard» (voir recette d'émulsion «Mister Maillard» sur **papillesetmolecules.com**).

Shiraz Deakin Estate 2010
VICTORIA, DEAKIN ESTATE, AUSTRALIE

11,95 $	SAQ C (560821)	★★☆ $	Modéré+

Une délectable syrah australienne, charmante au possible et offerte à un prix très doux, parfaite pour s'amuser à table avec nos recettes de *Papilles pour tous!*, dont certaines ont été pensées pour les vins de shiraz/syrah. Alors, sustentez-vous d'un vin à la robe grenat clair, au pourtour violacé, au nez très aromatique et assez profond, qui déploie des notes de violette, de framboise et de mûre, avec des touches classiques de poivre noir et d'olive noire. La bouche suit avec des tanins fins et coulants, à l'acidité fraîche, mais presque discrète, à la texture ample et soyeuse, aux longues saveurs confites et poivrées à souhait. Difficile d'être plus caractéristique que ça. Comme dirait l'autre : «s'tivident!». **Cépage :** shiraz. **Alc./**13,5%. **deakinestate.com.au**

☞ *Servir dans les quatre années suivant le millésime, à 17 °C*

Chips aux olives noires et au poivre (***), sushis_Mc² «pour amateur de vin rouge» (voir sur **papillesetmole cules.com**), légumes d'automne rôtis au four pour syrah/shiraz (***) ou brochettes d'agneau aux olives noires «sur brochettes imbibées d'une eau parfumée au thym» (***).

Tannat Don Pascual Reserve 2009 ✓ TOP 30 BAS PRIX
VIN DE TABLE D'URUGUAY, ESTABLECIMENTO JUANICO, URUGUAY

12,55 $	SAQ S (10299122)	★★☆ $	Corsé

La bouche compacte et d'une certaine densité étonne pour un rouge de ce prix. Il y a donc matière à vous déplacer pour réserver quelques flacons pour vos viandes rouges grillées! Bonne intensité aromatique, aux relents de violette et de fruits noirs, tout aussi bonne attaque de bouche, aux tanins présents, mais mûrs, au corps ramassé, presque velouté et aux saveurs persistantes. Que deman-der de plus à ce prix? **Cépage :** tannat. **Alc./**12,5%. **juanico.com**

☞ *Servir dans les cinq années suivant le millésime, à 17 °C*

Filet de porc au café noir (*) (voir Filets de bœuf au café noir), hamburgers d'agneau aux poivrons rouges confits et au paprika ou «feuilles de vigne farcies_Mc²» (riz sauvage soufflé, bacon de sanglier, sirop de riz brun/café) (**).

Shiraz/Tannat Don Pascual Reserve 2009
VIN DE TABLE D'URUGUAY, ESTABLECIMENTO JUANICO, URUGUAY

12,75 $	SAQ S (10748371)	★★ $	Modéré

Nouveau millésime de cet engageant et souple assemblage, certes discret au nez, mais doublement texturé et prenant en bouche, aux tanins ronds, à l'acidité discrète et aux saveurs longues et mûres, rappelant la prune et le café. Plus que jamais un vin équilibré et gourmand pour le prix demandé. **Cépages :** shiraz, tannat. **Alc./**12,5%. **juanico.com**

☞ *Servir dans les quatre années suivant le millésime, à 17 °C*

🍴 Tartinade de pommade d'olives noires à l'eau de poivre (***) ou brochettes d'agneau aux olives noires «sur brochettes imbibées d'une eau parfumée au thym» (***).

Malbec Barrel Select Norton 2008

MENDOZA, BODEGA NORTON, ARGENTINE

13,95 $	SAQ C (860429)	★★☆?☆ $	Modéré+

Ce nouveau millésime, provenant de l'une des meilleures *bodegas* d'Argentine, se montre plus que jamais à la fois expressif et retenu, à la manière européenne, tout en laissant deviner un fruité invitant et passablement riche, pour ne pas dire débordant. La bouche est comme à son habitude d'un toucher velouté à souhait, aux tanins tendres, à l'image du 2007 qui était disponible au moment de mettre sous presse, et à l'acidité discrète. Bleuet, mûre et épices douces en signent le complexe aromatique. Du sérieux à prix doux. **Alc./**14%. **norton.com.ar**

☞ *Servir dans les cinq années suivant le millésime, à 17 °C et oxygéné en carafe 5 minutes*

🍴 Bifteck à l'ail et aux épices accompagné de purée de navets à l'anis étoilé (voir recette de purée de navets à l'anis étoilé sur **papillesetmolecules.com**), poulet grillé sur une canette de bière frotté aux épices barbecue et copeaux d'hickory ou hachis Parmentier de canard au quatre-épices.

Malbec Pascual Toso 2009

MENDOZA, BODEGAS Y VINEDOS PASCUAL TOSO, ARGENTINE

14 $	SAQ C (10967320)	★★☆ $	Corsé

Délectable et éclatant coup de cœur des deux précédentes *Sélection*, dans son millésime 2008, ce malbec se montre à nouveau comme une bonne affaire avec ce 2009. La robe est toujours aussi profonde. Le nez est plus qu'aromatique, d'une étonnante richesse pour son rang, non sans finesse, dévoilant des arômes de fruits noirs et de poivre, avec une arrière-scène légèrement mentholée. La bouche est quant à elle tout aussi enveloppante et presque soyeuse, malgré la présence des jeunes tanins, et signale sa forte personnalité par des saveurs épicées à souhait. **Cépage:** malbec. **Alc./**14%. **bodegastoso.com.ar**

☞ *Servir dans les trois années suivant le millésime, à 16 °C*

🍴 Saucisses grillées, brochettes souvlakis, tranches d'épaule d'agneau grillées au poivre noir et sauté de poivrons verts et rouges au paprika ou foie de veau sauce au poivre et à la cannelle.

William Rouge 2009

QUÉBEC, VIGNOBLE RIVIÈRE DU CHÊNE, SAINT-EUSTACHE, QUÉBEC, CANADA

14 $	SAQ S (743989)	★★ $	Modéré

Beau vin rouge charmeur, à mi-chemin entre le style très frais des beaujolais et le profil plus nourri de certains pinots noirs néo-zélandais. Un rouge aux tanins fins et souples, à l'acidité fraîche et au corps modéré, mais marqué par des saveurs expressives, rappelant les fruits rouges (grenadine, cerise au marasquin) et les épices douces, avec une petite pointe torréfiée. **Cépages:** 60% maréchal foch, 40% baco noir. **Alc./**12%. **vignobleriviereduchene.ca**

☞ *Servir dans les trois années suivant le millésime, à 16 °C*

🍴 Brochettes de poulet teriyaki, bruschetta à la tapenade de tomates séchées, sandwich aux légumes grillés et tapenade de tomates séchées ou saumon grillé et coulis de sauce tomate de longue cuisson.

Malbec Los Cardos Doña Paula 2010
MENDOZA, VIÑA DOÑA PAULA, ARGENTINE *(DISP. SEPT. 2011)*

14,10 $	SAQ S (10893914)	★★☆?☆ $	Modéré+

Célébrée dans l'édition 2009 de ce guide, avec son exhalant et volumineux 2006, tout comme dans *La Sélection 2010*, avec son charmeur 2008, sans oublier son dodu 2009 souligné dans *La Sélection 2011*, cette *bodega* argentine récidive pour un quatrième millésime consécutif avec un malbec toujours aussi gourmand et volumineux. Difficile à nouveau d'être plus expressif et satisfaisant pour le prix demandé. Faites-vous plaisir avec ses parfums de fruits noirs et d'épices, un brin torréfiés, tout comme en vous laissant prendre par sa texture voluptueuse, plus dense qu'en 2009, sans trop, tout en ayant du grain et de la prise. Vraiment, du beau jus à croquer à pleines dents! La bonne nouvelle, il y aura quelques arrivages entre septembre 2011 et le printemps 2012. **Cépage:** malbec. **Alc./**14 %. **donapaula.com.ar**

☛ *Servir dans les trois années suivant le millésime, à 17 °C*

Foie de veau sauce au poivre et à la cannelle, brochettes de bœuf à la pommade de menthe fraîche, poivre concassé et vinaigre balsamique, steak de saumon grillé au *pimentón* et tomates séchées ou «feuilles de vigne farcies_Mc^2» (riz sauvage soufflé, bacon de sanglier, sirop de riz brun/café) (**).

Malbec Reserva Nieto Senetiner 2010
MENDOZA, BODEGAS NIETO SENETINER, ARGENTINE

14,30 $	SAQ C (10669883)	★★☆ $$	Corsé

Les vins de cette *bodega* m'avaient beaucoup impressionné lors de mon passage en Argentine en 2001, et, depuis, les derniers millésimes de ce malbec se sont tous montrés à la hauteur de mes attentes. Donc, sustentez-vous de ce rouge au nez aromatique et passablement riche, à la bouche bavarde au possible, débordante de saveurs, pulpeuse à souhait et très généreuse, aux tanins un brin fermes, mais sans dureté, plutôt gras. Mûre, cassis, poivre et café s'expriment avec éclat. Les amateurs de malbec émanant du Nouveau Monde seront plus que jamais comblés. **Cépage:** malbec. **Alc./**13,5 %. **nietosenetiner.com.ar**

☛ *Servir dans les quatre années suivant le millésime, à 17 °C*

Sandwich de canard confit, nigelle et feuille de roquette (voir sur **papillesetmolecules.com**), ragoût de bœuf à la bière et polenta crémeuse aux oignons caramélisés, brochettes de bœuf au café noir (voir Filets de bœuf au café noir) (*) ou pâte de poivrons verts (voir sur **papillesetmolecules.com**) en accompagnement de filet de bœuf grillé.

Cocoa Hill 2009
WESTERN CAPE, CHRISTOPH DORNIER, AFRIQUE DU SUD

14,70 $	SAQ S (10679361)	★★☆?☆ $$	Corsé

Après un 2006 un brin asséchant, et un 2004 passablement riche pour son prix, fin et compact, ainsi qu'un 2007 gourmand au possible, cette cave sud-africaine poursuit sur sa lancée avec un 2009 qui abonde dans le même profil gourmandise solaire que le 2007. Belle complexité aromatique, aux parfums passablement riches pour son rang (fruits rouges, épices, vanille et olive noire). Bouche quasi juteuse, mais aussi fraîche, savoureuse et enveloppante comme en 2007. Il faut dire qu'il provient d'un terroir de granite rouge décomposé, ce qui sied parfaitement à la syrah qui entre dans son assemblage. Donc, à nouveau harmonieux au possible pour un rouge à

14% d'alcool. **Cépages:** 12% cabernet sauvignon, 50% shiraz, 33% merlot, 5% malbec. **Alc./**14%. **dornierwines.co.za**

☛ *Servir dans les cinq années suivant le millésime, à 17 °C et oxygéné 15 minutes en carafe*

Braisé de bœuf à l'anis étoilé, filets de bœuf grillés et sauté de poivrons rouges au curcuma ou jarret d'agneau confit et bulbe de fenouil braisé.

Cabernet Sauvignon Errazuriz Estate 2010
VALLE DE ACONCAGUA, VIÑA ERRAZURIZ, CHILI

14,95 $	SAQ C (262717)	★★☆ $	Modéré+

À nouveau un vin de caractère pour Errazuriz, d'une tenue et d'une persistance étonnantes pour le prix demandé. Aromatique à souhait, détaillant des nuances classiques pour ce cépage cultivé en sol chilien, rappelant le cassis, la menthe, le poivron et le poivre. À la fois ample et juteux, plein et très frais en bouche, où les tanins ont de la prise, sans être fermes, où l'acidité est juste dosée et où les saveurs sont plutôt longues, rappelant les fruits noirs et rouges, ainsi que l'eucalyptus. Ce qui en fait une référence pour les amateurs des vins sud-américains à base de ce cépage. **Cépage:** cabernet sauvignon. **Alc./**13,5%. **errazuriz.com**

☛ *Servir dans les quatre années suivant le millésime, à 17 °C*

Pâte de poivrons verts (voir sur **papillesetmolecules.com**) en accompagnement de filet de bœuf grillé, foie de veau sauce au poivre et à la cannelle, bifteck grillé au beurre d'estragon ou brochettes de bœuf au café noir (voir Filets de bœuf au café noir) (*).

Cabernet Sauvignon Woodbridge 2009
✓ TOP 30 BAS PRIX

CALIFORNIA, WOODBRIDGE WINERY, ÉTATS-UNIS

14,95 $	SAQ C (048611)	★★☆?☆ $$	Modéré+

La plus belle réussite des dernières vendanges pour ce «cab» californien de cette grande marque commerciale qui se passe de présentation tant sa réputation est mondiale. Il en résulte un rouge d'une étonnante complexité aromatique pour le style, à la bouche tout aussi prenante et engageante, aux tanins fins, mûrs et souples, ainsi qu'aux saveurs qui ont de l'éclat. Cassis, menthe, poivre et café participent au cocktail. **Cépage:** zinfandel. **Alc./**13,5%. **woodbrigewines.com**

☛ *Servir dans les quatre années suivant le millésime, à 17 °C*

Brochettes de bœuf et poivrons verts et rouges marinés à l'huile de sésame (***) ou «feuilles de vigne farcies_Mc²» (riz sauvage soufflé, bacon de sanglier, sirop de riz brun/café) (**).

Shiraz Errazuriz Estate 2010
✓ TOP 30 BAS PRIX

VALLE DEL RAPEL, VIÑA ERRAZURIZ, CHILI

14,95 $	SAQ C (604066)	★★☆ $$	Corsé

Comme elle le fait millésime après millésime, Errazuriz présente une shiraz chilienne on ne peut plus mature, au fruité mûr, et aux parfums poivrés pour son prix. La bouche se montre un brin plus généreuse et soutenue que par le passé, mais aux tanins presque ronds, même si marqués par une certaine prise, le tout enveloppé par une générosité solaire. Crème de mûres, eucalyptus et café signent une longue fin de bouche de cette référence que les amateurs de shiraz au profil Nouveau Monde connaissent déjà fort bien et qui fait dorénavant partie de ma liste de vins que l'on peut «acheter les yeux fermés», et ce, bon an mal an. **Cépage :** shiraz. **Alc./**14%. errazuriz.com

☛ *Servir dans les quatre années suivant le millésime, à 17 °C*

«Feuilles de vigne farcies_Mc^2» (riz sauvage soufflé, bacon de sanglier, sirop de riz brun/café) (**), *pop-corn* «au goût de bacon et cacao» (***), sushis_Mc^2 «pour amateur de vin rouge» (voir sur **papillesetmolecules.com**), quiche de pain perdu aux asperges grillées «pour vins rouges» (***), légumes d'automne rôtis au four pour syrah/shiraz (***) ou pâté chinois revu et magnifié «pour vin rouge» (***).

Zinfandel Woodbridge 2009
CALIFORNIA, WOODBRIDGE WINERY, ÉTATS-UNIS

14,95 $	SAQ C (329110)	★★?☆ $$	Modéré+

Ce zinfandel est assurément la cuvée la plus régulière, bon an mal an, dans la gamme Woodbridge. Le cabernet et le merlot n'offrent pas la même assurance. Quoi qu'il en soit, ce millésime du «zin» se montre tout en fruit, en générosité solaire et en plaisir à boire. Tanins ronds et souples, acidité juste dosée, corps modéré et saveurs expressives de fruits rouges (grenadine, cerise marasquin) et épices douces. Ceux qui aiment cette ligne seront comblés. **Cépage :** zinfandel. **Alc./**13,5%. **robertmondavi.com/woodbridge**

☛ *Servir dans les quatre années suivant le millésime, à 17 °C*

Chili de Cincinnati (***), côtes levées sauce barbecue épicée ou quesadillas (*wraps*) au bifteck et fromage bleu.

Brampton OVR 2008
COASTAL REGION, RUSTENBERG WINES, AFRIQUE DU SUD

15,15 $	SAQ S (10678528)	★★☆?☆ $$	Modéré+

Poivre blanc, fruits noirs et poivron donnent le ton avec expression et panache à ce 2008, dégusté à quelques reprises depuis août 2010, qui est un assemblage tout aussi réussi que le précédent 2006 (commenté dans *La Sélection 2009*). De la couleur, du nez, exhalant de riches et presque confits parfums, de l'ampleur, des tanins mûrs, avec du grain, et des saveurs longues, laissant deviner des notes de poivron vert, de graphite, de cassis, et de poivre. Si tous les assemblages shiraz/cabernet offerts chez les produits courants étaient de ce niveau... **Cépages :** cabernet sauvignon, shiraz, merlot. **Alc./**14,5%. **rustenberg.co.za**

☛ *Servir dans les cinq années suivant le millésime, à 17 °C*

Quiche de pain perdu aux asperges grillées «pour vins rouges» (***), pâte concentrée de poivrons rouges rôtis (voir sur **papillesetmolecules.com**) pour foie de veau, purée de panais au basilic thaï (voir sur **papillesetmolecules.com**) pour filet de bœuf grillé, brochettes d'agneau grillées à l'ajowan ou gigot d'agneau à l'ail et au romarin.

Cabernet Sauvignon Reserva Araucano 2009
VALLE DE COLCHAGUA, HACIENDA ARAUCANO, FRANÇOIS LURTON, CHILI

15,15 $	SAQ S* (10693154)	★★☆ $$	Modéré+

Un on ne peut plus classique cabernet chilien, d'une bonne coloration, d'un nez très expressif et passablement riche, exhalant des notes d'eucalyptus, de menthe, de poivre et de fruits noirs mûrs, à la bouche ronde et généreuse, sans trop, pleine et longue, aux tanins presque enveloppés. Comme toujours pour les crus signés par François Lurton, un excellent rapport qualité-prix. Réservez-lui, entre autres, les plats rehaussés de romarin, de laurier ou d'origan, qui sont tous sur la même piste aromatique que l'eucalyptus qui, lui, domine son profil aromatique. Ce à quoi répondent aussi les plats dominés par les asperges vertes rôties et le café, tous deux sur le même profil aromatique que ce rouge. **Cépage :** carmenère. **Alc./**14%. **jflurton.com**

☛ *Servir dans les cinq années suivant le millésime, à 17 °C*

Quiche aux asperges vertes rôties (***), gigot d'agneau à l'ail et au romarin ou filets de bœuf à la fourme d'Ambert et au romarin (*).

Carmenère Reserva Araucano 2008

VALLE DE COLCHAGUA, HACIENDA ARAUCANO, FRANÇOIS LURTON, CHILI

15,15 $	SAQ S (10694413)	★★☆?☆ $$	Modéré+

Après un carmenère 2005 classiquement chilien (commenté dans *La Sélection 2009*), aux arômes d'eucalyptus, de poivre, de groseille, François Lurton revient avec une version 2008 complètement différente, plus mûre et moins «eucalyptus», comme ce cépage à l'habitude de s'exprimer. La matière est aussi plus enveloppante, pleine et généreuse, au boisé encore plus discret que lors de la première dégustation de ce 2008 (à l'été 2010), et aux saveurs étonnamment longues pour le prix demandé, laissant des traces de feuille de cassis, de menthe et de poivre, fort différentes des notes perçues en 2010. Un judicieux travail à la vigne (effeuillage important pour meilleure exposition au soleil) et au chai (départ de fermentation à froid) lui a permis d'accoucher d'un aussi engageant carmenère. **Cépage :** carmenère. **Alc./**14%. **jflurton.com**

☛ *Servir dans les cinq années suivant le millésime, à 17 °C*

«Feuilles de vigne farcies_Mc^2» (riz sauvage soufflé, bacon de sanglier, sirop de riz brun/café) (**), bifteck grillé au beurre d'estragon, hamburgers d'agneau aux poivrons rouges confits et au paprika ou souvlakis à l'origan et aux épices à steak.

Saxenburg Guinea Fowl 2008

STELLENBOSCH, SAXENBURG WINE FARM, AFRIQUE DU SUD

15,15 $	SAQ C (10678026)	★★☆ $$	Corsé

Difficile d'être plus merlot/cabernet que ça au nez, tant les notes végétales de la famille des pyrazines (menthe, feuille de cassis, betterave) s'expriment avec force et fraîcheur. La bouche suit avec ampleur et générosité, sans trop, et surtout marquée par des tonalités très boisées, aux notes de fumée, de créosote et de goudron. Les tanins sont mûrs et souples, le corps charnu et les saveurs longues. Pour aficionados de rouges boisés travaillés à la sauce Nouveau Monde. Si ce n'est pas votre tasse de thé (fumé!), passez votre tour. **Cépages :** 58% merlot, 37% cabernet sauvignon, 5% syrah. **Alc./**13,5%. **saxenburg.co.za**

☛ *Servir dans les quatre années suivant le millésime, à 17 °C*

Bœuf à la bière (***), brochettes de bambou imbibées au scotch «pour grillades de porc» (***) ou asperges vertes rôties, enrobées de chocolat noir infusé au thé fumé Zheng Shan Xiao Zhong, fleur de sel au café) (**).

Malbec Alamos 2009
MENDOZA, BODEGA CATENA ZAPATA, ARGENTINE

15,80 $	SAQ S* (467951)	★★★ $$	Corsé

Cette cuvée de malbec coup de cœur a été l'une des plus régulières et des plus avantageuses des quinze dernières années, chez les argentins, et elle récidive à nouveau. Tout y est. De la couleur. Du fruit, de l'expression, de la richesse, mais aussi de la fraîcheur, de la précision, de l'ampleur, du coffre et, surtout, du plaisir à boire. Girofle, café, prune et fruits noirs signent la bouche avec éclat. **Cépage :** 100 % malbec. **Alc./**13,8 %. **catenawines.com**

☛ *Servir dans les quatre années suivant le millésime, à 17 °C*

Côtelettes d'agneau au café noir (voir Filets de bœuf au café noir) (*) servies avec asperges vertes rôties au four à l'huile d'olive, brochettes de bœuf et de foie de veau servies avec « purée_Mc² » pour amateur de vin au céleri-rave et clou de girofle (**) ou ragoût de bœuf au vin rouge et polenta crémeuse au parmesan.

Domaine Les Brome « Cuvée Julien » 2008
QUÉBEC, DOMAINE LES BROME, LÉON COURVILLE, VILLE DE LAC-BROME, QUÉBEC, CANADA

16,20 $	SAQ C (10680118)	★★☆ $$	Modéré+

La qualité étant à nouveau au rendez-vous, pour un deuxième millésime de suite, cette cuvée mérite donc une mention spéciale pour l'expressivité, l'éclat et la pureté de définition pour son niveau. La couleur est soutenue, le nez très aromatique, engageant et étonnamment mûr, exhalant des touches de fruits rouges, de girofle et de pétale de rose. La bouche suit avec une certaine générosité pour le style, aux tanins fins et mûrs, au corps voluptueux et aux saveurs longues. Finale très fraîche nous rappelant qu'il est tout de même québécois et digeste à souhait! **Cépages :** maréchal foch, baco noir, de chaunac. **Alc./**13 %. **domainelesbrome.com**

☛ *Servir dans les cinq années suivant le millésime, à 17 °C*

Salade de tomates, bocconcini, basilic thaï et vinaigrette au clou de girofle (***), chili de Cincinnati (***), cube de bœuf en sauce (***), filet de porc en souvlaki (***) ou tourtière de la Beauce et betteraves sautées à l'émulsion « Mister Maillard » (voir recette de l'émulsion « Mister Maillard » sur **papillesetmolecules.com**).

Malbec Reserve Don David 2009
VALLE DE CAFAYATE, MICHEL TORINO ESTATE, ARGENTINE

16,65 $	SAQ S (11156043)	★★★ $$	Corsé

■ NOUVEAUTÉ! Voilà une nouveauté à ne pas laisser passer tant la matière est pleine et le profil aromatique raffiné, pour son rang. Couleur soutenue, nez aromatique et prenant, laissant dégager des notes de girofle, de cacao et de poivre, avec des pointes de fruits noirs bien mûrs, sans trop, à la bouche presque dense, mais aussi détendue, texturée et enveloppante, aux tanins fins et gras, aux saveurs longues. Je vous le dis depuis quelques années déjà, les malbecs argentins comptent parmi les meilleurs rapports qualité-prix du vignoble mondial. À nous d'en profiter! Et n'oubliez pas de lui servir des plats rehaussés de clou de girofle, tout comme des aliments complémentaires à ce dernier (bœuf grillé fortement, betterave rouge, basilic thaï, fraise) tels que décrits dans le livre *Papilles et Molécules*. **Cépage :** malbec. **Alc./**13,8 %. **micheltorino.com.ar**

☛ *Servir dans les cinq années suivant le millésime, à 17 °C et oxygéné en carafe 5 minutes*

Chili de tofunati (***), rôti de palette «comme un chili de Cincinnati» (***) ou rôti de porc farci aux abricots et sauce au porto tawny et lait de coco (***).

Easton House 2008

CALIFORNIA, EASTON, ÉTATS-UNIS

16,95 $	SAQ S* (10744695)	★★☆?☆ $$	Corsé

Copie conforme du 2007, donc un 2008 à son meilleur, tout en fruit et en épices, mais aussi en chair et en texture, aux tanins présents, avec du grain, sans être dominants. Du beau jus, toujours aussi girofle et torréfié, à l'esprit solaire, donc passablement généreux, mais non sans fraîcheur. Comme je vous le dis depuis quelques millésimes déjà, ceux qui s'ennuient avec les cabernets et les merlots de la côte ouest devraient se rincer le goulot plus souvent avec ce genre de rouge plaisir où le cabernet associé à la syrah, façon «Provence et Languedoc», acquiert un profil franchement singulier. **Cépages :** syrah, cabernet sauvignon. **Alc./**13,5 %. **eastonwines.com**

☛ *Servir dans les six années suivant le millésime, à 16 °C*

Pop-corn «au goût de bacon et cacao» (***), mozzarella gratinée «comme une pizza» et sel au clou de girofle (***), légumes d'automne rôtis au four pour syrah/shiraz (***) ou quiche de pain perdu aux asperges grillées «pour vins rouges» (***).

Merlot Prospect Winery Major Allan 2008

OKANAGAN VALLEY VQA, GANTON & LARSEN PROSPECT WINERY, CANADA

16,95 $	SAQ C (11315121)	★★?☆ $$	Modéré

■ **NOUVEAUTÉ!** Une autre belle nouveauté de la gamme Prospect Winery, en rouge cette fois-ci, se montrant colorée, aromatique à souhait, au fruité mûr et presque débordant, à la bouche d'une certaine ampleur, en chair, très merlot, sans être pulpeuse ni profonde, tout en demeurant fort séduisante pour le prix. Prune, cerise noire et café signent le profil aromatique, tandis que la finale en bouche se montre plus ferme. Ce qu'une bonne viande saignante assouplira. **Cépage :** merlot. **Alc./**13,5 %. **prospectwinery.com**

☛ *Servir dans les quatre années suivant le millésime, à 17 °C*

Entrecôte de bœuf ou filets de bœuf en croûte de fines herbes.

Shiraz E Minor 2009

BAROSSA VALLEY, BAROSSA VALLEY ESTATE, AUSTRALIE

16,95 $	SAQ C (11073926)	★★★ $$	Corsé

Troisième millésime coup sur coup à se montrer plus qu'avantageux pour cette invitante shiraz australienne. Vous vous délecterez à nouveau d'un rouge gourmand et débordant de saveurs, à la texture prenante, mais avec du grain grâce à une belle prise tannique, mais sans fermeté. Fraîcheur, malgré la richesse solaire, et grande allonge des saveurs (poivre, prune, cassis, vanille, café) sont au rendez-vous. Le coup de cœur y est cette fois-ci! Il faut dire que cette maison élabore parmi les plus grands vins d'Australie, dont le légendaire Shiraz Black Pepper E&E. Ceci explique cela... **Cépage :** shiraz. **Alc./**14 %. **bve.com.au**

☛ *Servir dans les quatre années suivant le millésime, à 17 °C*

Tartinade de pommade d'olives noires à l'eau de poivre (***), chili de Cincinnati (***), brochettes d'agneau aux olives noires sur brochettes parfumées au thym (***), bonbons de framboise et algue nori (***).

Belle Vallée Southern Oregon 2006

SOUTHERN OREGON, BELLE VALLÉE CELLARS, ÉTATS-UNIS *(RETOUR OCT. 2011)*

17,35 $	SAQ **S** (11208405) ★★★ **$$**		Corsé

Vivement le retour de cet américain pulpeux et engageant au possible, célébré dans l'édition précédente de ce guide, aux effluves toujours aussi exacerbés de liqueur de framboise, de poivre et de chêne, à la bouche pleine, joufflue et dodue, presque capiteuse, sans trop, aux tanins enrobés par un moelleux dominant, aux longues saveurs confites. De plus, il a gagné en texture veloutée depuis l'automne 2010, et son boisé s'est intégré au cœur de la matière. Un vin de plaisir immédiat, à boire sans se poser de question, mais sensations fortes garanties! **Cépages :** cabernet sauvignon, merlot, cabernet franc. **Alc./**13,8%. **bellevallee.com**

☛ *Servir dans les sept années suivant le millésime, à 17 °C et oxygéné en carafe 15 minutes*

Ailes de poulet épicées, chili de Cincinnati (***), côtes levées à l'anis et à l'orange ou marinade pour le bœuf au miso (***) pour brochettes de bœuf.

The Stump Jump GSM d'Arenberg 2008

✓ TOP 100 CHARTIER

SOUTH AUSTRALIA, D'ARENBERG, AUSTRALIE

17,50 $	SAQ **S*** (10748418) ★★★ **$$**		Corsé

Disponible en approvisionnement continu, donc avec des ruptures de stock peu fréquentes, contrairement aux produits de spécialités, ce 2008 sera sur le marché jusqu'au printemps 2012. À vous d'en profiter, car il en vaut le détour! C'est que cet assemblage GSM était déjà fort engageant dans les millésimes passés (commentés dans *La Sélection*), mais il se montre plus que jamais réussi et avantageux pour le prix demandé. Vous y découvrirez un Stump plus aromatique et plus charmeur que jamais, exhalant une étonnante complexité d'arômes (violette, lys, framboise, cannelle, thym, olive noire), à la bouche au velouté prenant, à l'acidité discrète et aux tanins ultra-fins, laissant place à de longues et éclatantes saveurs cacaotées. Il mérite ses trois étoiles, donc, j'aime! **Cépages :** 48% grenache, 28% shiraz, 24% mourvèdre. **Alc./**14%. **darenberg.com.au**

☛ *Servir dans les quatre années suivant le millésime, à 16 °C*

Bœuf grillé et réduction de «Soyable_Mc^2» (**), «purée_Mc^2» pour amateur de vin au céleri-rave et clou de girofle (**), brochettes d'agneau à l'ajowan ou hamburgers de bœuf à la pommade d'olives noires à l'eau de poivre (***).

Pinot Noir « Montes » 2009

VALLÉE DE CASABLANCA, MONTES, CHILI

17,80 $	SAQ **S** (10944187) ★★☆ **$$**		Modéré+

Coup de cœur avec son précédent millésime, ce pinot est toujours une aussi bonne affaire dans ce millésime. L'un des beaux pinots chiliens sous la barre des vingt dollars, se montrant richement expressif, épicé à souhait (cannelle, muscade, poivre), débordant de fruits (fraise, cerise), aux tanins mûrs et enrobés, au corps presque plein, sans excès, spécialement pour un pinot de ce prix, mais avec fraîcheur, élégance et finesse dans le style. Il faut dire que cette maison est à ranger parmi les références chiliennes de l'heure. Confectionnez-lui un fromage à croûte fleurie à la poudre de clou de girofle (macérée quelques jours au centre du fromage préalablement tranché à l'horizontale). C'est aussi le compagnon sur mesure pour un fumant bortsch, tout comme pour une fricassée de poulet grillé et de betteraves rouges poêlées et aromatisées au quatre-épices. **Cépage:** pinot noir. **Alc./**14%. **monteswines.com**

☛ *Servir dans les trois années suivant le millésime, à 17 °C*

Bortsch, fricassée de poulet grillé et de betteraves rouges poêlées et aromatisées au quatre-épices ou fromage à croûte fleurie à la poudre de clou de girofle (macérée quelques jours au centre du fromage préalablement tranché à l'horizontale).

Merlot Roy's Hill 2009
HAWKES BAY, C.J. PASK WINERY, NOUVELLE-ZÉLANDE

17,90 $	SAQ S (10382727) ★★★ $$		Modéré+

Une fois de plus un très beau merlot pour cette cave, tout en charme et en souplesse, aux courbes sensuelles, aux tanins ronds, à l'acidité discrète et aux saveurs longues, rappelant la framboise, la cerise noire, le poivron, le café et le poivre. Moins soutenu que ne l'était le 2007, mais doublement festif et invitant. **Cépage:** merlot. **Alc./**13%. **cjpaskwinery.co.nz**

☛ *Servir dans les quatre années suivant le millésime, à 16 °C*

Mozzarella gratinée «comme une pizza» et sel au clou de girofle (★★★), «feuilles de vigne farcies_Mc² » (riz sauvage soufflé, bacon de sanglier, sirop de riz brun/café) (★★), filets de porc à la cannelle et aux canneberges ou filet de saumon grillé au quatre-épices chinois.

Cabernet/Merlot Mission Hill « Five Vineyards » 2008
OKANAGAN VALLEY VQA, MISSION HILL WINERY, CANADA

17,95 $	SAQ C (10544749) ★★★ $$		Corsé

Introduit au Québec avec son très bon millésime 2005, salué dans *La Sélection 2008*, cette excellente maison de l'Ouest, qui avait récidivé avec un 2007 aromatique à souhait et engageant, nous refait le coup avec un nouveau millésime 2008 dans la même veine aromatique et gourmande que les précédents. Vous vous délecterez d'un assemblage à la bordelaise légèrement boisé, sans être dominant, à la bouche d'une bonne ampleur, même si très fraîche, quasi veloutée, aux tanins mûrs, qui ont du grain et une certaine fermeté juvénile, aux saveurs longues qui laissent deviner des tonalités de crème de cassis, d'eucalyptus, de violette, de café et de fumée. Si vous aimez les rouges un brin torréfiés, façon Californie, au corps texturé mais non dénué de fraîcheur et de grippe, vous apprécierez plus que jamais cette cuvée de l'Okanagan. Et le cadeau, c'est qu'il est encore plus complet et harmonieux que lors de la précédente dégustation de ce cru, en septembre 2010. **Cépages:** 45% merlot, 35% cabernet, 20% cabernet franc. **Alc./**13,5%. **missionhillwinery.com**

☛ *Servir dans les six années suivant le millésime, à 17 °C*

«Feuilles de vigne farcies_Mc² » (riz sauvage soufflé, bacon de sanglier, sirop de riz brun/café) (★★), filet de bœuf de la Ferme Eumatimi, sauce *mole* mexicaine (à la noix de coco et au cinq-épices) (★★), foie de veau en sauce à l'estragon ou tranches d'épaule d'agneau grillées au poivre noir et sauté de poivrons verts et rouges au paprika.

Shiraz/Cabernet Koonunga Hill 2009

SOUTH EASTERN AUSTRALIA, PENFOLDS WINES, AUSTRALIE

17,95 $	SAQ C (285544)	★★☆?☆ $$		Corsé

Un classique australien, avec la régularité d'un horloger suisse! Très beau nez, au fruité pur et précis, sans notes boisées apparentes, d'une bonne tenue, mais plus juteux et solaire que dans le millésime précédent. Bouche d'une bonne ampleur, presque juteuse, mais avec son habituelle retenue presque européenne, aux tanins fins, à l'acidité fraîche et aux saveurs longues, laissant des traces de fruits rouges, d'épices et de torréfaction. Rares sont les assemblages australiens à ce prix à être vinifiés avec autant de sérieux, bâtis pour une certaine garde. Une fois à table, réservez-lui des recettes dominées par les aliments complémentaires à ses arômes de fraise et de poivre, comme le sont le basilic, le café, le clou de girofle, la cannelle, le curcuma, le gingembre, la sauce soya, la vanille et le balsamique. **Cépages:** shiraz, cabernet sauvignon. **Alc./**13,5%. penfolds.com

☛ *Servir dans les huit années suivant le millésime, à 17 °C*

Fricassée de porc au soya et sésame, saumon laqué à la sauce soya et à la bière noire, côtes levées à la cannelle et au curry de vin rouge, mozzarella gratinée «comme une pizza» et sel au clou de girofle (***) ou carré de porc glacé aux fraises, poivre du Sichuan, galanga et miel (**).

Syrah Château Ste Michelle 2007

COLUMBIA VALLEY, STE. MICHELLE WINE ESTATES, WASHINGTON STATE, ÉTATS-UNIS

18,65 $	SAQ S (10960890)	★★★ $$		Corsé

Cette syrah américaine étonne par sa retenue presque européenne, par sa précision, sans exubérance inutile, et par sa fraîcheur quasi rhodanienne. Les tanins sont mûrs et enveloppés avec brio. Les saveurs s'expriment par des tonalités de fruits rouges, de poivre, avec de subtiles touches fumées et anisées (à l'image des composés volatils du topinambour). Bravo! À boire au cours des trois prochaines années, avec des viandes grillées, rôties ou fumées, accompagnées de topinambours cuits à la vapeur, puis terminés à la poêle afin de bien les griller et ainsi magnifier les notes anisées en tonalités caramélisées. **Cépage:** syrah. **Alc./**13,5%. ste-michelle.com

☛ *Servir dans les quatre années suivant le millésime, à 17 °C*

Sushis_Mc² «pour amateur de vin rouge» (voir recette sur **papillesetmolecules.com**) ou côtelettes d'épaule d'agneau grillées et poivrées accompagnées de topinambours poêlés.

Cabernet Sauvignon Max Reserva Errazuriz 2008

VALLE DE ACONCAGUA, VIÑA ERRAZURIZ, CHILI

18,95 $	SAQ C (335174)	★★☆?☆ $$		Corsé

Tout comme la Shiraz Errazuriz «Max Reserva» du même millésime (aussi commentée), ce cabernet se montre fort avantageux pour un cru offert sous la barre des vingt dollars. Un rouge très aromatique et détaillé, d'une bonne intensité, sans trop, ni superflu, laissant dégager des tonalités de fumée, de créosote, de crème de cassis et de poivre. En bouche, il se montre à la fois frais et élancé, ample et prenant, aux tanins tissés serrés, avec de la prise, au corps modéré pour le style et aux saveurs longues, où s'ajoute une pointe de poivron rouge rôti. **Cépage:** cabernet sauvignon. **Alc./**14%. errazuriz.com

☞ *Servir dans les six années suivant le millésime, à 17 °C et oxygéné en carafe 5 minutes*

🍴 Asperges vertes rôties, enrobées de chocolat noir (infusé au thé fumé Zheng Shan Xiao Zhong, fleur de sel au café) (**), filets de bœuf grillés et coulis de poivrons verts (*) ou rôti de bœuf aux champignons et jus au café expresso (voir Carré d'agneau et jus au café expresso) (*).

Pinot Noir Robert Mondavi Private Selection 2010

CALIFORNIA, ROBERT MONDAVI WINERY, ÉTATS-UNIS

| 18,95 $ | SAQ C (465435) | ★★★ $$ | Modéré+ |

Ixième millésime réussi pour ce désormais classique pinot noir californien, devenu passe-partout des pinots offerts sous la barre des vingt dollars. Aromatique, élégant et séduisant, aux effluves d'une richesse modérée, exhalant des notes de cerise au marasquin, de cannelle, de girofle, de violette et de poivre blanc. Texturé, à la fois ample et très frais, aux tanins qui ont du grain, mais quasi veloutés, au corps expansif pour le style, et aux saveurs subtilement épicées et giroflées qui charment par leur sensualité évidente. À table, réservez-lui des plats dominés par la tomate séchée, la cannelle, les épices barbecue ou la canneberge. **Cépage :** pinot noir. **Alc./**13,5 %. robertmondaviwinery.com

☞ *Servir dans les quatre années suivant le millésime, à 16 °C*

🍴 Mozzarella gratinée «comme une pizza» et sel au clou de girofle (***), pâtes aux anchois et au pesto de tomates séchées (***), filets de porc à la cannelle et aux canneberges, foie de veau sauce au poivre et à la cannelle ou pesto de tomates séchées (***) beurré sur saumon grillé.

Shiraz Errazuriz « Max Reserva » 2009

VALLE DE ACONCAGUA, VIÑA ERRAZURIZ, CHILI

| 18,95 $ | SAQ C (864678) | ★★★ $$ | Corsé+ |

Contrairement au millésime 2005, commenté dans *La Sélection 2008*, qui était de style plutôt rhodanien, un 2006 (voir *Sélection 2009*) qui s'exprimait plutôt par la surmaturité du Nouveau Monde, Errazuriz récidive en 2009 avec un cru on ne peut plus Nouveau Monde. Couleur soutenue. Nez expressif, pour ne pas dire explosif, passablement riche, mûr et complexe, exhalant des notes de mûre, de violette et de café. Bouche généreuse et pleine, aux tanins enveloppés dans une gangue veloutée, à l'acidité discrète, au corps presque dense, mais détendu, et aux saveurs très longues, où s'ajoute le poivre. Finale fraîche, qui vient rendre la matière digeste et harmonieuse. Du sérieux. Il faut savoir que le Don Maximiano, au cœur de l'Aconcagua, est l'un des rares vignobles chiliens plantés en coteaux. Son terroir argilo-graveleux et sablonneux, ainsi que son microclimat semi-désertique, donc chaud mais rafraîchi par la brise en fin d'après-midi, permet l'élaboration d'excellents vins. **Cépage :** shiraz. **Alc./**14 %. errazuriz.com

☞ *Servir dans les six années suivant le millésime, à 17 °C et oxygéné en carafe 15 minutes*

🍴 Sushis_Mc² «pour amateur de vin rouge» (voir sur papillesetmolecules.com), «feuilles de vigne farcies_Mc²» (riz sauvage soufflé, bacon de sanglier, sirop de riz brun/café) (**) ou côtelettes d'agneau au café noir (voir Filets de bœuf au café noir) (*) servies avec asperges vertes rôties au four à l'huile d'olive.

Tarapacá +Plus 2009

VALLE DEL MAIPO, VIÑA SAN PEDRO TARAPACÁ, CHILI

| 18,95 $ | SAQ C (11133247) | ★★☆?☆ $$ | Corsé | BIO |

■ **NOUVEAUTÉ!** Un assemblage de six cépages provenant de raisins de culture biologique, on ne peut plus tendance, se montrant fort coloré, richement aromatique, au fruité pur et très frais, jouant dans la sphère du cassis, de la menthe et du poivre, à la bouche à la fois juteuse et fraîche, tannique et ample, avec de la prise, aux tanins serrés et aux saveurs longues, égrainant des notes de café, de fumée et de fruits rouges. Il y a à boire et à manger. Le « J'AIME! » y était presque. **Cépages :** 23 % cabernet franc, 18 % cabernet sauvignon, 28 % syrah, 17 % carmenère, 8 % merlot, 6 % petit verdot. **Alc./**14,5 %. **tarapaca.cl**

☞ *Servir dans les cinq années suivant le millésime, à 18 °C*

 Sandwich de canard confit et nigelle (voir sur **papilleset molecules.com**), tranches d'épaule d'agneau grillées au poivre noir et sauté de poivrons verts et rouges au paprika ou pâte concentrée de poivrons verts et menthe (voir sur **papilletsetmole cules.com**) en accompagnement de viande rouge grillée.

Zinfandel Ravenswood Vintners Blend 2009

CALIFORNIA, RAVENSWOOD WINERY, ÉTATS-UNIS

| 18,95 $ | SAQ C (427021) | ★★★ $$ | Corsé |

Un classique chez les « zin » offerts en produit courant, au nez enchanteur exhalant des arômes classiques de fruits rouges mûrs, de girofle et de café, à la bouche ronde, texturée et prenante, sans être chaude ni trop généreuse, aux tanins enveloppés et aux saveurs longues. Cette *winery*, qui fête ses 35 ans d'existence, a participé plus que toute autre à la reconnaissance du cépage zinfandel. Offrez-lui des plats rehaussés de girofle, tout comme des aliments complémentaires (basilic thaï, bœuf grillé, fraise...) à cette épice chaude et sensuelle. **Cépage :** zinfandel. **Alc./**13,5 %. **ravenswoodwinery.com**

☞ *Servir dans les cinq années suivant le millésime, à 17 °C*

 Chili de Cincinnati (★★★), rôti de palette « comme un chili de Cincinnati » (★★★) ou pâtes aux olives noires/genièvre/ thym/shiitake (★★★).

Zinfandel Easton 2009

AMADOR COUNTY, EASTON, ÉTATS-UNIS

| 19,55 $ | SAQ S* (897132) | ★★★ $$ | Corsé+ |

Puissant nez de poivre et de girofle, au fruité mûr et débordant, suivi d'une bouche qui a de la grippe, sans trop, de la texture, de la matière et de la prestance pour le style. Débordant, presque juteux et confit, et prenant au possible. Après un « zin » 2005 (commenté dans *La Sélection 2008*) plus que jamais explosif et mûr, à la bouche pleine et capiteuse, ainsi qu'un 2006 (commentée dans *La Sélection 2009*) certes fruité et chocolaté à souhait, mais moins compact, moins dense et moins complet que ne l'était le 2005, puis des 2007 et 2008 dans la même direction harmonieuse et complexe, ce 2009 revient avec un profil proche parent du capiteux 2005. Pour le bonheur des amateurs de « zin » ensoleillé à fond. **Alc./**14,5 %. **eastonwines.com**

☞ *Servir dans les cinq années suivant le millésime, à 17 °C*

Rôti de palette «comme un chili de Cincinnati» (★★★), brochettes de bœuf à la pommade de menthe fraîche (poivre concassé et vinaigre balsamique), marinade pour le bœuf à l'érable (★★★) pour brochettes de bœuf ou fondues au fromage bleu (★★★).

Syrah Liberty School 2009

CALIFORNIA, LIBERTY SCHOOL WINERY, ÉTATS-UNIS
(DISP. AUTOMNE 2011)

| 19,70 $ | SAQ S* (10355454) ★★★ $$ | Corsé |

Fidèle à ses habitudes, cette réputée et régulière syrah californienne se montre plus parfumée que jamais, tout en étant soyeuse et veloutée en bouche, aux riches saveurs de cassis, de violette, de poivre, d'olive noire et de torréfaction. Elle est certes généreuse et pulpeuse, ce qui a fait le succès jusqu'ici de tous les vins de la gamme Liberty School, mais elle sait aussi se montrer cette fois fraîche et un brin plus ramassée, à la manière rhodanienne. Pour créer l'accord à table, cuisinez-la avec vos recettes préférées où dominent les aliments complémentaires au poivre, comme, entre autres, le thym, l'agneau, le basilic, le gingembre, les champignons, le café, le genièvre, l'olive noire, le safran, la carotte, la framboise, les algues, le cacao et l'orange, sans oublier tous les plats riches en saveurs umami. **Cépages :** syrah, viognier (faible proportion). **Alc./**13,5 %. **treana.com**

☛ *Servir dans les cinq années suivant le millésime, à 17 °C*

Mozzarella gratinée «comme une pizza» et sel au clou de girofle (★★★), côtes levées à la bière noire, bouillon de bœuf et sirop d'érable (★★★), «feuilles de vigne farcies_Mc²» (riz sauvage soufflé, bacon de sanglier, sirop de riz brun/café) (★★), tajine d'agneau au safran, bœuf braisé aux carottes ou quiche de pain perdu aux asperges grillées «pour vins rouges» (★★★).

Phenix Rouge 2009

QUÉBEC, VIGNOBLE RIVIÈRE DU CHÊNE, SAINT-EUSTACHE, QUÉBEC, CANADA

| 20 $ | (Disponible au domaine) ★★★?☆ $$ | Corsé |

Dégusté en primeur sur fûts en juin 2010, ce rouge québécois, qui est la cuvée prestige de ce très bon domaine, se montrait, en juin 2011, tout à fait engageant, complexe et même prenant depuis sa mise en bouteilles. Dans une dégustation à l'aveugle, je défie quiconque de positionner ce rouge au Québec! Quelle mâche et quel éclat de saveurs en bouche! Un vin plein, charnu et volumineux, tout en étant très frais et tannique, sans trop, aux saveurs très longues et passablement mûres, rappelant les fruits noirs, le poivre, l'olive noire et le café. On dirait presque une syrah rhodanienne! **Cépages :** 40 % maréchal foch, 60 % assemblage de frontenac, ste-croix, baco noir, Lucy Kuhlmann, sabrevois. **Alc./**13 %. **vignobleriviereduchene.ca**

☛ *Servir dans les six années suivant le millésime, à 18 °C et oxygéné en carafe 15 minutes*

Sushis_Mc² «pour amateur de vin rouge» (voir recette sur **papillesetmolecules.com**), filets de bœuf surmonté de raviolis de pâtes d'algues nori farcies à la purée de framboise, brochettes d'agneau à l'ajowan ou brochettes d'agneau grillées et parfumées de baies roses.

Shiraz Peter Lehmann 2008

BAROSSA, PETER LEHMANN WINES, AUSTRALIE

20,10 $	SAQ S* (10829031) ★★☆?☆ $$	Puissant

Cette décapante shiraz du *down under* est, comme le sont plusieurs crus de cette maison, un vrai régal d'expression, qui fera le bonheur des amateurs de crus superlatifs du Nouveau Monde. Amateurs de la fraîcheur et de l'élégance européenne s'abstenir. Robe profonde. Nez explosif où s'entremêlent menthe poivrée, eucalyptus et confiture de fruits noirs. Bouche à la fois tannique et pleine, sensuelle et dense, avec du coffre, mais aussi du velouté et de la générosité solaire, sans parler du profil très torréfié. **Cépage :** shiraz. **Alc./**14,5 %. **peterlehmannwines.com**

☛ *Servir dans les six années suivant le millésime, à 17 °C et oxygéné en carafe 20 minutes*

Carré d'agneau en croûte de menthe fraîche aux parfums balsamiques, côtelettes d'agneau marinées au porto et au romarin frais, daube d'agneau au vin et à l'orange, filet de bœuf de la Ferme Eumatimi, sauce *mole* mexicaine (à la noix de coco et au cinq-épices) (**).

Syrah Vision Cono Sur 2007

VALLE DE COLCHAGUA, CONO SUR, CHILI

20,10 $	SAQ S (10960662) ★★★ $$	Corsé+

Je vous le dis depuis deux ou trois éditions de *La Sélection*, la gamme de cette maison est devenue depuis quelques années une référence incontournable chez les chiliens offerts à la SAQ. Cette syrah le prouve une fois de plus avec un vin puissant et décapant, au nez richement aromatique, au fruité mûr, à la bouche dense, tannique et très fraîche, d'une étonnante concentration et d'un coffre imposant pour son rang, aux saveurs très longues, jouant dans l'univers de la torréfaction, des épices et des fruits noirs. Solide. **Cépage :** syrah. **Alc./**14 %. **conosur.com**

☛ *Servir dans les sept années suivant le millésime, à 17 °C et oxygéné en carafe 30 minutes*

Filets de bœuf marinés au parfum d'anis étoilé, carré d'agneau et jus au café expresso (*) ou ragoût de bœuf épicé à l'indienne.

Shiraz Friends Elderton 2009

BAROSSA, THE ASMEAD FAMILY, AUSTRALIE

20,75 $	SAQ S (10955126) ★★★ $$	Modéré+

Dégusté à quelques reprises, dont en février 2011, lors d'une soirée privée au Bistro à Champlain, avec le dynamique et inspirant viticulteur australien Cameron Asmead, qui crée une série de vins top niveau, et ce, dans toutes les gammes de prix. Vous vous sustenterez d'une syrah au nez aromatique et fin, tout en fraîcheur pour le style, exhalant des tonalités de fraise, de poivre et de Seven Up! La bouche se montre explosive, gorgée de saveurs qui ont de l'éclat et de la fraîcheur. Étonnant! Tanins soyeux, acidité juste et corps ample, sans excès ni chaleur. Étant élevée en barriques de chêne américain, cette cuvée est parfaite pour interpénétrer ses composés aromatiques avec les viandes grillées et badigeonnées de notre recette de marinade. **Cépage :** shiraz. **Alc./**14 %. **eldertonwines.com.au**

☛ *Servir dans les cinq années suivant le millésime, à 17 °C*

Bœuf grillé et marinade pour grillades (soya/cacao/miso/sésame/bière noire) (***).

Syrah Delheim 2006

SIMONSBERG-STELLENBOSCH, DELHEIM WINES, AFRIQUE DU SUD

| 21,15 $ | SAQ S (10960689) | ★★★?☆ $$ | Modéré+ |

Coup de cœur de l'édition 2010 de ce guide, avec son invitant 2005, Delheim reste en selle dans un quatrième millésime consécutif. Cet excellent rapport qualité-prix se montre comme à son habitude sans lourdeur ni boisé dominant, s'exprimant par des arômes d'une belle définition, pour son rang, ainsi qu'avec des tanins quasi soyeux et bien enveloppés, une certaine fraîcheur et une belle complexité de saveurs classiques de ce cépage, rappelant le poivre, la mûre et la violette. *Réservez-lui des mets dominés par les aliments complémentaires au poivre, dont font partie, entre autres, l'olive noire, la carotte, les algues nori, le café, le thé, le thym et l'agneau.* **Cépage :** syrah. **Alc./**14,5 %. delheim.com

☛ *Servir dans les sept années suivant le millésime, à 17 °C*

🍴 Bœuf braisé au jus de carotte, filets de bœuf mariné au parfum de thym ou thon rouge mi-cuit au poivre et purée de pommes de terre aux olives noires.

Pinot Noir Scotchmans Hill « Swan Bay » 2009

VICTORIA, SCOTCHMANS HILL VINEYARDS, AUSTRALIE

| 21,30 $ | SAQ S (10748442) | ★★☆?☆ $$ | Modéré |

Plus que jamais fidèle à ses habitudes, ce pinot austral fait opérer son charme aromatique, mais effectue un virage quant à sa fraîcheur qui se montre presque européenne, pour ne pas dire bourguignonne. Donc, un millésime 2009 très aromatique, raffiné et distingué, sur les fruits rouges, à la bouche expressive, élancée et tendue, contrairement à la précédente vendange de ce cru qui se montrait plus généreuse. Les tanins sont extrafins et soyeux, la matière juste assez ample et les saveurs longues, rappelant la cerise et la grenade. **Alc./**14 %. scotchmanshill.com.au

☛ *Servir dans les cinq années suivant le millésime, à 17 °C*

🍴 Cailles sautées à la poêle et riz sauvage aux champignons (*), pétoncles en civet (*) ou poulet au soja et à l'anis étoilé.

Syrah Terre Rouge
Les Côtes de l'Ouest 2007

CALIFORNIA, DOMAINE DE LA TERRE ROUGE, ÉTATS-UNIS

| 21,35 $ | SAQ S* (897124) | ★★★?☆ $$ | Corsé |

Après une syrah 2004 (commentée dans *La Sélection 2009*) passablement plus capiteuse, plus dense et plus généreuse que dans les millésimes précédents, et une plus fraîche et harmonieuse 2005 (commentée dans *La Sélection 2010* et *2011*), Bill Easton récidive avec une 2007 qui abonde dans le même sens que la précédente. C'est-à-dire un rouge aromatique et fin, élégant et très frais, pour le style s'entend, à la bouche élancée, marquée par des tanins certes tricotés serrés, mais sans dureté, même si avec une bonne grippe, au corps d'une certaine ampleur, sans excès et aux saveurs plus que persistantes, laissant des traces de framboise, d'olive noire, de poivre et de café. Un ixième cru vedette de Terre Rouge pour les *rhône rangers* aficionados. **Cépage :** syrah. **Alc./**14,5 %. terrerougewines.com

☛ *Servir dans les neuf années suivant le millésime, à 17 °C et oxygéné fortement en carafe 15 minutes*

Brochettes d'agneau à l'ajowan, brochettes d'agneau grillées et parfumées de baies roses ou côtelettes d'agneau grillées sauce teriyaki à l'orange.

Domaine Les Brome « Baco Réserve » 2008

QUÉBEC, DOMAINE LES BROME, LÉON COURVILLE, VILLE DE LAC-BROME, QUÉBEC, CANADA

21,50 $** (Disponible au domaine et sur le site Internet) ★★?☆ **$$ Modéré

Rouge au nez aromatique et expressif, laissant apparaître des notes de chêne, d'épices douces, de torréfaction et d'abricot, à la bouche marquée par une attaque vive, dont l'acidité donne le pas, aux tanins fins et mûrs, au corps modéré, mais aux saveurs qui ont de l'allonge. Cette acidité presque mordante à l'attaque pourrait en déranger plus d'un, mais il serait dommage de ne pas passer outre, spécialement à table, car la matière est belle et le vin singulier. Je lui préfère les bacos de Henry of Pelham, dans la péninsule du Niagara, mais il demeure tout de même une belle surprise québécoise. **Cépage :** baco. **Alc./**13,5%. **domainelesbrome.com**

☞ *Servir dans les quatre années suivant le millésime, à 17 °C*

Brochettes de filet de porc mariné au scotch et champignons portobellos sur brochettes imbibées au lait de coco (***) ou carré de porc aux tomates confites.

Tête-à-Tête 2007

SIERRA FOOTHILLS, DOMAINE DE LA TERRE ROUGE, ÉTATS-UNIS

21,70 $ SAQ **S** (10745989)   ★★★ **$$**   Corsé

Plus que jamais un très bel assemblage de type rhodanien, à la mode californienne, mais avec un accent du Midi. Il faut dire que Bill Easton a une touche « à la française » dans son approche viticole et vinicole. Il en résulte un Tête-à-Tête très aromatique et passablement riche, aux notes de garrigue évidentes, ainsi qu'aux invitantes tonalités de torréfaction, de prune et d'épices, à la bouche à la fois généreuse et ramassée, pleine et presque sphérique, aux tanins réglissés et tissés serrés, sans trop, aux saveurs d'une bonne allonge. Du plaisir, rien que du plaisir, façon côtes-du-rhône-villages. **Cépages :** 56 % syrah, 28 % mourvèdre, 16 % grenache. **Alc./**14,5%. **terrerougewines.com**

☞ *Servir dans les sept années suivant le millésime, à 17 °C et oxygéné en carafe 5 minutes*

Rôti de palette « comme un chili de Cincinnati » (***), ragoût de bœuf à la bière brune, carré de porc aux tomates séchées et thym ou sauté de bœuf au gingembre.

Pinot Noir Kim Crawford 2010

MARLBOROUGH, KIM CRAWFORD WINES, AUSTRALIE

22 $ SAQ **C** (10754244)   ★★★ **$$**   Modéré+

Cette très bonne maison présente bon an mal an un pinot stylisé à l'européenne, donc très frais et gorgé de fruits rouges et d'épices douces. Le nez est plus aromatique que jamais, presque puissant, tout en étant fin et délicat, marqué par des effluves assez complexes de framboise, de violette, de girofle, de cerise au marasquin et d'épices douces. La bouche, quant à elle, démontre des tanins fins et coulants, à l'acidité fraîche et à la texture d'une bonne ampleur, au toucher velouté, égrainant de longues saveurs de cannelle. **Cuisinez pour ce vin des plats dominés par les aliments complémentaires à la cannelle, qui est son ingrédient de liaison dominant.**

Optez, entre autres, pour l'anis étoilé, la bergamote, la carda-mome, le clou de girofle, la coriandre vietnamienne, le cumin, le laurier, le poivre, le safran ou le thym. **Cépage :** pinot noir. **Alc./**13,5 %. **kimcrawfordwines.co.nz**

☛ *Servir dans les trois années suivant le millésime, à 16 °C*

Sushis en bonbon de purée de framboises (***), pot-au-feu d'agneau cuit rosé, au thé et aux épices (**), hachis Parmentier de canard au quatre-épices, filet de saumon grillé au quatre-épices chinois ou pot-au-feu d'agneau cuisson saignante au thé et aux épices (anis étoilé, réglisse, cannelle, grains de carda-mome, girofle et feuilles de thé noir).

Pinot Noir Waimea 2009   ✓ TOP 100 CHARTIER
NELSON, WAIMEA ESTATES, NOUVELLE-ZÉLANDE

22,85 $	SAQ S (10826447)	★★★?☆ $$	Modéré+

Coup de cœur des éditions 2008 et 2010 de *La Sélection*, dans les millésimes 2005 et 2007, Waimea récidive avec une autre aubaine néo-zélandaise en matière de pinot noir de style plus bourguignon que californien. Toujours aussi compact et dense pour un pinot de ce rang, se montrant un brin plus détendu qu'à l'automne 2010, mais aussi éclatant et charmeur qu'il ne l'était à cette période. Quel nez d'ailleurs! Belle complexité aromatique au rendez-vous, aux notes de girofle, de tomate séchée, de muscade, de clou de girofle et de cerise. Fraîcheur et droiture, dans un ensemble presque nourri, mais déjà velouté à souhait. Difficile de ne pas succomber à nouveau. **Cépage :** pinot noir. **Alc./**14 %. **waimeaestates.co.nz**

☛ *Servir dans les six années suivant le millésime, à 17 °C*

Mozzarella gratinée «comme une pizza», viande des Grisons et piment d'Espelette (***), pâté chinois revu et magnifié «pour vin rouge» (***), filets de porc à la cannelle et aux canneberges, cailles laquées au miel et au cinq-épices, camembert aux clous de girofle (macérés quelques jours au centre du fromage) ou pâtes aux tomates séchées «umami» (***).

Syrah Qupé 2009   ✓ TOP 100 CHARTIER
CENTRAL COAST, ROBERT N. LINQUIST, ÉTATS-UNIS *(DISP. SEPT./OCT. 2011)*

22,95 $	SAQ S (866335)	★★★☆ $$	Modéré+

Troisième millésime consécutif à se voir attribuer un coup de cœur, «J'AIME!». Cette syrah de la côte ouest se montre en 2009 plus que jamais sous un profil rhodanien, donc européen plus que Nouveau Monde. Couleur profonde. Nez actuellement sur sa retenue, mais pas-sablement riche et très frais, sans esbroufe. Bouche tout aussi ramassée et longiligne, mais avec éclat et persistance. Les tanins sont ciselés avec maestria, l'acidité fraîche et le corps presque dense, mais sans lourdeur. Pour plus d'information, n'hésitez pas à relire ou à lire mon commentaire détaillé dans l'édition 2011 de *La Sélection Chartier*. **Cépages :** 98 % syrah, 2 % grenache. **Alc./**13,5 %. **qupe.com**

☛ *Servir dans les huit années suivant le millésime, à 17 °C*

Brochettes d'agneau aux olives noires «sur brochettes imbibées d'une eau parfumée au thym» (***) ou sushis_Mc² «pour amateur de vin rouge» (voir recette sur **papilles etmolecules.com**).

The Custodian Grenache d'Arenberg 2006

MCLAREN VALE, D'ARENBERG, AUSTRALIE

22,95 $	SAQ **S** (10748389)	★★★ $$	Corsé

Un autre grenache du *down under* qui surprend par sa profondeur, sa richesse et sa précision. Le fruité est très mûr et boisé, la matière est presque juteuse, mais avec fraîcheur et élan. Les tanins sont soyeux et les saveurs longues, sans être percutantes. À la fois très rhodanien par sa fraîcheur et très australien par sa maturité et son boisé. **Cépage :** grenache. **Alc./**14,5 %. **darenberg.com.au**

☛ *Servir dans les huit années suivant le millésime, à 17 °C*

Côtes levées à la cannelle et au curry de vin rouge, gigot d'agneau à l'ail et au romarin ou fromage à croûte fleurie grillé dans une feuille de brick parfumée au thym.

Merlot Château Los Boldos « Vieilles Vignes » 2009   ✓ TOP 100 CHARTIER

VALLE DEL RAPEL, VIÑA LOS BOLDOS, CHILI *(DISP. AUTOMNE 2011)*

23,35 $	SAQ **S** (10693921)	★★★?☆ $$	Corsé

Un merlot concentré pour son rang, aux notes fraîches de crème de cassis et de chêne neuf, à la bouche dense et ramassée, étonnamment ferme et fraîche pour le cépage, droite et virile, mais avec raffinement et précision, aux tanins mûrs à point, et aux saveurs très longues. Réussi et représentant toute une aubaine, comme à son habitude. **Alc./**13,5 %. **clboldos.cl**

☛ *Servir dans les six années suivant le millésime, à 17 °C et oxygéné en carafe 30 minutes*

« Feuilles de vigne farcies_Mc² » (riz sauvage soufflé, bacon de sanglier, sirop de riz brun/café) (**), osso buco accompagné de carottes rouges (cuites en fin de cuisson à même l'osso buco) ou asperges vertes rôties, enrobées de chocolat noir (infusé au thé fumé Zheng Shan Xiao Zhong, fleur de sel au café) (**).

d'Arry's Original « Shiraz-Grenache » 2007

MCLAREN VALE, D'ARENBERG, AUSTRALIE

23,55 $	SAQ **S*** (10346371)	★★★?☆ $$	Corsé

Comme à son habitude, ce d'Arrys Original déborde de fruits dans ce millésime 2007, qui sera disponible jusqu'au printemps 2012. De la couleur, de l'éclat, de la maturité, pour ne pas dire de la surmaturité, de l'ampleur, de la chair quasi charnelle, des tanins veloutés, un corps plein et charnu et des saveurs longues. Confiture de framboise, cerise noire, mûre, café, fumée, lard et cacao donnent le ton. Belle façon de célébrer le 65e millésime consécutif de cette cuvée, que ce gourmand au possible 2007, coup de cœur des récentes éditions de ce guide, avec les millésimes 2006, 2005 et 2002. **Cépages :** 50 % grenache, 50 % shiraz. **Alc./**14,5 %. **darenberg.com.au**

☛ *Servir dans les sept années suivant le millésime, à 17 °C*

Pop-corn « au goût de bacon et cacao » (***), sushis_Mc² « pour amateur de vin rouge » (voir sur **papillesetmole cules.com**), marinade pour le bœuf au miso (***), « purée_Mc² » pour amateur de vin au céleri-rave et clou de girofle (**), carré de porc glacé aux fraises, poivre du Sichuan, galanga et miel (**), brochettes d'agneau à l'ajowan ou filets de bœuf à la fourme d'Ambert et au romarin (*).

Clos de los Siete 2008

✓ TOP 100 CHARTIER

MENDOZA, MICHEL ROLLAND, ARGENTINE

| 23,75 $ | SAQ S* (10394664) ★★★☆ $$ | Corsé+ |

Cette vedette incontestée argentine, saluée à nombreuses reprises dans les éditions de *La Sélection*, s'est vue décerner le « Top 10 » du « Top 100 Chartier » de *La Sélection 2011*. Il faut savoir que le Clos de los Siete est le plus important, en volume, des vins de garage de ce monde. Il résulte d'un projet de sept vignerons français (*los siete* : les sept), mis en marche il y a quelques années par Michel Rolland et son grand copain, le défunt Jean-Michel Arcaute (Château Clinet à Pomerol). Les vins de ce gigantesque domaine de 800 hectares, situé au cœur de la vallée du Tupungato, mais vinifié parcelle par parcelle, se démarquent des autres crus des Andes sur la scène internationale. Il présente un nouveau millésime tout aussi viril et sphérique que le précédent qui, lui, était plus substantiel que l'harmonieux 2006 et le généreux 2005. Le nez est toujours aussi percutant et complexe (cacao, poivre, muscade, mûre). La bouche est à nouveau marquée par de solides tanins, mais enveloppés par une gangue d'une grande épaisseur veloutée. Du coffre, de la profondeur et du tonus, à prix plus que doux, étant donné son niveau. Réservez-lui des mets dominés par les aliments complémentaires au poivre, comme le café, le safran, le thym, l'agneau et l'orange. **Cépages :** 50 % malbec, 30 % merlot, 10 % syrah, 10 % cabernet sauvignon. **Alc./**15 %.

☛ *Servir dans les huit années suivant le millésime, à 17 °C et oxygéné en carafe 30 minutes*

 Daube d'agneau au vin et à l'orange, tajine d'agneau au safran, carré d'agneau et jus au café expresso (*).

Petite Sirah Foppiano 2008

RUSSIAN RIVER VALLEY, FOPPIANO VINEYARDS, ÉTATS-UNIS

| 23,80 $ | SAQ S (611780) ★★★ $$ | Corsé |

En 2008, cette petite sirah s'exprime avec fraîcheur et retenue européenne au nez, mais avec l'ampleur et la générosité californienne en bouche, sans être lourde ni puissante. Harmonie, complexité, prise tannique, saveurs persistantes, tout y est. Fruits noirs, fumée et poivre donnent le ton à cette cuvée passablement dense et soutenue. **Alc./**14,5 %. **foppiano.com**

☛ *Servir dans les six années suivant le millésime, à 18 °C et oxygéné en carafe 45 minutes*

Purée de panais au basilic thaï (voir sur **papillesetmole cules.com**) en accompagnement de gigot d'agneau, côtes levées sauce barbecue épicée, « on a rendu le pâté chinois » (**) ou pâte concentrée de poivrons rouges rôtis (voir sur **papillesetmo lecules.com**) en accompagnement de brochettes d'agneau.

Pinot Noir Devil's Corner 2009

TASMANIA, TAMAR RIDGE ESTATES, AUSTRALIE

| 24,35 $ | SAQ S (10947741) ★★★ $$ | Modéré+ |

Avis aux amateurs de bourgogne, voilà une cuvée australienne au profil plus que bourguignon. C'est que cette cuvée 2009 se montre un brin plus complète et plus expressive que la déjà très bonne 2008, qui était dans le même ton que celle de 2007, toutes deux commentées en primeur dans les *Sélection 2010* et *2009*. Vous y dénicherez donc un pinot qui pinote à fond, aromatique à souhait, marqué par des notes fraîches de framboise et de cerise au marasquin, à la bouche tout aussi élégante, épurée de tout artifice et au fruité débordant, mais toujours aussi frais et aérien comme le sont trop rarement les pinots australiens. Difficile de trouver plus digeste et sapide, à boire jusqu'à plus soif, mais avec intelligence, chez les pinots de ce prix. **Cépage :** pinot noir. **Alc./**14 %. **tamarridge.com.au**

☛ *Servir dans les six années suivant le millésime, à 17 °C*

Endives braisées aux cerises et au kirsch (***), filets de porc grillés servis avec chutney d'ananas au curcuma, gingembre et vinaigre de xérès (**) ou salade de framboises à l'eau de rose et julienne d'algue nori (***).

Mourvèdre Terre Rouge 2004

AMADOR COUNTY, DOMAINE DE LA TERRE ROUGE, ÉTATS-UNIS

25,60 $	SAQ S (921601)	★★★☆ $$$	Corsé+

Très coloré. Nez envoûtant, d'une bonne profondeur aromatique, aux notes empyreumatiques, rappelant le cacao, ainsi que les fruits noirs. Bouche charnue, généreuse et d'un bon volume, aux tanins présents, mais presque enveloppés d'une gangue qui sera plutôt veloutée d'ici 2013. Expressivité, coffre et tonus pour un vin de soleil, capiteux certes, mais d'une superbe tenue. Il faut dire que Bill Easton, l'homme ès cépages rhodaniens, sait y faire. **Alc./**14,5 %. **terrerougewines.com**

☛ *Servir dans les douze années suivant le millésime, à 17 °C et oxygéné en carafe 15 minutes*

Polenta au gorgonzola version « umami » (***), côtes levées à la bière noire, bouillon de bœuf et sirop d'érable (***) ou morceau de flanc de porc poché, vinaigrette de boudin à la noix de coco, *crumble* de boudin noir (**).

Pinot Noir Eola Hills Reserve « La Creole » 2008

OREGON, EOLA HILLS WINE CELLARS, ÉTATS-UNIS *(DISP. NOV./DÉC. 2011)*

25,95 $	SAQ S (10947783)	★★★?☆ $$	Modéré+

Pour deux dollars de plus, je préfère de beaucoup cette cuvée à la cuvée de base Pinot Noir Eola Hills 2008 (aussi commentée dans le Répertoire additionnel). Le nez est ici beaucoup plus expressif, riche et détaillé, tandis que la bouche se montre débordante de saveurs mûres à point, aux tanins gras, au corps ample et d'un bon volume, sans trop, à l'acidité discrète, mais juste dosée, et aux saveurs qui ont de l'éclat (cassis, raisin frais, bleuet, violette). Gourmand et festif, à un très bon prix pour le niveau. **Alc./**13,4 %. **eolahillswinery.com**

☛ *Servir dans les sept années suivant le millésime, à 17 °C*

Filets de porc à la cannelle et aux canneberges, filet de saumon grillé au quatre-épices chinois, pâté chinois revu et magnifié « pour vin rouge » (***) ou pâtes aux tomates séchées « umami » (***).

Sideral 2005

VALLE DEL RAPEL, VIÑA ALTAÏR, CHILI *(RETOUR OCT. 2011)*

26,40 $	SAQ S (10692830)	★★★☆ $$	Corsé

Ce rouge chilien est né de l'association du Château Dassault, de Saint-Émilion, et de la grande *bodega* chilienne Viña San Pedro, et élaboré sous les conseils de l'œnologue bordelais Pascal Chatonnet, propriétaire du laboratoire Excell, ainsi que des Châteaux Haut-Chaigneau et La Sergue, situés à Lalande-de-Pomerol. Tout comme le 2003, il étonne par sa grande expression aromatique, son fruité à la fois riche et très frais, rappelant la feuille de cassis, la menthe, le cèdre en poudre et la fraise verte, son corps dense et enveloppant, ses tanins qui ont du grain mais aussi du velouté, sa fraîcheur qui le tend vers le futur, ainsi que par son harmonie d'ensemble. Café, épices douces, fruits noirs et menthe poivrée participent au plaisir immédiat en fin de bouche. Du sérieux. **Cépages :** 85 % cabernet sauvignon, 15 % carmenère. **Alc./**14,5 %.

☛ *Servir dans les neuf années suivant le millésime, à 17 °C*

Pâte concentrée de poivrons verts et menthe (voir sur **papillesetmolecules.com**) en accompagnement de foie de veau, sandwich de canard confit et nigelle (voir sur **papillesetmo lecules.com**) ou brochettes de bœuf à la pommade de menthe fraîche, poivre concassé et vinaigre balsamique.

Pinot Noir Clos Jordanne Village Reserve 2008   ✓ TOP 100 CHARTIER

NIAGARA PENINSULA VQA, LE CLOS JORDANNE, CANADA *(DISP. AOÛT/SEPT. 2011)*

| 26,45 $ | SAQ **S** (10745487) | ★★★?☆ $$$ | Modéré+ | BIO |

Un 2008 tout en fruit et en expressivité aromatique, certes boisé, mais pas torréfié ni cacaoté comme le sont trop souvent les pinots du Nouveau Monde. Belle matière épurée, tanins soyeux et gommés, texture ample, saveurs longues et précises, rappelant la tomate séchée, la cerise à l'eau-de-vie et le chêne. À l'aveugle, je n'hésiterais pas à le positionner en côte-de-beaune... Coup de cœur de l'édition 2010, dans le millésime 2006, puis dans la précédente édition avec son 2007, cette grande maison récidive avec un 2008 qui mérite plus que jamais le même sort. Un beau tour du chapeau... **Cépage :** pinot noir. **Alc./**12,5 %. **leclosjordanne.com**

☛ *Servir dans les sept années suivant le millésime, à 17 °C*

Bruschetta à la tapenade de tomates séchées, pâtes aux tomates séchées, poulet au soja et à l'anis étoilé, risotto à la tomate et au basilic ou pétoncles poêlés, couscous de noix du Brésil à l'orange sanguine, lait de coco au gingembre (**).

Pinot Noir Belle Vallée 2008

WILLAMETTE VALLEY, BELLE VALLÉE CELLARS, ÉTATS-UNIS *(RETOUR SEPT./OCT. 2011)*

| 26,65 $ | SAQ **S** (10947839) | ★★★?☆ $$ | Modéré+ |

Un 2008 tout en fruit et en fraîcheur, invitant et digeste comme je les aime, sans être riche ni puissant, et surtout ni surmûri. Fraise verte, cerise au marasquin, cannelle et pivoine se donnent la réplique avec subtilité. Les tanins sont fins, mais tissés serrés. L'acidité sapide et les saveurs longues. Donc, fidèle à son style à mi-chemin entre le profil frais et élancé des bourgognes et celui plus *juicy fruit* du Nouveau Monde. **Cépage :** pinot noir. **Alc./**13,5 %. **bellevallee.com**

☛ *Servir dans les six années suivant le millésime, à 17 °C*

Bœuf en salade asiatique (***), poulet au soja à l'anis étoilé servi avec riz sauvage, pétoncles poêlés, couscous de noix du Brésil à l'orange sanguine, lait de coco au gingembre (**), filets de porc à la cannelle et aux canneberges ou filet de saumon grillé au quatre-épices chinois.

Shiraz Mitolo « Jester » 2009 ✓ TOP 100 CHARTIER

MCLAREN VALE, MITOLLO WINES, AUSTRALIE *(DISP. OCT./NOV. 2011)*

26,65 $	SAQ S (10769411) ★★★?☆ $$	Corsé+

Comme à son habitude, la maison Mitolo présente une shiraz 2008, dégustée en primeur, en juillet 2011, toujours aussi fortement colorée, au nez étonnamment riche et profond, mais aussi sans surmaturité inutile ni boisé dominant, à la bouche éclatante de saveurs, à la fois pleine et tannique, dense et fraîche, déployant des touches de cassis, de mûre, de violette et de torréfaction. Rares sont les vins de ce degré d'alcool à être aussi fins dans leur richesse solaire. Et cette cuvée, certes très Nouveau Monde, mais avec retenue, répond à l'appel millésime après millésime. **Cépage:** shiraz. **Alc./**14,9%. **mitolowines.com.au**

☛ *Servir dans les sept années suivant le millésime, à 17 °C*

Tranches d'épaule d'agneau grillées aux épices à steak réinventées pour vin rouge élevé en barrique (***) ou tajine de ragoût d'agneau au cinq-épices et aux oignons cipollini caramélisés.

Pinot Noir A to Z 2008

OREGON, A TO Z WINEWORKS, ÉTATS-UNIS *(DISP. SEPT./OCT. 2011)*

26,70 $	SAQ S (11334073) ★★★ $$	Modéré

■ NOUVEAUTÉ! Tout comme le Chardonnay A to Z 2008 (aussi commenté), ce pinot de l'Oregon, dégusté en primeur, en juillet 2011, d'un échantillon du domaine, se montre certes discret au nez, mais très aromatique en bouche, dévoilant une texture fraîche et élégante, des tanins extrafins, un corps modéré mais expressif, et des saveurs longues, jouant dans l'univers des fruits rouges et des épices douces. Pas la grande richesse, mais digeste et invitant. **Cépage:** pinot noir. **Alc./**13%. **wineworks.com**

☛ *Servir dans les six années suivant le millésime, à 16 °C*

Pâté chinois revu et magnifié « pour vin rouge » (***) ou pesto de tomates séchées (***) pour pâtes.

Courville « XP 1 »

QUÉBEC, DOMAINE LES BROME, LÉON COURVILLE, VILLE DE LAC-BROME, QUÉBEC, CANADA

27 $ (Disponible au domaine et sur le site Internet) ★★★ $$$	Corsé

Léon Courville du Domaine Les Brome élabore un rouge plus que singulier dans le paysage québécois. Avec sa cuvée « XP 1 » (disponible uniquement au domaine ou via son site Internet), il s'est amusé à passeriller (sécher) les raisins, pendant trois mois, avant fermentation, comme les Vénitiens le font pour l'amarone, puis à laisser le résultat faire ses classes en barriques, de deuxième vin, plus de deux ans. Il en résulte un vin singulier qui détonne et étonne, positivement. Robe rouge grenat foncé aux reflets orangés/tuilés. Nez modérément aromatique, d'une certaine richesse, marqué par des notes de café, de cacao et de fruits cuits, dénotant une légère oxydation. Bouche ample et voluptueuse, prenante et très fraîche pour le style, aux tanins complètement polis par l'élevage, donc souple à souhait, à l'acidité soutenue, au corps modéré, mais aux saveurs longues, rappelant la cerise macérée à l'eau-de-vie, la purée de dattes fraîches et la boîte à cigare. Réservez-lui une viande déglacée avec un café noir serré, ou tout simplement un très vieux bloc de parmigiano reggiano, avec quelques gouttes de très vieux balsamique, et le dépaysement « aromatique » sera garanti! **Cépage:** de chaunac. **Alc./**11%. **domainelesbrome.com**

☛ *Servir dans les six années suivant sa mise en marché, à 17 °C*

🍴 Carré d'agneau au café noir serré, ou très vieux parmigiano reggiano (avec quelques gouttes de très vieux balsamique de Modène).

Pinot Noir Calera
« Central Coast » 2008
✓ TOP 100 CHARTIER

CENTRAL COAST, CALERA WINE COMPANY, ÉTATS-UNIS *(DISP. AOÛT 2011)*

28 $	SAQ **S** (898320)	★★★☆ $$$	Corsé

Offert à sept dollars de moins que dans le millésime 2007 (aussi commenté dans le Répertoire additionnel), ce cru devient plus que jamais en 2008 une référence en matière de pinot californien à prix doux. Nez d'un charme aromatique évident, passablement riche et détaillé, aux tonalités de fruits rouges mûrs, de tomate confite et de girofle, à la bouche presque juteuse et pleine, mais d'une fraîcheur exemplaire pour un rouge à 14,8 % d'alcool. Tanins gommés, acidité juste et saveurs percutantes, sans boisé dominant. Mérite ce second coup de cœur. Pour parvenir à cette qualité, à ce niveau de prix, étant l'entrée de gamme de cette grande maison, ce pinot provient d'une sélection parcellaire d'une dizaine de vignobles, récoltés à la main, puis vinifiés avec les levures autochtones, conservés sur lies en barriques, avec seulement 10 % de chêne neuf. **Cépage :** pinot noir. **Alc./**14,8 %. **calerawine.com**

☛ *Servir dans les sept années suivant le millésime, à 17 °C*

🍴 Mozzarella gratinée « comme une pizza », viande des Grisons et piment d'Espelette (***) ou pâté chinois revu et magnifié « pour vin rouge » (***).

The Galvo Garage d'Arenberg 2007

MCLAREN VALE, D'ARENBERG, AUSTRALIE

28,50 $	SAQ **S** (11155876)	★★★☆ $$	Corsé+

Coup de cœur de *La Sélection 2010*, avec son percutant et concentré 2006, cet assemblage australien, de l'une des maisons de référence en matière d'excellents rapports qualité-prix, offre à nouveau le même niveau qualitatif. Forte coloration, fruité exubérant et très mûr, au boisé certes présent sans être dominant, laissant échapper des notes concentrées de crème de cassis, de girofle et de cuir neuf, à la bouche à la fois amplement texturée et ramassée, aux tanins qui ont un grain serré, mais aussi une grande maturité, à l'acidité juste fraîche, aux saveurs égrainant de persistantes notes de fumée, de torréfaction, de mûre et de violette. Du sérieux, comme toujours chez d'Arenberg. **Cépages :** cabernet sauvignon, merlot, petit verdot, cabernet franc. **Alc./**14,5 %. **darenberg.com.au**

☛ *Servir dans les huit années suivant le millésime, à 17 °C et oxygéné en carafe 30 minutes*

🍴 Côtelettes d'agneau marinées au porto et au romarin frais, asperges vertes rôties, enrobées de chocolat noir (infusé au thé fumé Zheng Shan Xiao Zhong, fleur de sel au café) (**) ou filet de bœuf de la Ferme Eumatimi, sauce *mole* mexicaine à la noix de coco et au cinq-épices (**).

Pinot Noir The Feral Fox
d'Arenberg 2009 ✓ TOP 100 CHARTIER

ADELAÏDES HILLS, D'ARENBERG, AUSTRALIE *(DISP. OCT./NOV. 2011)*

29,65 $	SAQ S (11461128)	★★★?☆ $$	Corsé

■ **NOUVEAUTÉ!** Dégusté en primeur, en juillet 2011, d'un échantillon du domaine, voilà pour la première fois à la SAQ un pinot de la grande maison d'Arenberg, dont une multitude de cépages et d'assemblages sont disponibles au Québec depuis quelques années, et connaissent un important succès auprès des aficionados de crus australs. Il en résulte un pinot noir coloré, passablement riche et profond au nez, sans boisé apparent, ayant besoin d'un bon gros coup de carafe agitée pour se révéler pleinement, à la bouche presque pleine et juteuse, mais avec fraîcheur, tenue et élan, à la manière européenne plus qu'australienne. Les tanins sont mûrs, mais avec du grain, l'acidité très fraîche et le corps ample. Cassis, violette et mûre donnent le ton à ce très beau The Feral Fox. **Cépage :** pinot noir. **Alc./**14,5 %. **darenberg.com.au**

☛ *Servir dans les sept années suivant le millésime, à 17 °C et oxygéné fortement en carafe 30 minutes*

🍴 Sushis en bonbon de purée de framboises (***) ou pétoncles poêlés, couscous de noix du Brésil à l'orange sanguine, lait de coco au gingembre (**).

Pinot Noir Kayena Vineyard 2008

TASMANIA, TAMAR RIDGE ESTATES, AUSTRALIE *(RETOUR OCT./NOV. 2011)*

29,90 $	SAQ S (10947732)	★★★?☆ $$$	Modéré+

À nouveau un plus qu'invitant et charmeur pinot austral, réussi avec brio par cette maison dont le 2005 avait été souligné dans l'édition 2010 de ce guide, exhalant de riches parfums de girofle, de vanille et de cerise noire, à la bouche on ne peut plus ample et texturée, ronde et veloutée, tout en demeurant fraîche et soutenue, aux longues saveurs de noix de coco, de vanille et d'érable. Un régal, qui en surprendra plus d'un si vous le servez sur notre recette de saumon fumé au BBQ éteint, parfumé à l'érable (***). **Cépage :** pinot noir. **Alc./**14 %. **tamarridgewines.com.au**

☛ *Servir dans les sept années suivant le millésime, à 17 °C*

🍴 Saumon fumé_Mc² « au BBQ éteint » (***), steak de saumon au café noir et au cinq-épices chinois (*) ou cailles sautées à la poêle et riz sauvage aux champignons (*).

Pinot Noir Churton 2009 ✓ TOP 100 CHARTIER

MARLBOROUGH, CHURTON, NOUVELLE-ZÉLANDE *(DISP. FIN 2011)*

31 $	SAQ S (10383447)	★★★☆ $$	Corsé

Quel nez enivrant! Difficile d'être plus aromatiquement pinot noir néo-zélandais, à l'accent bourguignon. De l'éclat, de la maturité, de la complexité, où s'entremêlent des tonalités aromatiques de cerise à l'eau-de-vie, de tomate confite et d'épices douces. La bouche suit avec une grande ampleur, une certaine densité, tout en étant dotée de tanins plutôt détendus, aux saveurs qui ont de la présence et de la persistance. Assurément le plus beau millésime des dernières années pour cette cuvée d'une régularité sans faille. **Alc./**13,5 %. **churton-wines.co.nz**

☛ *Servir dans les huit années suivant le millésime, à 17 °C*

🍴 Pâtes aux tomates séchées « umami » (***), bœuf en salade asiatique (***), brochettes de bœuf sur brochettes de bambou imbibées au clou de girofle (voir Brochettes de bambou

imbibées au clou de girofle «pour grillades de viande rouge») (***)
ou boudin noir et poivrons rouges confits.

Shiraz Two Hands
«Gnarly Dudes» 2010

BAROSSA, TWO HANDS WINES, AUSTRALIE *(DISP. DÉBUT 2012)*

| 31,25 $ | SAQ S (11457065) | ★★★☆ $$ | | Corsé |

Shiraz d'une très belle profondeur et d'un raffinement évident, riche,
sans être trop concentré comme elles peuvent l'être trop souvent.
Poivre et fruits noirs s'expriment au nez, tandis que la bouche s'exclame avec un fruité presque juteux, mais compact et d'une grande
allonge. Les tanins sont noblement travaillés par un élevage retenu,
l'acidité juste et le corps dense et compact. Ira loin, même si sa fraîcheur expressive se montre des plus invitantes. **Cépage:** shiraz.
Alc./14,8 %. **twohandswines.com**

☛ *Servir dans les cinq années suivant le millésime, à 17 °C*

Marinade pour grillades (soya/cacao/miso/sésame/bière
noire) (***) pour bœuf grillé.

Sijnn 2007

STELLENBOSCH, SIJNN, AFRIQUE DU SUD *(DISP. SEPT. 2011)*

| 32 $ | SAQ S (11447473) | ★★★☆?☆ $$$ | | Corsé |

■ NOUVEAUTÉ! D'un assemblage éclectique, entre des cépages rhodaniens et portugais, avec un doigt de cabernet, ce nouveau rouge,
dégusté en primeur en août 2011, d'un échantillon du domaine, élaboré par la grande maison de Trafford, étonne par sa race et sa profondeur. Rien de superflu, que de l'élégance et de l'harmonie. Certes
généreux en saveurs, mais avec une certaine retenue européenne.
Le corps est détendu et les saveurs très longues, jouant dans la
sphère aromatique du poivre, du poivron rouge, de la violette et des
fruits noirs. Boisé juste dosé. Une originalité à se mettre sous la
dent lors de son arrivage, prévue au moment de mettre sous presse,
en septembre. **Cépages:** 42 % shiraz, 26 % mourvèdre, 21 % touriga
nacional, 10 % trincadeira, 1 % cabernet sauvignon. **Alc./**14,5 %.
sijnn.co.za

☛ *Servir dans les neuf années suivant le millésime, à 17 °C et
oxygéné en carafe 60 minutes*

Pâte concentrée de poivrons rouges rôtis (voir sur **papilles
etmolecules.com**) en accompagnement de magret de
canard rôti ou purée de panais au basilic thaï (voir sur **papilleset
molecules.com**).

Zinfandel Peter Franus 2008

MOUNT VEEDER, PETER FRANUS WINE COMPANY, ÉTATS-UNIS
(DISP. AOÛT/SEPT. 2011)

| 37 $ | SAQ S (897652) | ★★★☆ $$$ | | Puissant |

La robe est profonde, le nez percutant et prenant, tout aussi poivré
et girofle que le «zin» de Easton (aussi commenté), mais en plus
chaud. La bouche est quant à elle plus large et capiteuse que le 2007
(aussi commenté dans le Répertoire), et toujours d'une aussi grande
allonge, aux tanins plus fermes, sans être durs, aux saveurs puissantes et pénétrantes. Du solide, pour amateurs avertis. **Alc./**15,5 %.
franuswine.com

☛ *Servir dans les huit années suivant le millésime, à 17 °C*

Rôti de porc farci aux abricots et sauce au porto tawny et lait de coco (***) ou longe de porc fumée sauce au boudin noir et vin rouge.

Pinot Noir Amisfield 2008

CENTRAL OTAGO, AMISFIELD WINE COMPANY, NOUVELLE-ZÉLANDE
(DISP. SEPT./OCT. 2011)

39,50 $	SAQ S (10826084)	★★★☆ $$$	Corsé

Au moment de mettre sous presse, ce 2008, dégusté en primeur en juin 2011, était attendu fin septembre, début octobre 2011. Et la bonne nouvelle est qu'il récidive à nouveau comme un cru néozélandais coup de cœur engageant au possible. Un rouge des plus expressifs, riche et complexe, laissant deviner des tonalités d'épices et de fruits rouges, à la bouche pleine et presque grasse, mais comme en 2007 avec une bonne assise tannique, aux tanins et à l'acidité fraîche. Un pinot de volume et de volupté. Faites-vous plaisir à table en créant l'accord avec les aliments complémentaires au clou de girofle, qui signe son bouquet. Basilic thaï, bœuf grillé, café, cannelle, fraise, mozzarella, romarin et vanille sont à prescrire dans vos recettes comme le filet de bœuf au café noir ou le fromage à croûte fleurie au girofle et au basilic thaï (concassé et haché très finement et tous deux macérés plus de 24 heures au centre du fromage). **Cépage:** pinot noir. **Alc./**13,5%. amisfield.co.nz

☛ *Servir dans les six années suivant le millésime, à 17 °C et oxygéné en carafe 15 minutes*

Filets de bœuf au café noir (*) ou fromage à croûte fleurie au girofle et au basilic thaï (concassé et haché très finement et tous deux macérés plus de 24 heures au centre du fromage).

Osoyoos Larose « Le Grand Vin » 2006

OKANAGAN VALLEY VQA, OSOYOOS LAROSE, CANADA

43,50 $	SAQ S (10293169)	★★★☆ $$$$	Corsé+

Sixième millésime commercialisé de ce domaine phare du vignoble canadien, résultant d'un *joint venture* entre le géant canadien Vincor International et le tout aussi grandiloquent groupe bordelais Taillan (propriétaire, entre autres, des châteaux Ferrière, Haut-Bages-Libéral, Chasse-Spleen, La Gurgue et Gruaud Larose). Il en résulte un rouge au nez toujours aussi passablement concentré, où alternent fraîcheur et maturité de fruit, exhalant des notes de fruits presque confits, de café, de prune, de chêne neuf et de rose fanée, à la bouche presque généreuse, mais aux tanins, même un an après la première dégustation effectuée en août 2010, toujours aussi tissés serrés, avec fermeté, presque dure, tendant le vin vers le futur. Un vin dense et compact, au boisé jeune et ambitieux. Devrait évoluer avec grâce, mais laissons-lui le temps de digérer son bois. **Cépages:** 69% merlot, 20% cabernet sauvignon, 3% malbec, 4% petit verdot, 4% cabernet franc. **Alc./**13,5%. osoyooslarose.com

☛ *Servir dans les douze années suivant le millésime, à 17 °C et oxygéné en carafe 15 minutes*

Magret de canard rôti aux graines de sésame et cinq-épices, navets confits au clou de girofle (**).

Osoyoos Larose « Le Grand Vin » 2007

OKANAGAN VALLEY VQA, OSOYOOS LAROSE, CANADA

43,50 $	SAQ **S** (10293169)	★★★☆?☆ $$$$	Corsé

Septième millésime commercialisé de ce domaine phare du vignoble canadien, résultant en un 2007 plus compact et profond au nez que le 2006 (aussi commenté), à la bouche aussi plus harmonieuse, tout en étant riche, intense et tannique, mais sans la fermeté un brin carrée du 2006. Café, cacao, noisette et prune signent une longue fin de bouche. **Cépages :** 70 % merlot, 21 % cabernet sauvignon, 2 % malbec, 3 % petit verdot, 4 % cabernet franc. **Alc./**13,5 %. **osoyooslarose.com**

☛ *Servir dans les dix années suivant le millésime, à 17 °C et oxygéné en carafe 45 minutes*

 Filet de bœuf de la Ferme Eumatimi, sauce *mole* mexicaine à la noix de coco et au cinq-épices (**) ou filets de bœuf sauce au cabernet sauvignon).

DiamAndes Gran Reserva 2007 ✓ TOP 100 CHARTIER

MENDOZA, BODEGA DIAMANTES, ARGENTINE

44 $	SAQ **S** (11434533)	★★★☆?☆ $$$$	Corsé+

■ NOUVEAUTÉ! D'un assemblage à dominante malbec, provenant du célèbre Clos de los Siete (dont le vin éponyme est aussi commenté), et appartenant aux propriétaires du non moins réputé château Malartic Lagravière, grand cru de Pessac-Léognan dans le Bordelais. Il en résulte un rouge fortement coloré, richement aromatique, doté d'une grande élégance, pour ne pas dire racé, à la bouche gorgée de fruits rouges, aux tanins mûrs et admirablement polis par un élevage en barriques maîtrisé avec brio, tout en conservant une certaine grippe. Du fruit, de l'éclat, de la fraîcheur et de la persistance, pour une grande pointure argentine. **Cépages :** 70 % malbec, 30 % cabernet sauvignon. **Alc./**14,8 %. **diamandes.com**

☛ *Servir dans les neuf années suivant le millésime, à 17 °C et oxygéné en carafe 30 minutes*

Brochettes de porc sur brochettes de bambou imbibées au scotch (voir Brochettes de bambou imbibées au scotch « pour grillades de porc ») (***) et « purée_Mc^2 » pour amateur de vin au céleri-rave et clou de girofle (**).

Stratus Red 2007 ✓ TOP 100 CHARTIER

NIAGARA PENINSULA VQA, STRATUS WINES, CANADA *(DISP. OCT. 2011)*

44 $	SAQ **S** (11574430)	★★★☆?☆ $$$$	Corsé

Un assemblage canadien, dominé par les deux cabernets, provenant d'un excellent millésime, au nez ultra-raffiné, certes retenu, mais pur et non boisé, à la bouche tout aussi élégante, ample et veloutée, marquée par des tanins soyeux et des saveurs très longues, rappelant la prune et le café. Toucher de bouche comme je les aime, et pas d'esclandre aromatique inutile. Grâce et distinction. Bravo! **Cépages :** cabernet sauvignon, cabernet franc. **Alc./**13,5 %. **stratuswines.com**

☛ *Servir dans les dix années suivant le millésime, à 17 °C et oxygéné en carafe 30 minutes*

Filets de bœuf au café noir (*) ou jarret d'agneau confit et lentilles du Puy au jus d'agneau parfumé à l'anis étoilé.

Chester Kidder 2005

COLUMBIA VALLEY, CHESTER-KIDDER WINERY, ÉTATS-UNIS *(DISP. AUTOMNE 2011)*

| 47 $ | SAQ S (11335501) | ★★★☆?☆ $$$$ | Corsé+ |

Provenant du projet Long Shadows Vintners, tout comme le Merlot Pedestal (aussi commenté), idée de l'un des viticulteurs allumés de l'État de Washington, Allen Shoup, qui s'est associé avec plusieurs grands viticulteurs pour différentes cuvées, dont, pour ce vin, avec Gilles Nicault – qui a fait ses classes dans la vallée du Rhône, puis a travaillé aux USA chez Hogue et Woodward Canyon. Cet assemblage bordelais, complété de syrah, se montre à mi-chemin entre le style flamboyant et surmûri des crus californiens, et le profil plus ramassé et frais des rouges de la Vieille Europe. Fruits noirs, prune, café, vanille et fumée explosent du verre, dans un ensemble passablement riche et profond. La bouche suit avec une chair sensuelle, des tanins mûrs, avec du grain, une acidité discrète, et de très longues et pénétrantes saveurs chocolatées. **Cépages :** cabernet sauvignon, cabernet franc, merlot, syrah. **Alc./**14,7 %. **longshadows.com**

☛ *Servir dans les dix années suivant le millésime, à 17 °C*

Mozzarella gratinée «comme une pizza» et sel au clou de girofle (***), «purée_Mc^2» pour amateur de vin au céleri-rave et clou de girofle (**) ou asperges vertes rôties, enrobées de chocolat noir (infusé au thé fumé Zheng Shan Xiao Zhong, fleur de sel au café) (**).

Napanook 2008

✓ TOP 100 CHARTIER

NAPA VALLEY, DOMINUS ESTATE, ÉTATS-UNIS *(DISP. JANV./FÉVR. 2012)*

| 49,75 $ | SAQ S (897488) | ★★★★ $$$$ | Corsé |

J'ai un faible pour cette cuvée de Christian Moeix, qui m'emporte presque autant que son grand Dominus (aussi commenté), vendu au double du prix... Et à nouveau, ce 2008, dégusté en primeur en juillet 2011, d'un échantillon du domaine, m'envoûte, m'interpelle et me fascine par sa justesse d'à-propos, sa fraîcheur et sa richesse. Les tanins sont d'une grande noblesse de texture, l'acidité discrète, mais juste dosée, le corps d'une prenante plénitude, au velouté intense, mais avec fraîcheur et éclat. Longue finale, pour une grande réussite, à nouveau... je vous le dis, c'est l'un des meilleurs rapports qualité-prix en matière de grandes pointures californiennes. **Cépages :** 93 % cabernet sauvignon, 6 % petit verdot, 1 % cabernet franc. **Alc./**14,1 %. **dominusestate.com**

☛ *Servir dans les neuf années suivant le millésime, à 17 °C et oxygéné en carafe 30 minutes*

Cailles sautées à la poêle et riz sauvage aux champignons (*) ou asperges vertes rôties, enrobées de chocolat noir (infusé au thé fumé Zheng Shan Xiao Zhong, fleur de sel au café) (**).

Pinot Noir Cristom «Jessie Vineyards» 2007

WILLAMETTE VALLEY, CRISTOM VINEYARDS, ÉTATS-UNIS *(RETOUR OCT./NOV. 2011)*

| 57,25 $ | SAQ S (11120315) | ★★★☆?☆ $$$$ | Modéré+ |

Deuxième millésime de ce cru, qui provient d'un sol volcanique, planté en 1994, à une altitude élevée, a être souligné pour sa grande qualité dans ce guide (voir le 2006 dans l'édition 2010). Et la bonne nouvelle, un second arrivage est attendu en octobre/novembre 2011. L'échantillon que j'ai dégusté était d'une bouteille format 375 ml. Il en résulte un pinot profondément aromatique et d'une belle maturité de fruits, à la bouche débordante de saveurs, qui ont de l'éclat, aux tanins mûrs et enveloppés, mais avec un beau grain serré, à l'acidité juste et au corps passablement ample. Un millésime plus nourri et volumineux que le 2006, qui, lui, se montrait plus élégant et élancé. **Cépage :** pinot noir. **Alc./**14,5 %. **cristomwines.com**

☛ *Servir dans les dix années suivant le millésime, à 17 °C et oxygéné en carafe 30 minutes*

 Bœuf de la Ferme Eumatimi frotté à la cannelle avant cuisson, compote d'oignons brunis au four et parfumée à la pâte d'anchois salés (**), cailles laquées au miel et au cinq-épices ou camembert aux clous de girofle (macérés quelques jours au centre du fromage).

Merlot Pedestal 2007

COLUMBIA VALLEY, PEDESTAL CELLARS, ÉTATS-UNIS *(DISP. FIN 2011/DÉBUT 2012)*

74,50 $	SAQ **S** (11202741)	★★★★ $$$$	Corsé+

Superbe raffinement aromatique dans ce 2007, dégusté en primeur en juillet 2011, d'une fraîcheur rarissime et d'un boisé plus que discret pour les crus de nos voisins du Sud. Bouche on ne peut plus merlot, pleine et sphérique, enveloppante et moelleuse, mais non sans fraîcheur et tenue, d'une grande présence et longue au possible, égrainant des saveurs de mûre, de prune, de café et de vanille. Ce cru est né d'un *joint venture* entre l'œnologue bordelais de réputation mondiale, Michel Rolland, et le pionnier des vignobles de la région de Washington, Allen Shoup, qui a créé le projet Long Shadow Vintners, dans lequel sont nés plusieurs crus, dont le Chester-Kidder (aussi commenté). **Alc./**14,7 %. **longshadows.com**

☛ *Servir dans les dix années suivant le millésime, à 17 °C et oxygéné en carafe 20 minutes*

Pétoncles poêlés, couscous de noix du Brésil à l'orange sanguine, lait de coco au gingembre (**).

Dominus « Christian Moueix » 2008

NAPA VALLEY, DOMINUS ESTATE, ÉTATS-UNIS *(DISP. JANV./FÉVR. 2012)*

113,25 $	SAQ **S** (869222)	★★★★?☆ $$$$$	Corsé

Un 2008 plus retenu et compact que le précédent 2007 (aussi commenté dans le Répertoire), au nez profond, mais ayant besoin de temps, ou d'un long coup de carafe, pour se révéler. Cèdre, poivre et fruits noirs et rouges réussissent tout de même à s'extirper de cette matière racée. La bouche se montre plus détendue que ne l'est le 2007 à la prise tannique importante. Ici, de l'ampleur, des courbes sensuelles, de l'épaisseur, de la prestance et de la persistance, pour un grand plaisir de consommation dès maintenant, même s'il possède l'architecture pour évoluer avec grâce. Pour plus d'informations sur ce cru, voir les commentaires détaillés des précédents millésimes dans les éditions de 2011 à 2007 de *La Sélection*. **Cépages :** 83 % cabernet sauvignon, 13 % cabernet franc, 4 % petit verdot. **Alc./**14,1 %. **dominusestate.com**

☛ *Servir dans les quinze années suivant le millésime, à 17 °C et oxygéné en carafe 60 minutes*

Magret de canard fumé au thé Lapsang Souchong et risotto au jus de betterave parfumé au girofle.

RÉPERTOIRE ADDITIONNEL

Les vins des **Répertoires additionnels**, qui font l'objet d'une description plus concise, mais presque tous offerts avec un choix de mets, sont ou seront généralement disponibles dans les mois suivant la parution de cette seizième édition. De multiples futurs arrivages y sont aussi commentés cette année. En revanche, certains de ces vins peuvent ne plus être disponibles au moment où vous lirez ces lignes, ce qui explique le commentaire moins détaillé pour certains crus.

Soyez tout de même vigilants, car la majorité de ces vins fera l'objet d'un nouvel arrivage au cours de l'automne 2011 et des premiers mois de 2012, et ce, dans le même millésime proposé dans ce guide. Autre fait important cette année, plusieurs vins des *Répertoires additionnels* sont de futurs arrivages, commentés ici en primeur, avec leur date de mise en marché. Le retour ou l'arrivée de ces vins, comme de tous les vins commentés dans *La Sélection Chartier 2012*, vous sera annoncé par le biais du service de **Mises à jour Internet de *La Sélection Chartier 2012***, via le site Internet **www.francoischartier.ca**.

Merlot Washington Hills 2008

COLUMBIA VALLEY, WASHINGTON HILLS WINERY, ÉTATS-UNIS

14,20 $ SAQ S* (10846641)   ★★☆?☆ **$$**   Modéré+

Coloré, aromatique, charmeur, étonnamment mûr et riche pour son rang, plein, dodu et sphérique, aux tanins ronds et aux saveurs juteuses de fruits noirs, de poivre, de menthe et de café. Introduit à la SAQ avec son précédent millésime 2005, commenté en primeur dans *La Sélection 2008*, ce cru de l'État de Washington, nouvel Eldorado états-unien, se montre une fois de plus réussi. **Alc./**13,5 %. **washingtonhills.com** ■ *Rôti de palette «comme un chili de Cincinnati» (***)*.

Shiraz E Minor 2008

BAROSSA VALLEY, BAROSSA VALLEY ESTATE, AUSTRALIE

16,95 $**   SAQ S (11073926)   ★★★ **$$ Modéré+

Une shiraz australienne tout en fruit, en texture, en ampleur et en épaisseur veloutée, avec une trame tannique légèrement plus serrée que dans sa version 2007, mais sans fermeté. De la fraîcheur, des saveurs qui ont de l'éclat (fruits noirs, poivre, olive) et du plaisir à boire jusqu'à plus soif, ce qui est rarissime pour un rouge à 14 % d'alcool. **Alc./**14 %. **bve.com.au** ■ *Bifteck au poivre et à l'ail.*

Cabernet Sauvignon Viu Manent Reserva 2008

VALLE DE COLCHAGUA, VIU MANENT, CHILI

17,40 $**   SAQ S (10694325)   ★★★ **$$ Puissant

Un «cab» généreux et bien charpenté, puissant et un brin rustique, à la fois animal, épicé et boisé, ainsi que marqué par une note classiquement chilienne d'eucalyptus. Charnu, plein et solide, à bon prix pour ceux qui aiment en avoir plein les papilles et les gencives. **Alc./**14 %. **viumanent.cl**

Quatro 2010

COLCHAGUA, VIÑA MONTGRAS, CHILI *(DISP. OCT. 2011)*

17,95 $**   SAQ S (11331737)   ★★☆?☆ **$ Corsé

■ NOUVEAUTÉ! Très belle retenue de profil européen pour ce chilien. Un cru certes ample et texturé, mais aussi compact et dense, sans excès, aux tanins détendus, à l'acidité discrète, laissant toute la place à un engageant velouté de texture et à des saveurs cacaotées, vanillées et torréfiées. À l'aveugle, j'étais en Californie, dans un domaine qui travaille un brin à l'européenne... **Cépages:** cabernet sauvignon, syrah, carmenère, malbec. **Alc./**14 %. **montgras.cl** ■ *Asperges vertes rôties, enrobées de chocolat noir (infusé au thé fumé Zheng Shan Xiao Zhong, fleur de sel au café) (**).*

Antu « Cabernet Sauvignon/Caremenère » 2010

COLCHAGUA, VIÑA NINQUÉN, CHILI *(DISP. SEPT./OCT. 2011)*

18,95 $ SAQ **S** (11386885) ★★☆?☆ **$**   Corsé

Poivre, menthe et eucalyptus donnent un profil on ne peut plus chilien à cet assemblage d'une bonne tenue et d'une certaine profondeur pour son rang. Du fruit, de l'éclat, des tanins certes tissés serrés, mais sans dureté, une acidité juste dosée et des saveurs longues et fraîches. Classique. **Alc./**14 %. **ninquen.cl** ■ *Pâte concentrée de poivrons verts et menthe (voir sur papillesetmolecules.com) pour filet de bœuf grillé.*

Syrah Apalta Gran Reserva Carmen 2008
VALLE DE COLCHAGUA, VIÑA CARMEN, CHILI

19,15 $ SAQ **S** (568097) ★★☆ **$$**   Corsé

Coloré, aromatique, sur les fruits rouges, passablement riche, sans trop, très frais, tannique, un brin serré, mais sans imposer une grosse charge tannique. Longue finale ferme de fruits rouges, de fumée et de créosote. **Alc./**14 %. **carmen.com** ■ *« Purée_Mc² » pour amateur de vin au céleri-rave et clou de girofle (**) en accompagnement de viande rouge grillée.*

Zinfandel Easton 2008
AMADOR COUNTY, EASTON, ÉTATS-UNIS

19,55 $ SAQ **S*** (897132) ★★★ **$$**   Corsé

Le nez est tout aussi enchanteur que le 2007, déployant de riches effluves de girofle, de fruits rouges, avec une pointe discrète de garrigue et de torréfaction. La bouche suit comme toujours avec une certaine densité, une bonne ampleur et une longueur plus que correcte. Les tanins sont bien présents, pour ne pas dire juvéniles, mais avec une certaine enveloppe qui les rend presque charmeurs. **Alc./**14,5 %. **eastonwines.com** ■ *Bœuf grillé et réduction de « Soyable_Mc² » (**).*

Malbec Durigutti 2008
MENDOZA, PABLO & HECTOR DURIGUTTI, CHILI

19,60 $ SAQ **S** (11467159) ★★☆?☆ **$$**   Corsé

■ NOUVEAUTÉ! Un malbec passablement concentré pour son rang, débordant de fruits, sans être lourd, tannique, plein, ferme et passablement dense, aux saveurs longues et mûres, au boisé marqué, mais pas dominant. Gagnera en définition à compter de l'automne 2012. **Alc./**14 %. **durigutti.com** ■ *« Feuilles de vigne farcies_Mc² » (riz sauvage soufflé, bacon de sanglier, sirop de riz brun/café) (**).*

Syrah Liberty School 2008
CALIFORNIA, LIBERTY SCHOOL WINERY, ÉTATS-UNIS

19,70 $ SAQ **S*** (10355454) ★★★ **$$**   Corsé

Fidèle à ses habitudes, cette réputée et régulière syrah californienne se montre on ne peut plus aromatique et gourmande, riche et juteuse, pénétrante et généreuse, exhalant d'intenses saveurs de lard fumé, de vanille, de cacao et de poivre, dans le style pulpeux qui a fait le succès jusqu'ici de tous les vins de la gamme Liberty School. **Alc./**13,5 %. **treana.com** ■ *Côtelettes d'agneau grillées sauce teriyaki à l'orange.*

Syrah Genesis 2008
COLUMBIA VALLEY, THE HOGUE CELLARS, ÉTATS-UNIS

19,90 $ SAQ **C** (11372889) ★★☆ **$$**   Corsé

■ NOUVEAUTÉ! Cette syrah, de l'État de Washington, se montre très marquée par le bois, torréfiée à fond, et même dotée d'une sucrosité boisée. Ceux qui apprécient ce style seront satisfaits, mais la majorité sera en reste de ne pas retrouver la fraîcheur de ce cépage rhodanien. **Alc./**13,9 %. **hoguecellars.com** ■ *Pâté chinois (voir sur « On a rendu le pâté chinois ») (**).*

Malbec Terrazas de los Andes Reserva 2008
MENDOZA, BODEGAS TERRAZA DE LOS ANDES, ARGENTINE

19,95 $ SAQ **S** (10399297) ★★★ **$$**   Corsé+

Un malbec séduisant, au nez aromatique, agréable, fin et charmeur, marqué par des effluves assez riches, dévoilant des notes de crème de cassis, de bleuet, de fleurs rouges et de poivre blanc. Bouche aux tanins fins, mais tissés serrés, à l'acidité fraîche, mais laissant place à une texture ample. Allonge soutenue, égrainant des saveurs chocolatées et fruitées. **Alc./**14%. **terrazasdelosandes.com** ■ *Rôti de palette «comme un chili de Cincinnati» (***).*

Syrah Woodthorpe Vineyard 2009
HAWKES BAY, TE MATA ESTATE WINERY, NOUVELLE-ZÉLANDE
20,25 $ SAQ S (10826391) ★★★?☆ $$ Corsé
Une shiraz au nez éclatant et riche, au boisé ambitieux, à la bouche pleine et sphérique, mais aussi fraîche et ramassée, sans aucune lourdeur. Fraîcheur, densité et profondeur, ainsi que saveurs longues, marquées par des notes de grenadine, de pamplemousse rose et de fumée. Du beau vin, à bon prix et à l'image du 2005, au profil moderne et travaillé par un élevage dominant. **Alc./**13,5%. **temata.co.nz** ■ *Mozzarella gratinée «comme une pizza» et sel au clou de girofle (***).*

Pinot Noir Santa Barbara Wine Company 2008
CALIFORNIA, SANTA BARBARA WINE COMPANY, ÉTATS-UNIS
20,95 $ SAQ S (11372838) ★★★ $$ Modéré+
■ **NOUVEAUTÉ!** Un cru aux tanins mûrs, ronds et dodus, gorgé de fruits et enveloppant, comme peuvent l'être de nos jours les cuvées californiennes à base de pinot noir. Difficile d'être plus gourmand, épicé et texturé à souhait. **Alc./**14,5%. **sbwineco.com** ■ *Raclette québécoise.*

Shiraz Delheim 2006
SIMONSBERG-STELLENBOSCH, DELHEIM WINES, AFRIQUE DU SUD
21,15 $ SAQ S (10960689) ★★★ $$ Corsé
Un quatrième millésime consécutif réussi avec brio pour cette shiraz, au nez d'une étonnante puissance aromatique pour son rang, exhalant des tonalités florales et fruitées, ainsi qu'épicées, à la bouche charnue, pleine et tannique, certes un brin ferme mais aussi enveloppante et généreuse, aux longues saveurs où s'ajoutent la torréfaction et la réglisse. Réservez-lui des mets dominés par les aliments complémentaires au poivre, dont font partie, entre autres, l'olive noire, la carotte, les algues nori, le café, le thé, le thym et l'agneau. **Alc./**14,5%. **delheim.com** ■ *Bœuf braisé au jus de carotte ou filets de bœuf mariné au parfum de thym.*

Tête-à-Tête 2006
SIERRA FOOTHILLS, DOMAINE DE LA TERRE ROUGE, ÉTATS-UNIS
21,70 $ SAQ S (10745989) ★★★?☆ $$ Modéré+
Un rouge coloré, aromatique à souhait, sans boisé inutile, aux notes de garrigue et de fruits rouges, avec une subtile tonalité cacaotée, à la bouche certes mais pas jouffue, plutôt bien ramassée, aux tanins fins, à l'acidité fraîche et au corps enveloppant, le tout soutenu par un fruité frais et expressif, persistant longuement en fin de dégustation. **Alc./**14,5%. **terrerougewines.com** ■ *Ragoût de bœuf à la bière brune.*

Intriga 2008
VALLE DEL MAIPO, VIÑA INTRIGA, CHILI
21,95 $ SAQ S (11446534) ★★★ $$ Corsé
■ **NOUVEAUTÉ!** Très belle et invitante nouveauté que ce cabernet chilien, pur, ramassé, texturé, mûr, sans trop, d'une bonne densité pour son rang, aux tanins fins, avec de la prise, mais sans fermeté, aux saveurs longues, sans surmaturité ni boisé inutiles. Bien joué. Le prochain arrivage sera à surveiller. **Alc./**14%. **intriga.cl** ■ *Sandwich de canard confit et nigelle (voir sur papillesetmolecules.com).*

The High Trellis Cabernet Sauvignon 2007
MCLAREN VALE, D'ARENBERG, AUSTRALIE *(RETOUR OCT./NOV. 2011)*
22,50 $ SAQ S (10968146) ★★☆?☆ $$ Corsé
Un cabernet confit, peut-être trop (?), riche, plein, mais aussi tannique et ferme, manquant d'éclat et de fraîcheur – ou était-ce une bouteille fatiguée par la capsule à vis, car ce ne sont pas les habitudes de la maison. **Alc./**14,5%. **darenberg.com.au**

Pinot Noir Waimea 2007
NELSON, WAIMEA ESTATES, NOUVELLE-ZÉLANDE

22,85 $ SAQ S (10826447) ★★★?☆ $$ Modéré+

Vous vous sustenterez d'un cru d'une belle complexité aromatique, aux notes de cannelle, de muscade et de cerise, avec une pointe de cardamome, à la bouche étonnamment ramassée, fraîche et expressive, tout en étant texturée à souhait, aux tanins très fins et aux saveurs longues et précises. **Alc./**14,3 %. **waimeaestates.co.nz** ■ *Filets de porc à la cannelle et aux canneberges.*

Syrah Qupé 2008
CENTRAL COAST, ROBERT N. LINQUIST, ÉTATS-UNIS

22,95 $ SAQ S (866335) ★★★?☆ $$ Modéré+

Une syrah qui étonne encore plus que par le passé par sa haute définition, sa retenue européenne, sa fraîcheur revitalisante, sa grande digestibilité, son fruité pur et précis et son profil subtilement poivré. Fraîcheur inhabituelle dans les crus de la côte ouest, tanins d'une finesse rarissime, soyeux comme jamais, corps longiligne, façon syrah des meilleurs coteaux du sud de l'appellation Saint-Joseph, et saveurs raffinées, rappelant la canneberge, la grenadine et le poivre blanc. Du sérieux. **Alc./**13,5 %. **qupe.com** ■ *Salade de foies de volaille et de cerises noires.*

Shiraz Piping Shrike 2008
BAROSSA VALLEY, K. CIMICKY & SON WINEMAKERS, AUSTRALIE

23,10 $ SAQ S (10960671) ★★★ $$ Modéré+

Ce 2008 se montre plus détendu, plus surmûri et plus moelleux que les précédents millésimes 2007 et 2005, signalés dans les *Sélection 2009* et *2011* pour leur tenue et leur concentration. Demeure intéressant, mais sans la trame ni l'architecture qui m'avaient inspiré. **Alc./**14 %. ■ *Pot-au-feu d'agneau cuisson saignante au thé et aux épices (anis étoilé, réglisse, cannelle, grains de cardamome, girofle et feuilles de thé noir).*

Merlot Château Los Boldos « Vieilles Vignes » 2007
ALTO CACHAPOAL, VIÑA LOS BOLDOS, CHILI

23,35 $ SAQ S (10693921) ★★★?☆ $$ Corsé

Comme à son habitude, un très beau nouveau millésime pour ce merlot chilien, au nez plus qu'aromatique, aux riches arômes de fruits noirs, de violette, d'épices orientales et de menthe, à la bouche ronde et enveloppante, non dénuée d'une certaine prise tannique et d'une fraîche acidité sous-jacente, aux longues et pénétrantes saveurs torréfiées. **Alc./**13,5 %. **clboldos.cl** ■ *« Feuilles de vigne farcies_Mc² »* (riz sauvage soufflé, bacon de sanglier, sirop de riz brun/café) (**).

Pinot Noir Spy Valley 2010
MARLBOROUGH, SPY VALLEY WINES, NOUVELLE-ZÉLANDE

23,65 $ SAQ S (10944152) ★★★ $$ Corsé

Difficile d'être plus aromatique et sensuel, tant les arômes sortent littéralement du verre et se montrent épicés à souhait (girofle, poivre, cardamome), avec une pointe fumée. La bouche suit avec aplomb et texture, ampleur et fraîcheur, démontrant des tanins certes présents, mais mûrs et enveloppés, supportés par une acidité fraîche et par des saveurs qui ont de l'éclat, rappelant les fruits rouges et les épices douces. Une belle découverte. **Alc./**14 %. **spyvalleywine.co.nz** ■ *Camembert aux clous de girofle (macérés quelques jours au centre du fromage).*

Cabernet-Merlot Te Awa 2007
HAWKES BAY, TE AWA WINERY, NOUVELLE-ZÉLANDE

23,75 $ SAQ S (10382882) ★★★?☆ $$ Corsé

Après avoir atteint un sommet dans les millésimes 2004 et 2005, cet assemblage présente à nouveau un excellent achat pour tout amateur de rouge au profil bordelais. Vous y retrouverez un vin au nez complexe, spécialement après un séjour agité en carafe, dévoilant sa race et sa richesse de fruit, avec des tonalités de graphite et de torréfaction. La bouche suit avec une certaine ampleur et, surtout, une généreuse texture, aux tanins qui ont du grain, tissés assez serrés, aux saveurs d'une bonne allonge. **Alc./**14,5 %. **teawa.com** ■ *Magret de canard rôti à la nigelle.*

Clos de Lolol « Hacienda Araucano » 2007

VALLE DE LOLOL, HACIENDA ARAUCANO, FRANÇOIS LURTON, CHILI

23,85 $ SAQ S (10689868)   ★★★☆ $$ Corsé

Nez enivrant et mûr à souhait, racé comme rarement le sont les crus chiliens de ce prix. La bouche suit avec autant de velouté de texture, de
distinction dans les tanins gras, d'ampleur dans les saveurs (cerise noire,
mûre, violette) et de persistance dans l'expressivité aromatique. Cette
cuvée ne m'a jamais paru aussi réussie. Située en bordure de mer, la vallée de Lolol jouit d'un climat océanique, aux variations thermiques
jour/nuit très importantes. Les Lurton y cultivent la carmenère, qui entre
dans l'assemblage de ce vin, afin d'obtenir de très petits rendements
(25 hl/ha) et de tester ce que ce cépage a dans le ventre. **Cépages :**
cabernet franc, carmenère, syrah. **Alc./**14 %. **jflurton.com** ▪ *Risotto au
jus de betterave parfumé au girofle.*

Pinot Noir Devil's Corner 2008

TASMANIA, TAMAR RIDGE ESTATES, AUSTRALIE

24,35 $ SAQ S (10947741)   ★★★ $$ Modéré

Cette cuvée 2008 se montre dans le même ton que l'était la précédente
2007, commentée en primeur dans *La Sélection 2009*, c'est-à-dire au
charme invitant, rafraîchissante au possible, au profil tout aussi élégant,
épurée de tout artifice et au fruité éclatant, mais plus frais et aérien que
riche et mûr comme peuvent l'être certains pinots australiens. Difficile
de trouver plus digeste et sapide, à boire jusqu'à plus soif, mais avec
intelligence, chez les pinots de ce prix. **Alc./**14 %. **tamarridge.com.au**
▪ *Filets de porc à la cannelle et aux canneberges.*

Pinot Noir Eola Hills 2009

OREGON, EOLA HILLS WINE CELLARS, ÉTATS-UNIS *(DISP. NOV./DÉC. 2011)*

24,80 $ SAQ S (10947759)   ★★?☆ $$ Modéré

Un pinot élégant, très frais, épuré de tout artifice, fin, coulant et, ma
foi, facile et digeste. J'aurais pris un brin plus de substance et d'élan...
Alc./13,6 %. **eolahillswinery.com**

Zinfandel Cardinal Zin 2007

CALIFORNIA, CARDINAL ZIN CELLARS, ÉTATS-UNIS

24,90 $ SAQ S (10253351)   ★★★ $$ Modéré+

Ce « zin », d'une régularité sans faille depuis une dizaine de millésimes,
est marqué par ses habituels accents de girofle et de poivre, qui font
fureur à table avec les mets dominés par les aliments au profil caramé-
lisé/fumé/grillé. Pour ce qui est de la structure de ce rouge californien,
elle se montre tout aussi souple et juteuse que dans le précédent millésime, tout en conservant la chair, la texture et l'expansion nécessaires à
soutenir l'umami et le caramélisé d'une recette d'effiloché de porc braisé
caramélisé à souhait. Les tanins sont enveloppés, l'acidité discrète et
les saveurs longues. Du plaisir, comme toujours. **Alc./**13,5 %. ▪ *Effiloché
de porc braisé.*

Pinot Noir Reserve Mission Hill 2008

OKANAGAN VALLEY VQA, MISSION HILL WINERY, CANADA

25,25 $ SAQ S (11092027)   ★★★ $$ Corsé

Cette excellente maison de la côte ouest, dont l'ensemble de la gamme
en rouges comme en blancs et en vins de glace est à ranger parmi l'élite
de cette province, nous présente un plus que réussi pinot noir, sans surmaturité ni boisé dominant, même si présent – ce qui importe ici pour
que l'accord résonne –, au fruité à maturité juste, d'une étonnante
richesse pour un cru canadien, à la bouche à la fois enveloppante, pleine
et passablement dense, aux tanins presque gras, mais avec du grain, à
l'acidité très fraîche et aux saveurs d'une bonne allonge, rappelant le
café, la réglisse et les fruits rouges. Vos amis de table seront bluffés par
ce rouge si vous osez le servir sur un saumon fumé ! Du moins sur notre
recette « trafiquée » à l'érable pour créer l'accord tant en blanc qu'en
rouge avec des vins élevés en barriques de chêne. **Alc./**13 %.
missionhillwinery.com ▪ *Saumon fumé_Mc² « au BBQ éteint » (***).*

Shiraz Reserve Mission Hill 2008
OKANAGAN VALLEY VQA, MISSION HILL WINERY, CANADA
25,25 $ SAQ **S** (10960857)   ★★★ **$$**   Corsé
Couleur soutenue, nez riche, mais retenu, bouche débordante de saveurs, d'éclat et d'ampleur, aux tanins gommés par une gangue veloutée et épaisse, acidité juste dosée et corps d'un bon volume, pour une engageante shiraz canadienne. Finale très fraîche, ce qui étonne pour un rouge aussi pulpeux. Digeste et des plus agréables. **Alc./**13 %. **missionhillwinery.com** ■ *Thon rouge mi-cuit au poivre et purée de pommes de terre aux olives noires.*

Mourvèdre Terre Rouge 2003
AMADOR COUNTY, DOMAINE DE LA TERRE ROUGE, ÉTATS-UNIS
25,60 $ SAQ **S** (921601)   ★★★☆ **$$$**   Corsé
Un mourvèdre toujours aussi gorgé de fruits noirs, d'épices, de fumée, ainsi que de tonalités cacaotées et animales, au coffre à la fois dense et capiteux, mais plus détendu que les vins de l'appellation Bandol. Expressivité sauvage, chair et volume, à un excellent prix. **Alc./**14,5 %. **terrerougewines.com** ■ *Morceau de flanc de porc poché, vinaigrette de boudin à la noix de coco, crumble de boudin noir (**).*

Pétales d'Osoyoos 2008
OKANAGAN VALLEY VQA, OSOYOOS LAROSE, CANADA *(DISP. SEPT./OCT. 2011)*
26,20 $ SAQ **S** (11091981)   ★★☆?★ **$$**   Corsé
Couleur soutenue, nez passablement mûr, et même un brin évolué, bouche tannique, charnue, ample et passablement pleine, sans trop, presque généreuse et longue. Se montre moins sur le fruit et moins épuré que les millésimes précédents. Bouchon défectueux peut-être? À suivre à l'arrivée, car la matière semble belle. **Alc./**13,5 %. **osoyooslarose.com**

Ninquén Mountain Vineyard 2008   ✓ TOP 100 CHARTIER
COLCHAGUA, VIÑA NINQUÉN, CHILI *(DISP. SEPT./OCT. 2011)*
26,70 $ SAQ **S** (928853)   ★★★?☆ **$**   Corsé+
Vinifié sous l'œil attentif du brillant œnologue californien Paul Hobbs, cet assemblage chilien explose littéralement du verre tant la matière est expressive et fraîche, d'une belle maturité de fruit. Un rouge à la fois charnu et ramassé, dense et très frais, aux tanins fermes et racés, au corps plein et aux saveurs d'une grande allonge, égrainant des notes de cassis, de mûre, de violette, de girofle, de menthe poivré et d'eucalyptus, au boisé marqué, sans trop. Du sérieux. **Cépages :** 50 % cabernet sauvignon, 50 % syrah. **Alc./**14,5 %. **ninquen.cl** ■ *Mozzarella gratinée «comme une pizza» et sel au clou de girofle (***).*

Pinot Noir Calera « Central Coast » 2007
CENTRAL COAST, CALERA WINE COMPANY, ÉTATS-UNIS
28 $ SAQ **S** (898320)   ★★★☆ **$$$**   Modéré+
Vous y trouverez un pinot presque juteux, rond et texturé, qui vous sustentera autant les papilles que les neurones, tant il offre plaisir et matière à réfléchir. Le nez, complexe et passablement riche, exhale des parfums de cerise noire, de clou de girofle et de muscade. La bouche se montre presque généreuse, mais avec fraîcheur et élégance, tout en étant marquée par des tanins mûrs à point, donc enveloppés par une gangue moelleuse. Un vrai régal! **Alc./**14,6 %. **calerawine.com** ■ *Camembert aux clous de girofle (macérés quelques jours au centre du fromage).*

Pinot Noir De Loach 2008
RUSSIAN RIVER VALLEY, DE LOACH VINEYARDS, ÉTATS-UNIS
28,40 $ SAQ **S** (11380715)   ★★★☆ **$$$**   Modéré+
Un pinot plus qu'aromatique, au nez agréable et élégant, qui déploie des notes de rose, de pivoine et de violette, évoluant sur une pointe de vieux cuir. La bouche se montre d'une acidité fraîche, aux tanins fins et coulants, d'une texture ample aux courbes larges, aux saveurs florales, ainsi que très épicée (cannelle, girofle). J'aime! **Alc./**14,5 %. **deloachvineyards.com**

Pinot Noir Akarua « Gullies » 2007
CENTRAL OTAGO, BANNOCKBURN HEIGHTS WINERY, NOUVELLE-ZÉLANDE
29,85 $ SAQ S (10947960)   ★★★☆ $$$ Corsé
Bonne concentration de saveurs et densité de matière pour cette cuvée
2007, qui exhale des notes de cassis, de mûre et de violette, avec une
arrière-scène de poivre noir. De l'éclat, de la persistance, des tanins très
serrés, sans dureté, et de l'harmonie, pour une ixième réussite de ce cru
ex-coup de cœur des précédentes éditions de *La Sélection*. **Alc./**13,7 %.
akarua.com ■ *Poulet au soja et à l'anis étoilé.*

Pinot Noir Saintsbury 2007
CARNEROS, SAINTSBURY WINERY, ÉTATS-UNIS
30,25 $ SAQ S (196006)   ★★☆ $$$ **Modéré**
Carneros étant l'une des zones d'appellation les plus fraîches de Napa,
contiguë à la baie de San Francisco, le climat y est donc taillé sur mesure
pour ce cépage qui aime un climat plutôt continental. Mais ici, en 2007,
il se montre plutôt mûr et un brin évolué. Le fruit est là, mais pas très
expressif ni généreux, les tanins sont un brin fermes et le corps manque
de profondeur pour son rang. **Alc./**13,5 %. **saintsbury.com** ■ *Veau
marengo (de longue cuisson) et pâtes aux œufs.*

Pinot Noir Rex Hill 2008
WILLAMETTE VALLEY « EOLA-AMITY HILLS », REX HILL VINEYARDS, ÉTATS-UNIS
32,25 $ SAQ S (10947855)   ★★★ $$$ Corsé
Très beau nez, à la fois frais et mûr, détaillé et subtil, laissant apparaître
des notes de cerise et de muscade. La bouche, quant à elle, se montre
tout aussi élégante, svelte et saisissante de fraîcheur, marquée par des
tanins ultra-fins et des saveurs longues et élancées. À l'aveugle, j'étais
convaincu d'être en Hautes-Côtes-de-Nuits! **Alc./**13,5 %. **rexhill.com**
■ *Poulet au soja et à l'anis étoilé.*

Pinot Noir Lake Hayes 2008
CENTRAL OTAGO, AMISFIELD WINE COMPANY, NOUVELLE-ZÉLANDE
33 $ SAQ S (10948057)   ★★★?☆ $$$ **Modéré+**
Un pinot au nez certes retenu actuellement, mais profond et riche de
promesses, à la bouche ample, presque juteuse, texturée et veloutée,
d'une certaine fraîcheur, aux tanins fondus et aux persistantes saveurs
de cerise au marasquin et de girofle. **Alc./**13,8 %. **amisfield.co.nz** ■ *Filets
de bœuf au café noir (*) et asperges vertes rôties au four à l'huile d'olive.*

Mourvèdre The Twenty-Eight Road 2006
MCLAREN VALE, D'ARENBERG, AUSTRALIE
33,25 $ SAQ S (10250804)   ★★★☆ $$$ Corsé
Un autre millésime toujours aussi puissamment aromatique pour ce cru.
Cuir, champignon et menthol s'en donnent à cœur joie, tandis que la bouche
se montre pleine et sensuellement enveloppante, dévoilant de péné-
trantes saveurs de gibier, de réglisse, de poivre, de cannelle et de menthe.
Ira loin, même si déjà plus qu'invitant. **Alc./**14,5 %. **darenberg.com.au**
■ *Côtes levées à la bière noire, bouillon de bœuf et sirop d'érable (***).*

Merlot Mission Hill « S.L.C. » 2005
OKANAGAN VALLEY VQA, MISSION HILL WINERY, CANADA
35,25 $ SAQ S (10745524)   ★★★☆ $$$ Corsé
Ce *Select Lot Collection* se montre à nouveau, comme il l'était en 2003,
étonnamment surmûri et profond pour un rouge canadien. À l'aveugle,
j'étais convaincu d'être dans la chaude vallée de Napa... Il en résulte un
merlot ultra-coloré, au nez exubérant, confit et passablement boisé, à
la bouche sphérique, pleine et juteuse, mais aussi dotée d'une belle
trame tannique qui bride l'ensemble et le tend vers le futur. **Alc./**14,6 %.
missionhillwinery.com ■ *Magret de canard caramélisé aux épices (*).*

Zinfandel Peter Franus 2007
MOUNT VEEDER, PETER FRANUS WINE COMPANY, ÉTATS-UNIS
37 $ SAQ S (897652)   ★★★☆?☆ $$$ **Puissant**
Si vous cherchez un cru au nez puissant de clou de girofle et de poivre
noir, ne cherchez plus et sustentez-vous de ce «zin», qui ne fera qu'un
avec les aliments complémentaires à ces deux épices (asperge rôtie

à l'huile, basilic thaï, bière, bœuf grillé, boutons de rose chinois, café, cannelle, cinq-épices, curry indien, fraise, noix de coco grillée, romarin, scotch, vanille), comme prescrits dans le livre *Papilles et Molécules*. La robe est profonde, le nez intense et prenant, la bouche large, presque capiteuse, enveloppante et d'une grande allonge, aux tanins mûrs et gras, aux saveurs percutantes, sans trop. Du sérieux. **Alc./**15,6 %. **franuswine.com** ■ *Meringue de pois verts, tomates confites, « filets d'anchois croustillants au vinaigre de xérès_Mc²* » : *air de shiitakés dashi (**) (**).*

Pinot Noir Talon Ridge Vineyard 2008

NIAGARA PENINSULA VQA, LE CLOS JORDANNE, CANADA *(DISP. AOÛT/SEPT. 2011)*

37,50 $ SAQ **S** (11451051)   ★★★?☆ **$$$**   Corsé   BIO

Proche du style du très enchanteur Pinot Noir Clos Jordanne Village Réserve 2008 (aussi commenté), mais avec une mâche plus soutenue et des tanins plus fermes. Deux ou trois ans de bouteilles révéleront sont plein potentiel. Fruits rouges et épices douces donnent le ton à ce cru compact, ramassé et très frais. **Alc./**12,5 %. **leclosjordanne.com** ■ *Magret de canard rôti aux graines de sésame et cinq-épices, navets confits au clou de girofle (**).*

Pinot Noir Amisfield 2007

CENTRAL OTAGO, AMISFIELD WINE COMPANY, NOUVELLE-ZÉLANDE

39,50 $ SAQ **S** (10826084)   ★★★☆ **$$$**   Corsé

Ce cru néo-zélandais est d'un charme incroyable, sans tomber dans la facilité, bien au contraire! Un rouge très aromatique, complexe et passablement riche, exhalant des notes de cerise à l'eau-de-vie, de poivre et de girofle, à la bouche quasi juteuse, mais avec une bonne assise tannique, aux tanins mûrs et enveloppés, presque gras, à l'acidité juste dosée, au corps large et voluptueux et aux saveurs d'une grande allonge. De l'éclat, de la matière et de la fraîcheur. **Alc./**14 %. **amisfield.co.nz** ■ *Filets de bœuf au café noir (*) et asperges vertes rôties au four à l'huile d'olive.*

Pinot Noir Clos Henri 2006

MARLBOROUGH, CLOS HENRI, NOUVELLE-ZÉLANDE

40,25 $ SAQ **S** (10916493)   ★★★☆ **$$$$**   Modéré+

■ *Pétoncles poêlés enrubannés d'algues nori et réduction de jus de veau.* (Voir commentaire détaillé dans *La Sélection Chartier 2010*)

Pinot Noir Clos Henri 2008

MARLBOROUGH, CLOS HENRI, NOUVELLE-ZÉLANDE

40,25 $ SAQ **S** (10916493)   ★★★☆ **$$$$**   Corsé

Élaboré sous la houlette de la famille Bourgeois, ce millésime 2008 de son pinot néo-zélandais se montre actuellement discret au nez, mais généreusement fruité en bouche. Les tanins sont gras, l'acidité discrète mais fraîche, le corps plein et velouté, et les saveurs longues et solaires (cerise noire, fraise, muscade et violette). **Alc./**14 %. **closhenri.com** ■ *Filets de porc à la cannelle et aux canneberges.*

Pinot Noir Belle Glos Las Alturas 2008   ✓ TOP 100 CHARTIER

SANTA LUCIA HIGHLANDS, BELLE GLOS WINES, ÉTATS-UNIS

45 $ SAQ **SS** (11363325)   ★★★☆ **$$$$**   Corsé

■ NOUVEAUTÉ! Un pinot, élaboré par Joseph Wagner, donc de Caymus, au nez percutant, non sans rappeler la syrah (je l'ai dégusté à l'aveugle, comme presque tous les vins commentés dans ce guide), s'exprimant par de riches et mûrs arômes de poivre et de fruits noirs, plutôt caractéristique de la syrah rhodanienne que du pinot noir. Quoi qu'il en soit, quel nez! En bouche, la matière suit avec autant d'éclat, d'ampleur, de richesse et de plaisir à recevoir et à découvrir. Du fruit à profusion, sans excès, des tanins mûrs et un corps plein, aux saveurs d'une grande allonge. Du bel ouvrage, qui fera plaisir aux amateurs de pinot californien, et qui surprendra, positivement ou négativement, c'est selon, ceux qui préfèrent la Bourgogne. Ce domaine californien nous a présenté aussi, au printemps 2011, un très bon rosé, le **Belle Glos Pinot Noir Blanc « Œil de Perdrix » 2010** (aussi commenté dans ce guide). Enfin, il faut savoir que Joseph Wagner a choisi le nom de Belle Glos en hommage à sa grand-mère, Lorna Belle Glos Wagner, fondatrice de Caymus

Vineyards. **Alc./**14,8%. **belleglos.com** ■ *« Feuilles de vigne farcies_Mc²»* *(riz sauvage soufflé, bacon de sanglier, sirop de riz brun/café) (**) ou pétoncles poê-lés, couscous de noix du Brésil à l'orange sanguine, lait de coco au gingembre (**).*

Quatrain 2006
OKANAGAN VALLEY VQA, MISSION HILL WINERY, CANADA
48,25 $ SAQ S (11140447) ★★★★ $$$$ Corsé+
Pour bluffer vos collègues, servez en carafe, à l'aveugle, le coup de cœur qu'est le rouge canadien Quatrain élaboré avec les conseils de l'œnologue bordelais Pascal Chatonnet. Ils seront bouche bée devant ce superbe assemblage, dominé par la syrah et le merlot. Haute définition aroma-tique, concentration, élégance, harmonie d'ensemble et grande persis-tance, aux tanins presque dodus, mais avec de la prise, à la texture d'une bonne épaisseur veloutée et aux saveurs généreuses (cerise noire, mûre, torréfaction, réglisse). **Cépages :** 41% syrah, 32% merlot, 14% caber-net franc, 13% cabernet sauvignon. **Alc./**13%. **missionhillwinery.com**
■ *Osso buco de cerf aux parfums de crème de mûres et de réglisse noire.*

Château Los Boldos « Grand Cru » 2006
ALTO CACHAPOAL, VIÑA LOS BOLDOS, CHILI
49,25 $ SAQ SS (10878626) ★★★☆?☆ $$$$ Corsé
Un puissant assemblage cabernet/merlot, au nez classiquement chilien, exhalant d'intenses et raffinés effluves de crème de cassis et d'eucalyp-tus, avec une arrière-scène de chêne neuf, non torréfié. La bouche suit avec ampleur et élégance, texture et fraîcheur, dans un ensemble des plus harmonieux et raffiné qui étonne. Le nez annonçait un cru puissant, mais on y trouve plutôt une cuvée svelte et distinguée. Bravo. **Alc./**14%. **clboldos.cl**

Napanook 2005
NAPA VALLEY, DOMINUS ESTATE, ÉTATS-UNIS
49,75 $ SAQ S (897488) ★★★★ $$$$ Corsé
■ *Filets de bœuf au café noir (*)* (Voir commentaire détaillé dans *La Sélection Chartier 2009*)

Napanook 2006
NAPA VALLEY, DOMINUS ESTATE, ÉTATS-UNIS
49,75 $ SAQ S (897488) ★★★☆?☆ $$$$ Corsé+
■ *Filets de bœuf et coulis de poivrons verts (*).* (Voir commentaire détaillé dans *La Sélection Chartier 2010*)

Napanook 2007
NAPA VALLEY, DOMINUS ESTATE, ÉTATS-UNIS
49,75 $ SAQ S (897488) ★★★★ $$$$ Corsé+
Un 2007 ultra-profond, retenu et racé, qui étonne par sa densité, sa richesse, sa trame et sa persistance. Il se rapproche du Dominus, le grand vin du domaine (aussi commenté). Pas de bois, que du fruit. Finale presque crémeuse et harmonie d'ensemble. Une grande réussite. **Alc./**14,1%. **dominusestate.com** ■ *Magret de canard rôti parfumé de baies roses.*

Pinot Noir Galpin Peak 2008
WALKER BAY, BOUCHARD FINLAYSON, AFRIQUE DU SUD
50,25 $ SAQ S (10944241) ★★★ $$$$ Modéré+
Ce 2008 se montre moins engageant, moins texturé, moins dense et moins complet que le superbe 2009 (aussi commenté). Demeure intéressant, mais je lui préfère de beaucoup le 2009, surtout que ce dernier mérite son prix, ce qui n'est pas le cas du 2008. **Alc./**14%. **bouchardfinlayson.co.za**

Pinot Noir Galpin Peak 2009
WALKER BAY, BOUCHARD FINLAYSON, AFRIQUE DU SUD
50,25 $ SAQ S (10944241) ★★★★ $$$$ Corsé
De l'un des domaines de référence, ce pinot se montre en 2009 à nouveau fortement aromatique, complexe et complet, exhalant des effluves de ce-rise, de café et de tomate séchée, à la bouche à la fois dense, joufflue, ample et presque sphérique, aux tanins mûrs, mais avec du grain, et aux saveurs d'une grande allonge. **Alc./**14,5%. **bouchardfinlayson.co.za**
■ *Tataki de thon rouge et tomates séchées à l'huile de paprika.*

Oculus 2007

OKANAGAN VALLEY VQA, MISSION HILL WINERY, CANADA

60,75 $**   SAQ S (10411102)   ★★★☆?☆ **$$$$ Corsé+

Une grande cuvée de l'Ouest qui se montre étonnamment retenue, compacte et subtile. C'est que, la plupart du temps, les grandes pointures sont portées à trop en mettre plein la vue. Ici, belle profondeur aromatique, avec élégance et race certaines, au boisé noblement intégré. Bouche certes pleine, mais aux tanins ultra-fins, mûrs à point et enveloppés par une épaisse gangue veloutée, sans aucune lourdeur ni générosité inutile. Gagnera en définition d'ici 2013/14. Le prix est un brin élevé, comparativement à qualité égale à la cuvée Quatrain du même domaine (aussi commentée), laquelle je préfère. **Cépages :** 50 % merlot, 21 % cabernet franc, 24 % cabernet sauvignon, 5 % petit verdot. **Alc./**13 %. **missionhillwinery.com** ■ *Burger de bœuf Angus au foie gras et champignons.*

Merlot Pedestal 2006

COLUMBIA VALLEY, PEDESTAL CELLARS, ÉTATS-UNIS

74,50 $**   SAQ S (11202741)   ★★★★ **$$$$ Corsé

Un merlot ultra-coloré, aromatique, avec une certaine retenue européenne, concentré, sans trop, sans aucun boisé apparent, à la bouche pleine, sphérique et intensément veloutée à la pomerol. Un cru encore plus détendu qu'à l'été 2010, lors d'une première dégustation, aux tanins gras, au corps voluptueux et aux saveurs presque confites, sans être lourdes. Du sérieux. **Alc./**14,7 %. **longshadows.com** ■ *Magret de canard fumé aux feuilles de thé Lapsang Souchong.*

Dominus « Christian Moueix » 2005

NAPA VALLEY, DOMINUS ESTATE, ÉTATS-UNIS

113,25 $**   SAQ S (869222)   ★★★★☆?☆ **$$$$$ Corsé+
■ *Magret de canard au poivre vert et à la cannelle.* (Voir commentaire détaillé dans *La Sélection Chartier 2009*)

Dominus « Christian Moueix » 2006

NAPA VALLEY, DOMINUS ESTATE, ÉTATS-UNIS

113,25 $**   SAQ S (869222)   ★★★☆?☆ **$$$$$ Corsé+
(Voir commentaire détaillé dans *La Sélection Chartier 2010*)

Dominus « Christian Moueix » 2007

NAPA VALLEY, DOMINUS ESTATE, ÉTATS-UNIS

113,25 $**   SAQ S (869222)   ★★★★?☆ **$$$$$ Corsé+

Un 2007 plus ouvert au nez, contrairement à son habitude d'être plus retenu dans ses premières années de bouteille. Grande masse aromatique de fruits noirs et de torréfaction. Bouche généreuse, pleine, presque sphérique, mais avec une solide prise tannique, sans excès, au corps ramassé, qui aura besoin de temps pour se délier les jambes, comme toujours avec ce cru. Donc, un cru à suivre – il ne faut pas oublier la réputation qui le précède et la suite des très grandes réussites (voir commentaires détaillés des précédents millésimes dans les éditions de 2007 à 2010 de *La Sélection*). **Alc./**14,1 %. **dominusestate.com**

APÉRITIFS, MOUSSEUX, ROSÉS ET VINS DE DESSERTS DU NOUVEAU MONDE

Cabernet Sauvignon/Syrah
Leon de Tarapacá 2010

✓ TOP 10 ROSÉS

VALLE CENTRAL, VIÑA SAN PEDRO TARAPACÁ, CHILI

11,10 $	SAQ C (11445970)	★★☆ $	Modéré+

Rafraichissant et substantiel rosé, qui a du coffre, ce qui étonne pour le prix demandé, donc impossible de s'en passer. D'une robe rose cerise, au nez aguicheur et aromatique, assez complexe, laissant deviner des parfums de fougère, de cannelle, de girofle, de framboise et de violette, à la bouche qui étonne par son ampleur et sa prestance, pour le rang de ce cru, aux saveurs qui ont de l'éclat, auxquelles s'ajoutent des notes de poivre, de menthe et de cassis. **Cépages:** cabernet sauvignon, syrah. **Alc./**14%. **tarapaca.cl**

☛ *Servir dans les trois années suivant le millésime, à 14 °C*

 Sushis_Mc² «pour amateur de vin rouge» (voir sur **papillesetmolecules.com**), poulet aux olives noires et aux tomates, « purée_Mc² » pour amateur de vin au céleri-rave et clou de girofle (**), steak de saumon au café noir et au cinq-épices chinois (*) ou pommade d'olives noires à l'eau de poivre (***) pour canapés.

Dégel Cidre Tranquille 2008
QUÉBEC, LA FACE CACHÉE DE LA POMME, HEMMINGFORD, QUÉBEC, CANADA

12,40 $	SAQ S* (10661486) ★★ $		Léger+

Si les cidres tranquilles des années soixante-dix avaient eu ce bagou et cette justesse de propos, je n'ose à peine imaginer ce que serait aujourd'hui l'univers des cidres québécois! Les années de vaches maigres auraient plutôt été des années de ruée vers l'or... Cette cuvée se montre tellement plus festive et plus croquante que jamais, qu'il serait vraiment dommage de bouder son plaisir à cause d'un préjugé défavorable qui ne tient plus lieu aujourd'hui. Quelle définition et quelle expressivité pour un cidre offert à moins de quinze dollars! Pratiquement sec (malgré les 28 grammes de sucres résiduels), désaltérant, joyeux et persistant. Que demander de plus à l'heure de l'apéritif? Sa subtile sucrosité fera contraste avec la salinité des huîtres, et ses parfums entreront en osmose avec le gingembre et la pomme. **Alc./**12%. **lafacecachee.com**

☛ *Servir dans les quatre années suivant le millésime, à 17 °C*

Apéritif, huîtres crues et gingembre frais râpé, huîtres crues et fine julienne de pomme et jus de lime ou assiette de fromage de chèvre.

MarieClos
HYDROMEL AUX FRAMBOISES, FERME APICOLE DESROCHERS, FERME-NEUVE, QUÉBEC, CANADA

13,15 $	SAQ S (884551) ★★★ $$		Modéré	BIO

Que de charme et d'enchantement avec cet hydromel rosé, élaboré à base de miel et de framboises biologiques. Vos invités comme vos amis de dégustation seront stupéfaits de mettre leur nez dans un verre de cette boisson unique et singulière, au nez aromatique, racé et festif, exhalant des notes de miel et de framboise mûre certes, mais aussi de concombre et de groseille. Un hydromel qui se montre pratiquement sec en bouche, ample, aromatique, frais et long, pour ne pas dire aérien et digeste, d'une grande harmonie d'ensemble. Cette cuvée a été mise au monde avec talent et sensibilité par feue Marie-Claude Desrochers, et son conjoint Claude, et maintenant vinifiée avec doigté par leur fille Nadine, et son amoureux d'œnologue Géraud Bonet. Elle demeure un incontournable, comme toute leur gamme d'hydromels, qui mérite de figurer parmi les favoris québécois, tous produits confondus. **Alc./**11%. **desrochersd.com**

☛ *Servir dès sa mise en marché, à 12 °C*

Apéritif, brochette de melon d'eau et de tomates cerises à l'huile de paprika (***), tarte à la mozza, tomates et basilic thaï (***) ou salade de fraises et de framboises à l'hydromel.

Le Rosé Gabrielle 2010
QUÉBEC, VIGNOBLE RIVIÈRE DU CHÊNE, SAINT-EUSTACHE, QUÉBEC, CANADA

15,50 $	SAQ S (10817090) ★★ $		Léger+

Étonne par son nez très aromatique et passablement riche et engageant pour son rang et son origine. De la couleur, du fruit à revendre (framboise et melon d'eau), de la fraîcheur, de la souplesse et un aguicheur petit zeste de je ne sais quoi! **Cépages:** 45% sabrevois, 25% frontenac, 15% de chaunac, 15% seyval noir. **Alc./**13%. **vignobleriviereduchene.com**

☛ *Servir dans les deux années suivant le millésime, à 14 °C*

🍴 Apéritif, salade froide de crevettes, melon d'eau et tomates avec vinaigrette à l'huile d'olive et au jus de pamplemousse rose et paprika (***), feuilletés aux olives noires et à l'orange (***) ou brochettes de crevettes et melon d'eau sur brochettes imbibées au pamplemousse rose et au paprika (***).

Kim Crawford Pansy! Rosé 2010   ✓ TOP 10 ROSÉS

GISBORNE/HAWKE'S BAY, KIM CRAWFORD WINES, NOUVELLE-ZÉLANDE

18,20 $	SAQ S (11447326)	★★☆?☆ $$	Modéré+

Fraîcheur invitante et complexité de saveurs prenantes, voilà un rosé gourmand, à la fois apéritif et juste assez soutenu pour la table. D'une robe rose cerise pâle. D'un nez aromatique, agréable et fin, aux tonalités subtiles de cassis, de mûre, de bonbon anglais à la cannelle et au girofle, ainsi que de poivre blanc. D'une bouche à l'acidité fraîche, à la texture ample qui enveloppe la bouche, aux saveurs passablement persistantes, égrainant des notes de fruits noirs et d'épices douces. Presque bonbon, mais avec matière. **Cépages :** merlot, malbec. **Alc./**13,5 %. kimcrawfordwines.co.nz

☛ *Servir dans les trois années suivant le millésime, à 14 °C*

🍴 Salade d'endives braisées et cerises (avec noix et fromage parmesan émietté), salade de betteraves rouges parfumées au quatre-épices (poivre, muscade, gingembre en poudre et clou de girofle), salade de foies de volaille et de cerises noires ou sukiyaki de bœuf aux poivrons rouges et paprika.

Five Vineyards « Rosé » 2010

OKANAGAN VALLEY VQA, MISSION HILL WINERY, CANADA

18,75 $	SAQ C (11445697)	★☆ $$	Modéré

■ NOUVEAUTÉ! Un rosé de l'Ouest aromatique, fin et gorgé de saveurs sucrées, ample, rond et texturé, aux tonalités de grenadine au de cerise au marasquin. Si vous aimez les rosés bonbons vous serez conquis! Mais le prix est un brin élevé pour le niveau qualitatif. **Alc./**12,5 %. missionhillwinery.com

☛ *Servir dans les deux années suivant le millésime, à 14 °C*

🍴 Salade de crevettes froide, melon d'eau, tomates, vinaigrette à l'huile d'olive et jus de pamplemousse (***).

Ménage à Trois Rosé 2010   ✓ TOP 10 ROSÉS

CALIFORNIA, FOLIES À DEUX WINERY, ÉTATS-UNIS

19,75 $	SAQ S (10938861)	★★☆?☆ $$	Corsé

Voilà un rosé à la fois désaltérant et soutenu, digeste et prenant, aux saveurs à la fois épicées et exotiques, ainsi qu'au corps ample et sensuel. La couleur est modérée, le nez expressif à souhait, où s'entremêlent muscade, ananas, litchi, framboise et rose séchée. La bouche suit avec des courbes larges et généreuses, une acidité discrète, mais juste dosée, et des saveurs à la fois bonbon et sérieuses. Certes commerciale d'approche, mais il y a du plaisir sous le goulot! Il faut dire que l'ajout de gewurztraminer y joue pour beaucoup. **Cépages :** merlot, syrah, gewurztraminer. **Alc./**13,5 %. folieadeux.com

☛ *Servir dans les trois années suivant le millésime, à 14 °C*

🍴 Tapas de fromage en crottes_Mc² : à l'huile de gingembre et litchis) (***), brochettes de poulet grillées sur brochettes de bambou imbibées au gingembre (voir Brochettes de bambou imbibées au gingembre « pour grillades de bœuf et de poisson »)

(***), baklavas de bœuf en bonbons (miel de menthe à la lavande et eau de géranium, viande de grison) (**) ou carré de porc glacé aux fraises, poivre du Sichuan, galanga et miel (**).

Domaine des Salamandres 2009

POIRÉ DE GLACE, DOMAINE DES SALAMANDRES, QUÉBEC, CANADA

22,90 $ 200 ml	SAQ S (11172254)	★★★☆ $$	Modéré+

« Je sais que ce n'est pas un cidre de glace, mais je l'ai classé dans le TOP 10 des meilleurs cidres de glace de l'année étant un produit proche parent et méritant plus d'attention tant la qualité vaut le détour. » – Une originalité québécoise, ce poiré de glace, donc à base de poires, façon cidre de glace, est élaboré avec maestria par l'œnologue et maître de chais du réputé domaine La Face Cachée de la Pomme, Loïc Chanut, qui a fondé en 2003 sa propre maison. Vous pourriez le servir à l'aveugle à vos amis de dégustation et ils seraient assurés d'avoir dans le nez un cidre de glace! Mais sa subtilité aromatique (poire, miel, anis) et sa grande fraîcheur lui donnent un profil singulier, bien à lui. D'autant plus que ses saveurs sont très longues et qu'elles ont de l'éclat. La poire étant un naturel avec la pomme lorsque vient le temps de parler de pouvoir d'attraction, tout comme avec la cannelle et la pâte d'amandes, amusez-vous avec les desserts à base des mêmes ingrédients ici nommés, afin de créer de belles envolées harmoniques avec cette percutante originalité de notre belle province. Le strudel aux pommes n'a qu'à bien se tenir! **Alc./**13,5%. **salamandres.ca**

☛ *Servir dans les six années suivant le millésime, à 10 °C*

Foie gras poêlé déglacé au poiré et aux amandes et cannelle, strudel aux pommes, tarte aux pommes et amandes recouverte de très vieux fromage cheddar, croissant à la pâte d'amande.

Muscat à Petits Grains Terre Rouge 2008

SHENANDOAH VALLEY, DOMAINE DE LA TERRE ROUGE, ÉTATS-UNIS
(DISP. NOV. 2011)

23,30 $	SAQ S (11576970)	★★★?☆ $$	Modéré

■ NOUVEAUTÉ! Un délectable et enchanteur muscat élaboré avec retenue et fraîcheur par Bill Easton, pape des *rhône rangers* aficionados. Il en résulte un vin doux élégant, frais, sans aucune lourdeur, à la liqueur plutôt aérienne, au corps détendu et vaporeux, et aux saveurs longues et subtiles de guimauve, de pêche, de fleur d'oranger et de melon de miel. Un bel ajout au rayon des trop rares vins de desserts américains disponibles à la SAQ. **Cépage :** muscat à petits grains. **Alc./**16,5%. **terrerougewines.com**

☛ *Servir dans les cinq années suivant le millésime, à 12 °C*

Pêches confites pour Pavlova (***), meringue pour Pavlova (***), pommade de pommes au curry et à la guimauve (***) pour accompagner des fromages bleus ou figues au miel de lavande (***).

Domaine Lafrance 2009

CIDRE DE GLACE, LES VERGERS LAFRANCE, SAINT-JOSEPH-DU-LAC, QUÉBEC, CANADA

23,95 $ 375 ml	SAQ S (733600)	★★★ $$$	Modéré+

D'un domaine à compter parmi le *top ten* des meilleurs producteurs de cidre de glace de la province. Ici, vous dégusterez une cuvée à la fois gourmande et mordante, sans être puissante. Parfaite pour faire vos premiers pas dans l'univers glacé du cidre liquoreux. Certes sucré à souhait, sans lourdeur, ce cidre se montre aussi très élancé et presque mordant, comme dans le précédent millésime 2008, s'exprimant par des saveurs rafraîchissantes et expressives de pomme-poire et de gingembre. Bel équilibre sucre-acidité pour de gourmandes harmonies à table, comme le pain d'épices ou les desserts relevés de gingembre. **Alc./**10,5%. **lesvergerslafrance.com**

☛ *Servir dans les quatre années suivant le millésime, à 10 °C*

Tartare de litchis aux épices (*), tarte à la citrouille et au gingembre (*) ou millefeuille de pain d'épices aux mangues (*).

Pinnacle 2008

CIDRE DE GLACE, DOMAINE PINNACLE, FRELIGHSBURG, QUÉBEC, CANADA

24,90 $** 375 ml   SAQ S* (734269)   ★★☆ **$$ Modéré+

Un cidre à la couleur orangée soutenue, au nez modérément aromatique, fin, mais peu loquace, à la bouche d'une bonne liqueur onctueuse, à l'acidité certes présente, mais moins tranchante que dans la cuvée Neige Première 2009. D'ailleurs, la matière est moins éclatante et moins concentrée que cette dernière, se montrant aussi un brin plus évoluée et caramélisée (caramel, érable, sotolon) étant du millésime 2008, donc une année de plus en bouteilles. Quoi qu'il soit, il n'en demeure pas moins un bon cidre de glace, à boire rapidement pour ce qui est de ce 2008. **Alc./**12%. **domainepinnacle.com**

☛ *Servir dans les six années suivant le millésime, à 12 °C*

Fromage bleu Alfred le fermier accompagné de poires séchées et d'amandes brunes effilées ou tartinade de pommade de pommes au curry et à la guimauve (***).

Neige « Première » 2009   ✓ TOP 100 CHARTIER

CIDRE DE GLACE, LA FACE CACHÉE DE LA POMME, HEMMINGFORD, QUÉBEC, CANADA

24,95 $** 375 ml   SAQ S* (744367)   ★★★ **$$ Corsé

Robe jaune orangé modéré. Nez très aromatique, élégant et frais, sur la pomme, mais aussi l'abricot. Bouche à l'attaque à la fois moelleuse et vive, ronde et très rafraîchissante, d'une belle liqueur pour le rang, à l'acidité presque électrisante, qui bride le sucre et propulse le cidre dans le temps. Belle matière généreuse et engageante au possible pour cette cuvée. Donc, un millésime 2009 réussi avec brio. Notez que l'abricot étant dans la même famille aromatique que la pomme, il fait merveille avec des abricots séchés, que ce soit en accompagnement de fromage bleu ou en mode dessert. **Pommes :** mcIntosh, spartan. **Alc./**13%. **lafacecachee.com**

☛ *Servir dans les dix années suivant le millésime, à 12 °C*

Fromage bleu Le Rassembleu accompagné d'abricots séchés, millefeuille de pain d'épices aux pommes et aux abricots séchés (*) ou croustade d'abricots à la lavande et au muscat (***).

Clos Saragnat « Avalanche » 2008   ✓ TOP 100 CHARTIER

CIDRE DE GLACE, CLOS SARAGNAT, EXPLORAGE INC., FRELIGHSBURG, QUÉBEC, CANADA

27,15 $** 200 ml   SAQ S (11133221)   ★★★☆?☆ **$$$ Modéré+

Ce remarquable cidre de glace est signé par le maître ès cidres de glace, Christian Barthomeuf, l'une des références mondiales en matière de cidre de glace. L'Avalanche se montre d'une couleur orangée. D'un nez de pomme fraîche, d'une étonnante définition. Pureté, profondeur et fraîcheur, comme toujours, où s'entremêlent des notes complexes d'épices douces, d'érable et d'abricot sec. Bouche à la fois vive, pleine, éclatante et d'une grande allonge. Une réussite assurée. Belle liqueur, comme toujours pour cette cuvée qui se montre moins évoluée que la 2007. Cuisinez-lui l'une de nos *Recettes de Papilles et Molécules* : à base de sirop d'érable et curry, de thé Earl Grey, cannelle et scotch, de foie gras de canard poêlé ou de fromage à croûte lavée. **Alc./**11 %. **saragnat.com**

☛ *Servir dans les dix années suivant le millésime, à 12 °C*

Desserts : noix de macadamia sablées au sirop d'érable et curry (**), pouding poché au thé *Earl Grey*, beurre de cannelle et scotch highland *single malt* (**) ou tatin de pommes au curry, noix de macadamia salées au sirop d'érable, tranche de foie gras de canard poêlé (**). Fromages : époisses accompagné de pain aux figues ou gorgonzola accompagné de marmelade d'oranges.

Vidal Vendange Tardive 2009
QUÉBEC, VIGNOBLE DU MARATHONIEN, HAVELOCK, QUÉBEC, CANADA

| 28 $ | 375 ml (Disponible au domaine : 450 826-0522) | ★★★?☆ | $$ | Modéré+ |

Papaye et litchi explosent littéralement du verre pour vous titiller les narines, mais surtout pour vous donner le goût de le boire! Et quelle belle bouche! Attaque onctueuse, suivie d'une fraîcheur juste, qui bride le sucre juste assez pour donner de l'élan à cet ensemble nourri, expressif et très long. Du bel ouvrage. Plus que jamais une belle porte d'entrée pour se familiariser avec les vins doux de vidal, avant de passer aux « choses plus sérieuses » avec l'excellent et pénétrant vin de glace (aussi commenté). Disponible uniquement au domaine, situé juste à l'ouest d'Hemmingford. Il faut savoir que ce vin a remporté la grande médaille d'or au printemps 2011 le positionnant comme le meilleur vin doux du Canada, et ce, devant les vins de glace vendus deux à trois fois le prix. Les juges se sont peut-être un peu emportés, mais il n'en demeure pas moins une référence pour son prix. **Cépage :** vidal. **Alc./**12,3 %. **marathonien.qc.ca**

☛ *Servir dans les cinq années suivant le millésime, à 10 °C*

Tartare de litchis aux épices (*) ou tarte à la citrouille et au gingembre (*).

Blue Pyrenees « Midnight » Cuvée 2004
AUSTRALIA, BLUE PYRENEES ESTATE, AUSTRALIE *(DISP. NOV. 2011)*

| 28,70 $ | SAQ **S** (11564987) | ★★★☆?☆ | $$$ | Corsé |

■ NOUVEAUTÉ! Un mousseux australien, dégusté en primeur en juillet 2011, d'un échantillon du domaine, d'une grande richesse de fruit, pur et précis, tout en étant très frais et vivace, pour ne pas dire croquant. Matière richissime, sans trop, saveurs de pomme golden, de poire et de fleurs séchées, ultra-longues, acidité électrisante et plénitude de corps. Du sérieux, qui offre autant à boire et à manger, ce qui est rare chez les mousseux à l'extérieur de la Champagne. Assurément l'un des meilleurs achats chez les nouveautés en bulles. **Cépage :** chardonnay. **Alc./**12,5 %. **bluepyrenees.com.au**

☛ *Servir dans les dix années suivant le millésime, à 10 °C*

Feuilletés au gruyère et au gingembre (***) ou tapas de fromage en crottes_Mc² : à l'huile de basilic et morceaux de pommes rouges fraîches (***).

Cryomalus 2008

CIDRE DE GLACE, DOMAINE ANTOLINO BRONGO, SAINT-JOSEPH-DU-LAC,
QUÉBEC, CANADA

29,95 $ 375 ml	SAQ S* (11002626)	★★★☆ $$$		Corsé

Petit dernier de l'aventure glaciale, mais non le moindre, se positionnant déjà parmi le trio de l'élite mondiale en la matière, avec
l'unique et historique Clos Saragnat et le mondialement connu La
Face Cachée de la Pomme. Les médailles fusent de partout, que ce
soit en Espagne comme au Québec. Un jeune allumé au possible,
dont l'avenir se conjugue déjà au présent. Pour y parvenir, aucune
réfrigération ou congélation artificielle. Que de la vérité dans la
démarche! Il en résulte un produit, des plus aromatiques mais sans
être puissant ni profond, d'une bonne définition, où s'expriment des
tonalités, ayant eu une belle évolution au fil des derniers mois, de
pomme mûre, de cire d'abeille, d'abricot sec et de gingembre, avec
un léger début de tonalité caramélisée, d'un équilibre sucre/acidité
quasi parfait. La liqueur, moins imposante et détaillée que chez le
Neige «Récolte d'Hiver», de La Face Cachée de la Pomme, et moins
complexe que chez la cuvée hors norme Avalanche du Clos Saragnat
(tous deux commentés), se voit naturellement bridée grâce à une
vibrante acidité naturelle, à la manière d'un enivrant riesling germanique auslese, qui sait être à la fois moelleux et tendu. **Alc./**10%.
antolinobrongo.com

☞ *Servir dans les six années suivant le millésime, à 10 °C*

Fromage : Le chèvre noir (fromage de chèvre affiné à pâte
ferme) accompagné d'abricots secs. Desserts : tarte aux
abricots, crémeux citron, meringue/siphon au romarin (**) ou
salade d'ananas et fraises parfumée au romarin.

Cuvée No. 1

MARLBOROUGH, NO. 1 FAMILY ESTATE, NOUVELLE-ZÉLANDE

34,50 $	SAQ S (11140658)	★★★☆?☆ $$$		Modéré+

Belle nouveauté débarquée l'année dernière, que ce mousseux néo-
zélandais de chardonnay, qui fait un malheur en Ontario depuis belle
lurette et qui est élaboré sous la houlette d'un Champenois expa-
trié en Nouvelle-Zélande. Il en résulte un vin au nez riche et complexe, jouant dans la sphère aromatique de l'abricot et du pain
brioché, présentant une abondante prise de mousse en bouche, tendue par une vive acidité. Les saveurs ont de l'éclat et de la présence.
Du sérieux, qui vient jouer les trouble-fêtes dans le rayon des mousseux hors Champagne – et même en Champagne! **Alc./**12,5%.
no1familyestate.co.nz

☞ *Servir dans les deux années suivant l'achat, à 10 °C*

Arancini au safran, crevettes tempura, saumon infusé au
saké et aux champignons shiitakes ou *toast* de mousse de
foie gras de canard (*).

Pinnacle Signature Réserve Spéciale 2008

CIDRE DE GLACE, DOMAINE PINNACLE, FRELIGHSBURG, QUÉBEC, CANADA

38 $ 375 ml	SAQ S (10233756)	★★★☆ $$$		Corsé

Une cuvée spéciale 2008 passablement évoluée, en mode sotolon,
c'est-à-dire sur la piste aromatique des arômes de la famille du sotolon, qui est une molécule volatile dominante dans ce cidre, tout comme
dans le sirop d'érable, le curry et le caramel, qui composent son bouquet. La liqueur est belle et imposante, prenante et d'une grande
allonge, rappelant la crème brûlée et la tire d'érable. Le nez n'est
pas très complexe pour le niveau, mais la bouche étant très réussie,
il mérite amplement le détour. **Alc./**11%. **domainepinnacle.com**

☛ *Servir dans les douze années suivant le millésime, à 12 °C*

Fromage bleu Le Rassembleu accompagné de «pommade de pommes au curry et au sirop d'érable» (***) et d'amandes brunes effilées.

Pinnacle Réserve 1859

CIDRE ET EAU-DE-VIE DE POMMES, DOMAINE PINNACLE, FRELIGHSBURG, QUÉBEC, CANADA

40,50 $ 500 ml	SAQ **S** (10850156)	★★★☆ $$$$		Modéré+

Chez les douceurs à se mettre sous la dent, la référence à déguster tant à l'heure du fromage, avec une puissante croûte lavée comme l'époisses, qu'au moment du dessert, avec une tatin caramélisée à souhait, ainsi qu'en guise de digestif, sans glaçon, est sans contredit la sirupeuse, épicée, vanillée et gourmande Réserve 1859. Cette liqueur est née d'un savant assemblage de cidre de glace et d'eau-de-vie de pommes, le tout élevé en fûts de chêne afin d'en épicer et d'en complexifier les saveurs. À la fois ample et d'une grande allonge en bouche, égrainant des notes de crème brûlée et de noix grillées. Ceux et celles qui sont habituellement rebutés par la force de l'alcool des liqueurs et des eaux-de-vie, qui se situe entre 25 et 40 %, seront ici au comble avec cette création québécoise de haute voltige à seulement 16 ° d'alcool. **Alc./**16 %. **domainepinnacle.com**

☛ *Servir dès sa mise en marché, à 14 °C*

Fromage à croûte lavée (époisses), tarte Tatin ou digestif (sans glaçon).

Neige « Récolte d'Hiver » 2008

CIDRE DE GLACE, LA FACE CACHÉE DE LA POMME, HEMMINGFORD, QUÉBEC, CANADA

49,75 $ 375 ml	SAQ **S** (742627)	★★★☆?☆ $$$$		Corsé

Un millésime 2008 d'une grande patine en bouche, moelleux à souhait, à l'acidité discrète cédant toute la place à cette épaisseur veloutée et à cette liqueur prenante. Le nez est d'une grande subtilité aromatique, laissant échapper des notes d'abricot sec, de poire confite et de tranche fine de pomme séchée au four. Moins épicée que les précédents millésimes, cette cuvée est l'expression parfaite du cidre de glace élaborée à l'ancienne, c'est-à-dire à partir de pommes gelées dans les arbres, de variétés oubliées, cueillies entre le 3 et le 15 janvier. Seulement 5 866 flacons de 375 ml ont été élaborés en 2007. Il faut savoir qu'une cinquantaine de pommes gelées et déshydratées à même les arbres sont nécessaires pour obtenir une seule demi-bouteille de ce cidre de prestige. **Pommes :** golden russet, fuji et variétés de pommes anciennes du domaine. **Alc./**9 %. **lafacecachee.com**

☛ *Servir dans les quinze années suivant le millésime, à 12 °C*

Fromage bleu Le Rassembleu accompagné de «pommade de pommes au curry et à la guimauve» (***) et d'amandes brunes effilées ou fromage bleu Alfred le fermier accompagné de gelée au safran.

Vidal Vin de Glace 2006

QUÉBEC, VIGNOBLE DU MARATHONIEN, HAVELOCK, QUÉBEC, CANADA

53,75 $ 375 ml	SAQ **S** (11398317)	★★★☆?☆ $$$$		Corsé

Line et Jean Joly nous proposent cette fois-ci un 2006 au profil plus onctueux et pénétrant que le plus aérien 2005 (commenté dans *La Sélection 2009*). Comme à son habitude, la bouche est d'une liqueur imposante, sirupeuse, avec une certaine fraîcheur sous-jacente, aux saveurs hyperconfites, rappelant la marmelade d'orange, le miel de fleur d'oranger, la cire d'abeille et l'abricot confit. L'acidité lui offre une texture opulente, enveloppante, épaisse et généreusement sucrée. Un millésime à boire plus rapidement, mais satisfaisant au possible. **Cépage :** vidal. **Alc./**9,6 %. **marathonien.qc.ca**

☛ *Servir dans les sept années suivant le millésime, à 10 °C*

Fromage : époisses accompagné de pain aux figues ou gorgonzola accompagné de marmelade d'oranges.

Vidal Vin de Glace 2007   ✓ TOP 100 CHARTIER

QUÉBEC, VIGNOBLE DU MARATHONIEN, HAVELOCK, QUÉBEC, CANADA
(DISP. AUTOMNE 2011)

53,75 $ 375 ml SAQ **S** (11398317) ★★★★ **$$$$**	Corsé+

Ce grand vin de glace n'est pas une nouveauté, ayant été commenté dans *La Sélection* à plusieurs reprises (même s'il n'était pas disponible à la SAQ), mais la nouveauté est que maintenant, enfin (!), il est distribué dans les succursales du Monopole. Il était temps, depuis que nous le signalons comme l'un des dix meilleurs vins de glace au pays... Le 2008, dégusté en primeur, en juin 2011, se montre d'une couleur orangée soutenue, d'un nez richissime, extramûr, laissant échapper des notes de mangue, de papaye et de litchi en conserve, avec une arrière-scène caramélisée. La bouche suit avec une liqueur imposante, onctueuse à souhait, pleine et voluptueuse, dotée d'une très fraîche acidité sous-jacente et de saveurs d'une très grande allonge, laissant des traces de marmelade, de kumquat confit, de mangue caramélisée. Percutant! Notez qu'il prendra la relève du 2006 (aussi commenté) au cours de l'automne 2011. **Cépage :** vidal. **Alc./**10 %. **marathonien.qc.ca**

☛ *Servir dans les neuf années suivant le millésime, à 10 °C*

Litchi à l'eau de rose et aux graines de coriandre (***) ou millefeuille de pain d'épices aux mangues (*).

RÉPERTOIRE ADDITIONNEL

Les vins des **Répertoires additionnels**, qui font l'objet d'une description plus concise, mais presque tous offerts avec un choix de mets, sont ou seront généralement disponibles dans les mois suivant la parution de cette seizième édition. De multiples futurs arrivages y sont aussi commentés cette année. En revanche, certains de ces vins peuvent ne plus être disponibles au moment où vous lirez ces lignes, ce qui explique le commentaire moins détaillé pour certains crus.

Soyez tout de même vigilants, car la majorité de ces vins fera l'objet d'un nouvel arrivage au cours de l'automne 2011 et des premiers mois de 2012, et ce, dans le même millésime proposé dans ce guide. Autre fait important cette année, plusieurs vins des *Répertoires additionnels* sont de futurs arrivages, commentés ici en primeur, avec leur date de mise en marché. Le retour ou l'arrivée de ces vins, comme de tous les vins commentés dans *La Sélection Chartier 2012*, vous sera annoncé par le biais du service de **Mises à jour Internet** de *La Sélection Chartier 2012*, via le site Internet **www.francoischartier.ca**.

Domaine du Ridge « Champs de Florence Rosé » 2010
QUÉBEC, VIGNOBLE SAINT-ARMAND, QUÉBEC, CANADA
14,95 $ SAQ S (741702)   ★ $ Modéré
Un rosé coloré, peu aromatique, au profil un brin oxydatif, à la bouche marquée par une attaque quasi sucrée, au corps ample et aux saveurs confites, presque cuites. Juteux, mais un peu trop mûr. **Alc./**12 %.
domaineduridge.com

Liberty School « Rosé » 2010
CALIFORNIA, LIBERTY SCHOOL WINERY, ÉTATS-UNIS
19,20 $ SAQ C (11243446)   ★☆ $$ Modéré
Comme plusieurs rosés en produits courants introduits au printemps 2011, ce 2010 est marqué par des arômes fermentaires (levures, rappelant la bière...), d'autres étant maquillés par des sucres résiduels qui n'apportent rien d'agréable à l'ensemble. Certains apprécient, mais je préfère les rosés exempts de notes aromatiques de vinification, où le fruit et, s'il y a lieu, le terroir parlent. À moins que vous aimiez retrouver la bière dans le rosé! ☺). **Alc./**13,5 %. **treana.com**

Beckmen Vineyards Grenache Rosé Purisima Mountain Vineyard 2010
✓ TOP 10 ROSÉS
SANTA YNEZ VALLEY, BECKMEN VINEYARDS, ÉTATS-UNIS
24,15 $ SAQ S (11416845)   ★★★ $$ Corsé
■ NOUVEAUTÉ! Un rosé californien coloré, aromatique et débordant de saveurs, bâti pour la table, et non pour la piscine... Il s'exprime haut et fort, comme le font habituellement les vins de soleil de la côte ouest. Framboise, melon d'eau et giroflée s'entremêlent dans un cocktail explosif pour amateur de sensations fortes. **Alc./**13,5 %. **beckmenvineyards.com**
■ *Crevettes pochées paprika et pamplemousse rose, mayonnaise au safran et sauce sriracha (***).*

Oyster Bay Sparkling Cuvée Brut
MARLBOROUGH, OYSTER BAY WINES, NOUVELLE-ZÉLANDE
(DISP. OCT. 2011/RETOUR JANV. 2012)
24,95 $ SAQ S (11565023)   ★★☆ $$ Modéré+
■ NOUVEAUTÉ! Un nouveau mousseux de chardonnay, qui s'ajoute à la gamme Oyster Bay, se montrant quasi sucré au nez (sans sucre!), ample, crémeux et texturé, à l'acidité discrète, au corps vaporeux, et à la finale dosée. Les amateurs de vins peu acides et gras aimeront ce style de mousseux pas totalement sec. **Alc./**12 %. **oysterbaywines.com**

Belle Glos Pinot Noir Blanc « Œil de Perdrix » 2010
SONOMA COUNTY, BRUGIONI VINEYARD, BELLE GLOS WINES, ÉTATS-UNIS
25,25 $ SAQ **S** (11416600)   ★★☆?☆ **$$**   Modéré+
■ NOUVEAUTÉ! Robe colorée, rose framboise. Nez direct, sans être complexe, on ne peut plus sur la framboise. Bouche débordante de saveurs
qui ont de l'éclat et de la fraîcheur, justes et précises, d'une certaine
ampleur et longues. Hautement savoureux, du fruit à croquer, sec et
presque généreux, tout en demeurant digeste. Servir avec les aliments
complémentaires à la framboise, tels que l'algue nori. **Alc./**12,6 %.
■ *Sushis variés, sushis en bonbon de purée de framboises (***) ou salade de crevettes, algue nori et vinaigre de framboise.*

Cuvée Blé Noir « Miellée » 2003   ✓ TOP 100 CHARTIER
HYDROMEL MOELLEUX, LE CLOS DES BRUMES, LA PRÉSENTATION, QUÉBEC, CANADA
29,20 $ 500 ml   SAQ **S** (735076)   ★★★☆ **$$**   Modéré+
Littéralement hors normes tant la matière aromatique est complexe et
singulière. Robe dorée orangée. Nez pénétrant et intrigant, jouant dans
la sphère aromatique de la noisette grillée, du tabac à pipe, de la figue
séchée, du miel, des amandes rôties. Bouche à la fois vaporeuse et moelleuse, marquée par une patine satinée, comme un vieux meuble
d'époque... Saveurs aériennes et très longues, terminant sur des tonalités d'épices douces, de noix et de café. Coup de cœur à quelques reprises
dans les précédents millésimes, cet hydromel est issu d'une miellée de
récoltes d'une ancienne semence de sarrasin. Il a été élevé huit ans en
barriques de chêne neuf américain. Il faut dire que Pierre Gosselin
magnifie ses miels, les plus parfumés qui soient, avec passion et maestria. **Alc./**14,5 %. **tarentule.net/brumes** ■ *Moelleux au noix, au café et à
la cassonade (***).*

Domaine Les Brome « Vidal Vin de Glace » 2005
QUÉBEC, DOMAINE LES BROME, LÉON COURVILLE, VILLE DE LAC-BROME, QUÉBEC, CANADA
39 $ 200 ml   SAQ **SS** (10919731)   ★★☆ **$$**   Modéré+
Couleur orangée soutenue. Nez pas très net. Bouche pulpeuse et juteuse,
d'une belle liqueur, mais aussi marquée par des notes aromatiques
déviantes, provenant de l'élevage ou du type de liège utilisé? À déguster à nouveau pour vérifier. **Alc./**12,5 %. **domainelesbrome.com**

BIÈRES DE MICRO BRASSERIES QUÉBÉ COISES ET SPIRITUEUX DU NOUVEAU MONDE

Barbancourt « Vieilli 4 ans »

RHUM, T. GARDÈRE, HAÏTI

28,80 $	SAQ C (11459722)	★★☆ $	Modéré+

■ **NOUVEAUTÉ!** Le retour d'un classique du genre, très attendu par ceux qui ne jurent que par Barbancourt, mais qui s'est fait surpasser par d'autres rhums plus ou moins du même âge, dont l'El Dorado « 5 Years Old » (aussi commenté). Robe jaune modéré, aux reflets dorés légers. Nez très fin et empyreumatique, rappelant le sucre roux, d'une richesse modérée. Bouche classique, à la fois un brin tannique, chaude et sucrée, au corps d'ampleur modérée, et aux saveurs longues, sans trop, laissant des traces de pain d'épices et de gingembre. Donc, parfait pour notre recette de cocktail coco rhum brun érable/gingembre, givré curry (dans le livre *Papilles pour tous! – Cuisine aromatique d'automne*). Alc./43 %. **barbancourt.com**

☛ *Servir allongé ou en cocktail*

Cocktail coco rhum brun érable/gingembre, givré curry (***).

Barbancourt Pango

RHUM AROMATISÉ AUX ÉPICES ET AUX FRUITS, T. GARDÈRE, HAÏTI

28 $	SAQ C (10938967)	★★★		Modéré

Le Pango, de la célèbre distillerie haïtienne Barbancourt, dont le rhum 4 ans est aussi commenté, est un assemblage de rhum, d'épices et de fruits. Il en résulte un aguichant produit, à mi-chemin entre le cocktail et le rhum, s'exprimant par des tonalités de fruits exotiques (ananas, mangue, pêche de vigne) et d'épices douces, sans trop. L'alcool est parfaitement intégré, l'attaque presque sucrée, l'ensemble soutenu et très frais. Pas besoin d'en faire un cocktail, il est déjà transformé avec brio! **Alc./**35 %. **barbancourt.com**

☛ *Servir nature, rafraîchi de glaçons*

Chutney d'ananas au curcuma, gingembre et vinaigre de xérès (**) ou crème pâtissière au lait de coco et scotch (***).

Boréale Blanche

BIÈRE BLANCHE, LES BRASSEURS DU NORD, BLAINVILLE, QUÉBEC, CANADA

341 ml	Dépanneurs et épiceries	★★★		Modéré

Il faut rendre à César ce qui revient à… Boréale! C'est que Les Brasseurs du Nord auront été les ancêtres des microbrasseries québécoises, en osant se lancer dans l'aventure brassicole, en 1987. Faisant des petits rapidement, en 1988 avec GMT (devenu depuis RJ), en 1989 avec McAuslan et, depuis, plus de 75 microbrasseries au total. J'ai eu le privilège de vendre l'un des tout premiers fûts de Boréale Rousse, en 1988, au Bistro du Notaire de Saint-Jovite, que j'avais ouvert avec un ami. Il faut savoir que toutes les bières Boréale sont élaborées à partir d'orges maltés de haute qualité, provenant de l'Ouest canadien et de Grande-Bretagne, ainsi que de différents types de houblons américains. Pour ce qui est de cette blanche, blé, avoine et épices (secrètes!) complètent l'assemblage. Elle se positionne parmi les meilleures blanches élaborées au Québec. Nez très aromatique, fin et d'une belle complexité, aux subtils effluves de graine de coriandre, de gingembre rose mariné et d'agrumes. Bouche vaporeuse et aérienne, comme toute bonne blanche se doit d'avoir, très fraîche, mais aussi d'une belle tenue, sans être la plus riche, carbonisée à souhait et digeste comme pas une. Servie à 12 °C, dans un verre à vin évasé, amusez-vous en cuisine avec les aliments complémentaires aux graines de coriandre et à l'orange. **Alc./**4,2 %. **boreale.qc.ca**

☛ *Servir dès sa mise en marché, à 10 °C et dans un verre à vin évasé*

Olives vertes marinées aux zestes d'orange et graines de coriandre (***), sablés au parmesan, graines de coriandre et au curcuma (***), trempette de yogourt à la coriandre, pomme Granny Smith et à l'huile d'olive (***), ailes de poulet BBQ, orange et graines de coriandre (***), lotte à la vapeur de thé Gyokuro, salade d'agrumes et pistils de safran (**) ou «fondue à Johanne_Mc²»: cubes de fromage à croûte lavée, frits et parfumés à l'ajowan) (**).

Boréale Noire

BIÈRE NOIRE, LES BRASSEURS DU NORD, BLAINVILLE, QUÉBEC, CANADA

341 ml Dépanneurs et épiceries   ★★★   Modéré

S'il y a un plat sur mesure pour ce type de bière, c'est bien une pièce
de bœuf fortement grillée servie avec une purée d'oignons (préalablement brunis au four) liée à la sauce soya. Les oignons et la sauce
soya sont au nombre des ingrédients complémentaires au bœuf,
donc partageant certains de ses acides aminés (saveurs umami), ces
derniers faisant partie de la liste des aliments riches en umami. La
piste harmonique est ici toute tracée. Il ne reste plus qu'à s'assurer
que le bœuf soit très torréfié par l'action de la cuisson, afin de bien
mettre à l'avant-scène son profil umami. Parmi la liste des liquides
complémentaires des aliments umami, il y a certes les vins rouges
de régions chaudes et aux tanins chauds, mais, comme vous vous
en doutez, il y a aussi la bière noire, tout aussi riche en saveurs de
même famille. Dont cette subtilement torréfiée, cacaotée et fumée
Boréale. Une noire coulante, mais soutenue, ample, mais fraîche,
marquée par une amertume juste dosée et des saveurs longues et
prenantes. **Alc./**5,5 %. **boreale.qc.ca**

☞ *Servir dès sa mise en marché, à 12 °C dans un verre à vin*
évasé

Bœuf de la Ferme Eumatimi frotté à la cannelle avant cuisson, compote d'oignons brunis au four et parfumée à la
pâte d'anchois salés (**) ou crabe des neiges, ketchup aux pois
verts, épinards fanés à l'huile d'olive, caviar de mulet et mousse de
bière noire (**).

Corne de Brume   ✓ TOP 15 BIÈRES

BIÈRE FORTE SCOTCH ALE, MICROBRASSERIE À L'ABRI DE LA TEMPÊTE,
ÎLES DE LA MADELEINE, QUÉBEC, CANADA

341 ml Dépanneurs et épiceries spécialisées ★★★★   Corsé

Chez les bières de type *scotch ale* québécoises, assurément l'un de mes
deux coups de cœur (avec la Scotch Ale Simple Malt des Brasseurs
Illimités). J'y reviens sans arrêt tant l'attraction aromatique est
forte. Vous y dénicherez une bière au nez percutant, puissamment
aromatique et détaillé, jouant dans l'univers des parfums fumés,
grillés, rôtis, caramélisés et épicés, à la bouche tout aussi prenante,
pleine, sphérique et généreuse, sans trop, dotée d'une douce et subtile amertume et de saveurs d'une très grande allonge, rappelant le
sirop d'érable et les épices. Du sérieux. Notez aussi que le duo érable/
curry ouvre la porte à une très large palette de styles de liquides
harmoniques, dont les bières de type *scotch ale*, au degré d'alcool
élevé et servies à température élevée. Faites l'expérience avec notre
simplissime recette de noix de macadamia sablées au sirop d'érable
et curry. Vous serez conquis! **Alc./**9 %. **alabridelatempete.com**

☞ *Servir à 14 °C et dans un verre évasé*

Caviar d'aubergine rôtie au miso (***), ailes de poulet à
la sauce Soyable (***), fondues au fromage bleu (***) ou
noix de macadamia sablées au sirop d'érable et curry (**).

Dominus Vobiscum « Blanche »   ✓ TOP 15 BIÈRES

BIÈRE BLANCHE, MICROBRASSERIE CHARLEVOIX, QUÉBEC, CANADA

500 ml Dépanneurs et épiceries spécialisées ★★★☆   Modéré

Une bière à la mousse abondante et persistante, à la couleur jaune
doré légèrement voilée, au nez des plus aromatiques, fin et raffiné,
exhalant des notes d'agrumes et de gingembre frais, rappelant aussi
le poivre sancho, à la bouche saisissante de fraîcheur, d'une certaine
ampleur, au corps modéré, vaporeuse à souhait grâce à la présence

d'alcool, plus que discrète (5 % d'alcool), et aux saveurs longues et précises, laissant des traces de lime, de zeste d'orange et de coriandre fraîche. Servir à 12 °C, donc plus fraîche que froide, dans un verre évasé de type vin blanc. Elle fait des merveilles avec la cuisine épicée, relevée par le poivre blanc, le poivre japonais sancho et le poivre indien cubèbe, ainsi qu'avec la cuisine où dominent le gingembre, le pamplemousse rose, les graines de coriandre, la citronnelle, le cèdre ou le litchi. Enfin, pour l'heure du maïs en épis, à l'épluchette comme à la maison, ne cherchez plus et servez cette grande blanche. Vos invités seront stupéfaits! **Alc./5 %. microbrasserie.com**

☛ *Servir dès sa mise en marché, à 12 °C et dans un verre à vin évasé*

Maïs en épis, crème de carotte aux graines de coriandre et à l'orange (***), brochettes de crevettes et melon d'eau sur brochettes imbibées au pamplemousse rose et au paprika (***) ou papillotes de morue à l'orange et aux graines de coriandre (***).

Dominus Vobiscum « Double »   ✓ TOP 15 BIÈRES

BIÈRE EXTRA-FORTE ÉPICÉE, MICROBRASSERIE CHARLEVOIX, QUÉBEC, CANADA

| 500 ml | Dépanneurs et épiceries spécialisées ★★★☆ | Puissante |

Avec notre puissante et prenante recette de marinade pour grillades de bœuf (soya/miso/sésame/cacao/bière noire), il vous faut une bière extra-forte tout aussi pénétrante et enveloppante. Ce à quoi répond cette généreuse et charnelle double de Charlevoix. Vous vous délecterez d'une bière colorée, puissamment aromatique, pleine, texturée, presque liquoreuse, aux saveurs à la fois confites et épicées, débordante de fruits, dont la datte mûre et sucrée, avec des pointes rappelant la sauce soya, l'anis étoilé et le cacao, qui perdurent longuement en fin de bouche. Du sur-mesure pour dominer les viandes rouges marinées à notre façon, tout comme pour les plats rehaussés d'anis étoilé ou de réglisse, ainsi que de chocolat noir. Frissons garantis! **Alc./9 %. microbrasserie.com**

☛ *Servir dans les quatre années suivant sa mise en marché, à 15 °C et dans un verre à vin évasé*

Marinade pour grillades de bœuf (***), braisé de bœuf à l'anis étoilé, poulet au soya et à l'anis étoilé, bœuf grillé et réduction de « Soyable_Mc² » (**) ou « ganache chocolat / Soyable_Mc² » (**).

Dopplebock Grande Cuvée « Printemps 2011 »   ✓ TOP 15 BIÈRES

BIÈRE PALE ALE, MICROBRASSEURS LES TROIS MOUSQUETAIRES, BROSSARD, QUÉBEC, CANADA

| 750 ml | SAQ (dépanneurs et épiceries) ★★★☆ | Corsé+ |

Une imposante bière de dégustation, à la robe acajou rougeâtre, au nez très aromatique, passablement torréfié et fruité, à la bouche crémeuse et vaporeuse, pleine et moelleuse, un brin sucrée, aux saveurs pénétrantes, rappelant le cumin, le fenugrec grillé, la sauce soya, le miso, le caramel et le café. Il y a assurément à boire et à manger dans cette cuvée gourmande et nourrissante. Elle sait tenir tête à des mets salés, tout comme sucrés. **Alc./8 %. lestroismousquetaires.ca**

☛ *Servir dans les trois années suivant sa mise en marché, à 14 °C et dans un verre évasé*

Caviar d'aubergine rôtie au miso (***), bœuf grillé et réduction de « Soyable_Mc² » (**), marinade pour le bœuf au miso (***) pour brochettes de bœuf grillées ou « ganache chocolat / Soyable_Mc² » (**).

El Dorado « 5 Years Old »   ✓ TOP 10 SPIRITUEUX
RHUM, DEMERARA DISTILLERS, GUYANE

25,95 $	SAQ C (10913410)	★★★ $	Modéré+

Comme tous les rhums de cette gamme nommée El Dorado, distillés par le géant Demerara, ce 5 ans d'âge se montre au sommet de sa catégorie. Vous vous sustenterez d'un rhum d'une grande sensualité pour son rang, à la robe ambrée soutenue, au nez passablement riche et détaillé, marqué par des notes de sucre brûlé, sans aucune chaleur de l'alcool. La bouche est d'un charme fou, ample, texturée, veloutée et enveloppante comme le sont rarement les aussi jeunes rhums bruns agricoles. Crème brûlée, vanille, érable, curry et cassonade se donnent la réplique dans une longue finale. Parfait pour déguster seul, sans avoir à l'allonger de cola. Mais aussi aromatique à souhait pour cuisiner, tout comme pour les cocktails, d'autant plus que son prix est très accessible. Utilisez-le pour notre recette de cocktail coco rhum brun café/érable (dans le livre *Papilles pour tous! – Cuisine aromatique d'automne*). **Alc./**40%. demrum.com

☞ *Servir nature*

En cocktail: cocktail coco rhum brun café/érable (★★★). Nature avec munchies ou dessert: *pop-corn* «au goût de bacon et cacao» (★★★) ou amandes pralinées cacao/cannelle (★★★) ou crêpes fines à la vanille et rhum brun (★★★).

El Dorado 15 ans Special Reserve   ✓ TOP 10 SPIRITUEUX
RHUM, DEMERARA DISTILLERS, GUYANE

57,75 $	SAQ S (10369055)	★★★★	Corsé

Cette maison, de Guyane, élabore actuellement une gamme de rhums d'un rapport qualité-prix inégalé. Pour s'en convaincre, il suffit de déguster son rhum de base, la cuvée El Dorado Original Dark Superior, offerte à seulement 20,60 $ (10671617) et aussi commentée dans ce guide. Quant à ce 15 ans, son nez est très riche, complexe et pénétrant, aux notes chaudes de caramel anglais, d'épices douces, de poivre, de gingembre sauvage, de safran, de figue séchée, d'abricot sec et de boîte à cigares, rappelant les meilleurs portos tawnies de 30 ans d'âge. La bouche est à la fois pleine et vaporeuse, puissante et enveloppante, moelleuse et texturée. Osez le servir avec des mignardises de chocolat noir, que vous pourriez parfumer soit au gingembre, soit au safran, soit aux feuilles de havane. D'ailleurs, à l'heure du cigare, sortez aussi vos grands havanes, comme les gros formats de type Churchill. Les rhums sont pour ma part les plus beaux accordeurs de piano avec les volutes épicées. **Alc./**40%. demrum.com

☞ *Servir nature*

Côtes levées avec sauce BBQ pour côtes levées (voir sauce BBQ pour côtes levées (★★★). Desserts/mignardises: crêpes fines à la vanille et rhum brun (★★★), cannelés_Mc² (★★★), truffes au chocolat aux parfums de havane (★) ou truffes au chocolat aux parfums de gingembre (★). Cigare: churchill Bolivar Corona Gigante.

Fumée Massive Simple Malt   ✓ TOP 15 BIÈRES
BIÈRE «UNIQUE», BRASSEURS ILLIMITÉS, SAINT-EUSTACHE, QUÉBEC, CANADA

341 ml	Dépanneurs et épiceries spécialisées	★★★☆	Corsé

Robe noire soutenue et collet beige coquille d'œuf brun de ferme. Nez explosif, torréfié à souhait, avec fraîcheur, exhalant des tonalités de café, de fumée et de créosote, avec une arrière-scène caramélisée, style vieux rhum. Bouche ample, texturée et prenante, sans trop, malgré le nom qui annonce un «show de boucane»... De la classe, de la présence, de la prestance et de la persistance, qui feront fureur à table, tant avec les plats salés – tel notre plus que fumé saumon fumé «sans fumé»! – qu'au dessert, en mode sucré-amer, plus particulièrement avec le chocolat noir à fort pourcentage de cacao, tout comme avec le caramel vraiment sucre brûlé, plus que celui tartinade beurrée. **Alc./8,6%. brasseursillimites.com**

☞ *Servir dès sa mise en marché, à 12 °C et dans un verre à vin évasé*

🍴 «Saumon fumé sans fumée_Mc² »: au thé noir fumé Lapsang Souchong (**) ou saumon laqué sauce soya/vinaigre balsamique (**) ou «ganache chocolat / Soyable_Mc²» (**).

Jean dit Laforge « Saisonnière Forte »
BIÈRE FORTE «CHOCOLAT ET VANILLE», MICROBRASSERIE DE L'ÎLE D'ORLÉANS, QUÉBEC, CANADA

500 ml	Dépanneurs et épiceries spécialisées	★★★	Corsé

Une délectable et enivrante bière foncée, aux relents cacaotés, pleine, texturée et très longue en bouche, surtout si vous avez la bonne idée de la servir plus fraîche que froide, à plus ou moins 14 °C, dans un verre évasé de type vin rouge. Cette microbrasserie a apporté un nouveau souffle dans le paysage brassicole québécois, et ce, pas seulement pour le design festif de ses étiquettes, mais bel et bien pour la qualité de ce qui se cache sous le bouchon. Elle a l'ampleur et le profil aromatique sur mesure pour affronter avec maestria les fromages bleus, ainsi que les recettes dominées par les aliments riches en acides aminés, donc en saveurs «umami». De plus, l'abricot est riche en composés aromatiques de la famille des lactones. Le chocolat noir, lui, est riche en une multitude de molécules volatiles que l'on retrouve dans la barrique de chêne, donc aussi dans les vins qui en sont issus. Mais, bonne nouvelle, ce type de bière forte est aussi riche en mêmes catégories d'arômes que l'abricot et le chocolat noir! Elle fait donc aussi des merveilles avec les desserts à la fois fruités et chocolatés, comme la classique sachertorte de Vienne, un gâteau au chocolat et à la purée d'abricot. D'ailleurs, juste un carré de chocolat noir à plus 70 % cacao réussit à réveiller Jean Dit Laforge! Enfin, osez aussi, avec cette bière, un croissant beurré de Nutella ou imbibé de café noir serré. Au petit déjeuner, ça vous secoue les papilles ☺). **Alc./10%. microorleans.com**

☞ *Servir dès sa mise en marché, à 14 °C et dans un verre à vin évasé*

🍴 Fromages bleus, pétoncles fortement grillés et accompagnés d'un sauté de champignons et de copeaux de très vieux parmesan (**), sachertorte de Vienne (gâteau au chocolat et purée d'abricot), carré de chocolat noir à plus 70% cacao, croissant beurré de Nutella ou croissant imbibé de café noir serré.

Knob Creek
BOURBON KENTUCKY STRAIGHT, JIM BEAM, ÉTATS-UNIS

39,75 $	SAQ **S** (326009)	★★★☆	Corsé+

Ce bourbon fait partie d'une collection de Small Batch Bourbon, incluant le Basil Heyden's (très fin), le Baker's (marqué par de puissantes saveurs d'érable) et le Booker's (puissant, mais plus harmonieux). Mis en bouteilles pur, donc à 50 % d'alcool, ce bourbon présente un nez d'érable et de sucre roux, qui n'est pas sans rappeler le vieux rhum, une bouche ronde et *smooky*, quasi sucrée (sans sucre), finissant sur des notes de noix grillées. Difficile de trouver mieux pour une éclatante harmonie avec notre caramous_Mc² à l'érable «sans érable» (aux graines de fenugrec grillées), tout comme pour la crème brûlée caramélisée à l'érable ou la tarte aux pacanes caramélisées au bourbon. Vous avez compris, le bourbon fait merveille avec les plats dominés par le sirop d'érable, le fenugrec et le curry. **Alc./**50%. **jimbeam.com**

☛ *Servir nature*

« Caramous_Mc^2 » : caramel mou à saveur d'érable « sans érable » (**), crème brûlée à l'érable et curry et caramel à l'amaretto (***), *dulce de leche* (***) ou cannelés_Mc^2 (***).

La Buteuse « Brassin Spécial »   ✓ TOP 15 BIÈRES

BIÈRE ALE EXTRA-FORTE, MICROBRASSERIE LE TROU DU DIABLE, SHAWINIGAN, QUÉBEC, CANADA

750 ml Dépanneurs et épiceries spécialisées ★★★☆		Corsé

J'ai été soufflé par cette décapante et fruitée à souhait Buteuse, une ale extra-forte, à 10% d'alcool, vieillie quatre mois en fûts de chêne américain ayant préalablement contenu du brandy de pomme, qui s'exprime par un nez aux parfums fruités exacerbés, tout comme par une bouche à la fois vive et enveloppante, pleine et rafraîchissante. Abricot/pêche et caramel s'y donnent à fond, avec une arrière-scène épicée. Elle résonne haut et fort dans la rencontre avec les zestes d'orange et les graines de coriandre de notre recette d'olives vertes. **Alc./**10%. **troududiable.com**

☛ *Servir dès sa mise en marché, à 14 °C et dans un verre à vin évasé*

Olives vertes marinées aux zestes d'orange et graines de coriandre (***).

La Chouape « Ambrée Amère »

BIÈRE PALE ALE, MICROBRASSERIE LA CHOUAPE, SAINT-FÉLICIEN, QUÉBEC, CANADA

500 ml Dépanneurs et épiceries spécialisées ★★★		Modéré+

Tout comme la Noire à l'Avoine de la même microbrasserie, cette Ambrée Amère est parfaite pour ceux qui veulent faire leurs gammes avec les bières de type pale ale. Car ici, on donne dans l'amertume plus que douce et coulante, et dans l'expressivité aromatique moins puissante et moins prenante que peuvent dégager certaines bières de ce type typiquement *british*, ce qui est le cas, par exemple, de la décapante et fortement houblonnée Cascade des Brasseurs Illimités (aussi commentée). Vous vous sustenterez donc d'une rousse au nez aromatique, d'une richesse modérée, rappelant le pamplemousse rose et le houblon, sans être complexe, à la bouche à la fois ample et fraîche, au profil élancé et digeste. Du bel ouvrage. **Alc./**5%. **lachouape.com**

☛ *Servir dès sa mise en marché, à 12 °C et dans un verre à vin évasé*

Calmars en tempura d'amandes, fleur de sel au cèdre, mousse de riz en paella (**) ou poires asiatiques cuites au safran et belle de Brillet, éclats de vieux cheddar, mangue glacée/râpée (**).

La Chouape « Noire à l'Avoine »

BIÈRE STOUT, MICROBRASSERIE LA CHOUAPE, SAINT-FÉLICIEN, QUÉBEC, CANADA

500 ml Dépanneurs et épiceries spécialisées ★★★		Modéré+

Une très agréable et charmeuse noire du Lac-Saint-Jean, de type stout, dont l'avoine ayant servi à son élaboration provient de la ferme maison, certifiée biologique. La couleur est d'un noir assez soutenu, coiffé d'une mousse imposante et beige/brune style coquille d'œuf brun. Le nez est très fin et on ne peut plus marqué par des notes d'avoine grillée, rappelant le café expresso et le cacao amer 100 %. La bouche est ample, texturée et presque vaporeuse, marquée par une douce amertume, plus subtile que dans la majorité des bières de type stout. J'oserais même dire que c'est presque la bière idéale pour faire ses classes avec les bières noires. **Alc./5,2 %.** **lachouape.com**

☞ *Servir dès sa mise en marché, à 12 °C et dans un verre à vin évasé*

Asperges vertes rôties, enrobées de chocolat noir (infusé au thé fumé Zheng Shan Xiao Zhong, fleur de sel au café) (**) ou crabe des neiges, ketchup aux pois verts, épinards fanés à l'huile d'olive, caviar de mulet et mousse de bière noire (**).

La Chouape « Rousse »
BIÈRE ROUSSE, MICROBRASSERIE LA CHOUAPE, SAINT-FÉLICIEN, QUÉBEC, CANADA

500 ml Dépanneurs et épiceries spécialisées ★★★	Modéré+

Une rousse douce et coulante, caramélisée à souhait, à l'amertume ronde, aux saveurs longues et au corps vaporeux. Saveurs à la fois houblonnées, maltées et fruitées, où l'abricot sec, le pain grillé et le caramel brûlé dominent. Parfaite pour faire ses gammes aromatiques avec les bières rousses, tout en ayant de la complexité dans le nez! **Alc./5 %. lachouape.com**

☞ *Servir dès sa mise en marché, à 12 °C et dans un verre à vin évasé*

Houmous au miso et aux graines de lin (***), riz sauvage soufflé au café_Mc^2 (***) ou fromages à croûte fleurie accompagnés de pommade de pommes au curry et à l'érable (***).

La Vache Folle « Centennial Double IPA »
BIÈRE INDIA PALE ALE, MICROBRASSERIE CHARLEVOIX, QUÉBEC, CANADA

500 ml Dépanneurs et épiceries spécialisées ★★★☆	Puissante

Une sixième IPA double provenant d'un seul et unique type de houblon, le centennial, à être lancée par cette grande microbrasserie de référence. Il en résulte une bière à la couleur « rousse-orangée » soutenue, au nez percutant et résineux, à la bouche pleine, dense et sphérique, dont l'amertume décapante est bridée par la sucrosité évidente et voulue. Pamplemousse rose, graine de coriandre et chanvre donnent le ton à cette bière pour amateurs avertis. **Alc./9 %. microbrasserie.com**

☞ *Servir dès sa mise en marché, à 12 °C et dans un verre à vin évasé*

Endives braisées au fromage bleu (***), poulet épicé à la marocaine aux olives vertes et citrons confits (***) ou fromage de chèvre mariné à l'huile de cardamome (***).

La Vache Folle « Colombus Double IPA »
✓ TOP 15 BIÈRES
BIÈRE INDIA PALE ALE, MICROBRASSERIE CHARLEVOIX, QUÉBEC, CANADA

500 ml Dépanneurs et épiceries spécialisées ★★★☆	Corsé

Une double IPA, à base de houblon Colombus, provenant de la gamme d'IPA à houblon unique (il y a aussi la Herkules, la Simcoe et la Amarillo) élaborée par cette excellente microbrasserie de Charlevoix. Le nez est expressif à souhait, complexe et détaillé, s'exprimant par des notes à la fois de zeste d'agrumes et de fleurs séchées, ainsi que par des tonalités anisées, mellifères et terpéniques (aiguilles de pin, romarin). La bouche se montre à la fois pleine et très fraîche, saisissante et vivace, longue et rafraîchissante, terminant sur une douce et noble amertume, bridée par une subtile sucrosité. **Entre en synergie parfaite avec les aliments au profil anisé, comme les huîtres fraîches rehaussées d'huiles parfumées soit au basilic, soit à la menthe, soit à la coriandre fraîche, sans oublier les autres aliments complémentaires qui lui siéent bien : orange, graine de coriandre, cardamome et romarin.** **Alc./**9 %. **microbrasserie.com**

☛ *Servir dès sa mise en marché, à 12 °C et dans un verre à vin évasé*

Fromage de chèvre mariné à l'huile de cardamome (***), dahl aux lentilles oranges, cumin et coriandre fraîche en trempette (***), huîtres fraîches rehaussées d'huiles parfumées au basilic, ailes de poulet BBQ, orange et graines de coriandre (***) ou cuisses de canard confites à l'orange et aux graines de coriandre (***).

La Vache Folle « Double IPA ? »   ✓ TOP 15 BIÈRES
BIÈRE INDIA PALE ALE, MICROBRASSERIE CHARLEVOIX, QUÉBEC, CANADA

---

500 ml Dépanneurs et épiceries spécialisées ★★★★   Corsé+

Une double IPA, dans la même série de india pale ale double à houblon unique, comme les Colombus, Herkules, Simcoe et Amarillo (aussi commentées dans ce guide). Par contre, ici, le point d'interrogation sur l'étiquette s'amuse de l'amateur de bière en lui laissant le soin de deviner de quelle variété de houblon il s'agit. Je dirais que c'est le... Laissons le suspense et concentrons-nous sur les qualités très élevées de cette belle bière plus qu'aromatique, complexe, à la fois pleine et très fraîche en bouche, sphérique et amère, presque sucrée tant elle est vineuse, mais aussi dotée d'une amertume électrisante. Puissamment houblonnée, elle dégage aussi des tonalités de zeste d'orange, de camomille, de pamplemousse rose et de chanvre (pour ne pas dire de cannabis!). Assurément pour amateur averti, recherchant la noble amertume des grandes bières IPA, mais doublée, et même un brin bridée par une sucrosité imposante. Ah oui! L'origine du houblon? Je vous laisse vous amuser sur les réseaux sociaux, où cette bière a fait jaser comme pas une... **Alc./**8 %. **microbrasserie.com**

☛ *Servir dès sa mise en marché, à 12 °C et dans un verre à vin évasé*

Dahl aux lentilles orange, cumin et coriandre fraîche en trempette (***), ailes de poulet BBQ, orange et graines de coriandre (***) ou cuisses de canard confites à l'orange et aux graines de coriandre (***).

La Vache Folle « Double IPA Amarillo »
BIÈRE INDIA PALE ALE, MICROBRASSERIE CHARLEVOIX, QUÉBEC, CANADA

---

500 ml Dépanneurs et épiceries spécialisées ★★★   Corsé

Chez les propositions liquides qui permettent de créer l'harmonie à table avec des brochettes de crevettes et melon d'eau sur brochettes de bambou imbibées au pamplemousse rose et au paprika, il y a avant tout l'originalité d'accompagner ce plat d'une bière. Plus particulièrement d'une bière de type *India Pale Ale*, fortement houblonnée et à l'amertume décapante et rafraîchissante, qui est marquée par le même profil moléculaire que le safran et que ses aliments complémentaires, comme le paprika, utilisé dans ce plat de crevettes grillées. Cette Vache Folle, à base de houblon Amarillo, se montre aromatique à souhait, à la fois vive et amère, d'une folle complexité, comme un grand riesling alsacien! **Alc./**9 %. **microbrasserie.com**

☛ *Servir dès sa mise en marché, à 12 °C et dans un verre à vin évasé*

Brochettes de crevettes et melon d'eau sur brochettes imbibées au pamplemousse rose et au paprika (***).

La Vache Folle « Herkules Double IPA »

BIÈRE INDIA PALE ALE, MICROBRASSERIE CHARLEVOIX, QUÉBEC, CANADA

500 ml Dépanneurs et épiceries spécialisées ★★★☆ Corsé

Une double IPA à la bouche puissante et aux saveurs pénétrantes, presque sucrée, sans sucre. Robe orangée soutenue. Nez aromatique, sans être détaillé. Présence éclatante aux papilles, amertume presque décapante, et saveurs d'une grande allonge, rappelant le houblon frais, la camomille, les épices douces et le pamplemousse jaune. Du sérieux, pour amateur averti. Notez que son amertume et sa présence lui permettront de soutenir avec brio la coriandre et le cumin d'une recette de raïta estivale de concombre, spécialement si vous avez la main lourde sur ces deux ingrédients des plus aromatiques. Concombre, coriandre fraîche, cumin et yogourt, nous voilà sur la piste aromatique du sauvignon blanc non boisé et des cépages anisés de même famille. Ce à quoi répondent aussi les vins à base de grecanico et de verdejo, sans oublier bien sûr les bières IPA, dont celle-ci! Alc./9%. **micro-brasserie.com**

☛ *Servir dès sa mise en marché, à 12 °C et dans un verre à vin évasé*

Gaspacho de concombre, de gingembre et de coriandre (***), raïta estivale de concombre à la coriandre et cumin, pickle de concombre au curcuma (***) ou trempette de yogourt à la coriandre, pomme Granny Smith et à l'huile d'olive (***).

La Vache Folle ESB

✓ TOP 15 BIÈRES

BIÈRE ROUSSE EXTRA SPECIAL BITTER, MICROBRASSERIE CHARLEVOIX, QUÉBEC, CANADA

500 ml Dépanneurs et épiceries spécialisées ★★★★ Corsé

Découvrez cette remarquable rousse *extra special bitter*, élevée dans la plus pure tradition britannique, inspirée des *doubles*, tout comme des *pale ales* américaines. La couleur rousse est soutenue, même marquée par des reflets rougeâtres. Le nez est très invitant, riche et complexe, aux notes à la fois florales et fruitées, ainsi qu'aux parfums grillés et maltés. La bouche suit avec ampleur, intensité et personnalité. Une superbe amertume donne le ton du début à la fin, sans agressivité aucune, plutôt noble et douce. De la très grande bière québécoise. Comme elle a un profil plus proche du riesling que du sauvignon blanc, réservez-lui des plats où l'on trouve du safran ou du romarin, tout comme leurs ingrédients complémentaires: agrumes, cannelle, crevette, figue fraîche, gingembre, pamplemousse rose, paprika, pomme jaune, rose, sauge et thé vert (qui se lient au safran); ananas, bergamote, cardamome, curcuma, genièvre, laurier, lavande et verveine (plutôt attirés par le romarin). **Alc./6%. microbrasserie.com**

☛ *Servir dès sa mise en marché, à 15 °C et dans un verre à vin évasé*

Crevettes pochées paprika et pamplemousse rose, mayonnaise au safran et sauce sriracha (***), homard rôti et carottes glacées à l'huile de crustacés (***) ou fromages à pâte ferme accompagnés de compote de pommes Délicieuse Jaunes au safran cuites au micro-ondes (***).

MacKroken Flower « Le Bilboquet »

BIÈRE SCOTCH ALE AU MIEL, LE BILBOQUET MICROBRASSERIE,
SAINT-HYACINTHE, QUÉBEC, CANADA

500 ml Dépanneurs et épiceries spécialisées ★★★	Corsé

À base de miel, c'est une très belle *scotch ale* au nez subtilement
complexe de caramel, vanille et miel, au goût pénétrant de malt
sucré, d'épices douces et de figue séchée, non sans rappeler le porto
tawny, à la texture ample et moelleuse, on ne peut plus vaporeuse.
Parfaite pour s'unir aux parfums du caramel, tout comme à sa douce
amertume. Mais aussi du sur-mesure pour le temps des sucres, pour
tous les plats parfumés d'érable, tant en mode salé que sucré.
Alc./10,8%. **lebilboquet.qc.ca**

☞ *Servir dès sa mise en marché, à 14 °C dans un verre à vin
évasé*

Noix de macadamia sablées au sirop d'érable et curry (**),
« craquant Jacques_Mc² » (maïs soufflé, curry et sirop
d'érable) (**) ou «caramous_Mc²»: caramel mou à saveur d'érable
« sans érable » (**).

McAuslan Scotch Ale

BIÈRE SCOTCH ALE, BRASSERIE MCAUSLAN, MONTRÉAL, QUÉBEC, CANADA

500 ml Dépanneurs et épiceries spécialisées ★★★	Corsé

Une belle brune forte écossaise, au nez passablement riche et prenant, exhalant des tonalités de sauce soya, de Bovril et de caramel,
à la bouche ample et caressante, plutôt souple et presque sucrée,
coulante et sans réelle amertume, d'une douceur engageante et
dotée de saveurs persistantes. **Fait de beaux accords à table, servir plus fraîche que froide, vers 14 °C, en accompagnement de
plats où dominent le café, le cacao, la sauce soya, l'érable ou le
curry. Alc./**7,2%. **mcauslan.com**

☞ *Servir dès sa mise en marché, à 14 °C et dans un verre à vin
évasé*

Fromage cheddar âgé accompagné de riz sauvage soufflé
au café_Mc² (**), « feuilles de vigne farcies_Mc² » (riz sauvage soufflé, bacon de sanglier, sirop de riz brun/café) (**), bœuf
grillé et réduction de «Soyable_Mc²» (**) ou «ganache chocolat /
Soyable_Mc²» (**).

Patrón Silver Tequila   ✓ TOP 10 SPIRITUEUX

TEQUILA, THE PATRÓN SPIRITS COMPANY, MEXIQUE

75,75$ SAQ S (10689981) ★★★★	Modéré+

Oubliez les tequilas puissantes, quelquefois décapantes... et découvrez cette tequila de type Silver élégante, raffinée, aérienne et flo-
rale au possible. **Puis amusez-vous à créer des cocktails ou des
plats avec les aliments et les liquides complémentaires à la
tequila comme le sont, entre autres, la framboise, la rose, l'hi-
biscus, le litchi, le gingembre, la citronnelle, la canneberge, la
lime, le thé Earl Grey, le wasabi, la bière blanche et le gewurztraminer. Alc./**40%. **patronspirits.com**

☞ *Servir nature*

Sushis en bonbon de purée de framboises (***), litchi à
l'eau de rose (***), salade de framboises à l'eau de rose
et julienne d'algue nori (***) ou crème brûlée au thé *Earl Grey*
(***).

Plantation Barbados Old Reserve 2000

RHUM, C. FERRAND, BARBADE *(DISP. SEPT./OCT. 2011)*

44,25 $	SAQ S (10913276)	★★★☆ $	Corsé

Un rhum de la Barbade au nez très fin et discret, mais à la bouche bavarde à souhait, pour ne pas dire explosive, pleine et d'une grande présence, sans être trop chaude ni puissante, même plutôt enveloppante, texturée et d'une belle épaisseur veloutée. Saveurs d'une grande distinction et complexes, rappelant la boîte à cigare, la crème brûlée, le café et le cacao. Le rhum sur mesure pour l'heure du havane. **Alc./42%. plantationrum.com**

☛ *Servir nature*

Nature en accompagnement de dessert : crème brûlée au café et à la vanille (***).

Pur

VODKA, PUR VODKA LE MAÎTRE DISTILLATEUR, ROUGEMONT, QUÉBEC, CANADA

40 $	SAQ S (11263367)	★★★	Modéré

Une vodka québécoise, qui a raflé quelques prix à droite et à gauche, et qui a eu beaucoup d'attention médiatique depuis sa mise en marché. Alors, voici ce que j'en pense. Le nez est effectivement d'une grande pureté et d'une grande précision, sans aucune chaleur de l'alcool, plutôt frais. Cependant, je m'attendais à un peu plus de complexité aromatique. Disons que l'ensemble est plutôt simple. La bouche est tout aussi raffinée et épurée, souple et caressante. Une très belle vodka pour faire ses gammes avec ce style d'eau-de-vie, si vous êtes novice, ainsi qu'un choix sur mesure pour ceux qui sont déstabilisés par la morsure de l'alcool des vodkas plus puissantes, mais aussi souvent plus complexes que cette dernière. Les amateurs de grandes vodkas seront un peu sur leur faim, aromatiquement parlant... **Alc./40%. purvodka.com**

☛ *Servir nature, allongée ou en cocktail*

Rigor Mortis ABT ✓ TOP 15 BIÈRES

BIÈRE BRUNE D'ABBAYE EXTRA FORTE, BRASSERIE DIEU DU CIEL, SAINT-JÉRÔME, QUÉBEC, CANADA

341 ml	Dépanneurs et épiceries spécialisées	★★★★	Corsé+

Célébrée dans de multiples concours, voici une généreuse, pénétrante, enveloppante et torréfiée brune comme je les aime. L'une des dernières Rigor Mortis que j'ai sifflées avait séjournée presque deux ans dans mon cellier. Servie à température élevée, à plus ou moins 15 °C, dans un verre à vin évasé, elle s'exprimait haut et fort avec un bouquet d'une rare complexité, à la fois très épicé et cacaoté, avec des tonalités de sauce soya, d'érable et de caramel au beurre. La bouche, spécialement à cette température de service, déroulait une texture richissime, comme la patine d'un vieux meuble... La jeune version, actuellement en marché, se montrent toujours généreuse, pénétrante, enveloppante et tout aussi torréfiée. À table, notez que le riz sauvage partage des composés volatils de la même famille que ceux de ce type de bière. Alors, concoctez une salade de riz sauvage, avec une vinaigrette à base d'huile de sésame grillé et de sauce soya, avec une pointe de sirop d'érable, qui sont tous aussi des aliments complémentaires aux parfums torréfiés de la barrique de chêne, comme les vins qui y séjournent. Et ces derniers partagent aussi le même profil que ce type de bière. Ce à quoi répond avec aplomb notre recette de feuilles de vigne farcies_Mc² : riz sauvage soufflé, bacon de sanglier, sirop de riz brun/café. **Alc./10,5%. dieuduciel.com**

☛ *Servir dans les six années suivant la mise en marché, à 15 °C
dans un verre à vin évasé*

Salade de riz sauvage et vinaigrette à base d'huile de
sésame grillé et sauce soya (avec une pointe de sirop
d'érable) ou «feuilles de vigne farcies_Mc² » (riz sauvage soufflé,
bacon de sanglier, sirop de riz brun/café) (**).

Santa Teresa 1796
Ron Antiguo de Solera   ✓ TOP 10 SPIRITUEUX
RHUM, HACIENDA SANTA TERESA, VENEZUELA

52,75 $	SAQ S (10748071)	★★★☆	Corsé

Un rhum vénézuélien au nez complexe et caramélisé à souhait, exhalant de riches parfums évolués de boîte à cigare, de cassonade, de
figue séchée et d'épices douces. La bouche se montre d'une belle
patine veloutée, que seul un long élevage en fûts, selon la méthode
espagnole de *solera*, peut procurer, égrainant des tonalités de gingembre, de miel de bruyère, de tabac à pipe, de poivre blanc et de
vanille. Du coffre et de l'ampleur, sans chaleur. J'aime vraiment.
Alc./40%.

☛ *Servir nature*

Crêpes fines à la vanille et rhum brun (***) ou cigare churchill Bolivar Corona Gigante.

Scotch Ale Boquébière   ✓ TOP 15 BIÈRES
BIÈRE SCOTCH ALE «EXTRA FORTE», MICROBRASSERIE BOQUÉBIÈRE, SHERBROOKE,
QUÉBEC, CANADA

341 ml (dépanneurs et épiceries)	★★★☆	Corsé+

Voilà une bière québécoise de type *scotch ale* à ranger avec les
meilleures de sa catégorie. Couleur brun foncé et mousse brun
coquille d'œuf de ferme. Nez très aromatique et passablement riche
et profond, exhalant des tonalités grillées qui rappellent le café et
le sucre d'orge. Bouche pleine, ample et sphérique, pour ne pas dire
généreuse et pénétrante, sans trop, avec harmonie et persistance,
aux saveurs sucrées «sans sucre», rappelant le malte torréfié, le
pain grillé et le marc d'espresso. La belle et douce amertume en fin
de bouche signe cette excellente bière de dégustation. Si vous passez par Sherbrooke, arrêtez à la brasserie, sur la rue Wellington, où
vous pourrez déguster leur gamme et aussi leur cuisine. **Alc./**9,5%.
boquebiere.com

☛ *Servir dès sa mise en marché, à 14 °C et dans un verre à vin
évasé*

Camembert chaud au sirop d'érable/amandes/pâte de curry
rouge (***), bœuf grillé et réduction de «Soyable_Mc² »
(**) ou «ganache chocolat / Soyable_Mc² » (**).

Simple Malt Cascade IPA   ✓ TOP 15 BIÈRES
BIÈRE INDIA PALE ALE, BRASSEURS ILLIMITÉS, SAINT-EUSTACHE, QUÉBEC, CANADA

341 ml (dépanneurs et épiceries)	★★★☆	Corsé

Élaborées par René Huard, les bières de cette microbrasserie de
Saint-Eustache sont à ranger parmi les meilleures de la hiérarchie
brassicole québécoise. Pour vous en convaincre, servez cette plus
qu'aromatique bière sur un fromage à pâte ferme, accompagné d'une
salade de carottes, de pommes McIntosh et de graines de cumin,
arrosée d'huile de paprika ou de *pimentón* fumé. Qui dit aliments au
goût anisé et aux composés volatils de la famille des pyrazines, dit
vins blancs tout aussi anisés, comme le sont ceux de la famille du

sauvignon blanc. Mais dit aussi bière *India Pale Ale*, fortement hou-blonnée et à l'amertume saisissante. Dans ce cas-ci, l'amertume s'adoucit d'une certaine rondeur maltée, quasi sucrée (sans sucre). Autant que certaines IPA ont quelque chose du riesling, autant celle-ci, avec ses saveurs de pamplemousse rose, tend vers le sauvignon blanc. À mon sens, c'est la plus grande IPA au Québec. Avec mon complice, le chef Stéphane Modat, nous avons créé plusieurs recettes sur mesure pour ce type de bière, publiées dans *Les recettes de Papilles et Molécules*, ainsi que dans la nouvelle collection, *Papilles pour tous!*, dont le premier volume a paru fin août. **Alc./**6,4%. **brasseursillimites.com**

☞ *Servir à 12 °C et dans un verre évasé*

Ailes de poulet BBQ, orange et graines de coriandre (***), fromage de chèvre mariné à l'huile de cardamome (***), poulet épicé à la marocaine aux olives vertes et citrons confits (***) ou crevettes caramélisées, écume de carotte, pomme McIntosh et graines de cumin, purée de carottes à l'huile de crustacés et *pimentón* fumée (**).

St-Ambroise Oatmeal Stout   ✓ TOP 15 BIÈRES

BIÈRE STOUT « NOIRE À L'AVOINE », BRASSERIE MCAUSLAN, MONTRÉAL, QUÉBEC, CANADA

341 ml (dépanneurs et épiceries) ★★★☆	Modéré+

Les amateurs de chocolat très noir à fort pourcentage de cacao seront au comble s'ils ont la bonne idée de servir une bière noire comme celle de l'excellente brasserie McAuslan. Une noire des plus amicales, mais complexe, parfumée, torréfiée et chocolatée. Oubliez l'amertume décapante de la Guinness – qui n'est pas un défaut, soit dit en passant –, et pensez plutôt à de voluptueuses courbes, ainsi qu'à des saveurs relevées et envoûtantes, rappelant le café espresso bien tassé, le cacao 70%, la fumée et la cendre. Vraiment l'une des plus belles noires à se mettre en bouche à table. En plus, elle est disponible dans toutes les épiceries de la province! Servir fraîche, et non glacée, dans un verre à vin rouge évasé. **Notez aussi qu'elle fait des merveilles avec la sauce soya/vinaigre balsamique qui laque vos poissons et vos viandes.** **Alc./**5%. **mcauslan.com**

☞ *Servir à 14 °C et dans un verre évasé*

Noix de cajous apéritives à la japonaise Soyable_Mc^2 : huile de sésame, gingembre et graines de coriandre (**), fondues au fromage bleu (***), saumon laqué sauce soya/vinaigre balsamique (**), crème brûlée au cacao et au thé noir fumé (***), pudding au chocolat comme un chômeur (***) ou «ganache choco-lat / Soyable_Mc^2» (**).

Terre Ferme « Bière des Îles »   ✓ TOP 15 BIÈRES

BIÈRE ALE, MICROBRASSERIE À L'ABRI DE LA TEMPÊTE, ÎLES-DE-LA-MADELEINE, QUÉBEC, CANADA

341 ml Dépanneurs et épiceries spécialisées ★★★★	Modéré+

Comme toutes les bières signées par cette microbrasserie des Îles, cette Terre Ferme est à ranger parmi les meilleures de sa catégorie élaborées au Canada. Cette blonde me secoue littéralement tant elle est prenante et charmeuse à la fois! Un nez très aromatique et éclatant, où s'entremêlent des tonalités de banane, de graine de coriandre, de fleurs séchées et de pomme, suivi d'une bouche duveteuse et vaporeuse comme pas une, d'une grande souplesse, mais avec plénitude et présence, ainsi que douce amertume. Je craque... **Alc./**6,2%. **alabridelatempete.com**

☞ *Servir à 12 °C et dans un verre évasé*

> Sandwich vietnamien Banh-mi au porc en mode anisé (***), burger d'agneau (***) ou cuisses de canard confites à l'orange et aux graines de coriandre (***).

The Yamazaki 12 ans   ✓ TOP 10 SPIRITUEUX
WHISKY SINGLE MALT, SUNTORY, JAPON

64,75 $	SAQ **S** (11202484) ★★★★	Corsé

Le Yamazaki 12 ans, de l'une des plus anciennes distilleries japonaises, est le grand classique du Japon, à ranger parmi les meilleurs de sa catégorie, incluant ceux d'Écosse. Il possède la complexité et la fraîcheur des *single malt* du Speyside, avec des tonalités maltées (noix de coco) et fruitées (abricot séché), ainsi que florales (safran) et fumées. Le tout d'une grande douceur en bouche, tapissant les papilles d'une texture veloutée et d'une fraîcheur presque digeste pour un whisky. Du sérieux. **Alc./**43%. **theyamazaki.jp/en**

☛ *Service nature ou avec un doigt d'eau de source*

> Rôti de porc farci aux abricots et sauce au scotch et lait de coco (***) ou pêches confites pour Pavlova (***).

Trois Pistoles   ✓ TOP 15 BIÈRES
BIÈRE EXTRA FORTE SUR LIE, UNIBROUE, CHAMBLY, QUÉBEC, CANADA

341 ml (dépanneurs et épiceries) ★★★☆	Corsé

Cette Trois Pistoles aux allures de porto est le choix sur mesure pour créer de décoiffantes harmonies avec la salade de bleu! Alternant entre les arômes de fruits rouges macérés à l'eau de vie, de mélasse, de cacao et de girofle, cette bière de caractère présente un profil puissant, bridé par une bouche texturée et plus souple que ce que le nez et le pourcentage d'alcool annoncent. Tout de même structurée, vineuse, complexe et persistante, poivrée à souhait – ce qui sied à merveille aux molécules poivrées des fromages bleus. D'une couleur brun foncé, presque noire, avec une mousse imposante aux reflets coquille d'œuf brun. Servir à 14 °C, dans un verre à vin rouge évasé, et osez en conserver quelques flacons en cave sur 4 à 6 ans. **Alc./**9%. **unibroue.com**

☛ *Servir à 14 °C et dans un verre à vin rouge évasé*

> Endives braisées au fromage bleu (***), fondues au fromage bleu (***) ou bœuf grillé et réduction de «Soyable_Mc²» (**).

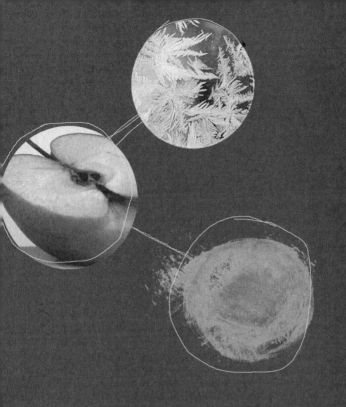

INDEX

INDEX
DES VINS PAR
APPELLATIONS

N

P

S

INDEX DES VINS PAR PAYS ET PAR NOMS DE VIN

A

E

ÉCOSSE

ESPAGNE

F

FRANCE

GRÈCE

GUYANE

HAÏTI

ITALIE

JAPON

MEXIQUE

MENU «INDEX» DES HARMONIES VINS & METS ET DES RECETTES DE *LA SÉLECTION CHARTIER 2012*

Parmi les 3 500 mets recommandés dans ce Menu Index, ceux avec trois astérisques entre parenthèses (***) font l'objet d'une recette dans les nouveaux livres *Papilles pour tous! Cuisine aromatique d'automne* (paru à la fin août 2011) et/ou *Papilles pour tous! Cuisine aromatique d'hiver* (à paraître en novembre 2011).

Ceux avec deux astérisques entre parenthèses (**) font l'objet d'une recette dans le nouveau livre *Les recettes de Papilles et Molécules*, paru en juin 2010.

Tandis que ceux avec un astérisque entre parenthèses (*) font l'objet d'une recette dans le livre de cuisine pour amateurs de vin *À table avec François Chartier*, paru en 2006.

Pour plus d'informations sur les aliments complémentaires aux vins sélectionnés dans ce guide, dont certains détails sont prescrits et identifiés en orange au fil des commentaires de dégustation de l'auteur, consultez le livre **Papilles et Molécules** (paru en mai 2009), ainsi que le nouveau site Internet **www.papillesetmolecules.com**

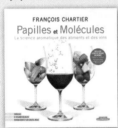

A

DIGESTIF

DINDES & DINDONS

G

GIBIERS

H

HAMBURGERS

Q

QUICHES

R

RISOTTO

RIZ

S

Papilles et molécules
par François Chartier

Nouvelle autoroute aromatique web de Papilles et Molécules!

Un site Web français/anglais dédié aux plaisirs aromatiques de la table. Tout pour mieux saisir la science aromatique des aliments et des vins qui se cache derrière le livre *Papilles et Molécules*, récipiendaire du prestigieux prix du Meilleur livre de cuisine au monde, au *Paris Gourmand World Cookbook Awards 2010*, catégorie Innovation.

Recettes de Chartier/Modat - Cuisines aromatiques - Vidéo - Blogues - Harmonies et sommellerie aromatiques - Nouvelles recherches - Capsules Molécules - Expériences de Papilles - Science - Albums de photos - Studio/Cuisine_Mc² - Papilles TV - Nouvelles - Calendrier Papilles...

Un lieu de création en cuisine, pour les cuisiniers en herbe tout comme pour les chefs. De nouveaux chemins harmoniques à table, entre l'assiette et le verre, pour tous les amateurs et professionnels du monde du vin, de la bière, du saké, des eaux-de-vie, des liqueurs, des thés, des cafés et autres liquides.

François Chartier et ses collaborateurs, dont le chef Stéphane Modat et le docteur en biologie moléculaire Martin Loignon

Musique écoutée pendant la rédaction de *La Sélection Chartier 2012*

L'ayant fait, pour la première fois, dans le livre *À table avec François Chartier*, puis, à la suite des réactions favorables des lecteurs, dans les cinq précédentes éditions de *La Sélection Chartier*, tout comme sur mon site Internet (**francoischartier. ca**), je vous offre une fois de plus les musiques qui ont meublé mes lecteurs CD et iPod pendant mes heures de recherche, de dégustation, d'essais harmoniques, d'évasion et de rédaction de cette seizième édition de *La Sélection*.

J'ai décidé, cette année, d'innover en vous présentant aussi le **Top 15 des pièces musicales** que j'ai écoutées le plus souvent pendant ces mois de douce folie aromatique... Il accompagne le **Top 15 des CD entiers** qui ont tourné en boucle.

Dans mon esprit et dans mon cœur, vin et musique sont intimement liés, tout comme vin et mets. La musique se suffit à elle-même et mérite toute mon attention, mais, une fois que je me suis approprié une œuvre et que je me la suis bien «mise en bouche», elle m'accompagne alors tout au long du processus de création. Voilà pourquoi je partage régulièrement, à travers mes ouvrages et mon site Internet, les musiques qui m'inspirent et qui, je l'espère, enrichiront vos moments de lecture vineuse, de dégustation entre amis, de repas bien arrosés, de fin de soirée plus festive et, surtout, de moments d'écoute consacrés uniquement à LA musique.

TOP 15 des pièces musicales
que j'ai écoutées le plus souvent...

Flood Water,
Booker's Guitar, Eric Bibb
Gimme Shelter,
Hot Rocks 1964-1971, The Rolling Stones
J'écume,
Osez Joséphine, Alain Bashung
Kel Adon,
Secrets, Mark Feldman
L'équilibre,
Tous les sens, Ariane Moffatt
Lento,
Skempton : Lento, BBC Symphony Orchestra & Mark Wigglesworth
Nocturne in F major Op.15 No. 1,
Chopin, André Laplante
Open Country Joy,
Meeting of the Spirits, Matt Haimovitz & Uccello
Space Oddity,
Best of Bowie (2002), David Bowie
The Cave,
Sigh no More, Mumford & Sons
The Trooper,
Piece of Mind, Iron Maiden
Tu, meu sonho vivo,
Art of Love, Robert Sadin (Milton Nascimento)
Vandanaa Trayee,
Apti, Rudresh Mahanthappa's Indo-Pak Coalition
Wild is the Wind,
Chamber Music Society, Esperanza Spalding
You Can't Always Get What You Want,
Hot Rocks 1964-1971, The Rolling Stones

TOP 15 des CD entiers
qui ont tourné en boucle...

8 Reflexiones,
  Caroline Planté
Ancient Sounds,
  Rahim Alhaj & Amjad Ali Khan
Apex,
  Rudresh Mahanthappa
Art of Love,
  Robert Sadin
Booker's Guitar,
  Eric Bibb
Gently Disturbed,
  Avishai Cohen Trio
Highway Rider,
  Brad Mehldau
Hot Rocks 1964-1971,
  The Rolling Stones
L'existoire,
  Richard Desjardins
Mostly Coltrane,
  Steve Kuhn Trio
Muse,
  Herman Yaron Trio
Poeta,
  Vicente Amigo
Sigh no More,
  Mumford & Sons
Songs from a World Apart,
  Armand Amar & Lévon Minassian
The Lost and Found,
  Gretchen Parlato
The 7th Song,
  Steve Vai